WHO IS WHO IM ALTEN ÄGYPTEN

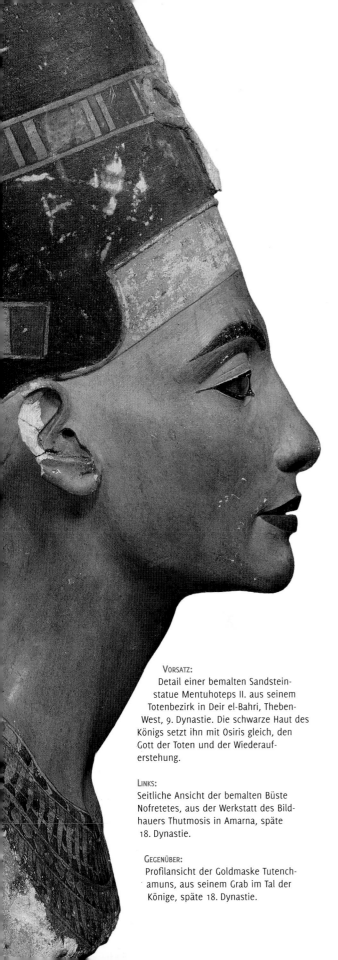

Toby Wilkinson

WHO IS WHO
IM ALTEN ÄGYPTEN

HERRSCHER
HÖFLINGE
HANDWERKER

Aus dem Englischen
von Helmut Schareika

INHALT

Englische Originalausgabe:
»Lives of the Ancient Egyptians«
Copyright © 2007 Thames & Hudson Ltd, London

Die Deutsche Nationalbibliothek verzeichnet diese Publikation
in der Deutschen Nationalbibliografie;
detaillierte bibliografische Daten sind im Internet über
http://dnb.d-nb.de abrufbar.

Lizenzausgabe für Verlag Philipp von Zabern, Mainz
ISBN: 978-3-8053-3917-9

© 2008 by WBG (Wissenschaftliche Buchgesellschaft), Darmstadt
Published by arrangement with Thames & Hudson, London
Die Herausgabe des Werkes wurde durch die Vereinsmitglieder der
WBG ermöglicht.

Typographie und Satz: *textus*: VerlagsService
Helmut Schareika, Gau-Algesheim a. Rh.
Printed and bound in Singapore by Tien Wah Press (Pte) Ltd.

Weitere Publikationen aus unserem Programm finden Sie unter:
www.zabern.de

RECHTS:
Detail der Sitzstatue (Kalkstein) von Netjerichet/Djoser, aus
dem Bezirk seiner Stufenpyramide in Sakkara, 3. Dynastie.
Djoser eröffnete durch die neuartige monumentale Gestaltung
des Königsgrabs das Pyramidenzeitalter.

LINKS:
Kalksteinrelief mit dem Gesicht des Hemiunu, aus Gisa,
4. Dynastie. Als ›Aufseher der Arbeiten‹ unter König
Chufu war Hemiunu für den Bau der Großen Pyramide
verantwortlich.

Links:
Bemaltes Kalksteinrelief von Eje aus seinem Grab in
Amarna, 18. Dynastie. Der Mann, der später König
werden sollte, trägt hier die gestufte Perücke, die in der
Amarnazeit Mode war.

EINFÜHRUNG

Wie lebte man wohl im alten Ägypten wirklich? Unser Eindruck von der Kultur der Pharaonen wird von den sichtbaren Überresten beherrscht, von Pyramiden, Tempeln und Gräbern. Doch was ist mit den Menschen, die sie in Auftrag gaben und sie erbauten, welche die Ämter der Zentral- und Provinzregierung besetzten, die in den Tempeln dienten, die kämpften, um Ägyptens Grenzen zu verteidigen, die sich auf den Feldern abplagten? Mit den Männern und Frauen im Niltal, die Ägyptens spektakuläre Kultur schufen und in Gang hielten? Selten begegnet man in der Literatur einem individuellen Blick auf das alte Ägypten, mit Ausnahme einiger gut bekannter Pharaonen beziehungsweise Königinnen wie Hatschepsut oder Amenhotep III., Ramses II. oder Kleopatra. Doch die Herrscher führten ihr Leben stark eingeschränkt durch Ideologie und Rituale, und aus diesem Grund sind sie oft weniger interessante Zeugen als ihre Untertanen. Daher ist es überraschend, dass über die gewöhnlichen Leute, welche die ägyptische Zivilisation unmittelbar erfuhren, so wenig geschrieben wurde. Denn nur, indem wir ihre Sehweise einnehmen, können wir die Mannigfaltigkeit und Komplexität des Lebens unter den Pharaonen ansatzweise würdigen. Darin besteht das einfache Ziel dieses Buches: Geschichte und Kultur des alten Ägypten über das Leben seiner Bewohner zu erkunden, ihnen ihre eigene Stimme zu geben.

Bei der Auswahl unserer hundert Personen war es das Ziel, Balance zu wahren – chronologisch, geografisch und sozial. Die Beschränktheit der verfügbaren Zeugnisse hat die Aufgabe nicht immer leicht gemacht. Nehmen wir den chronologischen Horizont der altägyptischen Kultur: 3000 Jahre trennten die Entstehung des ägyptischen Staates von seiner Einglie-

Wand aus Majolikaziegeln aus den Kammern unter der Stufenpyramide Djosers in Sakkara, 3. Dynastie. Die blau-grüne Farbe der Ziegel symbolisierte die Wiederauferstehung, während die Reihe der Djed-Pfeiler in dem Bogenfeld Stabilität und Dauerhaftigkeit bedeuteten.

9

derung in das Römische Reich. Oder in anderer Betrachtung: Die Ära der Großen Pyramide war weiter entfernt von der Zeit Kleopatras als diese von unserer Epoche. Wenn eine einzige Generation etwa dreißig Jahren entspricht, dann umspannte das alte Ägypten – als unabhängige, pulsierende Kultur – einhundert Generationen. Insofern sollte dieses Buch mit einhundert Lebensbildern jede Phase der Geschichte der Pharaonen in angemessener Detailtreue abdecken können. Leider erlauben die Zufälligkeiten der archäologischen Erhaltung keinen derart ausgeglichenen Zugang. Man weiß mehr über eine einzige Spanne von dreißig Jahren im 15. Jahrhundert v. Chr. (die sogenannte Amarna-Periode) als über das erste halbe Jahrtausend der ägyptischen Zivilisation (die Frühdynastische Zeit). Daher wurden in diesem Buch zehn Persönlichkeiten ausgewählt, welche erstere repräsentieren, während für die letztere nur acht Vertreter stehen. Gleichwohl wurde sorgfältig darauf geachtet sicherzustellen, dass jede bedeutendere Phase der altägyptischen Geschichte abgedeckt ist, nicht weniger als die Hauptwendepunkte: den Zusammenbruch des Alten Reiches, die Herrschaft der Hyksos, den Aufstieg der Ramessiden usw.

Die geografische Ausdehnung des alten Ägypten war genauso beeindruckend wie sein langes Überleben. Das Kernterritorium des Staates erstreckte sich vom Ersten Katarakt im Süden bis an die Küsten des Mittelmeeres im Norden, eine Distanz auf dem Fluss von ungefähr 1000 km. In bestimmten Perioden seiner Geschichte dehnte Ägypten seine Grenzen durch Eroberungen und Kolonisation noch weiter aus, so dass es auch Teile Nubiens und des Nahen Ostens einschloss. Innerhalb dieses riesigen Reiches konzentrierte sich das administrative und religiöse Leben auf zwei oder drei bedeutende Zentren: Memphis an der Deltaspitze; Theben in Oberägypten; und ab dem 13. Jahrhundert v. Chr. auf verschiedene Städte im mittleren und östlichen Delta. Es ist daher nicht überraschend, dass viele unserer Protagonisten in diesen großen Ballungsräumen lebten und starben. Doch waren auch die Provinzen bedeutsam und gestalteten in bestimmten Schlüsselmomenten das Schicksal des Landes. Damit man ein vollends abgerundetes Bild des Lebens unter den Pharaonen gewinnt, ist es entscheidend, den Bewohnern der Städte und Dörfer des ländlichen Ägypten Stimme zu verleihen – von den weiten Marschen des Deltas bis in das schmale Tal des südlichen Oberägypten. Unsere Zeugen schließen daher Bürger von Orten wie Busiris, Herakleopolis und El-Kab (Necheb) ebenso ein wie ihre Gegenbilder in den Metropolen.

Obgleich überraschend umfassend, sind die Zeugnisse altägyptischer Lebensbilder in keiner Weise durch die verschiedenen Sektoren der Gesellschaft gleich gestreut. Da die Mehrzahl der Monumente und Texte von Männern für Männer in Auftrag gegeben wurden, ist unser Blick auf die altägyptische Kultur fast ausschließlich durch eine männliche Optik gefiltert. Einige wenige Frauen erlangten, besonders in der Königsfamilie der 18. Dynastie, prominente Positionen, doch insgesamt bleibt das Leben der Hälfte der Bevölkerung dem Blick verborgen. In diesem Buch sind elf von hundert Persönlichkeiten Frauen: eine geringere Geschlechterschieflage als in vielen Darstellungen des alten Ägypten, doch weit von einer idealen Ausgewogenheit entfernt. Darüber hinaus beziehen sich die meisten Szenen und Inschriften auf Grab- und Tempelwänden, die Texte auf Statuen, Stelen und anderen Artefakten sowie die erhaltenen Papyrusdokumente auf Karrieren und familiäre Beziehungen innerhalb Ägyptens kleiner, gebildeter herrschender Klasse. Im Gegensatz dazu ist das Leben der lese- und schreibunkundigen Bauernschaft, die bis zu neunzig Prozent der Bevölkerung ausmachte, weithin undokumentiert. Doch sogar innerhalb der herrschenden Führungsschicht waren viele unterschiedliche ethnische Vorgeschichten repräsentiert. Ägypten war stets ein Schmelztiegel von Völkern und Kulturen, ein Kreuzweg zwischen Afrika, Asien und Europa. Ja in verschiedenen Zeiten waren sogar die Könige selbst Asiaten, Libyer, Nubier oder Makedonen. Deren Geschichten lichten den Vorhang des kulturellen Konservativismus, der in Kunst und Architektur verbreitet wurde, und zeigen Ägypten als multiethnische, dynamische Gesellschaft.

Während der drei Jahrtausende ägyptischer Geschichte oblag die wesentliche Sorge für Kontinuität und Stabilität vor allem den Bürokraten: den Männern, die in der königlichen Hofhaltung, in der Zentral- und der Provinzregierung Dienst taten. Diese Funktionäre sind einige der bestbekannten Gestalten aus der antiken Vergangenheit, und sie – vom Wesir bis zum Hofzwerg – haben ebenso ihre Geschichte zu erzählen. Gleichermaßen einflussreich waren in der pharaonischen Gesellschaft die großen Priestergruppen des Landes; kein Bild des alten Ägypten wäre vollständig, ohne dass man sein religiöses Personal einschlösse, vom Hohenpriester des Hauptstaatsgottes bis zur niederen Priesterin in einem Provinztempel. Ihnen schließen sich auf den folgenden Seiten zahllose andere an, darunter ein Arzt, ein Zahnarzt, ein Zeichner, ein Bildhauer, ein Architekt, ein Musiker, ein Soldat, ein Seemann, ein Bauer, eine Hausfrau, ein Krimineller, ein Historiker, sogar der erste Ägyptologe: Denn sie sind die wirklichen alten Ägypter, und ihre Erfahrungen geben die beste Vorstellung davon, wie das Leben im Niltal vor zwanzig, dreißig oder vierzig Jahrhunderten aussah.

TEIL 1 | GRUNDLAGEN

DIE FRÜHDYNASTISCHE ZEIT

Hölzernes Reliefpaneel Hesires aus seinem Grab in Sakkara, 3. Dynastie. Hesire trägt einen langen Stab (Symbol der Autorität) und hat seine Schreiberpalette über die Schulter geworfen (Zeichen für die Zugehörigkeit zur schreibkundigen Elite). Die sensible Modellierung und die porträtgleiche Qualität machen die Hesire-Reliefs zu Meisterstücken frühägyptischer Kunst.

Um 3000 v. Chr. entstand der erste Nationalstaat der Geschichte – in Ägypten. Im Niltal und im Delta (den Ägyptern selbst als die *Beiden Länder* bekannt) wurden die verschiedenen rivalisierenden Königreiche und Territorien, die sich über einen Zeitraum von tausend Jahren entwickelt hatten, zu einem einzigen Land vereint, über das ein einziger König herrschte, welcher göttliche Autorität beanspruchte. Dieser als Reichseinigung bekannte Prozess scheint sich ziemlich schnell zugetragen zu haben und umfasste bis zur Vollendung höchstens ein paar Generationen. Obwohl der genaue Ablauf der Ereignisse etwas nebelhaft bleibt, ist das Ergebnis klar: Die Könige von Thinis (This; äg. Tjeni), einem der zwei oder drei frühen Königreiche in Oberägypten (dem südlichen Niltal), gewannen die Oberhand. Sie überwanden nicht nur ihre Rivalen im Süden des Landes, sondern auch die Herrscher der Land- und Großstädte überall im Marschland des Deltas. Der uns als Narmer (Nr. 1) bekannte König ist der erste Monarch, von dem man verlässlich sagen kann, dass er über ganz Ägypten vom ersten Katarakt im Süden bis zur Küste des Mittelmeers im Norden herrschte. Von seinen nahen Zeitgenossen wurde er als Gründergestalt anerkannt und nimmt als erster König der 1. Dynastie einen besonderen Platz in der ägyptischen Geschichte ein.

Die Herausforderung für Narmer und seine unmittelbaren Nachfolger (Nr. 2–3) bestand darin, die Herrschaftsinstrumente für ihr neues, geografisch riesiges Reich zu entwickeln und durchzusetzen. Ägypten mangelte es sicher nicht an kultureller Dynamik: Im Niltal und im Delta waren in dem Jahrtausend – oder mehr – vor der Reichseinigung jeweils charakteristische, pulsierende Kulturen entstanden. Technisch überlegen und mehr im Einklang mit dem von der frühen herrschenden Klasse Ägyptens deutlich bevorzugten Bedarf stehend, hatte die oberägyptische Kultur ihr nördliches Pendant im Delta während der späten vordynastischen Periode verdrängt; darin spiegelte sich der Prozess der politischen Einigung, der gleichfalls von Süden her betrieben wurde. Die Könige der 1. Dynastie übernahmen diese kulturelle Tradition und verfeinerten und kodifizierten sie als Ausdruck der eigenen Macht des Hofes. Kunst und Architektur wurden zur Prestigesteigerung der Monarchie als Institution sorgfältig entwickelt und ermöglichten ihr so, Herausforderungen wie die Regentschaft Meritneiths (Nr. 2) oder den umfassenden Bürgerkrieg in den frühen Jahren von Chasechemuis Herrschaft (Nr. 4) zu bewältigen. Das Propagandafeuer funktionierte sensationell gut: Das Königtum wurde schnell zum ideologischen Kitt, der Ägypten zusammenhielt; Regierung ohne Monarchie war undenkbar. Eine der größten Errungenschaften der frühen Herrscher Ägyptens war so die Entwicklung einer Ikonografie und Ideologie königlicher Herrschaft, die – praktisch unverändert – die nächsten 3000 Jahre überdauerte.

Relativ wenig weiß man über die frühen Könige als Individuen, da die Hieroglyphenschrift noch im Frühstadium ihrer Entwicklung war und die Monarchie in jedem Fall hinter einem Vorhang von Geheimhaltung und Mysterium bestens gedieh. Doch können die politischen, ökonomischen und religiösen Programme dieser Herrscher aus Resten textlicher und archäologischer Zeugnisse erschlossen werden. Die ersten drei oder vier Jahrhunderte nach der Reichseinigung – bekannt als Frühdynastische Zeit – bildeten eine Periode bedeutender Innovationen und schneller Entwicklungen in der ägyptischen Kultur; in dieser Zeit wurde der Grund für alle bedeutenden Bausteine der Pharaonenkultur gelegt. Einige der zur Ausweitung und Aufrechterhaltung der staatlichen Macht benutzten Techniken sind uns noch heute vertraut. Während die Regierung ein Credo scharfen Nationalismus' entwickelte, um die eigene Legitimität zu untermauern, vermehrte sie die formellen Kontakte zu fremden Ländern und nutzte die Handelseinkünfte dazu, sie in immer aufwendigeren königlichen Projekten (insbesondere Königsgräbern) anzulegen. Im Innern verstärkte der Staat seinen Druck auf alle Verwaltungsbereiche, um insbesondere sicherzustellen, dass jeder Aspekt der nationalen Wirtschaft staatlicher Regulierung, wenn nicht direkter Kontrolle, unterworfen wurde. Die Einführung eines regulären Zensus über die Reichtümer des Landes in Kombination mit akribischer Buchführung schuf das Muster für Ägyptens dauerhafte Liebe zur Bürokratie.

Die beiden verknüpften Politikbereiche – wirtschaftliche und politische Zentralisierung sowie eine Obsession für monumentale Architektur – fanden unter der Herrschaft Djosers (Nr. 5) in der Errichtung der ersten ägyptischen Pyramide zusammen. Die gewaltige Ingenieurleistung, die erforderlich war, um einen Steinberg hoch auf der Sakkara-Ebene zu errichten, wurde durch die logistische Operation bewerkstelligt, die erforderlich war, die Steinblöcke zu brechen und zu transportieren sowie die Massen von Arbeitskräften zu rekrutieren, unterzubringen, zu ernähren und zu dirigieren. Die schiere Komplexität der Verwaltung eines Pyramidenbaus erzwang eher eine professionellere Bürokratie als die kleine Clique königlicher Verwandter mit wechselnden Verantwortungsbereichen, die anscheinend die Herrschaft unter den ersten beiden Dynastien charakterisierten. Männer wie Hesire (Nr. 6) und Metjen (Nr. 8) zeigen die wechselnde Natur hoher Ämter unter Djoser. Die auf ihren Grabmonumenten liebevoll festgehaltenen Titel erlauben uns zum ersten Mal einen schwachen Einblick in individuelle Karrieren. Der berühmteste Beamte im innersten Kreis des Königs, Imhotep (Nr. 7), erwarb noch größere Berühmtheit und wurde von späteren Generationen von Ägyptern als Gott der Gelehrsamkeit und des Wissens verehrt. Seine imposante Schöpfung, der Komplex der Stufenpyramide, beherrscht die 3. Dynastie und kennzeichnet sie als Übergangszeit, in der die Errungenschaften der formenden Periode Ägyptens gefestigt und die Kulissen für künftigen Ruhm arrangiert wurden.

Sitzstatute Imhoteps, Bronze, Spätzeit. Jahrhunderte nach seinem Tode wurde der Beamte Imhotep zum Gott der Weisheit und Heilkunde erhoben. Diese Votivstatue zeigt ihn mit einem auf seinem Schoß ausgerollten Papyrus; damit wird sein Ruf als Mann großer Bildung hervorgehoben.

1 | NARMER
ÄGYPTENS ERSTER KÖNIG

Wer ist der erste altägyptische König, den wir namentlich kennen? Die Ursprünge der Hieroglyphenschrift werden jetzt weiter hinten angesetzt, hinter dem Beginn der 1. Dynastie, in einer Zeit, da Ägypten noch eine Ansammlung konkurrierender Königreiche und noch nicht zu einem Nationalstaat vereinigt war. Es gibt aus dieser frühen Periode Zeichen-kombinationen, welche vielleicht Namen darstellen, doch wir können nicht sicher sein; in jedem Fall sind sie schwer zu lesen. Die Herrscher in Ägyptens prädynastischer Periode müssen vorerst anonym bleiben. Der erste König, dessen ›Name‹ lesbar ist und beständig auf Gegenständen von einfachen Gefäßscherben bis hin zu einem verzierten Keulenkopf vor-kommt, gehört ganz an den Beginn der Dynastienfolge. Sein berühmtes-tes Artefakt, eine Zeremonialpalette aus dem Tempel von Hierakonpolis (äg. Nechen) steht in der Eingangshalle des Ägyptischen Museums zu Kairo und begrüßt dort die Besucher zu Beginn ihres Rundgangs durch 3000 Jahre Pharaonenkultur. Sie wurde geradezu zum Sinnbild der Begründung einer großen Zivilisation; der König, für den sie hergestellt wurde, ist als erster in der ägyptischen Geschichte anerkannt.

Sein Name ist Narmer – nur dass die Lesung ›Narmer‹ so gut wie sicher falsch ist. Die beiden zur Schreibung des Namens benutzten Zeichen, ein Wels(-Fisch) und ein Meißel, hatten in späteren Phasen der Hierogly-phenschrift tatsächlich den phonetischen Wert ›nar‹ und ›mer‹, doch gibt es zwingende Gründe für die Überlegung, dass sie in dieser frühen Peri-ode andere Laute darstellten. Ja, vielleicht ist sogar der ›Name‹ Narmer gar kein Name, eher eine Kombination von Symbolen, die den König mit den unbändigen Kräften der Natur (Wels) und ihrer eklatanten Macht (Meißel) in Verbindung brachten. Insofern würde er zu der vorherr-schenden Ausdrucksweise gehören, die man in prähistorischer königlicher Ikonografie findet. Diese Erklärung von Narmers Namen würde seine Identifikation als Gestalt des Übergangs stützen, deren überdauernde Errungenschaft darin bestand, die Ideologie und Ikonografie königlicher Macht in neue, dauerhafte Formen umzugestalten, welche die nächsten drei Jahrtausende überdauern sollten.

Was wissen wir über den Menschen Narmer? Um 3000 v. Chr. wurde er König und stammte so gut wie sicher aus der oberägyptischen Stadt Thinis/This (äg. Tjeni, beim heutigen Dschirga); dieser Ort war eines der frühen Zentren der ägyptischen Zivilisation und Hauptstadt eines König-reiches, das in den letzten Jahren der prädynastischen Zeit den Nordteil Oberägyptens, den größten Teil Mittelägyptens und Teile des Deltas ein-schloss. Ob durch Diplomatie oder Gewalt, Narmer dehnte seine Macht über ganz Ägypten aus, vom Ersten Katarakt bis zum Rand des Deltas. Ein Schlüsselereignis in diesem Prozess des territorialen Zusammen-schlusses war vielleicht Narmers Heirat mit einer Frau namens Neithhotep. Nach der Lage ihres Grabes zu urteilen, stammte sie aus einer alten Königsfamilie aus Nagada (äg. Nubt), einem der mit Thinis rivalisierenden Zentren Oberägyptens, das er einige Jahre zuvor erobert haben mag. Eine strategische Allianz zwischen diesen beiden Königsfamilien wäre eine gute Basis zur Schaffung eines breiteren politischen Konsenses gewesen. Aus dem gleichen Antrieb heraus unternahm Narmer Anstrengungen, dem Horus-Heiligtum in Hierakonpolis Ehren zu erweisen, das dritte bedeutende Zentrum oberägyptischer Macht. Horus war nicht nur der Lokalgott der Stadt, sondern auch Gott des Königtums. Diesem Kult zu huldigen diente damit dem zweifachen Ziel, Narmers Qualifikation als König zu stärken, während er die Führungsschicht von Hierakonpolis damit befriedigte, dass ihr neuer Herrscher – obwohl kein Einheimischer – beabsichtigte, ihre Traditionen zu respektieren.

Die beiden eindrucksvollsten Objekte, die Narmer dem Horustempel stiftete, waren vollendete Beispiele königlicher Ikonografie und machtvolle Bekundungen der Größe königlicher Macht. Der zeremonielle Keulenkopf zeigte den König unter einem Baldachin thronend bei der Betrachtung einer Parade von Gefangenen und Tributobjekten und beim Vollzug von Ritualen, die mit den beiden Örtlichkeiten in Verbindung standen – Buto (äg. Djebaut) im nordwestlichen Delta und Hierakonpolis in Oberägypten selbst; diese symbolisierten die beiden äußersten geografischen Enden des neuen Reiches. Die verzierte Palette trug Szenen von ähnlich symbolischer Art: Der König schlägt einen gefesselten Gefangenen, inspiziert Reihen erschlagener, enthaupteter Feinde, reißt die Mauern einer aufrührerischen Festung nieder. Ob nun der Feind einen Anführer aus dem Delta oder einen fremdländischen Stammesgenossen darstellte, die Botschaft war dieselbe und ist kristallklar: Als König ganz Ägyptens würde Narmer keine Opposition dulden. Er würde Ägyptens Grenzen verteidigen, doch die Voraussetzung dafür war die unerschütterliche Loyalität des gesamten Volkes. Diese kompromisslose Botschaft wurde an Ägyptens Südgrenze durch die Errichtung einer wuchtigen Festung auf der Insel Elephantine (äg. Abu) verstärkt, welche sowohl den Zugang über den Fluss von Nubien her bewachte als auch über der heimischen Bevölkerung aufragte. Der autoritäre Charakter des Gottkönigtums war schon fest etabliert.

Die Fremdenfeindlichkeit der Staatspropaganda – auf einem Zylindersiegel aus Hierakonpolis ist Narmer dargestellt, wie er eine Gruppe Libyer schlägt, während ein Elfenbeinfragment aus seinem Grab einen bärtigen Asiaten zeigt, der sich ehrerbietig vor dem König verneigt – verhüllte eine pragmatischere Haltung gegenüber Beziehungen zum Ausland. Die Funde ägyptischer Keramik aus der Zeit Narmers an Plätzen im gesamten nördlichen Delta und im südlichen Palästina lassen auf aktiven Handel zwischen den beiden Regionen schließen. Der Königshof wandte alle Mühen auf, an die kostbaren Waren zu gelangen, derer er bedurfte, um seine wirtschaftliche und politische Vorherrschaft zu bewahren. Eine

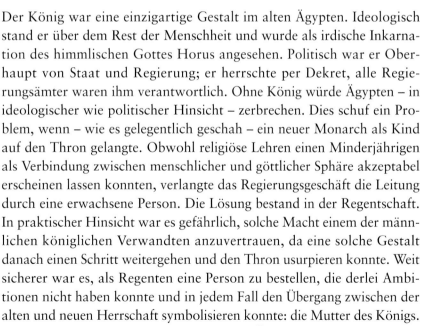

Reihe von Inschriften, die in einen freistehenden Felsen im Herzen von Ägyptens östlicher Wüste gehauen sind, zeugen von einer Expedition, die Narmer in diese abgelegene Gegend aussandte, wahrscheinlich zur Suche nach Gold oder hochwertigem Gestein.

Gegenstände, die Narmers Namen tragen, wurden an Plätzen überall in Ägypten gefunden und weisen auf einen König, dessen Autorität auf einem größeren Gebiet anerkannt war als im Falle aller seiner Vorgänger. Neuzeitliche Forscher haben diskutiert, ob ihm oder seinem unmittelbaren Nachfolger Aha die Position am Beginn der 1. Dynastie zuzusprechen sei. Über die Könige nach Narmer gab es keine solche Diskussion. Die Nekropolensiegel sowohl von Den (Nr. 3) als auch Kaa aus der Mitte beziehungsweise vom Ende der 1. Dynastie geben Narmer den ersten Platz in der Liste der Herrscher Ägyptens. Für sie war Narmer die unzweifelhafte Gründergestalt. Fünftausend Jahre später scheint es abseitig, dem zu widersprechen.

2 | MERITNEITH
ERSTMALS: DIE ZÜGEL DER MACHT IN DEN HÄNDEN EINER FRAU

Der König war eine einzigartige Gestalt im alten Ägypten. Ideologisch stand er über dem Rest der Menschheit und wurde als irdische Inkarnation des himmlischen Gottes Horus angesehen. Politisch war er Oberhaupt von Staat und Regierung; er herrschte per Dekret, alle Regierungsämter waren ihm verantwortlich. Ohne König würde Ägypten – in ideologischer wie politischer Hinsicht – zerbrechen. Dies schuf ein Problem, wenn – wie es gelegentlich geschah – ein neuer Monarch als Kind auf den Thron gelangte. Obwohl religiöse Lehren einen Minderjährigen als Verbindung zwischen menschlicher und göttlicher Sphäre akzeptabel erscheinen lassen konnten, verlangte das Regierungsgeschäft die Leitung durch eine erwachsene Person. Die Lösung bestand in der Regentschaft. In praktischer Hinsicht war es gefährlich, solche Macht einem der männlichen königlichen Verwandten anzuvertrauen, da eine solche Gestalt danach einen Schritt weitergehen und den Thron usurpieren konnte. Weit sicherer war es, als Regenten eine Person zu bestellen, die derlei Ambitionen nicht haben konnte und in jedem Fall den Übergang zwischen der alten und neuen Herrschaft symbolisieren konnte: die Mutter des Königs.

Die erste bezeugte Regentschaft erlebte Ägypten in der Mitte der 1. Dynastie. Der alte König, Djet, war gestorben und hinterließ den Thron seinem Nachfolger Den (Nr. 3). Da der neue Monarch noch ein Kind war, regierte an seiner Stelle seine Mutter Meritneith. Sie war die Frau und Mutter eines Königs und war vielleicht auch die Tochter eines Königs, nämlich des zweiten Herrschers der Dynastie, Djer. Meritneiths Amtszeit

ist das erste sichere Beispiel einer Frau, die in Ägypten die Zügel der
Macht in Händen hielt. Natürlich trugen alle offiziellen Dokumente den
Namen des herrschenden Königs, trotz dessen Minderjährigkeit, daher ist
sie nur selten namentlich bezeugt: auf drei Gefäßfragmenten und einem
kleinen Elfenbeingefäß aus der Gegend von Sakkara. Als der De-facto-
Herrscherin Ägyptens jedoch kam Meritneith das Privileg eines vollständigen Begräbniskomplexes im angestammten königlichen Bestattungs-

Der Palermo-Stein. Der Text enthält eine Sammlung in einen
Basaltblock eingemeißelter Annalen, die in der 5. Dynastie verfasst wurden. In dem horizontalen Streifen über dem dritten
Register bilden die drei Hieroglyphen an der rechten Kante
einen Teil von Meritneiths Namen,
der Mutter von Den.

gelände in Abydos (äg. Abdju) zu. Ihr Grab war oberirdisch auf die traditionelle Art mit einem Paar hoher Grabstelen gekennzeichnet, welche den Namen des Grabinhabers in erhabenem Relief trugen.

Diese architektonische Bestätigung von Meritneiths Regentschaft scheint eine von ihrem Sohn Den persönlich getroffene Entscheidung gewesen zu sein, als er die Volljährigkeit erreichte. Sein Name ist auf Objekten von Meritneiths Bestattung prominent herausgestellt, und sein unlängst entdecktes Nekropolensiegel führt ›des Königs Mutter Meritneith‹ zusammen mit den vorhergehenden Herrschern der 1. Dynastie auf, die mit Narmer (Nr. 1) beginnt. Im Gegensatz dazu lässt das Siegel Kaas, des letzten Königs der Dynastie, Meritneith aus, was darauf hinweist, dass ihr nach der Herrschaft ihres Sohnes nicht mehr der gleiche Status wie den De-jure-Herrschern der Zeit zuerkannt wurde. Doch zeit ihrer Regentschaft und zur Erinnerung an ihr Leben als Königinmutter zeigte sich deutlich ein starkes Band zwischen Meritneith und Den. Der Sohn vergalt der Mutter ihre Loyalität und Unterstützung in der angemessensten Weise, mit einem zu einem König passenden Grab.

3 | DEN
REFORMHERRSCHER DER 1. DYNASTIE

Den ist der am besten bezeugte König der 1. Dynastie. Auch wenn man seine Thronbesteigung als Kind einrechnet, erfreute er sich einer sehr langen Herrschaft: Ein unlängst gefundenes Fragment eines Kalksteingefäßes aus dem Anbau seines Grabes erwähnt ›die zweite Gelegenheit des *Sed* (-Festes)‹; das *Sed*-Fest war das königliche Jubiläum, das gewöhnlich nach dreißig Herrschaftsjahren und darauf in häufigeren Intervallen gefeiert wurde. Natürlich ist die lange Amtszeit eines Königs nicht für sich bemerkenswert; doch Dens Zeit auf dem Thron war eine Periode außergewöhnlicher Innovationen, bedeutender kultureller und materieller Entwicklungen auf fast allen Gebieten, die Ägypten zu einem weiteren, entscheidenden Schritt auf dem Weg eines werdenden Staates zu einer großen Zivilisation verhalfen.

Gleich zu Beginn verkündete er seine Reformvorhaben, beginnend mit der königlichen Titulatur. Zuvor waren die Könige als Inkarnation des Horus und ihre Herrschaft als unter dem Schutz der beiden Herrinnen stehend bezeichnet worden, der Schutzgöttinnen Ober- und Unterägyptens. Zu diesen beiden etablierten Titeln fügte Den einen dritten hinzu, *nesut-biti*, wörtlich ›der aus der Binse und mit der Biene‹. Am besten übersetzt als ›Doppelkönig‹, bezeichnete er die vielen Dualitäten, über die der Monarch waltete – Göttliches und Menschliches, Sakrales und Säkulares, Niltal und Delta, Flutebene und Wüste, Osten und Westen –, womit betont wurde, dass die der Schöpfungsordnung inhärente Harmonie der

Gegensätze in ihrem Fortbestand von der Person des Königs abhing. Diese Weiterentwicklung der Ideologie des Königtums spiegelte sich darüber hinaus in der Wahl einer neuen Krone, welche den weißen Kopfschmuck Oberägyptens und den roten Unterägyptens miteinander verband. Den signalisierte, dass er König *Beider Länder* – von allen – zu sein gedachte.

Blickt man über Ägyptens Grenzen, inaugurierte Den hinsichtlich der Nachbarländer eine neue Politik. Einer seiner Zweitnamen war Zemti, was ›von der Wüste‹ bedeutet, und er scheint sich besonders für Ägyptens trockene nordöstliche Grenzzone interessiert zu haben. Aus seiner Herrschaft existieren Zeugnisse für militärische Aktivitäten in Südpalästina (tatsächliche oder rituelle) sowie Handelsexpeditionen, welche die Küstenroute vom Delta aus nahmen. Die Früchte solcher wachgehaltener Kontakte sieht man in der großen Zahl syro-palästinischer Gefäße – vermutlich enthielten sie wertvolle Öle und Salbstoffe –, die unter Dens Herrschaft nach Ägypten importiert wurden.

Einer Intensivierung von Aktivitäten nach außen entsprachen Verwaltungsreformen zu Hause. Die offenkundige Zunahme der Anzahl hoher Beamter an Dens Hof dürfte Veränderungen in der Regierungsstruktur spiegeln. Eine straffere königliche Kontrolle über die Staatsangelegenheiten verlangte nicht nur fähige Verwaltungsbeamte, sondern auch eine akkurate Erfassung der Bevölkerung und der Ressourcen des Landes. Auch darum kümmerte sich Den: Ein Vermerk aus der Mitte seiner Herr-

Grab des Den in Abydos, 1. Dynastie. Der Eingangskorridor war eine Neuerung, er ermöglichte einen leichteren Zugang des Totenzuges zur Grabkammer. Die Nebenkammern um den letzten Ruheplatz des Königs waren für königliche Gefolgsleute.

Elfenbeinplättchen aus Dens Grab in Abydos, 1. Dynastie. Ursprünglich an einem Paar königlicher Sandalen befestigt, zeigt das Bild den König, wie er im rituellen Akt einen Feind Ägyptens erschlägt; dieser wird hier als ›Ostländer‹ bezeichnet, d. h. als Bewohner des Hügellandes im nördlichen Sinai oder südlichen Palästina.

schaft in den im späten Alten Reich verfassten Königsannalen (dem sogenannten Palermostein) berichtet von einem »Zensus der ganzen Bevölkerung des Nordens, Westens und Ostens«. Um Nutzen zu bringen, mussten all diese Informationen aufgezeichnet und archiviert werden. Es dürfte kein Zufall sein, dass die früheste Papyrusrolle aus Ägypten unter den Grabobjekten von Dens Kanzler Hemaka gefunden wurde.

Das Endergebnis all dieser Bemühungen – wachsender Außenhandel, Durchorganisierung der Verwaltung und Verbesserung der Wirtschaftsführung – war die Fähigkeit, vermehrte Ressourcen der Förderung des Königtums zu widmen, indem die traditionellen Verpflichtungen des Souveräns erfüllt wurden. So hält der Palermostein Dens Gründung eines neuen Tempels mit Namen ›Throne der Götter‹ fest, während der König sich auch andere religiöse Aktivitäten angelegen sein ließ, darunter Besuche bedeutender Heiligtümer, Weihung neuer Kultbilder und Förderung von Ritualen wie der Unterhaltung des Apis-Stiers. Eine überquellende königliche Schatzkammer erlaubte es Den auch, neue immer eindrucksvollere Monumente in Auftrag zu geben. In Abydos (äg. Abdju) erbauten seine Architekten ein prachtvolles Königsgrab mit einer bedeutenden Neuerung: einer Zugangstreppe zur Grabkammer. Diese erleichterte in höchstem Maß die Einrichtung des Grabes und wurde rasch im gesamten Ägypten übernommen. Hinsichtlich Dens eigener Grabausstattung übertrafen seine Handwerker sich selbst. Steingefäße in verblüffender Mannigfaltigkeit der Formen – von der Nachahmung von Binsenkörben bis hin zu Blumen – waren ein besonders elegantes Produkt königlicher

Werkstätten. Unter Den erreichte die ägyptische Kultur eine neue Ebene des Raffinements.

4 | CHASECHEMUI
VORBOTE DER PYRAMIDENÄRA

Die 2. Dynastie ist eine der dunkelsten Perioden der altägyptischen Geschichte. Nicht nur weist sie weniger – und weniger gut bekannte – Monumente als die vorhergehenden und nachfolgenden Dynastien aus, ihre Könige sind ebenfalls meist schattenhafte Gestalten, kaum bezeugt in schriftlichen oder archäologischen Dokumenten. Eine bemerkenswerte Ausnahme bildet der letzte König der 2. Dynastie, dessen Herrschaft einen entscheidenden Wendepunkt in der Entwicklung der ägyptischen Kultur markierte.

Zu Beginn seiner Regierung übernahm er den Horusnamen Chasechem, ›die Macht ist erschienen‹; das war eine prophetische Feststellung, da er auf ein Jahrhundert oder mehr der einflussreichste Monarch sein sollte. Er zeigte ein besonderes Interesse für die Stadt Hierakonpolis (äg. Nechen, heute Kom el-Ahmar), eines der frühen Zentren der ägyptischen Monarchie, sowie für deren dem Horus, dem Gott des Königtums, geweihten lokalen Tempel. Hier stiftete Chasechem eine Reihe von Votivgaben, darunter Travertin- und Granitgefäße sowie zwei Sitzstatuen von sich, einen aus Kalkstein, den anderen aus Schluffstein. All diese Objekte trugen Inschriften, die nicht nur ihren königlichen Stifter benennen, sondern auch auf eine militärische Aktion gegen einen Feind im Norden Bezug nehmen. Jedes der Gefäße ist mit einer Darstellung der Geiergöttin Nechbet verziert, der Schutzgottheit Oberägyptens, die auf einem Ring mit dem Wort ›Aufrührer‹ steht; ein begleitender Text beschreibt die Szene als »das Jahr des Kampfes gegen den nördlichen Feind«.

In ähnlicher Richtung tragen die Basen von Chasechems Statuen Inschriften, die besiegte Feinde in verzerrten Positionen zeigen, dazu die Aufschrift »Feinde aus dem Norden 47 209«. Obgleich diese Anspielungen auf Militäraktionen gegen Unterägypten einen rituellen Akt darstellen könnten, dürfte es wahrscheinlicher sein, dass sie sich auf ein aktuelles historisches Ereignis beziehen: einen Bürgerkrieg mit dem Norden, in dem Chasechem kämpfte, um die Kontrolle über das gesamte Land zurückzugewinnen.

Chasechems Kampf um die Vorherrschaft war nicht auf eine Konfrontation mit einem Feind im Norden beschränkt. Ein Stelenfragment aus Hierakonpolis zeigt einen besiegten nubischen Feind, Teil einer Triumphszene mit der Aufschrift »Demütigung des fremden Landes«. Es scheint, der König habe sich gegen Rivalen um seinen Thron aus zwei Richtungen behaupten müssen. Der Kampf gegen Unterägypten wurde schließlich zugunsten Chasechems entschieden, und er markierte seinen Sieg durch Änderung seines Namens in die Dualform Chasechemui, ›die beiden Mächte sind erschienen‹; diese war bewusst nach dem Namen des Begründers der 2. Dynastie Hetepsechemui gebildet und verkündete so ein Programm nationaler Erneuerung. Chasechemui verstärkte die Botschaft, indem er seinem Namen das Epitheton ›die beiden Herren sind in ihm in Frieden‹ hinzufügte. Das war ein klarer Hinweis darauf, dass die Wirren der frühen Jahre seiner Herrschaft vorüber waren. Das Land konnte nun auf erneuerten Frieden und Wohlfahrt vorausblicken.

Eine der unmittelbaren Folgen einer Rückkehr zu innerer Stabilität war ein Aufschwung in Ägyptens internationalen Kontakten. Wieder aufgenommen wurden Handelsverbindungen mit Byblos an der Küste des Libanon, wahrscheinlich um die Versorgung mit Zedernholz zum Schiffsbau zu regeln. Seetüchtige Schiffe ermöglichten es Ägypten, mit seinen Mittelmeernachbarn Handel zu pflegen und ebenso seinen politischen Einfluss in der Region zu verstärken. Ein Steinblock aus dem Tempel zu Hierakonpolis, der fremde Länder auflistet, hielt wahrscheinlich Tribute oder im Kampf erschlagene Feinde fest; dazu bewahrt ein Siegelabdruck das früheste Vorkommen des Titels ›Vorsteher über fremde Länder‹. Beides legt nahe, dass Ägypten unter Chasechemui mit einer Politik der Eroberung und Annexion von Territorien jenseits seiner Grenzen begann.

Die erhöhten Einkünfte, die der königliche Staatsschatz verbuchte, waren die Grundlage für den Aufschwung staatlicher Bauprojekte. Chasechemui wurde zum bedeutenden Förderer des Tempelbaus in Oberägypten, an Stätten wie El-Kab (äg. Necheb) bis El-Gebelein (äg. Inreti). In Hierakonpolis gab er zusätzlich zur Vergrößerung des Tempels einen gewaltigen Kultbezirk (jetzt als die Feste bekannt) in Auftrag, der nahe der Stadt erbaut wurde. Er wurde aus Lehmziegeln mit einige Meter dicken Wänden errichtet und war um das Eingangstor mit Reliefs in rosa Granit verziert, die den König bei der Teilnahme an königlichen Riten zeigten. Vom umliegenden Gebiet weithin sichtbar, diente der Bau als Mittelpunkt zur Feier des Königskultes.

Im Bruch mit der noch jungen Praxis entschied sich Chasechemui für die traditionelle, geheiligte Königsnekropole zu Abydos (äg. Abdju), als er seine eigenen Bestattungsvorkehrungen plante. Sein gewaltiges Grab verwandte in noch größerem Umfang behauenen Kalkstein (zur Auskleidung der Grabkammer), als jedes Monument zuvor und wies so den Weg zur extensiven Verwendung von Stein unter der Herrschaft seines Nachfolgers. Die Grabbeigaben waren nicht weniger beeindruckend und zeugen von Können und Raffinement der königlichen Werkstätten: Vasen aus Dolomitkalkstein mit Blattgoldauflage, ein Königsszepter aus Gold und dem kostbaren Karneol (Sarder), schließlich ein Bronzekrug und -becken. Diese letzteren Gegenstände sind die frühesten aus Ägypten bekannten Bronzeobjekte; das zu ihrer Herstellung erforderliche Zinn muss aus Anatolien gekommen sein, seine Beschaffung veranschaulicht die Wirksam-

Sitzstatue (Kalkstein) des Chasechemui, späte 2. Dynastie. Der
König ist in dem engsitzenden
Gewand des *Sed*-Jubiläumsfestes
dargestellt. Die Statuenbasis trägt
eine rätselhafte Inschrift, auf der
eine große Zahl ›nördlicher
Feinde‹ erwähnt wird, möglicherweise in Bezug auf ein historisches Ereignis oder ein königliches Ritual.

keit des unter Chasechemuis Herrschaft erneuerten Handels mit dem östlichen Mittelmeer.

Wie seine Vorgänger aus der 1. Dynastie beschloss Chasechemui, sein (auf Sicherheit ausgelegtes) Grab mit einer (auf die Öffentlichkeit hin angelegten) Einfriedung zu ergänzen, die in der flachen Wüste gegenüber der Stadt Abydos eingerichtet wurde. Heute ist diese Anlage als Schunet el-Zebib (arabisch ›Rosinen-Lager‹ bekannt, worin sich ihre jüngere Zweckbestimmung widerspiegelt), ein wirklich eindrucksvoller Bau. Mehr als 4500 Jahre nach seiner Errichtung ragt er immer noch über die umgebende Landschaft auf. Die östliche Mauer, die der Stadt nächste, war mit alternierenden Nischen und Strebepfeilern verziert, so dass sie an die Fassade der königlichen Anlage zu Memphis (äg. Ineb-hedj, ›weiße Mauer‹) erinnerte und so ihre königlichen Assoziationen vermittelte. In dieser und anderer Hinsicht ebnete Chasechemuis Grabbezirk den Weg für das von seinem Nachfolger Djoser (Nr. 5) errichtete Grabmonument.

Insofern lässt Chasechemuis Herrschaft in puncto Ehrgeiz und Pracht das Pyramidenzeitalter vorausahnen. Seine politischen Erfolge stellten die innere Stabilität und die Prosperität wieder her, die für die großen kulturellen Errungenschaften seiner Nachfolger nötig waren.

5 | DJOSER
ERBAUER DER STUFENPYRAMIDE

Pyramiden sind der geradezu emblematische Inbegriff der Monumente des alten Ägypten. In ihrer architektonischen Vollendung und mit der außerordentlichen organisatorischen und logistischen Spitzenleistung, die sie darstellen, unterstreichen sie die Ära, in der sie erbaut wurden, als die erste große Periode ägyptischer Kultur, als die Ressourcen des Landes gebündelt und wie nie zuvor auf staatliche Bauprojekte gelenkt wurden. In den Annalen des alten Ägypten ist daher ein besonderer Platz für den König reserviert, dessen Herrschaft Zeuge der Beginn dieser Tradition monumentaler Steinarchitektur war. Auf zeitgenössischen Monumenten ist er nur mit seinem Horusnamen Netjerichet bezeugt – (›Horus ist der Göttlichste in der Gemeinschaft [der Götter]‹) –, besser bekannt ist er unter dem Namen, der in späteren Quellen auftaucht: Djoser (›heilig‹).

Djoser war ein Mitglied derselben königlichen Familie wie sein unmittelbarer Vorgänger Chasechemui (Nr. 4). Die Frau des Letzteren und Mutter seiner Kinder, Nimaathap, war in Djosers Regierungszeit als ›die Königinmutter‹ bekannt. Keine Inschrift stellt explizit fest, dass Djoser Chasechemuis Sohn war, doch die Indizienbeweise machen es sehr wahrscheinlich. Wo Djoser mit der vorherigen königlichen Tradition brach, das war der geografische Mittelpunkt seiner Aktivitäten – seine erhaltenen Bauten konzentrieren sich mehr im Norden als im Süden des Landes

– und die Örtlichkeit sowie die Gestaltung seines Begräbniskomplexes. Die Stufenpyramide beherrscht moderne Berichte über Djosers Herrschaft genauso wie die Sakkara-Ebene, wo sie erbaut wurde. Der Bau markierte einen Wendepunkt: In der Architektur stellte er das erste Monument Ägyptens dar, das vollständig aus behauenem Kalkstein ausgeführt wurde; hinsichtlich der Bautechnik gab er den Ingenieuren Gelegenheit, das gesamte Potential des Steins als Baumaterial auszunutzen; in der Organisation verlangte und veranlasste er die Entwicklung einer systematisch handelnden regionalen Regierung und eine professionelle Bürokratie.

Die Entstehung einer Beamtenklasse, die sich in großdimensionierten Statuen repräsentiert, ist ein Schlüsselmerkmal von Djosers Herrschaft. Die führenden Männer seines Hofes bilden die früheste Gruppe hochrangiger Würdenträger, deren Persönlichkeit bekannt ist. Neben dem obersten Ratgeber des Königs, Imhotep (Nr. 7), gehörten die Gebietsverwalter Anch und Sepa dazu, die gleichfalls eine Anzahl wichtiger Priesterämter innehatten; der Vorsteher der Königlichen Barke (des Staatsschiffs des Königs), Anchua; der Chefzahnarzt Hesire (Nr. 8); schließlich Chabausokat, der Vorsteher der königlichen Werkstätten, in denen die Statuen all dieser Personen hergestellt wurden. Seine Handwerker schufen auch Darstellungen von Djosers weiblichen Verwandten: seiner Frau Hetephernebti (die vielleicht auch eine Tochter des vorhergehenden Königs Chasechemui war), bekannt unter dem Spitznamen ›Die-den-Horus-sieht‹ (das heißt den König); seine Tochter Intkaes und eine weitere Prinzessin, ›Die-Königstochter-seines-Leibes‹, Redji, deren Gesicht deutliche Ähnlichkeiten mit Reliefdarstellungen Djosers zeigt. Die vornehme Basalt-Sitzstatue von Redji ist das früheste erhaltene Beispiel einer Statue, die ein benanntes weibliches Mitglied der ägyptischen Königsfamilie darstellt.

Die einzige erhaltene dreidimensionale Skulptur des Königs selbst ist eine lebensgroße Sitzstatue aus dem *Serdab* (Statuenkammer) seiner Pyramide, die ihn zeigte, wie er das Andenken an sich wünschte: gekleidet in das lange, eng anliegende Gewand in Verbindung mit dem *Sed*-Fest; dazu den königlichen *Nemes*-Kopfschmuck auf einer schweren Perücke; das Gesicht mit den charakteristischen markanten, alles hörenden Ohren, den hohen Wangenknochen, dicken Lippen und einem breiten Mund, der ihm den Ausdruck grimmiger Entschlossenheit verleiht.

Djosers Herrschaft zeugt von einem Aufschwung an Kreativität, die bis auf die königliche Ikonografie ausgriff. Statuenbasen vom Komplex der Stufenpyramide zeigen die Köpfe von Asiaten und Libyern, der traditionellen Gegner Ägyptens; indem er sich selbst auf seinen Feinden stehend darstellen ließ, zeigte Djoser, dass er die allererste Pflicht des ägyptischen Königs erfüllte – das Land zu verteidigen – und anderen Möchtegern-Gegnern ein machtvolles Zeichen entgegensetzte. Die innovative Architektur des Komplexes der Stufenpyramide legte in besonderem Maße Betonung auf die königliche Ideologie, indem sie einen zeitlosen Rahmen für

Detail eines Reliefpaneels (Kalkstein) aus den Kammern unterhalb der Stufenpyramide des Djoser in Sakkara, 3. Dynastie. Der Künstler war bemüht, die charakteristische Physiognomie des Königs darzustellen, mit breiter Nase und dicken fleischigen Lippen.

wesentliche königliche Rituale lieferte. Der große Hof vor der Pyramide bildete den Prospekt für die offiziellen Auftritte des Königs und die Arena für die Zeremonie der ›Feldumschreitung‹, bei der er symbolische Territorialmarkierungen ab- und umschritt, um seinen Anspruch auf Ägypten erneut festzustellen. Südwärts zur Pyramide war ein getrennter Hof als ewiges Szenario für das *Sed*-Fest bestimmt, ein königliches Jubiläum, bei dem der König die Ehrerbietungen von Volk und Göttern empfing, bevor er zum Zeichen der Verjüngung seiner Herrschaft wieder gekrönt wurde. Djosers *Sed*-Fest bezeichnete wahrscheinlich die Gelegenheit, das die Errichtung eines Heiligtums für die Enneade (Neun-Götter-Gruppe) in Heliopolis (äg. Iunu) veranlasste. Die Förderung dieses Platzes durch den König spiegelte die wachsende Bedeutung des dortigen lokalen Kultes, den des Sonnengottes Re, und der damit verbundenen Priesterschaft wider.

Neben Bauprojekten in Sakkara und Heliopolis sandte Djoser auch Expeditionen in das Wadi Maghara im südwestlichen Sinai aus, die dort nach kostbarem Türkis und vielleicht Kupfer schürfen und sie für die königlichen Werkstätten heimbringen sollten. In Bait Challaf in Oberägypten wurden in seiner Regierungszeit die größten je gesehenen Privatgräber erbaut; eines von ihnen war vielleicht das Grabmonument seiner eigenen Mutter Nimaathap. Anders als diese flüchtigen Einblicke sind die Ereignisse aus Djosers Herrschaft nur durch weit spätere Inschriften bezeugt wie die unter der Regierung Ptolemaios' V. gemeißelte Hungerstele. Aus der Ferne von 2500 Jahren kann sie kaum als verlässliche Quelle dienen, doch demonstriert sie die Langlebigkeit der Erinnerung an Djoser.

Mehr als ein Jahrtausend nach seinem Tod stellte der Ramessidenhof die als Turiner Königspapyrus bekannte Königsliste zusammen, welche die Herrscher Ägyptens in größere historische Gruppen einteilte. Als der Schreiber zum Namen Djosers kam, wechselte er die Tinte an seiner Feder und schrieb in rot statt im üblichen schwarz. Er zweifelte nicht daran, dass die Thronbesteigung Djosers den Beginn einer neuen Ära markierte: das Zeitalter der Pyramiden.

6 | Hesire

Chefzahnarzt am Hofe Djosers

Gesundheitsfürsorge, wenigstens für die herrschende Führungsschicht, war im alten Ägypten überraschend weit fortgeschritten und schon in früher Zeit entwickelt. Ein medizinisches Handbuch, das eine breite Vielfalt von Leiden behandelt, datiert, so meint man, in das Alte Reich; dagegen trug Merka, ein hoher Beamter am Ende der 1. Dynastie unter vielen anderen den Titel eines ›Skorpiondoktors‹. Medizinisches Wissen wurde offenbar im Verlauf einer allgemeineren Bildung erworben, und Praktiker der Gesundheitsfürsorge waren selten enge Spezialisten; vielmehr übten sie ihre Kenntnisse als Teil eines Spektrums von Aktivitäten aus, ganz im Einklang mit der breit fundierten Ausrichtung ägyptischer Fachleute. Ein gutes Beispiel ist Hesire, ein Beamter am Hofe König Djosers und der erste überlieferte Zahnarzt der Geschichte.

Hesire – auch unter der Kurzform seines Namens, Hesi, bekannt – war nicht nur Zahnarzt: Er war der Chefzahnarzt, was auf einen schon etablierten Beruf schließen lässt, und gehörte zum innersten Kreis des Königs. Seine höhere Dienststellung verdankte er nicht so sehr seinen Kenntnissen der Zahnheilkunde als vielmehr seiner Belesenheit: In einer Zeit, da die Schreiberklasse (aus der sich die Bürokratie rekrutierte) noch klein war, war Hesire Vorsteher der Königlichen Schreiber und insofern einer der führenden Verwaltungsbeamten der Regierung. Schreiber zu sein bedeutete, Zugang zu den Hebeln der Macht zu haben. Kein Wunder daher, dass Hesire sich stets selbst mit den Insignien seines Amtes darstellen ließ, der Schreiberausrüstung aus Tintenpalette, Federbehälter und Farbbeutel. Innerhalb der Verwaltung bestand eine seiner bedeutenderen

Detail eines hölzernen Reliefpaneels Hesires aus seinem Grab in Sakkara, 3. Dynastie. Hesire trägt eine kurze, dicht gekräuselte Perücke sowie einen Beamtenstab und eine Schreiberpalette. Sein hochmütiger Gesichtsausdruck verweist auf das Selbstvertrauen eines mächtigen Höflings.

Hölzernes Reliefpaneel Hesires, 3. Dynastie. Hesire wird hier in der Blüte seines Lebens mit starkem, muskulösem Körper und Ausdruck voller Selbstvertrauen gezeigt. Die Hieroglyphen über seinem Kopf geben eine Auswahl seiner Titel bei Hofe wieder, das Szepter in der Linken bezeichnet seine Autoritätsposition.

Pflichten darin, in seiner Eigenschaft als ›größter von Zehn in Oberägypten‹ die Rekrutierung der Fronarbeit für staatliche Bauprojekte zu beaufsichtigen.

Ein Merkmal des alten Ägypten die ganze Geschichte hindurch war die Verbindung von zivilem und religiösem Amt in einer einzigen Person. Hesire war keine Ausnahme. Obgleich ein Mann von in der Hauptsache weltlicher Bildung, hatte er gleichwohl Posten in den Priesterschaften dreier wichtiger früher Kulte inne: des Fruchtbarkeitsgottes Min, der Löwengöttin Mehit und des Falkengottes von Pe (Buto, heute Tell-el-Fara'in), Horus des Harpunierers. Dieses letztere Amt brachte Hesire die zusätzliche Ehrenstellung als der Große von Pe ein.

Natürlich tat er nach Erreichung von Status und Wohlstand, was jeder Ägypter in ähnlicher Position getan hätte: Er gab ein großes, prächtiges Grab in Auftrag, das ihm Reichtum in der Ewigkeit garantieren sollte. Hesires Grab wurde nördlich des Stufenpyramidenkomplexes seines Monarchen erbaut. Verziert wurde es mit Wandmalereien, die Artikel für die Grabausstattung zeigten – Vasen, Truhen und Brettspiele –, außerdem mit elf ausgesparten Nischen, von denen jede ursprünglich ein kompliziert geschnitztes Holzpaneel enthielt. Sechs dieser Paneele sind erhalten und gehören zu den raffiniertesten Reliefs des alten Ägypten, gleich aus welchem Material; besonders bemerkenswert ist die Ausformung anatomischer Details. Die Paneele zeigen Hesire umgeben von Texten mit seinen Titeln und Epitheta in verschiedenen Stadien seines Lebens. Sogar als junger Mann zeigte er einen recht mürrischen Ausdruck mit nach unten gebogenem Mund und schmalen Augen. Als älterer Mann war sein Gesicht zerknittert und runzlig, behielt jedoch dieselbe saure Miene. Offenkundig war er Anhänger der letzten Hofmoden, zu denen ein zur Schau getragener Schnurrbart und eine kurze, runde Perücke mit geraden Locken gehörten. Besonders charakteristisch für die ägyptische herrschende Klasse ist seine kräftige Adlernase. Schließlich hatte Hesire ein markant erhobenes Kinn, das auf eine gewisse Arroganz deutet: Obgleich Djosers Chefzahnarzt und Vorsteher der königlichen Schreiber vor mehr als 4500 Jahren lebte, scheint er die Haltung höhergestellter Bürokraten der ganzen Geschichte auszudrücken.

7 | IMHOTEP
GOTT GEWORDENER ARCHITEKT UND WEISER

Die radikale Idee, das einstufige Königsgrab der 1. und 2. Dynastie zu nehmen und es in einen weit imposanteren Bau umzugestalten, indem eine Stufe auf eine weitere gesetzt wurde und so fort bis zur Spitze – kurz: das Konzept der Pyramide –, war ein bestimmender Moment im langen Verlauf der Pharaonenkultur. Die Überlieferung hat diese bemerkenswerte

Bronzene Votivstatue des vergöttlichten Imhotep, Spätzeit. Man schrieb Imhotep die Planung der Stufenpyramide Djosers zu, und postum erlangte er den Ruhm eines Weisen und Heilkundigen. In der Ptolemäerzeit wurde er mit dem griechischen Gott der Medizin, Asklepios, gleichgesetzt. Asklepios und sein Heiligtum in Sakkara wurden zur Pilgerstätte.

Die Stufenpyramide Djosers in Sakkara, 3. Dynastie. Das erste monumentale steinerne Bauwerk der Weltgeschichte wird konventionell dem Genie Imhoteps zugeschrieben, einem hohen Beamten am Hofe Djosers und einer zentralen Persönlichkeit in der Verwaltung des Königs.

Neuerung einer Persönlichkeit zugeschrieben, die ›der größte Geist der Frühdynastischen Zeit‹ genannt wurde und zum Synonym von sowohl praktischem wie magischem Wissen werden sollte. Sein Name hallt durch die zweiundfünfzig Jahrhunderte, seit seine Architekturschöpfung auf dem Sakkara-Plateau zuerst Gestalt annahm und für populäre Bildung zum Inbegriff für das alte Ägypten selbst wurde: Imhotep.

Angesichts der frühen Zeit, in der er lebte und wirkte, überrascht es nicht, dass die zeitgenössischen Zeugnisse für Imhotep ziemlich mager sind. So wird er nur zweimal in Kontexten der 3. Dynastie genannt: einmal auf einer Statuenbasis König Djosers aus dem Komplex der Stufenpyramide und nochmals auf einem Graffito auf der Umschließungsmauer des Pyramidenkomplexes von Djosers Nachfolger Sechemchet. Nichtsdestoweniger erzählen uns diese beiden Bekundungen eine Menge über Imhoteps Position bei Hofe und seine Karriere. Die Statuenbasis Djosers, die Imhotep nennt, war ursprünglich in einem schmalen Raum auf der Südseite der Eingangskolonnade aufgestellt, die zum Großen Hof der Anlage der Stufenpyramide führt. Daher müssen alle, die das Monument betraten oder verließen, daran vorbeigekommen sein. Dieser sehr öffentliche Standort, verbunden mit der Benennung einer Privatperson auf der Basis einer Königsstatue, demonstriert Imhoteps herausragenden Rang am Hofe Djosers. Die Statuenbasis weist seinen Rang als Königlichen Siegelträger, Ersten-Unter-dem-König, Herrscher des Großen Besitzes, Mitglied der Führungsschicht, Größten der Seher und Vorsteher der Bildhauer und Maler aus; mit Ausnahme des letzten Titels gibt es keinen deutlichen Hinweis darauf, ihn mit der Planung oder Errichtung des Grabmonuments in Verbindung zu bringen. Doch wer sonst außer dem Architekten und Inspirator hinter der Stufenpyramide hätte einen derart prominenten Platz in deren schließlicher Realisierung erhalten sollen? Der Graffito vom

Hauptmonument des nächsten Königs lässt darauf schließen, dass Imhoteps Fähigkeiten als Architekt auch von Djosers Nachfolger gewürdigt wurden und dass der große Mann, in hohem Alter Hand an die Planung von Ägyptens zweiter Pyramide legte und so die Tradition entwickelte, die er selbst begonnen hatte.

Viel späteren Quellen zufolge hieß Imhoteps Frau Renpetnefret, seine Mutter Chereduanch und sein Vater Kanefer. Da weitere Texte aus der 3. Dynastie fehlen, gibt es keinen Weg, diese Informationen zu prüfen; doch die Vermutung, dass Kanefer selbst Obervorsteher der Königlichen Arbeiten war, ist sicherlich sinnvoll, da sie erklärt, wie ein Mann wie Imhotep sich mit den architektonischen, technischen und organisatorischen Aspekten größerer Bauprojekte so gut vertraut machen konnte. Diese Fähigkeiten wurden bei der Schaffung eines völlig neuartigen Monuments für Djoser bis an die Grenzen ausgereizt. Der erste großdimensionierte Steinbau der Welt implizierte unter anderen Dingen das Zuhauen, Transportieren, Aufsetzen, Verkleiden und Dekorieren von nahezu einer Million Tonnen Kalkstein: eine noch nie dagewesene Großtat an Ingenieurskunst und Logistik.

Es nimmt daher wenig wunder, dass nach seinem Tod am Ende der 3. Dynastie um den großen Imhotep eine Unmenge an Mythen und Legenden enstanden. Weisheitsliteratur wurde ihm zugeschrieben: Eines der Lieder des Harfenspielers enthält die Zeilen: »Ich hörte die Aussprüche Imhoteps ..., die wir so oft in Sprichwörtern zitierten«. Bis zur 18. Dynastie war Imhotep zum Mittelpunkt allgemeiner Verehrung geworden; Trankopfer wurden ihm dargeboten, und er wurde als Schirmherr der Schreiber angesehen. In der Spätzeit, als Touristen in größerer Zahl die Stufenpyramide besichtigten, stieg Imhoteps Reputation an, er wurde als Sohn des Gottes Ptah angesehen; ja, er wurde sogar selbst zum Gott des Schreibens, der Architektur, der Weisheit und Medizin erhoben. In der 30. Dynastie war der Kult Imhoteps einer der bedeutendsten im Gebiet von Memphis; königliche Förderung wurde ihm zuteil. Der letzte

Kalksteinbasis von einer Statue Djosers, aus dem Bezirk seiner Stufenpyramide in Sakkara, 3. Dynastie. Der Sockel trägt in Form von Inschriften die Titel und Namen des Siegelträgers und Vertreters des Königs, Imhotep, was seine konkurrenzlose Vorrangstellung bei Hofe demonstriert.

Herrscher Ägyptens aus einheimischer Geburt, Nechtharehbo (Nektanebos II.; Nr. 95) nannte sich selbst ›geliebt von Imhotep, Sohn des Ptah‹,
während die Untertanen des Königs Imhotep als den ›erhabenen Gott, der
dem Volk das Leben schenkt‹ verehrten. Gemeinsam mit anderen volkstümlichen Gottheiten wurde er als Heiler betrachtet, und in diesem
Zusammenhang wurde er mit dem griechischen Gott der Medizin,
Asklepios, eng identifiziert.

Imhoteps Kult erreichte unter den Ptolemäern seinen Höhepunkt. Die
Hauptzentren der Verehrung und Pilgerreisen waren der Ptah-Tempel in
Memphis und das Asklepieion in Sakkara (das als Imhoteps Begräbnisstätte galt), doch wurden überall im Land Heiligtümer gebaut, zum Beispiel in Deir el-Medina in West-Theben, in Heliopolis und in Xoïs in der
nördlichen Deltamitte. Eine ptolemäische Stele, die in die Regierungszeit
Djosers gehören will, wurde auf der Insel Sehel am Ersten Katarakt
gehauen; sie berichtete davon, wie der König Inhotep um Rat fragte, wie
sieben Jahre Hungersnot am besten beendet werden könnten. Daneben,
auf der Insel Philae (Philai), erbaute Ptolemaios V. für Imhotep einen kleinen Tempel, von dem aus sich sein Kult weiter südwärts nach Nubien,
fast bis nach Meroë, ausbreitete. In Edfu schrieb eine Inschrift Imhotep
die Erfindung der Grundlagen der Tempelarchitektur zu und erinnerte so
an die Ursprünge seines Ruhms. Bei den verschiedenen Heiligtümern, die
Imhotep geweiht waren, zahlten Verehrer für Bilder des Weisen, die sie
als Votivgaben präsentierten; fast 400 Bronzestatuen sind bekannt,
zumeist aus Memphis und Sakkara. Sie stellten ihn als Schreiber mit
einem entrollten Papyrus dar, als Priester mit langem Schurz oder als
Sohn Ptahs, der eine Schädel-Kappe trägt.

Als Gott der Heilkunde und Medizin wurde Imhotep bis in die römische Zeit verehrt; im Tempel von Dendera schrieb man ihm geheimes Wissen um Astronomie und Astrologie zu. So begann das letzte bizarre Kapitel im postumen Leben des Beamten aus der 3. Dynastie. Er wurde zu
einer Gestalt in populären Romanen, während ein arabischer Text des
zehnten Jahrhunderts n. Chr. ihn als Alchimisten erwähnte. Magier, Heiler, Weiser, Schreiber: Die vielen Inkarnationen, in denen Imhotep verehrt
wurde, spiegeln alle die monumentale Leistung des Komplexes der Stufenpyramide wider, die Ägypten und die alten Ägypter auf immer veränderten. Tatsächlich ist es angemessen, dass die Reputation des Mannes,
der das bestimmende Symbol der ägyptischen Zivilisation schuf, länger
überleben sollte als der Ruhm jedes anderen seiner Landsleute.

8 | METJEN
BERUFSSTAATSDIENER

In der 3. Dynastie wurde es, vielleicht zum ersten Mal, für Personen niedriger Herkunft möglich, durch eigenes Talent über die Stufen der Verwaltung bis zu den höchsten Rängen aufzusteigen. Die Öffnung der Bürokratie für Männer nicht-königlichen Hintergrunds war wahrscheinlich ein unvermeidliches Resultat größerer Professionalisierung, die der Bau von Pyramiden erforderte. Dieser hatte natürlich auch den Effekt, dass sich der Pool von Talenten erweiterte, die dem König bei der Zuweisung wichtiger Verantwortlichkeiten zur Verfügung standen. Metjen, ein Berufsstaatsdiener, dessen Leben praktisch die ganze 3. Dynastie umspannte, war ein Beispiel für diese Leistungsgesellschaft.

Metjens Grab in Sakkara enthält die früheste umfassende autobiografische Inschrift aus dem alten Ägypten. Sie skizziert seine Karriere vom unspektakulären Anfang bis zum eindrucksvollen Abschluss. In Anbetracht des geografischen Mittelpunktes seiner Karriere – Unterägypten – dürfte es wahrscheinlich sein, dass Metjen irgendwo im Delta geboren wurde.

Sein Vater Inpuemanch war Richter und Schreiber, so dürfte Metjen in Lesen und Schreiben erzogen worden sein, Voraussetzung für ein Regierungsamt. Seine erste Stellung war auch die eines Schreibers mit Verantwortung für ein Vorratslagerhaus und seine Inhalte: mit anderen Worten,

Vier Ansichten einer Statue des Metjen aus rosa Granit, aus seinem Grab in Sakkara, frühe 4. Dynastie. Metjen ist dargestellt in kurzer, gekräuselter Perücke und mit einem Rock. Der Block, auf dem er sitzt, trägt inschriftlich eingemeißelt einige seiner Titel.

ein kleines Rädchen in der großen Maschinerie der ägyptischen Verteilungswirtschaft.

Seine Begabung zur Buchführung muss die Aufmerksamkeit seiner Vorgesetzten in der Zentralregierung erregt haben, denn vorschriftsgemäß wurde er zum Unter-Richter über die Felder befördert – verantwortlich für die Festlegung der Feldgrenzen, eine entscheidende Rolle in einer Ackerbauwirtschaft – sowie zum Lokalstatthalter von Xoïs, einer Stadt im nördlichen mittleren Delta, die vielleicht Metjens Geburtsort war. Es folgte eine weitere Beförderung, zum Richter über Alle Streitfälle in Landfragen, sein erster Posten auf Regierungsebene. Von dort brachten ihm seine Talente schnell neue und größere Verantwortlichkeiten ein, darunter die Aufsicht über die nationale Flachsernte, eine Ernte von Schlüsselbedeutung, lebenswichtig für die Herstellung von Leinen.

Auf der Höhe seiner Karriere kehrte Metjen in sein früheres Umfeld der Lokalregierung zurück, und zwar als Gebietsverwalter im Namen des Königs in einer Gruppe von Nomoí (Gaue, Provinzen) des Deltas. Zeitweise kontrollierte er den 2. (Chem/Letopolis), 5. (Saw/Saïs), 6. (Chasu/Xoïs), 7. (Wam/›Harpune‹) und 16. (Dedet/Mendes) Nomós von Unterägypten, die einen großen Landstrich des nördlichen Deltas umfassten; er war zudem Palast-Herrscher (vom König bestellter Verwalter) zweier Gemeinden und der Kommandant einer Festung. Außerhalb des Deltas verwaltete er die ›Rinder-Feste‹, vielleicht eine der Oasen im Westen, und hatte die miteinander verbundenen Positionen eines Wüstenkommandanten und Herrn der Jagd inne. Im östlichen Faijum war er Bezirksverwalter und ›Herrscher der Palaststädte des südlichen Sees‹, mit

Kalksteinreliefblöcke aus Metjens Grab in Sakkara, frühe 4. Dynastie. Metjen (zur Rechten) wird von einem Diener eine junge Gazelle gebracht.

anderen Worten, der von den ägyptischen Königen an den Küsten des Faijum-Sees eingerichteten Vergnügungsresidenzen. Eine gewisse Anomalie bezogen auf Unterägypten als Zentrum seiner Verantwortlichkeiten war der Posten des Verwalters, Nomarchen (Gau-Gouverneurs) und Vorstehers für Staatliche Auftragsarbeiten im 17. Nomós (Input/›Schakal‹-Gau) von Oberägypten.

Zusätzlich zu den 50 Aruren Land (≈ 13,5 ha; antikes Flächenmaß: ›Landlose‹ [A. d. Ü.]), die er von seiner Mutter Nebsenet nach den Bestimmungen ihres letzten Willens erbte, wurde Metjen für seine loyalen Dienste mit weiteren beträchtlichen Zuwendungen von Land und Nahrungsmitteln seitens des Staates belohnt. Zudem wurde ein ansehnliches Gut angelegt, das auf Dauer Einkünfte für seinen Totenkult bereitstellen sollte. Das Geschenk, das ihm der Staat machte, auf das er vielleicht am meisten stolz war, war sein Haus. Metjens Beschreibung evoziert das Bild eines idealen Heims mit allen Merkmalen, die eine Person von Wohlstand und Status erwartet hätte: »Ein Gut 200 Ellen (105 m) lang und 200 Ellen breit, mit einer Mauer errichtet aus gutem Holz, darin ein sehr guter Teich und bepflanzt mit Feigen und Trauben.« Das Delta war wenigstens seit der 1. Dynastie das Zentrum ägyptischer Weinproduktion gewesen, und Metjen war deutlich ein enthusiastischer Erzeuger, da er zusätzlich zu dem Wein, der um sein Haus herum gepflanzt war, auch einen gesonderten ummauerten Weingarten besaß. Metjen lebte mithin den Rest seiner Tage in beträchtlichem Komfort, umgeben von dem Luxus, der nicht Lohn seiner Geburt, sondern seines Verdienstes war.

TEIL 2 | DAS ZEITALTER DER PYRAMIDEN
DAS ALTE REICH

Die Pyramiden sind der symbolische Inbegriff der altägyptischen Zivilisation. Ihr Alter, ihre Monumentalität, Perfektion und ihr Mysterium fassen all die Dinge um die Kultur der Pharaonen zusammen, die den westlichen Geist seit Napoleons Feldzug am Ende des achtzehnten Jahrhunderts in den Bann zogen. Die Große Pyramide Chufus (Cheops; Nr. 10) und ihre beiden Gegenstücke in Gisa sind die am besten bekannten, zusammen bilden sie das einzig erhaltene der Sieben Wunder der alten Welt. Doch die riesengroße Nekropole von Memphis, der traditionellen Hauptstadt Altägyptens, ist übersät mit Pyramiden, die sich über eine Entfernung von 33 km von Abu Rawasch im Norden bis Dahschur im Süden erstrecken. Die Periode, welche die Errichtung dieser außergewöhnlichen Bauwerke erlebte, ist unter Ägyptologen als Altes Reich bekannt. Es handelt sich dabei um die erste große Periode starker zentraler Herrschaft, in welcher der Staat seinen neu gewonnenen Reichtum zusammen mit seiner absoluten politischen und wirtschaftlichen Kontrolle dazu nutzte, seine eigene Überlegenheit voranzubringen. Wenn das Motiv der Regierungsgewalt für den Pyramidenbau deutlich genug ist – wie profitierte die Bevölkerung im Ganzen von dem Unternehmen?

Die Antwort berührt den Kern der ägyptischen Weltsicht und den Vertrag zwischen dem Herrscher und denen, über die er herrschte. Nach diesem Vertrag wurde vom Volk erwartet, dass es einen Anteil von seinen landwirtschaftlichen Erzeugnissen als Steuern abgab; der Staat verwandte davon etwas, um sich selbst und seine großartigen Projekte zu finanzieren, lagerte jedoch den Rest in Kornspeichern als ›Puffervorrat‹ zur Linderung der Auswirkungen von Hungersnöten in mageren Jahren. Die

Detail einer Elfenbeinstatuette Chufus (Cheops'), 4. Dynastie. Dieses winzige Figürchen ist die einzige Darstellung des Königs, der die Große Pyramide gebaut haben soll. Sie zeigt ihn auf dem Thron sitzend, er trägt Flegel sowie die Rote Krone, die mit Unterägypten verbunden ist. Trotz der geringen Größe der Statuette ist der Ausdruck unbeugsamer Entschlossenheit des Königs unmissverständlich.

41

Leute liehen auf saisonaler Basis ihre Arbeit für staatliche Projekte; im Gegenzug erhielten sie die Erlaubnis, für den Rest des Jahres ihr Land zu bestellen – das in der Theorie dem König gehörte – sowie Zuwendungen vom Staat, während sie mit Arbeiten für die Regierung befasst waren. Vermittels dieses gegenseitigen Arrangements vermochten die Ägypter riesige Monumente wie die Pyramiden zu errichten. Gleichzeitig kann man sagen, dass die Pyramiden Ägypten bauten: als strukturierte, organisierte und hocheffektive Kommandowirtschaft. Der Verwaltungs- und Ressourcenaufwand, der für wirklich massive Pyramiden erforderlich war, konnte langfristig nicht aufrechterhalten werden; nach der 4. Dynastie kehrten königliche Grabmonumente zu einer bescheideneren Größe zurück, wie es die Pyramiden Unas' (Nr. 16) und Pepis II. (Nr. 20) veranschaulichen.

So wie die Königsgräber dominanter Ausdruck der Kultur des Alten Reiches waren, nahm die königliche Familie einen gleichermaßen zentralen Platz in der Machtpolitik dieser Periode ein. Die verschwenderische Grabausstattung für die Königsmutter Hetepheres (Nr. 9), die ihr Sohn Chufu finanzierte, bleibt eine der prächtigsten Sammlungen, die je in Ägypten an Grabbeigaben gefunden wurden, und sie illustriert die vom innersten Kreis des Monarchen geübte Förderung der Kunst. Trotz der wachsenden Professionalisierung der Verwaltung, die es talentierten Personen wie Weni (Nr. 18) ermöglichte, in der Hierarchie aufzusteigen, waren die meisten der Positionen von wirklich höherem Ansehen und Macht weiterhin von männlichen Verwandten des Königs besetzt. Männer wie Hemiunu in der 4. Dynastie (Nr. 11), Ptahschepses in der 5. (Nr. 13) und Mereruka in der 6. (Nr. 17) verdankten alle ihren Einfluss ihrer Verwandtschaft mit dem König. Die Förderung durch den König konnte nicht nur Macht und Reichtum bringen, sondern auch das Privileg eines Grabes in der Hof-Nekropole in Sakkara (der Begräbnisstätte für die Hauptstadt Memphis). In einer Gesellschaft, die auf Vorkehrungen für die Bestattung ebenso wie auf Status ausgerichtet war, überraschte es kaum, dass die Errichtung eines Grabes als Schlüsselindikator des Erfolges betrachtet wurde. Hohe Beamte wie Metjetji (Nr. 15) stellten ihren gehobenen Rang und weltlichen Wohlstand mittels großer, kunstvoll verzierter Grabkapellen zur Schau. Sogar geringere Mitglieder des Königshofes wie der Zwerg Perianchu (Nr. 12) waren in der Lage, eine Bestattung in der Nähe des Grabmonuments ihres Monarchen zu erlangen; sie hofften, auf diesem Wege weiter ewige Gunst des Königs zu empfangen.

Die Szenen und Texte in Privatgräbern des Alten Reiches liefern wertvolle Einblicke in viele Aspekte der zeitgenössischen Kultur, vom Handwerk bis zu landwirtschaftlicher Praxis, von der Verwaltungsstruktur bis zum Lebensstil der Führungsschicht. Auch die Lage der Gräber weist auf eine bedeutende Entwicklung innerhalb der ägyptischen Gesellschaft. Mit dem Vorrücken des Pyramidenzeitalters wünschte eine wachsende Anzahl hoher Beamter, nicht auf dem großen königlichen Friedhof von Memphis bestattet zu werden, sondern in ihrer eigenen heimatlichen Gegend. Die Entstehung lokaler Identität ging Hand in Hand mit einem Anwachsen der Autonomie der Provinzen, besonders in der 6. Dynastie, als die Zentralregierung begann, den Provinzen mehr Macht zu übertragen. Für einen Würdenträger wie Pepianch (Nr. 14) bestand kein Zweifel darin, dass sein Status von seiner höheren Stellung in seiner Heimatstadt herrührte, auch wenn er es durch die übliche Fülle von höfischen Epitheta und Titeln ausdrückte. Eine Ortschaft mit besonders starkem Gefühl für die eigene Identität war Elephantine (äg. Abu). Die Gründe dafür waren besonders geografischer Natur – die Stadt lag über den Fluss 800 km von der Hauptstadt und königlichen Residenz Memphis entfernt – und teilweise kultureller Art, da die Bewohner der Region am Ersten Katarakt sowohl nach Nubien als auch nach Ägypten zu blicken tendierten. Tatsächlich waren die Lokalbeamten von Abu für die Zentralregierung wegen ihres Wissens um und ihr Verständnis für Nubien wertvoll, ein Land, das den Hof mit einer breiten Palette exotischer, kostbarer Produkte versorgte, von Elfenbein bis zu Pantherfellen. In der 6. Dynastie wurden Persönlichkeiten wie Harchuf (Nr. 19) und Hekaib (Nr. 21) als Resultat hervorragender Verwaltungsleistungen in den fremden Ländern jenseits der Südgrenze Ägyptens reich und berühmt.

Gerade so wie die Zentralisierung der Macht den Höhepunkt des Pyramidenbaus in der 4. Dynastie charakterisierte, markierte der Prozess der Dezentralisation den Niedergang königlicher Autorität gegen Ende des Alten Reiches. Am Ende erwiesen sich die der ägyptischen Gesellschaft innewohnenden Kräfte der Dezentralisation als nicht beherrschbar, wurden zudem durch dynastische Zankereien und Konflikte um die Nachfolge im Anschluss an Pepis II. außerordentlich lange Herrschaft verschärft. Die königliche Autorität schwand, während die Regionalautonomie an Stärke zunahm und eine Periode politischer Zersplitterung einleitete, die eine tiefe, langwährende Wirkung auf die ägyptische Gesellschaft und die ägyptische Psyche haben sollte.

Relief aus dem Grab Metjetjis in Sakkara, späte 5. Dynastie. Die perfekte Integration von Hieroglyphentext und Bild zeigt sehr gut die Selbstsicherheit ägyptischer Kunst.

9 | HETEPHERES
MUTTER DES KÖNIGS CHUFU

Die Ausstattung des Grabes der Hetepheres bildet einen der Schätze des Ägyptischen Museums in Kairo. In der Reinheit und Eleganz der Formgebung, der beispielhaften Handwerkerkunst und den kostbaren Materialien ist das Selbstvertrauen und die zurückhaltende Fülle der Pyramidenzeit zusammengefasst. Doch was ist mit der Frau, für die sie geschaffen wurde? Wer war Hetepheres, und wie mag ihr Leben gewesen sein?

Die reinen Fakten ihrer Stellung sind deutlich genug. Sie war die Frau eines Königs (Snofru), die Mutter eines Königs (Chufu) und sehr wahrscheinlich auch die Tochter eines Königs (Huni). Ihren Status verdankte sie tatsächlich der Verwandtschaft mit den Männern ihrer Familie. Die ägyptische Sprache hatte kein Wort für ›Königin‹, nur Begriffe für ›Königsfrau‹ oder ›Königsmutter‹. Gleichwohl, als mächtige Mutter eines allmächtigen Königs dürfte Hetepheres an Chufus Hof die bei weitem einflussreichste Frau gewesen sein und wahrscheinlich eine der einflussreichsten Personen, gleich ob Mann oder Frau. Die Titel auf ihrem Tragsessel, in auf Ebenholzpaneelen eingelegten Goldhieroglyphen, weisen auf soviel hin: Mutter des Doppelkönigs, Begleiterin des Horus, Leiterin des Herrschers, die Huldvolle, deren Worten gefolgt wird. Das dritte dieser Epitheta ist besonders sprechend, denn es weist darauf hin, dass Chufu wie so viele despotische Herrscher in der Geschichte nur von einer Person Anweisungen entgegennahmen, und das war seine Mutter.

Obwohl Hetepheres in einer der bedeutendsten Perioden der altägyptischen Zivilisation lebte und Zeugin aus erster Hand der Errichtung der ersten echten Pyramiden war – der von Meidum und Dahschur unter ihrem Vater und Ehemann bis zur Großen Pyramide in Gisa unter ihrem Sohn –, ist über ihr Leben erstaunlich wenig bekannt. Dank der bemerkenswerten Grabgegenstände jedoch lässt sich über ihren Lebensstil etwas mehr sagen – und damit über den Adel des Alten Reiches allgemein. Ihr Tragsessel wurde schon erwähnt: Das scheint eine bevorzugte Art des

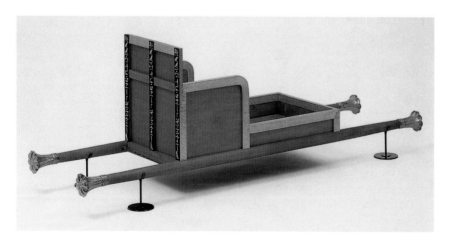

Porte-Chaise (Tragsessel) der Hetepheres, rekonstruiert nach in ihrem Grab in Gisa gefundenen Teilen, 4. Dynastie. Eleganz und Schlichtheit des Designs sind Beispiele für die zurückhaltende Raffinesse höfischer Kunst unter der Regierung Chufus.

RECHTS:
Detail von Blattgold aus der Grabausstattung der Hetepheres, 4. Dynastie. Das Hieroglyphenband enthält Namen und Titel von Hetepheres' verstorbenem Gemahl, König Snofru.

UNTEN:
Silberne Armreifen aus den Grabbeigaben der Hetepheres, 4. Dynastie. In dieser Periode der ägyptischen Geschichte war Silber kostbarer als Gold. Daher dürften diese Armreifen mit Intarsien von Karneol, Türkis und Lapislazuli in Form von Schmetterlingen extrem seltene und kostbare Gegenstände gewesen sein und damit ein Hinweis auf Hetepheres' königlichen Stand.

Transports hochgestellter Persönlichkeiten der Zeit gewesen zu sein – eindrucksvoll, vielleicht, doch nicht sonderlich bequem. Der darin Sitzende muss auf dem hölzernen Bodenbrett (vielleicht durch ein Kissen gepolstert) gesessen haben, die Knie gegen die Brust angezogen. Im Falle Hetepheres' muss das Schauspiel aufgrund der üppigen Verwendung von Gold auf ihrem Tragsessel noch auffälliger gewesen sein.

Der Eindruck einer rastlosen Existenz, die sich von einer königlichen Residenz zur anderen bewegte, wird durch weitere Gegenstände ihrer Grabausstattung verstärkt. Diese umfassten ein Bett mit gesondertem Baldachin, zwei niedrige Stühle und verschiedene Schmuckkästen. Die Möbelstücke, wenngleich mit Füßen in Form von Löwenpranken ausgeschmückt und mit Intarsien und Goldfolie verziert, waren relativ einfach, von leichtem Gewicht und bestens zu tragen. Sie dürften leicht demontiert und wiederaufgestellt worden sein, wenn Hetepheres und ihre Entourage im Lande umherreisten. Einem solch mobilen Lebensstil entsprechend wurde der Reichtum einer Frau großenteils an ihr oder mit ihr mitgetragen. Eine Darstellung von Hetepheres auf ihrem Tragsessel zeigt sie mit nicht weniger als vierzehn Armreifen am rechten Arm. Diese bewahrte sie in einem speziell hergestellten Schmuckkasten auf, der selbst innen und außen mit Blattgold verziert war und zwanzig Armreifen in zwei Zehnerreihen aufnehmen konnte. Die Armreifen selbst waren von hervorragender Qualität und dürften alles in den Schatten gestellt haben, was ihre Zeitgenossinnen trugen, sowohl in puncto Ausführung als auch Materialien. Hergestellt waren sie aus Silber in einer Zeit, da dieses Metall weit kostbarer als Gold war (Ägypten besaß Gold im Überfluss, Silber hingegen musste von Übersee importiert werden); jeder Armreif war mit vier

eingelegten stilisierten Schmetterlingen aus Türkis, Lapislazuli und Karneol verziert, die voneinander durch kleine Karneolscheiben getrennt waren. Ähnliche tierische und florale Elemente kennzeichneten die Dekoration ihrer Möbel, während das Fußbrett ihres Bettes ein Federmuster aus Fayence trug.

Der von den Hetepheres gehörenden Gegenständen vermittelte Gesamteindruck ist der von Luxus und Pracht, wie er einer Königinmutter geziemt. Wenn sie in ihrer Sänfte umherreiste, sich eine Lotosblüte unter die Nase haltend, die vielfachen Silberarmreifen in der Sonne glitzernd, muss sie einen blendenden Anblick geboten haben, sogar in einem Land und zu einer Zeit, wo das größte Monument, das die Welt je gesehen hatte, langsam auf dem Plateau von Gisa emporwuchs.

10 | CHUFU

HERR DER GROSSEN PYRAMIDE

»Der Mensch fürchtet die Zeit, doch die Zeit fürchtet die Pyramiden.« Das bekannte arabische Sprichwort fasst die Gefühle der Ehrfurcht und des Staunens zusammen, das Besucher unzähliger Generationen erfuhren, wenn sie auf die Pyramiden von Gisa und besonders auf die prächtigste der drei, die Große Pyramide Chufus blickten. Als Emblem der altägyptischen Kultur ist die Große Pyramide sowohl uralt als zeitlos. Ihre stupende Größe und phänomenale Präzision sind verblüffend. Ihre statistischen Baudaten sind bekannt, ertragen jedoch die Wiederholung. Das Monument enthält über 2 300 000 Kalksteinblöcke; das bedeutet, dass die Erbauer bei einer Siebentagearbeitswoche an einem Zehnstundentag während zweiundfünfzig Wochen im Jahr über die Dauer von Chufus Herrschaft alle zwei oder drei Minuten einen Block an seinen Platz setzen mussten. Die Große Galerie bildet eine atemberaubende architektonische Leistung, ihr Kraggewölbe misst bis zu 8,74 m Höhe. Schächte von der Grabkammer und einer zweiten Kammer (wahrscheinlich zur Aufnahme der *Ka*-Statue des Königs gedacht) erstrecken sich in direkter Linie durch das feste Mauerwerk bis zum äußeren Rand der Pyramide und sind perfekt auf das Sternbild Orion und die zirkumpolaren Sterne ausgerichtet. Die Pyramide selbst hat eine Länge von 230,33 m und dürfte sich ursprünglich zu einer Höhe von 146,59 m erhoben haben. Ihre Orientierung weicht nur um ein Zwanzigstel Grad (exakt 3' 6") von geografisch Nord ab. Wenn schon die architektonische Leistung schwindeln macht, so nicht weniger die Logistik. Der administrative und organisatorische Aufwand, den die Realisierung eines derart gewaltigen Bauprojekts erfordert, muss den ägyptischen Staat in einem nie dagewesenen Grad auf die Probe gestellt haben; ja, man hat sogar gesagt, während Ägypten die Pyramiden baute, bauten die Pyramiden auch Ägypten.

Über die Große Pyramide wurde viel geschrieben, doch überraschend wenig ist über den Mann bekannt, für den sie erbaut wurde, König Chufu (Cheops). Sein Name war vollständig Chnum-chufui, ›Chnum, er beschützt mich‹, was auf eine besondere Affinität zum Schöpfergott Chnum hindeutet, der gemäß der ägyptischen Religion die Menschen auf seiner Töpferscheibe formte. Sicher, so scheint es, ist Chufu mit einem Gefühl für den eigenen gottverliehenen Status aufgewachsen. Sein Geschmack für gargantueske Monumente kam jedoch nicht aus dem heiteren Himmel. Sein Vater Snofru hatte die Ära des kolossalen Pyramidenbaus eröffnet, und so wird Chufu im Anblick der Entstehung zweier gewaltiger Pyramiden in der Sandwüste von Dahschur aufgewachsen sein. Noch als relativ junger Mann wurde er Nachfolger seines Vaters, denn man weiß von ihm, dass er wenigstens vierundzwanzig Jahre regiert und wahrscheinlich sogar an die dreißig erreicht hat. Chufus Hauptfrau, die ›Große vom Szepter Chufus‹, war Meritites, doch hatte er mindestens eine weitere Gemahlin. Sein ältester Sohn und Erbe war Kawab, allerdings starb dieser offenbar vor seinem Vater; so fiel der Thron statt an ihn an einen anderen Sohn (Djedefre) und darauf an seinen jüngeren Bruder Chaefre (Chephren). Chufus weitere Söhne waren die Prinzen Chaefchufu, Minchaef (Chaefmin), Hordjedef (Djedefhor), Bauefre und Babaef. Mit der bemerkenswerten Ausnahme der Königsmutter Hetepheres (Nr. 9) scheint es sich um eine völlig männerdominierte Königsfamilie gehandelt zu haben. Viele der Verwandten Chufus wurden in Mastabas (Gräber mit einem bankartigen rechteckigen Oberbau) auf dem ausgedehnten Ostfriedhof bestattet, der angrenzend an die Große Pyramide angelegt wurde. Im Tode wollte der König wie im Leben von seinem innersten Kreis umgeben sein.

Zur Materialbeschaffung für das Mammutbauprojekt, das auf dem Plateau von Gisa Gestalt annahm, wurde in der Nähe ein gewaltiger Kalksteinbruch aufgemacht, und es wurden von Chufu Expeditionen ausgesandt, die kleinere Mengen kostbarerer Steine von Plätzen überall in Ägypten herbeischaffen sollten: Diorit aus

LINKS:
Die Große Pyramide Chufus in Gisa, 4. Dynastie. Das geradezu emblematische Monument des pharaonischen Ägypten und letzte erhaltene der Sieben Wunder der Antike repräsentiert eine große Organisationsleistung sowohl in Architektur als auch in Bautechnik. Paradoxerweise ist über ihren königlichen Bauherrn wenig bekannt.

RECHTS:
Elfenbeinstatuette Chufus aus dem frühen Tempel zu Abydos, 4. Dynastie (s. auch S. 40). Die Vorderseite des Throns trägt eingraviert den Namen des Königs, was die Benennung dieser winzigen Königsfigur erlaubte.

der südlichen Libyschen Wüste nahe der Toschka-Ebene, Kalkspat von Hatnub in Mittelägypten, Türkis aus dem Wadi Maghara im südwestlichen Sinai. Im Rückblick scheint es, als ob die ganze wirtschaftliche und bürokratische Staatsmaschine auf einen einzigen Zweck gerichtet war: die Errichtung eines Monuments für das Königtum, eine ›Wiederauferstehungsmaschine‹ in nie dagewesenem Umfang. So muss es auch den Ägyptern zu Chufus eigener Zeit und den folgenden Generationen erschienen sein. Die Große Pyramide verlieh dem königlichen Erbauer die – vielleicht hochverdiente – postume Reputation eines megalomanischen Tyrannen. Eine Reihe von Geschichten, die einige Jahrhunderte später am Ende des Mittleren Reiches verfasst wurden, stellte ihn, besonders im Vergleich zu seinem Vater Snofru, in ein jämmerliches Licht. In einer der sogenannten Wundererzählungen, die in Chufus Regierungszeit verlegt sind, wird der Hof von einem Magier besucht, dem der Ruf anhing, er könne einen abgetrennten Kopf wieder ansetzen. Neugierig gemacht, befiehlt ihm Chufu, sein Können an einem menschlichen Gefangenen zu demonstrieren, doch gelingt es dem Magier, stattdessen eine Gans zu verwenden – indem er missbilligt, dass ein solches Werk an einem von ›Gottes Herde‹ [das heißt einem Menschen; A. d. Ü.] vollzogen werden solle.

Im vierten Jahrhundert v. Chr. hatte Chufus Ansehen ein Allzeittief erreicht. Der griechische Historiker Herodot schrieb [schon im fünften Jahrhundert; A. d. Ü.]: »Cheops [d. i. Chufu] versetzte das Land in Elend aller Art. Er schloss die Tempel, verbot seinen Untertanen, Opfer darzubringen, und zwang sie ohne Ausnahme, an seinen Werken zu arbeiten … Die Ägypter sind kaum dazu zu bewegen, … Cheops … zu erwähnen, so groß ist ihr Hass.«. In einer Kultur, die an großdimensionierte königliche Projekte gewöhnt war – ja sogar auf ihnen basierte –, erregte das größte Monument von allen anscheinend mehr Abscheu als Bewunderung und überschritt offenbar die normalen Standards von Anstand und Schicklichkeit.

Ein anderer Diktator – aus jüngerer Zeit –, Napoleon Bonaparte, ist bekannt dafür, dass er seine Truppen, die auf dem Plateau von Gisa lagerten, mit den Worten ansprach: »Soldaten Frankreichs, vier Jahrtausende blicken auf euch herab.« Es ist eine köstliche Ironie, dass das einzige dreidimensionale Bild Chufus, des Erbauers von Ägyptens größtem Monument, eine winzige Elfenbeinstatuette ist, kaum größer als ein Daumen lang, gerade 7,6 cm hoch. Wiewohl die Große Pyramide weitere vier Jahrtausende überdauern dürfte, haben die Launen, denen die Erhaltung archäologischer Denkmäler ausgesetzt ist, ihren ursprünglichen Eigentümer sicher aufs Maß zurechtgestutzt.

11 | HEMIUNU
BAULEITER

Die in Gisa für König Chufu errichtete Pyramide war nicht nur das höchste Bauwerk, das die Welt je gesehen hatte (oder für weitere 4400 Jahre sehen sollte); sie war auch das größte Bauprojekt und die komplexeste Verwaltungsleistung, die je im alten Ägypten unternommen wurden, einer von großen Monumenten und einer allumfassenden Bürokratie charakterisierten Kultur. Die reine Logistik des Unternehmens – Versorgung und Organisation der Arbeitskräfte, die in ihrer eigenen ›Pyramidenstadt‹ untergebracht waren; Gewinnung und Transport der Steine; Bau und Unterhaltung der Rampen; Anleitung der Geometer, Architekten und Aufseher – war eine ebenso beeindruckende Großtat wie die Pyramide selbst. Doch verantwortlich für die gesamte Baustelle war ein Mann: Sein Name war Hemiunu.

In der frühen 4. Dynastie waren nahezu alle höheren Beamten Mitglieder der Königsfamilie, und Hemiunu bildete keine Ausnahme. Wahrscheinlich war er der Sohn des Prinzen Nefermaat und insofern der Enkel Snofrus und ein Neffe Chufus. Seine Position am Hof bot zweifellos Gelegenheiten zu schnellem Vorankommen, doch Hemiunu muss ebenso eigene Fähigkeiten besessen haben, denn sein Aufstieg durch die Verwaltungsränge war beeindruckend. Sein Aufstieg spiegelt sich in seinem Grab wider, das zunächst schon ein beachtliches Monument ganz in der Nähe der Großen Pyramide bildete, jedoch beträchtlich vergrößert wurde, damit es mit Hemiunus Status Schritt hielt. Eines der Reliefs darin zeigt ihn im besten Alter, seine Gesichtszüge verraten eine Kombination aus Selbstbewusstsein und Bestimmtheit: Adlernase, rundes Kinn, starke Kinnbacken.

Seine vielen Titel vermitteln denselben Eindruck eines Mannes, der von sich wusste, dass er eine der bedeutendsten Persönlichkeiten im Lande war. Zusätzlich zu seinen Rollen als Höfling und Palastältester hatte Hemiunu auch eine Anzahl bedeutender religiöser Ämter inne, darunter als Priester der Bastet (der Katzengöttin), Priester der Schesemtet (Löwengöttin), Priester der Panthergöttin, Priester des Ram von Mendes, Pfleger des Apis (des heiligen Stiers von Memphis), Pfleger des Weißen Stieres und Hohepriester Thoths. Dieses letztere Amt war besonders passend, da Thoth der Gott der Weisheit und der Schreibkunst war – wesentliche Erfordernisse für einen ägyptischen Bürokraten. Einen Einblick in Hemiunus private Interessen haben wir vielleicht durch seinen unüblichen Titel als Leiter der Musik des Südens und Nordens. Doch es gibt keine Zweifel an seinen hauptsächlichen Ämtern, die der Hauptgrund für seine außergewöhnliche Prominenz waren: Vorsteher der Königlichen Schreiber (mit anderen Worten: Chef der Staatsverwaltung) und Vorsteher über Alle Bauprojekte des Königs.

Der Bau der Großen Pyramide und die anschließende Entfernung der

Bemalte Kalksteinstatue des Hemiunu in Lebensgröße, aus dem Serdab (Statuenkammer) seines Grabes in Gisa, 4. Dynastie. Chufus bedeutender Höfling wird, erkenntlich an seiner außerordentlichen Korpulenz, als erfolgreich und wohlhabend, voll Selbstvertrauen in seine Fähigkeiten und Selbstsicherheit in seinem herausgehobenen Status dargestellt.

dazugehörigen Rampen und der übrigen Projektinfrastruktur wurde, so denkt man, innerhalb eines Zeitraums von zwanzig Jahren bewerkstelligt. Daher ist es möglich, dass Hemiunu das Projekt von Beginn bis zur Vollendung begleitete. Der Ruhm und die persönliche Befriedigung, die ihm dieses eine Lebenszeit ausfüllende Unterfangen einbrachten, lassen sich an einem weiteren bemerkenswerten Werk, das er anleitete, erkennen: einer Skulptur von außergewöhnlicher Qualität, die in der Statuenkammer seines Grabes gefunden wurde. Ursprünglich bemalt, mit eingesetzten Augen aus Gold und Bergkristall und mit in farbiger Paste gehaltenen Hieroglypheninschriften auf der Basis, zeigt die Statue Hemiunu sitzend, bekleidet mit einem kurzen geknoteten Schurz um den Leib. Das auffallendste Merkmal der Skulptur ist Hemiunus Korpulenz. Fettbrüste und Brustkorb hängen unter der eigenen Last herab, während sein gewaltiger Bauch den Nabel verdrängt. Im Vergleich zu dieser fettleibigen Körperfülle erweist sich sein Kopf als seltsam klein. In einem Land, in dem der Großteil der Bevölkerung mit Unterstützungsrationen überlebte, war fett zu sein ein Zeichen von Reichtum und Vorzugsstellung, denn es demonstrierte die Fähigkeit, sich etwas zu gönnen, mehr zu essen als absolut notwendig und harte Handarbeit zu meiden. Hemiunus meisterliche Leitung des größten Bauprojekts der Geschichte brachte ihm entsprechend großen Lohn.

12 | PERNIANCH

HOFZWERG

Die ganze Geschichte über hatten Königshöfe ihre Spaßmacher oder Hofnarren, Personen mit der Aufgabe, den König und die Mitglieder seiner Familie zu unterhalten. Im alten Ägypten waren die bevorzugten Kandidaten für diese ›Entertainer‹ ›kleine Leute‹, entweder Pygmäen aus Afrika südlich der Sahara oder einheimische Ägypter, die an Zwergwuchs litten. Pernianch war ein solcher Hofzwerg, der während der 4. Dynastie lebte.

Die Ägypter zeigten kein offensichtliches Vorurteil gegen kleinwüchsige Menschen. Im Gegenteil, weil die Rolle des Hofzwergs ungewöhnlich engen, privaten Zugang zur Person des Königs einschloss, waren solche Personen – wie die Hofnarren im mittelalterlichen Europa – oft hoch angesehene und geehrte Mitglieder der königlichen Entourage, wenn nicht gar enge Vertraute des Königs. Seneb, vielleicht ein Verwandter Pernianchs, war Priester des Chufu Chufus und Djedefres ebenso wie Verantwortlicher Leiter der Ankleide [des Herrschers] und angestellter Hauslehrer des Königssohnes, was das Vertrauen widerspiegelt, das die Königsfamilie in ihn setzte. Pernianch, ›des Königs Zwerg, der seinen Herrn jeden Tag erfreut‹, erreichte ebenso Prestige und Reichtum, was sowohl

in seiner Bestattung im großen Westfriedhof von Gisa als auch in seiner Grabstatue zum Ausdruck kommt.

Die Basaltstatue Pernianchs ist ein kleineres Meisterstück der Kunst des Alten Reiches. Sie zeigt ihn mit einem kurzen weißen Rock bekleidet, der von einem schwarzen Gürtel gehalten wird, und der kurzen gekräuselten, schulterlangen Perücke, die in der 4. Dynastie Mode war. Sein Oberkörper ist kräftig und muskulös, der Unterkörper zeigt indes deutliche Zeichen von Misswuchs. Seine Beine sind kurz und gebogen, die Knöchel außergewöhnlich dick, die Füße flach. Sein linkes Knie ist auch verschieden vom rechten, was entweder auf eine Verletzung oder angeborene Deformierung deutet. Gleichwohl wird Pernianch mit zwei unzweideutigen Symbolen der Autorität gezeigt: einem Szepter in der Rechten und einem langen Stab in der Linken. Diese Amtsinsignien, Beamten von hohem Status vorbehalten, weisen darauf hin, dass er in seiner Laufbahn erfolgreich gewesen sein muss, ein frühes Beispiel für die fortdauernde Tradition von Hofzwergen.

Bemalte Basaltstatue Pernianchs aus dem *Serdab* (Statuenkammer) seines Grabes in Gisa, 4. Dynastie. Entdeckt im Jahre 1990, stellt dieses bemerkenswerte erhaltene Objekt den Hofzwerg mit kurzen, leichtgebogenen Beinen, dicken Knöcheln und flachen Füßen dar – der reale Versuch einer lebensnahen Darstellung.

13 | PTAHSCHEPSES
KÖNIGLICHER SCHWIEGERSOHN

Alle Macht im alten Ägypten ging vom König aus. Das war sicher die Theorie durch die gesamte Geschichte der Pharaonen; auf der Höhe des Pyramidenzeitalters war es auch die Praxis. Obwohl unter der 4. Dynastie die höchsten Verwaltungsränge für Personen von nichtköniglicher Geburt geöffnet wurden, wurden die Staatsämter mit der höchsten Macht zweifellos vom König persönlich zugewiesen. Eine Nähe zum innersten Kreis des Monarchen brachte daher eine weit größere Chance auf Bevorzugung mit sich. Das wird besonders gut durch Leben und Karriere von Ptahschepses illustriert, dessen Grab in Abusir das größte private Grabmonument des alten Ägypten ist.

Über Ptahschepses Herkunft ist wenig bekannt, doch seine Hofkarriere war für ihn offenbar in einem relativ frühen Stadium erfolgreich genug gewesen, um ein Grab in der Königsnekropole der 5. Dynastie in Auftrag zu geben. Ausgestattet war es innerhalb des Kalksteinoberbaus mit verschiedenen dekorierten Kammern, doch nach den Standards der Zeit war es noch relativ bescheiden. Vielleicht war Ptahschepses schon mit königlichen Bauprojekten beschäftigt gewesen – eine seiner späteren Bestallungen war die eines Vorstehers Aller Arbeiten des Königs –, und zweifellos besaß er Kenntnisse in den Bautechniken, die bei der Königspyramide und zugehörigen Bauten Verwendung fanden, denn er wandte einige davon bei seinem eigenen Monument an. Daher war die Decke der Grabkammer in seinem Grab aus vier Paaren gewaltiger Steinplatten konstruiert, genau wie diejenigen, die zum Verschließen der Grabkammer in einer Königspyramide benutzt wurden. Das war eine Neuerung in privater Grabarchitektur, und Ptahschepses' Monument markierte einen Wendepunkt in der Entwicklung der Gräber des Alten Reiches.

Ein bedeutender Wendepunkt in seinem eigenen Leben trat ein, als er die Dame Chamerernebti heiratete, eine Priesterin der Hathor, Herrin der Sykomore, die einzige Zierde des Königs und, höchst bedeutsam, Tochter des regierenden Königs Niuserre. Als Schwiegersohn des Königs befand sich Ptahschepses jetzt im allerinnersten Kreise bei Hofe, mit persönlichem Zugang zur letzten Quelle der Macht. Das spiegelt sich in verschiedenen seiner Titel, darunter Günstling Seines Herrn, Diener des Thrones, Leiter des Palastes, Bewahrer des Diadems, und den damit verbundenen Epitheta ›Geheimniswahrer des Hauses des Morgens‹, ›Geheimniswahrer von Gottes Wort‹, ›Geheimniswahrer des Herrn an allen Orten‹. Dieser neue Status veranlasste eine größere Erweiterung seines Grabmonuments mit Hinzufügung einer Kapelle mit Nischen für Statuen, an deren Front ein großer Eingang mit zwei Kalksteinsäulen in der Form von Lotosbündeln.

Gleichzeitig weist eine Veränderung in der Dekoration innerhalb des Grabes vielleicht auf einen Aspekt aus Ptahschepses' Privatleben, der

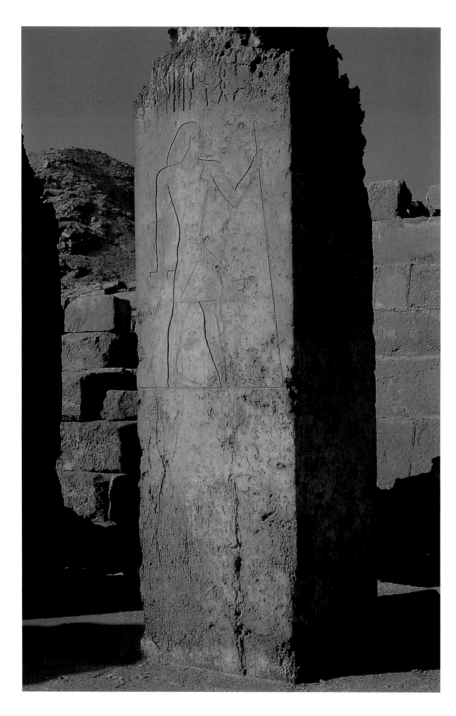

Relief des Ptahschepses auf einem Pfeiler von seinem Grab in Abusir, 5. Dynastie. Obwohl jetzt in beschädigtem Zustand, war Ptahschepses' Grabmonument das größte Privatgrab seiner Zeit; es enthielt eine Reihe dekorierter Höfe und Kammern.

sonst gut verborgen bleibt. Die sorgfältige Tilgung von Gestalt und Namen seines ältesten Sohnes scheint auf einen bewussten Akt der Enterbung hinzuweisen. Das geschah vielleicht, weil sein ältester Sohn ein Abkömmling aus einer früheren Ehe war und weil im Anschluss an Ptahschepses' Verbindung mit der Königstochter den Kindern von seiner neuen königlichen Frau der Vorrang gegeben wurde. Aber natürlich porträtiert er sich als Familienmensch, umgeben von mindestens sieben Söhnen und zwei Töchtern.

Als Ptahschepses' Einfluss und Autorität wuchsen, begann er, sich mit seinem eigenen ›Hof‹ *en miniature* zu umgeben. Der schloss Gefährten, Schreiber, Barbiere, einen Kämmerer und einen Friseur ein; ein besonders favorisierter Begleiter war sein Arzt. Mit seinem langen Schurz und breit verziertem Kragen, den Amtsstab in der Hand, muss Ptahschepses eine imposante Figur abgegeben haben, besonders wenn er in seiner überdachten Sänfte, getragen von sechzehn Männern, von Ort zu Ort getragen wurde, hinter ihm auf dem Fuße seine anderen Gefolgsleute. Seine Frau Chamerernebti war mit einem glitzernden Juwelenputz um Hals, Handgelenke und Knöchel geschmückt, dazu betonte ihre lange, schwere, bis zur Mitte des Rückens herabreichende Perücke ihren Status.

Der Gipfel in Ptahschepses' Karriere kam mit seiner Bestallung zum Wesir, einem Amt, das die Aufgaben des Oberrichters und die des Obersten Ministers kombinierte. Diese Beförderung an die Spitze der ägyptischen Regierung wurde durch ein zweites, noch umfassenderes Erweiterungsprogramm für sein Grab in Abusir unterstrichen. Das fertige Monument maß schließlich schwindelerregende 80 × 107 Meter und verlangte dazu noch einen neuen Eingang: eine Portikus mit zwei lotosförmigen Säulen, die 6 m Höhe erreichten. Mit seinen strahlenden Wänden aus weißem Kalkstein muss Ptahschepses' Monument den Begräbnisplatz zu Abusir rundherum beherrscht haben – wie noch heute: ein andauerndes, passendes Denkmal für den größten der Edelleute.

14 | PEPIANCH

HUNDERTJÄHRIGER BEAMTER

Nicht viele Menschen erleben ihren 100. Geburtstag, sogar in den modernen, wohlhabenden, medizinisch fortgeschrittenen westlichen Gesellschaften. Im alten Ägypten, wo die durchschnittliche Lebenserwartung wahrscheinlich zwischen dreißig und sechsunddreißig Jahren lag, dürfte es höchst ungewöhnlich gewesen sein, ein Alter von sechzig zu erreichen. Nur zwei Könige, Pepi II. (Nr. 20) und Ramses II. (Nr. 70) erreichten, wie man weiß, achtzig Jahre. Doch ein Mann, Pepianch der Mittlere, übertraf sie alle: Denn, wenn wir seiner autobiografischen Inschrift glauben sollen, war er der einzige Ägypter mit bezeugten einhundert Lebensjahren.

Pepianch dürfte in der Zeit der frühen 6. Dynastie in Kusai (griech.; äg. Qjs, heute el-Kusija) in Mittelägypten in einer mächtigen lokalen Familie geboren worden sein. Seinem alle Rekorde brechenden langen Leben entsprach, so scheint es, die Unmenge an Titeln und Epitheta, denn am Ende seiner Karriere hatte er eine wahrhafte umwerfende Sammlung davon angehäuft, sogar gemessen an den obsessiven, bombastischen Statusstandards seiner Zeit. Pepianch gehörte zur Führungsschicht, war hoher Beamter, Ratsmitglied, Verwalter von Nechen und Führer von Necheb (alles reine, den Rang bezeichnende Ehrentitel); seine Regierungstitel schlossen ein: Oberrichter und Wesir, Chefschreiber der königlichen (Schreib-)Tafel, Königlicher Siegelträger, Wärter des Apis, Sprecher von Jedermann aus Pe, Vorsteher der Zwei Kornspeicher, Vorsteher der beiden Purifikationshäuser, Vorsteher der Lagerhauses, Oberverwalter, Schreiber der Königlichen (Schreib-)Tafel am Hofe, Gottes Siegelträger und, seltsamerweise, Zeichner; im religiösen Bereich war er Oberpriester der Hathor, Herrin von Qjs, Ober-Vorlesepriester (verantwortlich für das Verfassen und die Aufbewahrung heiliger Texte) und Sem-Priester (Offiziant bei Grabritualen); zu seinen Zeiten am Hofe rühmte er sich des Status des Alleinigen Gefährten, Vorlesepriesters, Vorstehers von Oberägypten in den Mittleren Nomoí (Gauen), war Königlicher Kammerherr, Stabträger der Gemeinen, Pfeiler des Kenmut, Priester der Maat, ›Geheimniswahrer jedes königlichen Befehls‹ und ›Günstling des Königs an allen Orten‹.

Natürlich können nicht all diese Titel in leitende Rollen übersetzt werden, und Pepianch verwies selbst darauf, welche davon seine hauptsächlichen Ämter waren: »Ich verbrachte alle Zeit, die ich in der Funktion eines Beamten ausfüllte, indem ich Gutes tat und sagte, was gewünscht wurde, um gutes Ansehen bei Gott zu erlangen.« Wie alle erfolgreichen Persönlichkeiten im alten Ägypten wusste Pepianch nur zu gut, welche Hände zu schmieren waren, da Beförderung ebenso davon abhing, es mit den Mächtigen zu halten, wie von den eigenen Fähigkeiten. In seiner Verwaltung der Justiz war sein erstes Interesse offensichtlich darauf gerichtet, die Parteien bei Laune zu halten – »ich habe für zwei Parteien so Recht gesprochen, dass ich sie zufriedenstellen konnte, denn ich weiß, das ist es, was der Gott will« –, doch gleichermaßen wichtig war es, die eigene Reputation zu schützen: »Bei allem, was gegen mich vor den Beamten gesagt wurde, kam ich unversehrt heraus, während es auf die Ankläger zurückfiel; ich bin vor den Beamten davon losgekommen, denn sie hatten verleumderisch gegen mich gesprochen.« Hier erkennen wir das wirkliche Motiv von Männern in mäßig einflussreichen Positionen wie Pepianch: ihre Macht zu behalten und ihre Privilegien gegen diejenigen zu verteidigen, die sie auszustechen suchten.

Wie die meisten Provinzbeamten der Zeit verband Pepianch Verwaltungspflichten mit dem Dienst im lokalen Tempel: »Einen großen Teil der Zeit verbringe ich als Hohepriester der Hathor, Herrin von Qjs, trete vor Hathor, Herrin von Qjs, sie zu sehen und mit eigenen Händen ihre Zeremonien durchzuführen.« Gewiss unterstellte er sein langes Leben dem Wohlwollen seiner Göttin: »Alle Dinge geschahen mit mir, weil ich Priesterin der Hathor, Herrin von Qjs, war, und weil ich die Göttin zu ihrer Zufriedenheit schützte.«

Für den erfolgreichen Ägypter war es wichtig, sorgfältige Vorbereitungen für das Begräbnis zu treffen, denn es gab immer die Hoffnung, dass der Lohn des Lebens im Leben nach dem Tode eine Fortsetzung fand.

Nachzeichnung eines Reliefs aus dem Grab Pepianchs in Meir, 6. Dynastie. Pepianch trägt den von reiferen Beamten bevorzugten langen Rock und wird von zwei Dienern sanft gestützt, vielleicht um sein fortgeschrittenes Alter anzudeuten. Die beiden Hieroglyphenreihen über seinem Kopf geben seine Namen und die wichtigsten Titel an.

Daher verwandte er große Sorgfalt auf das Arrangement seiner Bestattung und ließ sein Grab auf unbestelltem Grund errichten, »an einem reinen Ort, einem guten Ort, auf dem [zuvor] keine Arbeit verrichtet wurde«. Besessenheit von Rang und Status, Frömmigkeit gegenüber dem lokalen Gott, Sorge um das Leben nach dem Tode: Pepianch verkörperte die typischen Gedanken, die sich ein alter Ägypter zu machen pflegte, tat es indes im Laufe einer gänzlich atypischen Lebensspanne.

Gemalte Szenen aus dem ländlichen Leben, aus dem Grabe Pepianchs, 6. Dynastie. Die horizontalen Register sollen von unten nach oben gelesen werden. Auf dem unteren Register werden Esel über eine Dreschtenne getrieben, im oberen tragen sie gedroschenes Korn in Säcken fort.

15 | UNAS
DER RÄTSELHAFTE MONARCH

»Unas ist der, der Menschen isst, sich von Göttern nährt ...
Unas isst ihren Zauber, verschlingt ihre Geister:
Die Großen darunter sind für sein Morgenmahl,
Die Mittleren für sein Nachtmahl
Und die ältesten Männer- und Frauengestalten sind sein Brennstoff.«
Diese schauerlichen Verse stehen unter einigen hundert Inschriften auf den
Wänden der inneren Kammern der Pyramide des Unas in Sakkara. Ins-
gesamt sind sie als *Pyramidentexte* bekannt, das älteste erhaltene Korpus
religiöser Literatur aus dem alten Ägypten. Sprache und Vorstellungen
einiger Äußerungen deuten darauf hin, dass sie um einige Jahrhunderte
zurück datieren, vielleicht sogar bis auf den Beginn der ägyptischen
Geschichte. Andere wurden sicher am Ende der 5. Dynastie neu verfasst.
Wir können annehmen, dass Zauberworte, Beschwörungen und Gebete
in allen Königsbegräbnissen und allen königlichen Begräbniskulten eine
Rolle spielten. Doch die Idee, sie dauerhaft, für die Ewigkeit, auf die Wände des Königsgrabes zu schreiben, war eine Neuerung von Unas' Herrschaft.

Wie die zugrundeliegende Bedeutung des oben zitierten sogenannten
Kannibalenhymnus bleibt Unas ein Rätsel und ein Paradox. Seine Pyramide nannte er ›Die Stätten von Unas sind Vollendung‹, doch sie verfiel
derart, dass sie die Aufmerksamkeit des Prinzen Chaemwaset (Nr. 72) auf
sich zog, der sie in der 19. Dynastie restaurierte. Unas wurde nach seinem
Tod lange verehrt, doch zu seinen Lebzeiten schien er auf seine eigene
ungewisse Herkunft empfindlich reagiert zu haben, indem er sich Mühe
gab, sich mit einigen seiner illustersten Vorfahren durch den Bau seiner
Pyramide direkt über dem Grab von Hetepsechemui, dem Begründer der
2. Dynastie, und in diagonaler Linie mit den Pyramiden Djosers (Gründer der 3.) und Userkafs (Gründer der 5.) in Verbindung zu bringen.

Ferner ist Unas' Herrschaft schwach dokumentiert, und sogar seine
Dauer ist ungewiss. Wenigstens drei Wesire waren unter ihm im Amt, was
auf eine sehr lange Periode als Monarch hinweist. Spätere Historiker
schätzten sie auf dreißig bis dreiunddreißig Jahre, und er schien den
Thron lange genug innegehabt zu haben, um ein *Sed*-Fest (Königs-
jubiläum) zu feiern, da das Dekorationsprogramm seines Tempels Szenen
umfasst, die Unas bei der Thronbesteigung zeigen, bei der Entgegennahme
von Geschenken seitens der Götter sowie von Personifikationen der ägyptischen Nomoí (Gaue), also wesentlichen Elementen eines *Sed*-Festes. Ein
Auszug aus den Pyramidentexten in Unas' Pyramide gibt eine lebendige
Beschreibung davon, wie der König bei solchen wichtigen Gelegenheiten
aufgetreten sein dürfte:

»Das Pantherfell liegt auf ihm,
Der Stab in seinem Arm, das Szepter in seiner Hand.«

Trotz des Fehlens von historischen Inschriften aus seiner Herrschaft schließt die Dekoration des Dammes an seiner Pyramide einen Reichtum an Szenen ein, von denen sich wenigstens ein Teil auf aktuelle Ereignisse beziehen muss. Doch auch hier ist es schwer, Illusion und Wirklichkeit zu entwirren. Eine Szene, in der Unas einen besiegten libyschen Anführer schlägt, erweist sich, Detail um Detail, als Kopie nach einem früheren Monument der 5. Dynastie. Wahrscheinlich stellt es eine typisierte Szene dar, die Teil eines Rituals des Königtums ist. Im Gegensatz dazu erscheint zum ersten Mal ein isolierter Block, der eine Schlacht zwischen ägyptischen Truppen und einer Armee von Asiaten zeigt; dieser lässt vermuten, dass er von einer realen militärischen Begegnung berichtet. Das wird vielleicht durch isolierte Figuren bärtiger Asiaten bestätigt, die überall auf dem Damm des Unas begegnen; dazu wurden zwei Fragmente mit dem Namen des Königs im Hafen von Byblos an der libanesischen Küste gefunden, der als Ägyptens Tor zu den natürlichen Ressourcen der Levante diente.

Direkter sind die Szenen, die menschliche Tätigkeiten oder die natürliche Umgebung abbilden, wie etwa ein von Kunden, Händlern, Metallhandwerkern und Landarbeitern, die Feigen und Honig sammeln oder Korn ernten, belebter Marktplatz und eine Jagd in der Wüste. Die berühmtesten Szenen von dem Damm sind vielleicht, passend zu Unas und seiner Herrschaft, auch die rätselhaftesten. Dabei handelt es sich um die quälenden Bilder einer Hungersnot: Ein Mann am Rande des Todes wird von seiner ausgemergelten Frau gestützt, während ein männlicher Freund seinen Arm fasst; eine Frau, verzweifelt Nahrung suchend, isst Läuse vom eigenen Kopf; ein kleiner Junge mit dem aufgeblähten Hungerbauch bittet eine Frau um Essen. Es ist wenig zweifelhaft, dass diese Bilder die geistige und körperliche Pein von Hungeropfern wiedergeben, doch es gibt keine Inschrift, welche die hungernden Menschen identifizierte. Es ist kaum denkbar, dass es sich bei ihnen um einheimische Ägypter handelt, da die gesamte Kunst in einem Bestattungskontext darauf abzielt, eine gewünschte Lage der Dinge zu verewigen. Vielleicht handelt es sich um Angehörige eines Wüstenvolkes, deren prekäre Lage gezeigt wird, um das Elend derer zu betonen, die jenseits der Herrschaft des ägyptischen Königs leben. Doch bleibt ein Geheimnis um diese geisterhaften Szenen.

Der von Unas für seine Pyramide gewählte Platz war mit den Monumenten früherer Dynastienbegründer nicht nur symbolisch verbunden. Er nutzte auch natürliche Besonderheiten, den Damm, welcher dem Verlauf eines langen Wadis folgte, sowie den Taltempel, der an der Küste eines Sees am Fuß der Böschung lag. Die verschönernde Ausgestaltung der Dammwände erschloss gewiss neues Land, nicht weniger als die Bearbeitung der Kammern neben der Pyramide, welche als erste seit der Herrschaft Djosers verziert werden sollten. Um den Sarkophag waren die Wände der Grabkammern mit weißem Alabaster gesäumt, ausgekehlt

Kalksteinrelief eines hungernden Beduinen, vom Damm der Unas-Pyramide in Sakkara, späte 5. Dynastie. Diese rätselhaften, quälenden Bilder sollten vermutlich eine sachliche Botschaft verkünden: Dieses Schicksal erleiden die, welche jenseits der Herrschaftsgrenzen des ägyptischen Königs leben.

Kalksteinrelief des Unas von seinem Pyramidentempel in Sakkara, späte 5. Dynastie. Diese bemerkenswerte Szene zeigt eine unbenannte Göttin, die den jungen König im Arm hält und säugt. Solche Reliefs sollten die Ideologie von Unas' göttlicher Erziehung ausdrücken.

Ansicht der Grabkammer im Innern der Unas-Pyramide in Sakkara, späte 5. Dynastie. Die Sterne an der Decke repräsentieren den Nachthimmel, dagegen sollen die in die Wände gemeißelten *Pyramidentexte* – das früheste erhaltene Korpus religiöser Literatur aus dem alten Ägypten – die Wiederauferstehung des Königs unterstützen.

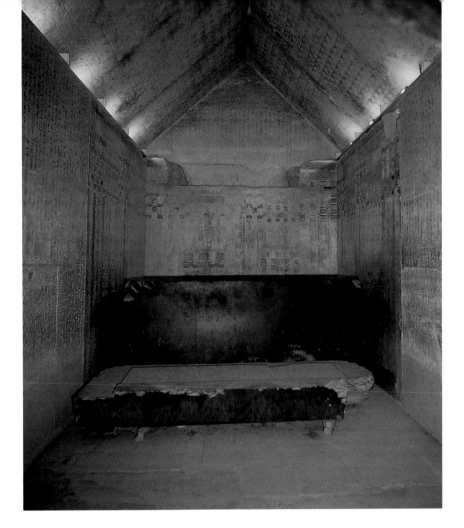

und bemalt, damit sie wie eine Einhegung aus hölzernem Rahmen und Binsenmatten wirkten und so ein archetypisches Heiligtum nach alter ägyptischer religiöser Vorstellung repräsentieren konnten. Mit dem schwarz – die Erde symbolisierend – bemalten Sarg und der mit goldenen Sternen gegen einen dunkelblauen Hintergrund übersäten Decke als Nachahmung des Nachthimmels hatte Unas seinen endgültigen Ruheplatz als einen Mikrokosmos des Universums konzipiert. Um ihn herum waren die eingemeißelten und blau ausgemalten Texte – in der Farbe des Wasserschlundes der Unterwelt – dazu bestimmt, seine Wiederauferstehung von der Erde und seinen sicheren Übertritt in die himmlischen Bereiche zu unterstützen, damit er dort auf ewig als ›unzerstörbarer Geist‹ lebe.

Die Anbringung der Textäußerungen auf dem Stein war vor allem dazu bestimmt, dass es sich erübrigte, sich auf Bestattungspriester zu verlassen; doch Unas' Totenkult währte bis gut ins Mittlere Reich: ein letzter Widerspruch im Leben dieses höchst rätselhaften Königs. Es ist gut möglich, dass sich hinter all diesen Paradoxa Absicht verbirgt, ein Schleier, hinter dem sich der Mann mit der mysteriösen Herkunft verbergen konnte. Wie es einer der Pyramidentexte prägnant ausdrückte: »Unas ist der Meister der Schlauheit.«

16 | METJETJI

Die Privatgräber aus dem Alten Reich in Sakkara gehören zu den schönsten Monumenten, die aus dem alten Ägypten erhalten sind. Ihre detaillierte, lebendige Dekoration zeugt vom Geschick und der Kunstfertigkeit ägyptischer Künstler und der Urteilskraft sowie der Gönnerschaft auf Seiten jener hoher Beamter, die das Privileg einer Bestattung in der Nekropole der Hauptstadt Memphis besaßen. Ein Beamter dieser Art war Metjetji, der am Ende der 5. Dynastie am Hofe diente. Obwohl seine Karriere weder ungewöhnlich noch sonderlich bemerkenswert war, ist die Qualität der Ausschmückung seines Grabes außergewöhnlich prächtig. Er dient insofern als Beispiel für einen Bürokraten und Gönner auf der Höhe des Pyramidenzeitalters.

Metjetji war ein Familienmensch, mit vier Söhnen – Ptahhotep, Chuensobek, Sabuptah und Ihi – sowie einer Tochter, Iretsobek. Nicht unerwartet ehren zwei ihrer Namen Ptah, die Schutzgottheit von Memphis, der Stadt, in der Metjetji lebte und wirkte. Der Umstand indes, dass er einen Sohn und eine Tochter zu Ehren des Krokodilgottes von Faijum, Sobek, benannte, weist auf eine familiäre Verbindung zu dieser Region hin. Ebenso wie ein stolzer Vater war er auch seinen Eltern ein loyaler Sohn. Gemäß ägyptischem Brauch beaufsichtigte er ihre Bestattung und bat die königlichen Werkstätten um einen Sarg für sie. Seine Bitte wurde erfüllt, ein Zeichen für sein Ansehen bei Hofe, wo er zum Rang eines Vorstehers des Büros der Pächter des Palastes aufgestiegen war. Ebenso hatte er den Rang eines Königlichen Lehnsherrn des Großen Palastes inne, war ein Mitglied der Führungsschicht, hoher Beamter und Bezirksverwalter. Einfacher ausgedrückt, er wurde »geehrt von Unas [König zu seiner Zeit], seinem Herrn«.

Als bemittelter Mann hatte Metjetji seine eigenen Landgüter; um deren Erzeugnisse in Empfang zu nehmen, wird er in Sandalen und einem Katzenfell ausgegangen sein, das seinen Rock und Schurz teilweise bedeckte. Tatsächlich war eines seiner weiteren Ämter bei Hofe das des Oberverwalters der Stofferzeugnisse, und er scheint einen Hang zu edler Kleidung gehabt zu haben. In seinem Grab wird er in einem Rock mit Faltenschurz, Armreifen, breitem Perlenkragen und langer Perücke mit feinen Locken, die teilweise seine Ohren bedecken, gezeigt. Er hatte einen modisch kurzen Bart und muss ganz das Vorbild für einen gutgekleideten Vornehmen abgegeben haben. Seine anderen Freizeitbeschäftigungen, wie es sich für eine Person seines Ranges und Status schickte, umfassten Brettspiel und Musikkonzerte. Außerdem besaß er als Haustier einen gefleckten Windhund, um den sich sein Sohn Ihi kümmerte, wenn Metjetji mit Amtsgeschäften befasst war.

Ein elegantes Grab mit schön ausgeführtem Dekor gehörte zur unentbehrlichen Ausstattung eines hohen Beamten; es kündete nicht nur zu

Drei bemalte Holzstatuen Metjetjis aus seinem Grab in Sakkara, späte 5. Dynastie. Die beiden größeren Statuen zeigen ihn als jungen Mann, kräftig und aufrecht, in einem modischen kurzen Rock. Die kleine Statue in der Mitte dagegen zeigt ihn in späteren Jahren in einem längeren Rock und leicht gebückt.

Lebzeiten von seinem Status, sondern garantierte entscheidend dafür, dass dieser im Leben nach dem Tode erhalten blieb. Metjetjis Grab war mit Wandmalereien sowie mit Reliefs geschmückt; es muss eine kostspielige Angelegenheit gewesen sein. Doch er bemühte sich zu betonen, dass er für die Arbeiter ein guter, großzügiger Dienstherr gewesen war und sie von seinem eigenen Vermögen bezahlt hatte: »Hinsichtlich all derer, die dieses Grab für mich bauten, bezahlte ich sie, nachdem sie die Arbeit hier geleistet hatten, mit dem Kupfer, das als Position aus meinem persönlichen Vermögen dafür zur Verfügung stand, gab ihnen Kleider und sorgte für ihre Ernährung mit Brot und Bier aus meinem persönlichen Vermögen, und sie priesen darum Gott für mich.«

Bescheidenheit war nicht nur eine von der altägyptischen Beamtenschaft nicht geschätzte Qualität. An seiner Scheintür – vor dieser brachten Priester und Besucher beim Totenkult ihre Gaben dar – hatte Metjetji sich acht Mal darstellen lassen, meistens mit einem langen Stab als Symbol der Autorität. Unter den auf der Scheintür aufgeführten Opfergaben sind befinden sich Brot, Bier, Fleisch, Geflügel, Alabaster und Leinen, doch auch grüne und schwarze Augenfarbe. Erneut erhaschen wir einen flüchtigen Blick von Metjetji als Ästheten. Seine Wertschätzung jeden Raffinements ist in seinem Wunsch für das Leben nach dem Tod zusammengefasst: »auf den schönen Straßen nach Westen zu gehen und

Detail der Kalkstein-Scheintür-Stele aus dem Grabe Metjetjis in Sakkara, späte 5. Dynastie. Zur Rechten steht Metjetji mit einem langen Amtsstab; zur Linken sitzt er auf einem kunstvoll gearbeiteten Stuhl mit Löwenpranken vor einem Opfertisch. Die begleitenden Inschriften garantieren ihm ewige Versorgung mit Nahrungsmitteln, Getränken, Kleidung und anderem Notwendigem.

ein vollendetes Begräbnis in der Nekropole zu empfangen«. Zweifellos hat er Letzteres bekommen und, so mag man wünschen, Ersteres ebenso.

17 | MERERUKA
ÜBERRAGENDER WESIR

»Er war ein Großer des Königs«, sagt der hohe Beamte Mereruka am Anfang seiner autobiografischen Inschrift; eine bessere Zusammenfassung seiner privilegierten Position konnte es nicht geben. Denn Mereruka verdankte Wohlhabenheit und Status gänzlich seinem Souverän Teti, nachdem er des Königs älteste Tochter Watetchethor, auch bekannt als Seschseschet, geheiratet hatte. Als ein anderer von Tetis Schwiegersöhnen, Kagemni, sich als Wesir zurückzog, war es Mereruka, der dieses höchst wichtige Amt an der Spitze der ägyptischen Regierung übernahm. Das Amt des Wesirs kombinierte höfische, administrative und richterliche Funktionen in einer einzigen Person. Dazu brachte es eine Menge weiterer Verantwortlichkeiten und Würden mit sich, die von der Ehrenstatthalterschaft über bedeutende Städte bis zur Verantwortung für die königliche Pyramidenanlage und das Bestattungsvermögen reichten. So spielte Mereruka in fast jeder Sphäre des ägyptischen Lebens eine zentrale Rolle. Auf dem Gebiet der Religon war er Vorlesepriester, verantwortlich für das Rezitieren von Zauberwünschen und Beschwörungsformeln bei kultischen Handlungen. In der Regierung stand er als Wesir allen Ressorts vor, während er auch über sein eigenes Portefeuille als Vorsteher über Alle Königlichen Arbeiten verfügte. Er war Vorsteher der Sechs Großen Herrschaftshäuser (Oberrichter) und Ehrengouverneur von Dep (Buto [äg. auch: Pe], heute Tell el-Fara'in), einer alten Stadt im nordwestlichen Delta von großer religiöser Bedeutung. Als Beamter mit dem größten Vertrauen Tetis war Mereruka auch für das wichtigste königliche Projekt von allen, den Bestattungskomplex, zuständig. Das schloss die Aufsicht sowohl über das Gut ein, das auf ewig für den Unterhalt von Tetis Grabkult sorgen sollte, als auch die über die Priester und Bewohner der Pyramidenstadt zusammen mit der Errichtung der Pyramide selbst, die ›Teti lebt an [allen] Plätzen fort‹ genannt wurde.

Trotz einer langen Latte an Verantwortlichkeiten war das Leben als hoher Beamter nicht ohne ausgleichende Vorteile. Eine Unmenge an Dienern umsorgte Mereruka bei allen Bedürfnissen. Statt laufen zu müssen, wurde er in einem Tragsessel getragen, während Bedienstete seine Haustiere versorgten (zwei Hunde und einen Affen). In seiner Freizeit vergnügte er sich mit dem Brettspiel *Senet* (›Überholen‹) und mit Malen. Eine Szene in Mererukas Grab zeigt ihn an einer Staffelei sitzend beim Malen einer Darstellung der Jahreszeiten, die als menschliche Gestalten dargestellt waren. Offenkundig war er ein Mann von kultiviertem, raffiniertem

Geschmack. Dieser spiegelt sich nicht nur in der Ausschmückung seines Grabes wider, sondern auch in dessen Bau selbst. Wie es sich für den mächtigsten ›gemeinen‹ Mann im Land gehörte, war es das größte Privatgrab seiner Zeit, und es sollte sogar das größte in der Nekropole von Sakkara bleiben. Es umfasste zweiunddreißig Kammern und verfügte über separate Anbauten für Mererukas Frau und ältesten Sohn (letzterer erhielt den königstreuen Namen Meri-Teti, ›geliebt von Teti‹). In der Mitte des Grabes lag eine prächtige Halle mit sechs Säulen, vor einem Opfertisch darin stand eine Statue Mererukas.

Die herkömmlichen Szenen von Handwerkern bei der Arbeit waren von anderen, eher bizarren Bildern vom Leben unter der 6. Dynastie begleitet. Es war durchaus üblich, in einem Grab Darstellungen von viehhaltender Landwirtschaft aufzunehmen, da dies auf magische Weise die Fleischversorgung im Leben nach dem Tod garantierte, falls die mit den

Relief mit Themen aus der Viehwirtschaft, vom Grabe des Mereruka in Sakkara, 6. Dynastie. Im obersten Register füttern Bediente langhorniges Vieh, um es zum Schlachten zu mästen. Im mittleren Streifen fressen angeleinte Antilopen aus Trögen. Im unteren Register werden Hyänen zwangsgefüttert.

Grabbeigaben deponierten Opfer zerstört werden sollten. In Mererukas Grab jedoch gewinnen wir unerwartete Einblicke in die kurz währenden Versuche von Bauern der 6. Dynastie, exotische Tiere zu domestizieren: Szenen zeigen Bediente, die Hyänen zwangsfüttern, zwangsweise füttern, um sie für den Tisch zu mästen, während halb-zahme Antilopen von Verwaltern gefüttert werden. Die Küche an Tetis Hof war offenbar sehr auserlesen.

Abgesehen von diesem etwas hochgestochenen Raffinement war Mereruka ein stolzer Sohn, Ehemann, Bruder und Vater. Seinen engsten Verwandten und Freunden schlicht als Meri bekannt, war er voller Stolz auf seine ausgedehnte Familie: seine Mutter Nedjetempipet, seine Frau die Prinzessin, seine neun Brüder und mindestens vier Söhne. Alle fanden in der Dekoration seines großen Monuments auf Ewigkeit Platz, dem Grab, das er in unmittelbarer Nähe der Pyramide des Monarchen, seines

Bemaltes Relief aus dem Grab Mererukas in Sakkara, 6. Dynastie. Der Grabbesitzer ruht sich aus, während seine Frau ihn mit Musik unterhält: eine Szene kultiviert-intellektueller Entspannung aus dem Leben eines Adligen des Alten Reiches.

Schwiegervaters, hatte bauen lassen. Nach Erlangen seiner hohen Beamtenstellung sollte Mereruka für immer im innersten Kreis des Königs bleiben. Von Geburt mag er ein gemeiner Mann gewesen sein, doch durch seine Heirat hatte er sich und seiner ganzen Familie ein ruhmreiches Leben nach dem Tode gesichert.

18 | WENI
KÖNIGLICHES FAKTOTUM

Machtausübung war im alten Ägypten eine hochflexible Angelegenheit. Selten, wenn überhaupt, erfolgte die Durchsetzung von Autorität über eine einzige fest umrissene Instanz im modernen Sinn eines ›Jobs‹. Vielmehr erwartete man von einer Amtsperson, dass sie im Rahmen ihrer Tätigkeit ein breites Spektrum von Verantwortlichkeiten ausübte. Worauf es ankam, war, königliche Autorität darzustellen, nicht auf einschlägige Erfahrung auf einem speziellen Gebiet. Wenige Persönlichkeiten illustrieren diese Flexibilität besser als Weni, dessen lange, bemerkenswerte Karriere, *en détail* auf seinem Kenotaph beschrieben, die Zeit der ersten drei Herrscher der 6. Dynastie umspannte.

Unter König Teti war Weni nach seinen eigenen Worten »ein Stirnband tragender junger Mann«. Abstammung und Hintergrund sind nicht bekannt, doch jetzt schon war er für eine Laufbahn in der Verwaltung vorgesehen, denn er hatte den unteren Posten eines Lagerhauswächters inne. Darauf erhielt er seine erste Beförderung zum Inspektor der Pächter des Palastes, ein weiteres Amt, das mit wirtschaftlichen Dingen zu tun hatte. Bedeutsam war, dass diese neue Berufung Weni dichter an das alltägliche Geschehen im Königspalast heranführte. So wurde er zum persönlichen Dienst am König aufgebaut.

Mit Tetis Tod und Pepis 1. Thronbesteigung mag Weni gefürchtet haben, dass seine Karriere zum Stillstand kommen werde, doch das Resultat war das genaue Gegenteil. Wieder wurde er befördert, dieses Mal zum Vorsteher des Ankleidegemachs, einer Position, die ihm regelmäßigen, persönlichen Zugang zum König verschaffte. Wenis erhöhter Status bei Hofe wurde mit dem Rang eines Gefährten gewürdigt, und ebenso wurde er zum Vorsteher der Priester von Pepis 1. Pyramidenstadt gemacht. Schon bald wurde sein loyaler Dienst für den Monarchen mit weiterer Verantwortung von sensibler juridischer Natur belohnt: Verhandlungen in Rechtsverfahren »allein mit dem Oberrichter und Wesir, alle Arten von Geheimnissen betreffend«. Insbesondere wurde Weni dazu bestellt, den König in Fällen, die den königlichen Harem betrafen, zu vertreten. Das sollte ihm in seiner späteren Laufbahn sehr zustatten kommen.

Wenis schneller Aufstieg durch die Ränge der Verwaltung brachten substantielle materielle Vorteile mit sich. Wie alle erfolgreichen Ägypter in

Relief Wenis aus seinem Grabmonument zu Abydos, 6. Dynastie. Er wird als junger Mann
gezeigt (wenngleich schon
Inhaber eines hohen Amtes), der
einer höherstehenden Person
Weihrauch opfert, wahrscheinlich
dem König.

LINKS:
Statuette Wenis als Kind, aus
Abydos, 6. Dynastie. Das Bild ruft
Wenis Beschreibung seiner selbst
in seiner Autobiografie vor Augen,
als ›stirnbandtragender Jüngling‹
am Hofe König Tetis.

RECHTS:
Detail einer knienden Statue
Pepis I., 6. Dynastie. Sie ist in
grünen Schiefer (Schluffstein)
gehauen, die Augen eingelegt aus
Kalzit und Obsidian und in Kupfer
gefasst. Die Provenienz ist unbekannt, vielleicht stammt sie
aus dem Tempel der Hathor in
Dendera, einer Göttin, deren
Name auf der Statuenbasis eingemeißelt ist.

der Mitte ihrer Laufbahn traf er schon Vorkehrungen für sein Begräbnis und den Totenkult. Er nutzte seinen besonderen Zugang zum König und erbat sich mit Erfolg das Privileg eines Steinsarkophags, etwas, das gewöhnlich Mitgliedern der Königsfamilie vorbehalten war. Der wurde »in einem königlichen Lastkahn zusammen mit seinem Deckel, einer Türöffnung, einem Türsturz, zwei Pfosten und einem Libationstisch von einer Gruppe von Schiffern unter dem Befehl eines königlichen Siegelträgers« transportiert. Dieses Zeichen königlicher Gunst muss eine außerordentliche Ehrung gewesen sein.

Eine Beförderung folgte der anderen, denn Weni wurde zum Vorsteher – eher als nur Inspektor – der Pächter des Palastes bestellt und stieg zum Rang eines Alleinigen Gefährten auf. Seine Hauptaufgaben betrafen das königliche Zeremoniell und umfassten Bewachung, Begleitung und Bedienung des Königs bei Gelegenheit von Audienzen und Besuchen. Wie zu allen Zeiten bei Monarchen waren ägyptische Könige anfällig für Verschwörungen und Palastcoups, die sehr oft im Harem ausgeheckt wurden, der Frauen und Kinder der Königsfamilie beherbergte. Tatsächlich wurde in dieser Einrichtung von einer von Pepis I. Frauen ein Komplott gegen ihn geschmiedet. Als die Verschwörung aufgedeckt wurde, erhielt Weni den Auftrag, die Beschuldigung allein und geheim zu untersuchen und zur Strafe zu bringen: eine gewaltige Domonstration des Vertrauens, das der König in ihn setzte.

Wenis nächste Aufgabe war völlig anders. Die ›Sandbewohner‹ im westlichen Asien – die Nomadenstämme des Sinai – rebellierten gegen Ägyptens Einfluss und Bedrohung der Sicherheit an der Nordostgrenze des Landes. So wurde Weni ausgesandt, um den Aufstand niederzuschlagen, mit einer Armee ägyptischer Zwangsverpflichteter unter seinem Kommando, unterstützt von Söldnern aus Nubien und den angrenzenden Wüstenregionen. In einer klassischen Zangenbewegung wurde die Hälfte der Armee per Schiff transportiert und landete im Rücken des Feindes, während die andere Hälfte über Land marschierte, um einen Frontalangriff zu unternehmen. Wenis strategisches Geschick führte zu einem berühmt gewordenen Sieg, doch sollte er nicht dauerhaft sein: Er rühmte sich – etwas einfältig –, bei vier weiteren Gelegenheiten gegen die Sandbewohner ausgeschickt worden zu sein, jedes Mal rebellierten sie.

Nach einer Kette gewichtiger militärischer Beförderungen hätte Weni vielleicht ein ruhigeres Ende seiner Laufbahn erwarten können. Doch der Tod Pepis I. änderte alles. Als erprobter, vertrauenswürdiger Hofmensch wurde Weni zum Palastkämmerer und Sandalenträger des neuen Königs Merenre bestellt. Außerdem wurde er zum Gouverneur Oberägyptens gemacht, als erster gemeiner Bürger, der diesen Posten innehatte.

Wenis strategische Fähigkeiten, ausgefeilt im Kampf gegen die Sandbewohner, wurden nun in zivilem Kontext eingesetzt, zu Transport großer Steinblöcke für Merenres Pyramide aus den Steinbrüchen in Ibhat (einem Platz in Unternubien) und Elephantine (äg. Abu). Eine einzige Expedition

an beide Steinbruchplätze hatte es noch nie gegeben, doch mit Hilfe von sechs Lastkähnen und dreier Schleppzüge brachte Weni sie zum erfolgreichen Abschluss. Zur Belohnung wurde er zu einem ähnlichen Auftrag losgeschickt: dem Transport eines Alabasteraltars für die Königspyramide aus den Brüchen von Hatnub in einem speziell konstruierten Lastkahn aus Akazienholz in den Maßen von 60 Ellen Länge und 30 Ellen Breite (31,4 m × 15,7 m). Was das Unternehmen besonders schwierig machte, war, dass es im Sommer stattfand, als der Fluss auf niedrigem Pegel stand. Gleichwohl rühmt sich Weni, die ganze Operation in einem Zeitraum von siebzehn Tagen durchgeführt zu haben.

Für die letzte Mission seiner Karriere konnte er die Fähigkeiten einsetzen, die er in einigen seiner vorherigen militärischen und operativen Rollen erworben hatte. Seine Aufgabe war doppelter Art. Zunächst hatte er die Konstruktion dreier Lastkähne und von vier Schleppzügen zu beaufsichtigen, die von Elephantine mehr Granit für die Königspyramide herbeischaffen sollten. Zum zweiten wurde er damit beauftragt, in Oberägypten fünf Kanäle auszuheben, vielleicht um die Passage der riesigen Boote und ihrer schweren Last zu ermöglichen. Nicht nur wurde das Werk zufriedenstellend erledigt, Weni fügt auch hinzu: »Tatsächlich leistete ich mit all diesen fünf Kanälen für den Palast eine Ersparnis.«

Sein Kommentar ist vielsagend und enthüllt mehr von seinem Inneren als die vorherige Beschreibung seiner ein halbes Jahrhundert währenden Laufbahn. Denn trotz seiner illustren Reihe höherer juridischer, militärischer und ziviler Anstellungen scheint noch etwas vom jungen Lagerhauswächter durch seine bohnenzählende Bemerkung durch.

19 | HARCHUF

ENTDECKER FERNER LÄNDER

Ägyptens älteste Reiseerzählung liegt als Inschrift auf der Fassade eines Felsengrabs vor, hoch in den Felsen über dem Nil bei Assuan. Der Inhaber des Grabes, Harchuf, zählt zu den größten Entdeckern der alten Welt.

Wie viele hochrangige Beamte im Alten Reich trug er eine Reihe von Titeln, die seinen Status in Kreisen des Hofes bezeichnen. Er war auch Gouverneur von Oberägypten und von »allen Bergländern, die zum südlichen Territorium gehören«. Sein wesentliches Amt jedoch war das des Chefs der Kundschafter, das ihm die Verantwortung für die Aufrechterhaltung der Sicherheit an Ägyptens Südgrenze auferlegte; dazu hatte er sicherzustellen, dass die Völker Nubiens und dahinter eine stetige Versorgung des königlichen Fiskus mit exotischen Produkten leisteten – ob per Handel oder als Tribut. Mit Harchufs eigenen Worten, er war die Person, »welche seinem Herrn die Produkte aller Länder bringt«.

Bei einer solchen Mission, welche die Handelsrouten sichern und wertvolle Waren zurückbringen sollte, unternahm Harchuf seine erste Expedition in das ferne Land Jam. Jenseits der von Ägypten kontrollierten Grenzen, doch noch innerhalb seiner Einflusssphäre lag Jam im heutigen Sudan, vielleicht am Abschnitt des Oberen Nils bei Schandi. Auf Befehl des Königs Merenre brachen Harchuf und sein Vater auf ihre hin und zurück über mehr als 1500 km verlaufende Reise auf, beladen mit exotischen Gütern für ihren Herrscher.

So groß war der Erfolg dieser Anstrengung, dass Harchuf ein zweites Mal nach Jam geschickt wurde, bei dieser Gelegenheit als Expeditionsleiter mit eigener Verantwortung. Er brach von Elephantine (äg. Abu) auf der genau südwärts führenden Straße auf, doch das Interesse bei dieser Reise lag in der politischen Geografie Unternubiens, die Harchuf zu einer Notiz auf der Rückreise veranlasste: »Ich kam hinunter durch das Gebiet des Hauses des Häuptlings von Satju und Irtjet, ich erkundete diese fernen Länder. Ich fand, dass noch kein Gefährte und Chef der Kundschafter, die zuvor nach Jam kamen, das getan hat.« Insbesondere bildet die Aufzählung von Landstrichen innerhalb des Territoriums von Irtjet unser bestes Zeugnis für die Verwaltung Unternubiens in dieser Zeit. Ja, es ist sogar möglich, dass bei dieser zweiten Reise, die nach Jam führte, es sich faktisch um einen Vorwand handelte, dass man – vorgeblich – Produkte zurückbringen wollte; die wirkliche Absicht mag gewesen sein, Erkenntnisse über den Zustand Unternubiens zu sammeln. Viele Jahrhunderte lang waren die Völker des oberen Niltals ägyptischer Kontrolle unterworfen gewesen; doch jetzt zeigten sie Anzeichen des Wunsches, ihre politische Autonomie wieder geltend zu machen. Die Vereinigung von Landstrichen zu größeren Territorialeinheiten war ein warnendes Signal, das zu ignorieren Ägypten sich nicht leisten konnte, und exakte Informationen über das Maß der Bedrohung waren lebenswichtig. Harchuf kehrte nach erfüllter Mission nach acht Monaten Abwesenheit nach Ägypten zurück.

Vielleicht als Reaktion auf die neuen politischen Realitäten in Unternubien folgte Harchufs dritte Expedition nach Jam einer anderen Route. Er verließ das Niltal im Gau Thinis (äg. Tjeni, beim heutigen Girga) und nahm die Oasenstraße, die über die Oase Charga durch die östliche Sahara in das Gebiet von Darfur im Sudan führte. Diese Route wird noch heute von Kamelzügen benutzt und heißt auf arabisch Darb el-Arba'in, ›Straße der 40 Tage‹. Um Jam zu erreichen, muss Harchuf die Straße an irgendeinem Punkt verlassen haben, um sich zurück nach Osten zum Nil hin zu wenden. Als er indes an seinem Ziel eintraf, begegnete Harchuf einer unerwarteten Wendung der Ereignisse, wiederum Resultat einer veränderten politischen Situation. Der Herrscher von Jam, mit dem Harchuf Handel zu treiben gedachte, hatte sein eigenes Land verlassen, um einen Feldzug gegen die Tjemeh in Südostlibyen zu unternehmen. Offenkundig war Jam ebenfalls damit beschäftigt, sich gegen mögliche Gegner zu verteidigen. Unbeeindruckt durch diese Komplikation, brach Harchuf

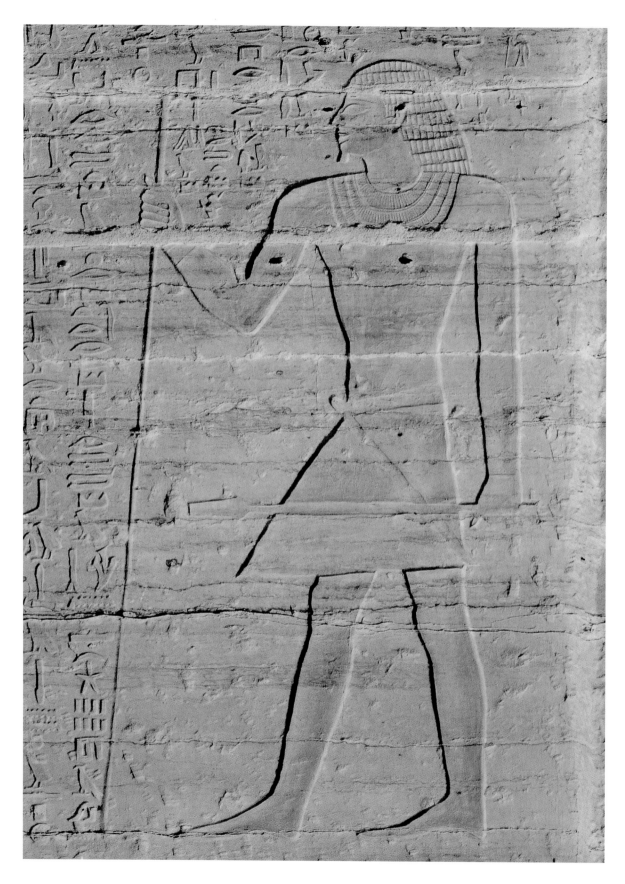

Relief Harchufs von der Fassade seines Felsengrabes in Kubbet el-Hawa bei Assuan, 6. Dynastie. Der die Figur Harchufs umgebende Hieroglyphentext zählt seine vier Expeditionen in ferne südliche Länder im Dienste seines Souveräns auf.

sogleich zur Verfolgung des Herrschers von Jam auf und folgte ihm bis ins Land der Tjemeh. Die beiden Männer trafen sich und erledigten zu gegenseitiger Zufriedenheit ihre Verhandlungen. Für seinen Teil brach Harchuf stolz zu seiner Rückreise nach Ägypten mit einer Karawane von 300 Eseln auf, die mit allen wertvollsten Produkten Afrikas beladen waren: Weihrauch, Ebenholz, kostbarem Öl, Wurfhölzern, Pantherfellen und Elefantenzähnen.

Wo die Häuptlinge Unternubiens jetzt offen über die ägyptische Vorherrschaft spotteten, mag Harchuf eine schwierige Rückreise erwartet haben. Darin lag er nicht falsch. Wie zuvor reiste er das Niltal entlang und entdeckte, dass der Häuptling von Satju und Irtjet seinen größer werdenden Gebieten ganz Wawat (Nubien nördlich des Zweiten Katarakts) hinzugefügt hatte. Dieser erweiterte Staat betrachtete sich als gleichwertig gegenüber Ägypten, und der Häuptling dachte nicht daran, Harchuf mit derart reicher Beute ungehindert sein Territorium passieren zu lassen. Nur die Präsenz einer bewaffneten Eskorte, die der Herrscher von Jam gestellt hatte, machte Harchuf den Weg frei. Nachdem er eine sichere Passage ausgehandelt hatte, eilte er heimwärts nach Ägypten. Wir können uns seine Erleichterung vorstellen, als er sich der Königsresidenz von Memphis näherte und von einem Schiffskonvoi begrüßt wurde, der mit Essens- und Getränkevorräten beladen war: nicht nur mit Stapeln von Brot und Bier, sondern ebenso mit Kuchen und Wein.

Nach drei Expeditionen nach Jam auf Geheiß von Merere fand sich Harchuf jetzt einem neuen Souverän in Gestalt des Kindkönigs Pepi II. verantwortlich. Im ersten Thronjahr des jungen Monarchen brach Harchuf zu seiner vierten und letzten Reise nach Jam auf. Er berichtet nichts über die Route, die er nahm, doch wir können annehmen, dass er es sorgfältig vermied, die unruhigen Kleinstaaten Unternubiens zu passieren, und stattdessen die sicherere Oasenstraße wählte. Bei Ankunft in Jam sandte er eine Eilbotschaft, die besagte, er werde mit »aller Art großer, schöner Geschenke« zurückkehren. Darunter stach hervor »ein göttlich tanzender Pygmäe aus dem Land der Horizontbewohner«, mit anderen Worten: vom Ende der Erde. Harchuf verglich seinen Preis mit dem des Pygmäen, der unter der Herrschaft des Königs der 5. Dynastie Isesi aus Punt mitgebracht worden war, notierte jedoch, dass nie zuvor ein Pygmäe aus Jam nach Ägypten gebracht worden sei. Als Antwort sandte der König Harchuf einen Brief voller Erregung und Erwartung und drängte ihn »Komm nach Norden zur Residenz, sofort! Eile dich und bring diesen Pygmäen mit ..., um das Herz König Neferkares [Thronname von Pepi II.] zu erfreuen.«

Diese persönliche Korrespondenz vom König zu erhalten, war der Höhepunkt in Harchufs Laufbahn. Den vollständigen Text des königlichen Briefes ließ er als Inschrift an der Fassade seines Grabes aufnehmen, an einem Ehrenplatz neben dem Bericht über seine vier heldenhaften

Expeditionen. Für den alten Entdecker stellte die Ungeduld eines sechs Jahre alten Monarchen alle Wunder Afrikas in den Schatten.

20 | PEPI II.
ÄGYPTENS LÄNGSTREGIERENDER KÖNIG

Eine prächtige Alabasterstatue, jetzt im Brooklyn Museum of Art, New York, zeigt eine winzige Königsfigur, welche die *Nemes*-Frisur des Königtums trägt und auf dem Schoß der Mutter sitzt. Die Komposition ist verblüffend, denn obwohl das Kind als Erwachsener *en miniature* dargestellt ist, um der Etikette der Monarchie Genüge zu tun, betonen seine Größe und Haltung Kindlichkeit und Verletzlichkeit. Der fragliche Kindkönig ist Neferkare Pepi II., vierter Herrscher der 6. Dynastie. Nach späteren Historikern, insonderheit Herodot, kam Pepi II. im Alter von sechs Jahren auf den Thron, und da er 100 Jahre leben sollte, herrschte er länger als jeder andere Monarch in der Geschichte Ägyptens.

Über seine ungewöhnlich lange Herrschaft ist wenig bekannt, mit Ausnahme der frühen Jahre des Königs. Pepi folgte seinem älteren Bruder Merenre, der unerwartet früh gestorben zu sein scheint. Weil der neue König noch ein Kind war, wurde die Macht in seinem Namen von seiner Mutter Anchenesmerire ausgeübt, die vielleicht die zuvor erwähnte Statue herstellen ließ, um ihre Verwandtschaft mit dem König zu unterstreichen); unterstützt wurde sie von ihrem Bruder Djau, der von Pepi I. zum Wesir im Süden bestellt worden war. Die ägyptischen Künstler waren offenkundig mit der konzeptuellen Darstellung eines Kindkönigs ziemlich unerfahren; die Ergebnisse, die sie für Pepi II. vorlegten, bilden ungewöhnliche Experimente in königlicher Ikonografie. Beispielsweise zeigt ihn eine Statue aus Pepis II. Pyramidenbezirk als nacktes Kind in Hockstellung, die Hände auf den Knien, doch mit der königlichen Uräusschlange (Kobra) auf der Stirn.

Das berühmteste Ereignis aus dem ersten Jahrzehnt von Pepis Herrschaft ist die Reise, die Harchuf (Nr. 19) nach Jam machte und bei der er dem König einen tanzenden Pygmäen als Trophäe mitbrachte. Kaum hatte Pepi von dem Pygmäen gehört, konnte er seine Erregung nicht mehr zurückhalten und schrieb an Harchuf, ihn zu großer Achtsamkeit mit seiner kostbaren Last drängend: »Wenn er mit dir in das Schiff steigt, nimm ordentliche Männer, die auf Deck um ihn sein sollen, damit er nicht in das Wasser falle! Wenn er des Nachts daliegt, nimm ordentliche Männer, damit sie um sein Zelt liegen. Inspiziere nachts zehn Mal! Meine Person wünscht mehr, diesen Pygmäen zu sehen als die Geschenke vom Sinai und aus Punt!« Die Verbindung von kindlichem Enthusiasmus und königlicher Autorität hat dies zu einem der denkwürdigsten Auszüge aus den altägyptischen Textzeugnissen gemacht.

Trotz seiner sehr langen Herrschaft wich Pepi II. nicht vom Standard-modell der 6. Dynastie bei der Planung seiner Pyramidenanlage in Süd-Sakkara ab. Das Hauptmonument maß 150 Ellen im Quadrat (78,6 m²) an der Basis und war 100 Ellen (52,4 m) hoch. Passend für einen König, dessen außerordentlich lange Lebenszeit vielen seiner Landsleute als Unsterblichkeit vorgekommen sein muss, wurde die Pyramide ›Neferka-re ist eingesetzt und lebt‹ benannt. Im Innern wurde sie mit Inschriften von Auszügen aus den *Pyramidentexten* versehen, während ein Großteil der Dekoration des Pyramidentempels sklavisch aus dem Komplex Sahu-res aus der 5. Dynastie in Abusir kopiert wurde. Es ist, als ob die künst-lerische Kreativität zum Stillstand gekommen wäre, Symptom einer umfassenderen Malaise im Lande insgesamt, die nach Pepis Tod zum Nie-dergang königlicher Autorität und einer herrschenden Hofkultur wurde. Auch außerhalb des Niltals verschlechterten sich die Umstände. In Nubi-en begann der Staatenverband, von dem Harchuf berichtet hatte, mäch-tiger zu werden und die ägyptische Dominanz zu bedrohen. Einer von Pepis höheren Beamten, der Kanzler Mehu, wurde auf einer Expedition nach Nubien von feindlichen Einheimischen getötet, sein Leichnam mus-ste von seinem Sohn Sabni in einer schwierigen Mission zurückgeholt werden.

Zurück in der Hauptstadt jedoch muss Pepi eine relativ friedliche Herr-schaft ausgeübt haben, umgeben von seiner wachsenden Familie. Er hat-te mindestens vier Frauen, darunter zwei Halbschwestern, Neith und Iput, seine Nichte Anchesenpepi sowie eine weitere Frau, vielleicht eine ent-fernte Kusine, Wedjebten. Alle erhielten ihre eigenen Gräber um die Königspyramide herum. Die Grabkammer von Neiths Pyramide war mit *Pyramidentexten* verziert, zum ersten Mal in nicht-königlichem Baukon-text. Der Unterschied zwischen königlichen und nicht-königlichen Begräbnisbräuchen und -anschauungen hatte schon angefangen zu ver-schwimmen und kündete so die vollständige »Demokratisierung des Lebens nach dem Tode« in der nachfolgenden Ersten Zwischenzeit an.

Pepis hohes Alter bei seinem Tode – er sah zehn Wesire kommen und gehen – verursachte größere Probleme bei der Nachfolge: Er hatte so vie-le von seinen Erben überlebt, dass die Königsfamilie bei der Suche nach einem einzigen Kandidaten, der breite Unterstützung erhielt, in Streit geriet. Ein Sohn namens Nemtiemsaf II., auf einer Stele aus Neiths Pyra-midenbezirk als Kronprinz erwähnt, ging als nächster König daraus her-vor, hielt sich jedoch nicht lange. Ihm folgte eine Reihe gleichermaßen ephemerer Herrscher, da Ägypten auf politische Zersplitterung zusteuer-te. Hinsichtlich Pepis postumem Ansehen war die Geschichte entschieden unfreundlich. Eine volkstümliche Geschichte, vielleicht im späten Mittle-ren Reich verfasst und über Jahrhunderte populär, erzählte von einer homosexuellen Beziehung zwischen einem König Neferkare und seinem General Sasenet. Die Erzählung präsentiert des Königs Verhalten in schlüpfrigem, ungünstigem Licht:

Statue (aus Kalkspat) des Kindkönigs Pepi II. auf dem Schoße
seiner Mutter, Anchenesmerire II.
sitzend, späte 6. Dynastie. Wenngleich noch ein ›Baby‹, wird Pepi
als Erwachsener *en minature* mit
vollständigen königlichen Insignien gezeigt, um seinen vollen
königlichen Status zu betonen.

»Dann bemerkte er, wie die Person des Doppelkönigs bei Nacht hin-
ausging … Darauf warf er einen Backstein und trat mit dem Fuß [an
die Mauer], so dass für ihn eine Leiter heruntergelassen wurde. Dann
stieg er hinauf … Jetzt, nachdem Seine Person mit ihm [Sasenet] getan
hatte, was er wünschte, kehrte er in den Palast zurück …«

Das war ein schimpfliches Schicksal für den letzten bedeutenden Herrscher des Pyramidenzeitalters.

21 | PEPINACHT-HEKAIB
LOKALER HELD

Wie sein Vorgänger Harchuf (Nr. 19), unternahm auch Pepinacht, der
Chef der Kundschafter in der späteren Phase von Pepis II. Herrschaft,
ebenfalls verschiedene herausfordernde Expeditionen in fremde Länder.
Jedoch sollte für Pepinacht (›Pepi ist siegreich‹), benannt zu Ehren seines
Monarchen, der Ruhm mehr als nur ein Felsengrab in den Felsen über
Assuan einbringen.

Als Nomarch (Provinzverwalter) der südlichsten Provinz Ägyptens,
zuständig für Expeditionen nach Unternubien und die Sicherheit von
Ägyptens nubischer Grenze wurde Pepinachts Loyalität zum König
während seiner Laufbahn mit dem Beinamen Hekaib, ›Herrscher des Her-
zens‹ und mit seiner Betrauung der Totenkulte Pepis II. und dessen zwei
Vorgängern vergolten. Doch Pepinachts wirkliche Fähigkeit lag in den
beiden Bereichen der Außenpolitik: Handel und Krieg. Mit seinen eigenen Worten, er war es, »der seinem Herrn die Produkte fremder Länder
bringt« und »der Horus' Schrecken in fremde Länder trägt«.

Mit Beginn von Pepis II. Herrschaft hatte Unternubien sich politisch
weiter zusammengeschlossen und stellte nun für Ägypten eine reale
Bedrohung dar. Daher galt Pepinachts erster königlicher Einsatz einem
Militärschlag, der Ägyptens Hegemonie wiederherstellen – »Wawat und
Irtjet zerhacken« – sollte. Sein eigener Bericht drückt die Essenz der blu-
tigen Begegnung in rein sachlicher, kompromissloser Art aus:

»Ich wirkte zur Zufriedenheit meines Herrn. Ich erschlug eine große
Zahl von Ihnen … Eine große Zahl von ihnen brachte ich als Gefangene zur Residenz, während ich an der Spitze zahlreicher, starker und
kühner Truppen stand. Mein Herr vertraute mir voll bei jedem Einsatz, zu dem er mich aussandte.«

Trotz Pepinachts Vertrauen in die eigenen Fähigkeiten ließ sich die Konföderation von Wawat, Irtjet und Satju – später sollte sie sich kulturell als
die sogenannte C-Gruppe entfalten – nicht so leicht besiegen. Einige Jahre später wurde eine zweite Mission erforderlich, »um diese Länder zu
befrieden«, und dieses Mal sicherte sich Pepinacht gegen jeden zukünfti-
gen Aufstand ab. Zusätzlich zu dem Langhorn- und Kurzhorn-Vieh, das

er als Beute aus dem Feldzug zur Königsresidenz schaffte, brachte er auch menschliche Trophäen mit: die Söhne der rebellierenden Herrscher. Das war übliche ägyptische Praxis, und sie erfüllte mit einem Mal zwei Schlüsselziele. Nicht nur waren die jungen Prinzen Geiseln am ägyptischen Hof, welche für den Gehorsam ihrer Verwandten im fernen Nubien garantierten, damit verbunden waren auch Hoffnung und Absicht, sie würden durch ihr Aufwachsen am Hofe zusammen mit jungen ägyptischen Prinzen kulturell ägyptisiert. Wenn sie insofern in ihrer nubischen Heimat schließlich die Thronfolge anträten, könnten sie sich als loyaler erweisen als ihre Väter. Wie Pepinacht unbescheidenerweise bezüglich seiner Erfolge bemerkt: »Ich erledigte die Aufgaben als Führer des Südens durch meine hervorragende Wachsamkeit durch die Erfüllung des Wunsches meines Herrn.«

Nachdem Pepinacht so unter schwierigen Umständen sein Können und seine Tapferkeit gezeigt hatte, wurde er, wie zu erwarten, zu einer weit gefährlicheren, komplizierteren Mission ausgesandt. Das Szenario ist einem Spionageroman angemessen, und es wirft ein faszinierendes Licht auf die unerfreulichen Realitäten ägyptischer Außenpolitik am Ende des Alten Reiches. Einige Jahre zuvor war ein anderer Vorsteher der Kundschafter und Schiffskapitän namens Ananchet an die libanesische Küste gereist, um ein Schiff für eine Seereise in das fabelhafte Land Punt (den

LINKS:
Relief aus dem Grab des Pepi-nacht-Hekaib zu Kubbet el-Hawa, späte 6. Dynastie. Pepinacht stützt sich auf einen Stock, während sein Sohn Sabni ihm Opfergaben darbietet. Die Szene bringt das altägyptische Ideal der Frömmigkeit des Sohnes auf den Punkt.

UNTEN:
Votivstele aus dem Heiligtum des Hekaib in Elephantine, 12. Dynastie. Dargestellt ist der lokale Statthalter der Zeit, Sarenput (Nr. 31), wie er der Statue seines verehrten Vorgängers Pepinacht-Hekaib Opfergaben darbringt.

heutigen Sudan oder Eritrea) zu bauen. Während er mit dieser Aufgabe beschäftigt war, waren er und die Kompanie Soldaten mit ihm von einer Gruppe ›Sandbewohner‹ überfallen und getötet worden, jenen beständigen Unruhestiftern an Ägyptens Nordostgrenze, die das Ziel von wenigstens fünf Kampagnen zuvor in der 6. Dynastie (siehe Weni, Nr. 18) gewesen waren. Für einen Ägypter war es eine entsetzliche Aussicht, kein eigenes Begräbnis zu Hause zu erhalten, denn das bedeutete völliges Vergessen. Und für die ägyptische Obrigkeit bedeutete der Verlust eines wichtigen Beamten an Aufständische und seinen Leichnam nicht zurückzuholen eine unerträgliche Verletzung nationalen Stolzes. So wurde Pepinacht, der kampferfahrene Führer in fremden militärischen Konfliktzonen, vom König ausgeschickt, um Ananchets Leichnam aufzufinden und in die Heimat zurückzuführen. Dass Pepinacht seine Mission erfüllte, indem er die Rebellen zur Flucht trieb und einige von ihnen bei dem Vorgang tötete, sagt viel über seine persönlichen Qualitäten. Es hilft auch, seinen späteren Ruhm als lokaler Held zu erklären.

Pepinachts Nachfolger als Vorsteher der Kundschafter war sein Sohn Sabni, dessen eigene Mission in Wawat darin bestand, ein Paar Obelisken für den Re-Tempel zu Heliopolis herbeizuschaffen. Das war jedoch einer der letzten Keucher königlicher Macht, nicht nur in Unternubien, sondern in Ägypten selbst. Denn auf den Tod Pepis II. folgte eine Reihe kurzlebiger Regierungen, eine Schwächung königlicher Autorität und der schließliche Kollaps des Staates des Alten Reiches. Doch für Pepinacht war die Zukunft insgesamt strahlender. Seine bemerkenswerte Laufbahn hatte ihm in seiner heimischen Gemeinde Ruhm verschafft, und das Andenken an ihn wurde lange nach seinem Tod weiter geehrt. Auf der Insel Elephantine (äg. Abu) wurde ein Heiligtum errichtet und ›Hekaib‹ geweiht; zu diesem kamen Verehrer und beteten zu ihrem Helden, er möge sich zu ihren Gunsten bei den göttlichen Mächten verwenden. Hekaibs Kult nahm an Popularität zu, und über Generationen ließen Besucher des Heiligtums dort ihre Votivgaben und -statuen als Zeichen ihres Glaubens an übernatürliche Mächte. Während der Ersten Zwischenzeit und des frühen Mittleren Reiches wurde der Kult sogar von verschiedenen Königen gefördert, eine außergewöhnliche Umkehrung des üblichen Musters der ägyptischen Religion.

Heute, mehr als 4000 Jahre nach seinem Leben und Tod, wurde Hekaibs Heiligtum ausgegraben und empfängt wieder einen ständigen Strom von Besuchern, die kommen, um dem Platz und dem Mann, der ihn inspirierte, ihren Tribut zu zollen.

TEIL 3 | BÜRGERKRIEG UND RESTAURATION
ERSTE ZWISCHENZEIT UND MITTLERES REICH

Kopf einer Granitstatue Senuserets II., 12. Dynastie. Die Darstellungen dieses Königs mit den hervortretenden Augen und dem grübelnden Mund sind sehr charakteristisch. Sie vermitteln ein kompromissloses Bild absoluter Macht, verstärkt noch durch die übergroßen Ohren, die den alles hörenden Herrscher erkennen lassen.

In der Folge des Zusammenbruchs der zentralen Obrigkeit am Ende des Alten Reiches zerbrach Ägypten entlang den traditionellen Territoriumsgrenzlinien. Die Nachfolger Pepis II. sahen die Ausdehnung ihrer Autorität auf das Delta und das nördliche Niltal reduziert, während andere lokale Potentaten ihre eigenen heimischen Regionen in Oberägypten regierten. Unter den Letzteren stachen Anchtifi (Nr. 23), der die drei südlichsten Provinzen kontrollierte, und sein großer Rivale, der Herrscher Thebens, hervor. Da die verschiedenen Möchtegern-Monarchen um die Macht rangelten, wurden bestimmte Örtlichkeiten und Verbindungsrouten strategisch bedeutsam, besonders die Wüstenpisten hinter Theben. Neuerliche Entdeckungen von Inschriften, die hier von einem lokalen Beamten namens Tjauti (Nr. 22) eingehauen wurden, haben unser Bild der geopolitischen Verhältnisse während der Ersten Zwischenzeit stark erweitert, wie die auf das Alte Reich folgende Periode bezeichnet wird.

Innerhalb weniger Generationen erwies sich der Herrscher Thebens namens Antef als mächtigster Mann in Oberägypten und treibende Kraft hinter einer Strategie, das ganze Land auf militärischem Wege wieder zu vereinen. Die Annahme der königlichen Titulatur durch Antef I. forderte den König der 9./10. Dynastie mit Residenz in der Stadt Herakleopolis (äg. Hnes oder Hutnen-nesut) in Mittelägypten heraus, und es schloss sich ein regelrechter Bürgerkrieg an. Größere Fortschritte wurden von Antef II. (Nr. 25) gemacht, während sein zweiter Nachfolger, Mentuhotep II. (Nr. 27) den endgültigen Sieg errang und eine neue Periode mit einer starken Zentralregierung inaugurierte, die als Mittleres Reich bekannt ist.

Ägypten jedoch war ein Land, das sich veränderte. Die Schwächung königlicher Autorität während der Ersten Zwischenzeit war nicht nur von

einem entsprechenden Aufschwung der Autonomie der Provinzen begleitet; sie hatte auch eine Verwischung der zuvor scharfen Unterschiede zwischen königlicher und privater Sphäre in vielen Bereichen mit sich
gebracht, nicht zuletzt der Religion. Im Alten Reich war das Versprechen
eines Lebens nach dem Tod in Gesellschaft der Götter dem König vorbehalten gewesen. Da nun jedoch der König keinen Platz mehr an der Spitze der Gesellschaft einnahm, drang die Hoffnung auf Wiedergeburt und
ewige Existenz nach und nach auch in andere Schichten der Gesellschaft
ein. Die ›Demokratisierung des Lebens nach dem Tode‹ hatte eine tiefe
Auswirkung auf ägyptische Philosophie und Religion, wie es sich im
Leben von Staatsbeamten wie Tjetji (Nr. 26) und relativ einfachen Personen wie der Priesterin Hemire (Nr. 24) widerspiegelte. Veränderungen im
Glauben beeinflussten auch die Bestattungspraktiken; die für die Privat-
begräbnisse im Mittleren Reich charakteristischen Grabmodelle –
berühmtestes Beispiel dafür sind diejenigen des Meketre (Nr. 28) – sollten dazu dienen, die ewige Versorgung mit allem zum Leben Notwendigen sicherzustellen. Dank ihren detaillierten Darstellungen lieferten solche Modelle anschauliche Zeugnisse für die Technik der Epoche.

Für weitere Einblicke in das gewöhnliche Leben sorgt das geschriebene Wort. Ausgedehntere Verwendung von Dokumenten in Verbindung
mit den Zufälligkeiten archäologischer Erhaltung bedeutet, dass Texte auf
Papyrus und anderen Medien aus dem Mittleren Reich viel besser dokumentiert sind als aus vorherigen Epochen. Sie reichen von der privaten
Korrespondenz eines Bauern namens Hekanacht (Nr. 30) bis zu rechtlichen Abmachungen des Hapdjefa (Nr. 32) und für König Amenemhet I.
verfassten literarischen Werken. Neben einer Blüte großer Literatur war
die 12. Dynastie, eingeleitet von Amenemhet, Zeugin einer neuen Raffinesse in der handwerklichen Produktion. Die königlichen Werkstätten
erreichten ein Niveau technischen Könnens und künstlerischer Kreativität,
die seit dem Alten Reich nicht zu sehen waren. Um die Künstler mit den
edelsten Materialien zu versorgen, wurden Expeditionen in ferne Länder
auf die Suche nach kostbaren Steinen ausgesandt; die damit verbundenen
Härten sind durch die Inschrift eines solchen Expeditionsleiters, Horurre
(Nr. 36) übermittelt.

Vom politischen Standpunkt aus ist das Mittlere Reich ein Rätsel. Auf
der einen Seite war die 12. Dynastie vielleicht die stabilste Königslinie, die
je über Ägypten herrschte. Durch eine Kombination von Rücksichtslo-
sigkeit und Tücke, machtvoll ausgedrückt im Standbild Senuserets III.
(Sesostris; Nr. 35), gingen die Könige scharf gegen innere Abweichungen
vor und führten glanzvoll Hof. Die traditionellen Aufgaben des Königtums wurden skrupulös eingehalten wie etwa die Renovierung von Kult-
bildern zur Verwendung bei wichtigen Festen – wie es die Inschrift von
Ichernofret (Nr. 34) beschreibt. Die Institution der Ko-Regentschaft
schützte die Monarchie, indem sie unter Königen eine glatte Nachfolge
regelte; andererseits schützten massive Verteidigungsanlagen im Delta und

Unternubien das Land gegen fremde Aggression. Gleichzeitig und im Gegensatz zu diesem Bild totalitärer Herrschaft wurde auf regionaler Ebene beträchtliche Autorität von den ägyptischen Provinzführern ausgeübt. Die 12. Dynastie war ›das Zeitalter der Nomaden‹; Männer wie Sarenput von Elephantine (Nr. 31) und Chnumhotep von Beni Hassan (Nr. 33). herrschten in der Art von Fürsten über ihre Gebiete und bauten sich dekorierte Gräber auf einem ebenso fürstlichen Niveau. Unter Senuseret III. scheint die Macht der Nomarchen beschränkt worden zu sein, doch der Geist war aus der Flasche heraus: Nachdem sie einmal Autonomie auf hohem Niveau gekostet hatten, wollten die Provinzen nicht so leicht wieder in einen Zentralstaat resorbiert werden.

In den späteren Jahren des Mittleren Reiches führte die Kombination aus dynastischer Krise und innerem Druck erneut zu einer Schwächung der königlichen Autorität. Für einen gewissen Grad an Stabilität sorgten Familien hoher Beamter, die ihre Ämter von Vater zu Sohn weitergaben; im Gegensatz dazu fiel der Thron von einer Partei an die andere, selbst so weit, dass ein König, Sobekhotep III. (Nr. 37) aus seiner nicht-königlichen Abkunft sogar eine Tugend machte. Am Ende waren es jedoch nicht so sehr innere Differenzen als vielmehr äußere Kräfte, die das Mittlere Reich in die Knie zwangen. Die massiven, von den Königen der 12. Dynastie in ganz Unternubien gebauten Forts waren eine Antwort auf eine empfundene Drohung von Seiten des Königreichs Kusch gewesen. Die ›Herrschermauern‹, die längs der Nordostecke des Deltas errichtet wurden, sollten Ägypten gegen Infiltration aus Asien schützen. Doch ohne entschlossene Führung vom Zentrum aus erwiesen sie sich als ebenso wenig effektiv. Immigranten aus Syrien-Palästina siedelten nicht nur in wachsender Zahl im Delta, sie richteten sogar ihre eigenen Ministaaten ein und beanspruchten schließlich sogar die Königsherrschaft über Ägypten selbst. Von Süden her drangen die Kuschiten ins Niltal ein, verwüsteten dessen Städte und schleppten die Schätze fort. Erneut war Ägypten ein geteiltes Land; die Geschichte war wieder am Anfang.

Bemaltes hölzernes Modell aus einem Grab, 12. Dynastie: Opfergabenträger bringen dem Verstorbenen Versorgungsbedarf. In Gräbern des Mittleren Reiches übernahmen oft dreidimensionale Modelle die Stelle früherer zweidimensionaler Reliefdarstellungen. Der Zweck war derselbe: das ewige Überleben des Grabbesitzers im Leben nach dem Tode sicherzustellen.

22 | Tjauti

Kontrolleur der Wüstenrouten

Es gehört mehr zum antiken wie modernen Ägypten als das Tal und das Delta des Nilstroms. Die weiten Wüstenräume im Osten und Westen, so unwirtlich und dem modernen Besucher größtenteils unbekannt sie sind, waren ökonomisch und strategisch stets bedeutsam. Nie galt das mehr als in der Ersten Zwischenzeit, als Ägypten vom Bürgerkrieg gepeinigt wurde. Auf der einen Seite gab es Könige der 9./10. Dynastie mit Residenz in Herakleopolis (äg. Hnes oder Hutnen-nesut), die sich als legitime Erben der Monarchen des Alten Reiches sahen. Gegen sie gerichtet waren die Fürsten von Theben, die ihre Kontrolle noch weiter auszudehnen und die Königsherrschaft über das ganze Land zu erlangen suchten. Die Frontlinie in dem Konflikt lag an der Grenze zwischen Waset und Netjerwi (den Gauen Theben und Koptos). Letzterer wurde von einem Nomarchen (Provinzgouverneur) regiert, der loyal zu den Herakleopoliten stand. Sein Name war Tjauti, und seine Taten, die unlängst durch Entdeckungen in der Westwüste bekannt wurden, beleuchten den Fortgang des Bürgerkriegs und die Mittel, mit denen er geführt wurde.

Tjauti war nicht nur Gouverneur der Provinz Koptos, sondern auch ›Vater Gottes‹, ›geliebt von Gott‹, Mitglied der Führungsschicht und Vorsteher von Oberägypten. Der erste Titel kann darauf hinweisen, dass er mit der Königsfamilie von Herakleopolis verwandt war; zweifellos war er ihr loyaler Diener. Seine bedeutendste Rolle war vielleicht die als ›Vertrauter des Königs am Tor der Wüste Oberägyptens‹, mit anderen Worten der zuständige Mann für Instandhaltung und Patrouillekontrollen der Wüstenrouten und Verbindungswege, die kreuz und quer die ariden Gebiete beiderseits des Niltals durchliefen. Diese Routen wurden von Handelskarawanen und Botschaftern extensiv genutzt; sie bildeten ein lebenswichtiges Verbindungsnetz, welches das Reich von Herakleopolis mit Gebieten weiter südlich verband. Insbesondere verkürzten die Routen, welche im Nilverlauf die riesige Biegung bei Kena kreuzten, die Reisezeit zwischen dem nördlichen und südlichen Oberägypten um einige Tage. Die Kontrolle über sie zu behalten war daher ein strategisches Ziel, denn wenn sie in Feindeshand fielen, wären die Thebaner in der Lage gewesen, den Gau von Koptos und seine beiden nördlichen Nachbarn an der Flanke zu umfassen und sie zu isolieren. Dann hätte Theben ungehinderten Zugang zur heiligen, symbolträchtigen Stätte von Abydos (äg. Abdju) gehabt, dem Juwel an der Krone der Herakleopoliten.

Tjauti regierte seinen Nomós (Gau) wie seine Vorgänger von der Stadt El-Chosam aus, die direkt dem Punkt gegenüberlag, wo die Wüstenrouten auf das Niltal trafen – so bedeutend waren sie. So war es für ihn und die ganze Sache von Herakleopolis ein ernster Rückschlag, als es den Thebanern gelang, die Wüstenstraßen zu sperren. Tjauti setzte sich zur Wehr, verwickelte den Feind in einen Kampf und baute eine neue Straße, um die weitere Kontrolle der Kena-Biegung durch Herakleopolis zu gewährleisten. Seine Bemühungen fasste er in einer Inschrift zusammen, die in einen freistehenden Felsen seitlich der Straße gehauen war: »Ich machte dies, um den Berg zu überqueren, den der Herrscher eines anderen Gaus gesperrt hatte. Ich kämpfte mit seinem Gau.«

Ironischerweise war Tjautis großer Erfolg am Ende auch sein Untergang. Seine neue Straße, eine der besten in der westlichen Wüste, beschleunigte unbeabsichtigt die Eroberung des Gaus von Koptos durch die Thebaner und ermöglichte ihnen zu gegebener Zeit, Abydos anzugreifen; sie entweihten die heiligen Plätze und schwächten so in verhängnisvoller Weise die Herrschaft von Herakleopolis. Die Wüstenrouten, welche geholfen hatten, die Expansion Thebens unter Kontrolle zu halten, sicherten ihnen zuletzt den Preis, die Wiedervereinigung Ägyptens und die Herrschaft über Beide Länder.

23 | ANCHTIFI
PROVINZFÜHRER IN ZEITEN DES BÜRGERKRIEGS

Während die Thebaner ihre Macht nach Norden ausdehnten, die Provinz von Koptos (äg. Netjerwi) eroberten und ihrem wachsenden Territorium anschlossen, errichtete ein Mann eine rivalisierende Machtbasis im tiefen Süden Ägyptens. Anchtifi besaß die übliche Reihe Ehrenämter, die zu einem Gauvorsteher gehörten – Mitglied der Führungsschicht, hoher Beamter, Königlicher Siegelträger, Alleiniger Gefährte und Vorlesepriester –, verband diese jedoch mit militärischen Titeln – General, Chef der Kundschafter und Vorsteher der Wüstenregionen –, was den kriegerischen Charakter der Zeit widerspiegelte. Von seinem Familienleben wissen wir relativ wenig, nur den Namen seiner Frau, Nebi, und dass er vier Söhne hatte, deren ältester Idi hieß.

Anchtifis Heimat und Verwaltungshauptstadt war die Stadt el-Moalla (äg. Hefat), von wo aus er den Nomós (Gau) Nechen regierte. Durch eine Verbindung gekonnter politischer Taktik und kluger Verwaltung gelang es ihm, zwei weitere Provinzen unter seine effektive Kontrolle zu bringen, was ihn in die Position brachte, Theben um die Vorherrschaft in Oberägypten herauszufordern. Der erste entscheidende Schachzug kam als Antwort auf die Misswirtschaft im Nachbargau von Edfu (äg. Chuu). Wie Anchtifi selbst berichtete: »Ich fand das Gebiet von Chuu überflutet … und von dem Verantwortlichen vernachlässigt … und ruiniert.« Er verlor keine Zeit, den Gau für sein eigenes Territorium zu annektieren, restrukturierte dessen Verwaltung und stellte die Ordnung wieder her. Mit zwei Provinzen unter seiner Führung schloss er als nächstes eine Allianz mit dem Nomós Elephantine (äg. Ta-Seti) und schuf so eine politische

Union der drei südlichsten Gaue Ägyptens. Die thebanischen Fürsten im Norden, gerade hatten sie Koptos erobert, müssen in einer Mischung aus Furcht und Abscheu nach Süden geblickt haben: Hier, vor ihrer Tür im Süden, gab es einen ernsthaften Rivalen, der ihre hochgesteckten Ambitionen der Vereinigung des ganzen Landes unter ihrem Einfluss vereiteln konnte.

Der unvermeidliche Konflikt ließ nicht lange auf sich warten. Die Theben-Koptos-Allianz stürmte und nahm Anchtifis Festung westlich von Armant ein, offenkundig um sie als Brückenkopf für einen umfassenden Angriff auf Hierakonpolis (äg. Nechen) zu benutzen. Anchtifi übte Vergeltung, gewann seine Stützpunkte zurück und drang in das feindliche Territorium ein. Doch die Thebaner hatten beschlossen, ihr Feuer für eine andere Gelegenheit zu sparen und verweigerten den Kampf. Anchtifi beurteilte dies als Feigheit, doch es muss ihn unruhig gemacht haben. Für ihn war der Kampf gegen die Thebaner kein Bürgerkrieg sondern vielmehr Eigeninteresse; er wusste, dass seine Konföderation aus drei Gauen ein Stachel in der Flanke der Thebaner war, und angesichts der Umstände war Angriff die beste Art der Verteidigung. Zuletzt jedoch erwies sich der Expansionismus Thebens als nicht aufhaltbar. Anchtifis rivalisierendes Bündnis überlebte sein eigenes Ableben nicht, und seine Erben waren gezwungen, sich Thebens Oberherrschaft zu unterwerfen.

Außer auf das Schlachtfeld war Anchtifi besonders auf seine Regierungsfähigkeiten stolz. Er brüstete sich: »Ich bin die Vorhut von Männern und die Nachhut von Männern ..., ein Führer des Landes durch aktives Vorgehen, stark in der Rede, gefasst im Denken.« Seine Führungsqualitäten wurden bis an die Grenze erprobt, als eine große Hungersnot das ganze Gebiet traf: »Oberägypten starb an Hunger; jeder aß seine Kinder.« Anchtifi unternahm sofort Schritte, um der Situation zu begegnen, indem er Notvorräte an Nahrung freigab. Nach der Feststellung, dass sein eigener Gau genügend hatte – »niemand starb Hungers in diesem Gau« –, schickte er Lebensmittel nach Elephantine und in andere größere Städte,

Reste des zerstörten Grabes des Anchtifi in el-Mo'alla, Oberägypten, 9./10. Dynastie. Ein mächtiger Lokalherrscher mit Ehrgeiz zur Expansion: Anchtifi wählte einen pyramidenförmigen Hügel als Ort für sein Grab, vielleicht um seine quasi-königliche Autorität über seine Heimatregion zu betonen.

Vertieftes Relief des Anchtifi aus seinem Grab in el-Mo'alla, 9./10. Dynastie. Stil und Proportionen dieser Figur zeigen den fortgesetzten Einfluss von Vorbildern des Alten Reiches auf die Provinzkunst der Ersten Zwischenzeit.

darunter Nagada (äg. Nubt) und Dendera im Reich von Theben: ein bemerkenswerter philanthropischer Akt mitten in einem Krieg. Dank seinen Maßnahmen wurden im südlichen Oberägypten ernste Verluste an Leben verhindert.

Der letzte Akt in Anchtifis dramatisch erfüllter Laufbahn war die Errichtung eines Ruheortes für die Ewigkeit. Obwohl sein Grab in der Umgebung von el-Moalla ein in den Fels gehauener Bau war, ganz gemäß der in der 5. Dynastie begründeten Tradition, gab ihm die besondere Wahl des Ortes eine zusätzliche Bedeutung. Denn das Grab wurde in einen Hügel gehauen, der eng an eine … Pyramide erinnerte. Nur Provinzverwalter im Leben, hatte Anchtifi für sich ein königliches Leben nach dem Tode gesichert.

24 | HEMIRE
DEMÜTIGE PRIESTERIN AUS DEM DELTA

Wir sehen das alte Ägypten fast ausschließlich durch die Augen von Männern. Alle obersten Staatsämter waren für sie reserviert; Gräber und Tempel wurden von Männern für Männer gebaut, geschmückt und geweiht. Sogar bei der seltenen Gelegenheit, wenn eine Frau auf den Thron gelangte, verlangten Ideologie und Tradition von ihr, dass sie in Texten und Bildern als männlich präsentiert wurde. Diese Frauen, über die etwas bekannt ist, sind zumeist königlichen Standes und werden über ihre Verwandtschaft mit einem Mann definiert: Königinmutter, Frau des Königs oder Königstochter. Eine seltene Ausnahme zu dieser Regel bildet die Priesterin Hemire, die uns einen flüchtigen Einblick in die Welt der ägyptischen Frau gewährt.

Hemires einziges erhaltenes Monument ist die Scheintür zu ihrem Grab. Deren leicht ungeschickte Dekoration verrät ihren provinziellen Ursprung – die Stadt Busiris (äg. Djedu) im mittleren Delta – und ihr Datum. Denn Hemire lebte in der Ersten Zwischenzeit, als die königliche Autorität zusammengebrochen war und Künstler in verschiedenen Teilen des Landes, befreit von den Zwängen einer mächtigen Hoftradition, in ihrem eigenen, lokal oder regional charakteristischen Stil arbeiteten. Die Texte auf Hemires Scheintür sind spärlich und betreffen zumeist die Versorgung mit Bedarfsartikeln für das Leben nach dem Tode. Doch scheinen kleine Details hindurch, welche ein Licht auf die Frau selbst werfen.

Während ihr Geburtsname Hemire war, kannten ihre Freunde sie bei ihrem ›guten Namen‹ (Spitznamen) Hemi. Keine Erwähnung findet ein Ehemann, Kinder oder Eltern. Hemire scheint eine selbständige Frau gewesen zu sein: vielleicht unverheiratet, zweifellos ihres eigenen Platzes in der Gesellschaft sicher. Ihr Beruf war Priesterin des Kultes der Hathor, der Herrin von Djedu. Der Haupttempel zu Busiris war dem Gott Osiris

Detail einer Scheintür der Hemire aus Kalkstein, aus ihrem Grab in Busiris, Erste Zwischenzeit. Hemire ist dreimal dargestellt, einmal (rechts) sitzend als junge Frau mit Haarzopf, der in einer Scheibe endet; und zweimal (links) stehend als ältere Frau mit hängenden Brüsten. Auf diese Weise stellt das Monument die ganze Spanne ihres Lebens dar.

(Gott der Unterwelt) geweiht und ein wichtiges Wallfahrtszentrum im alten Ägypten. Hemire jedoch diente offenbar in einem kleineren untergeordneten Tempel, der einer Göttin geweiht und vielleicht hauptsächlich mit Frauen besetzt war.

Ob wegen ihres provinziellen Hintergrundes oder aufgrund ihrer Natur, in ihrem Geschmack scheint sie ziemlich altmodisch gewesen zu sein. Auf der einen Seite ihres Monuments ist sie als Mädchen dargestellt, dessen Haar in langem Zopf in einer Scheibe endet; dieser Stil war schon in der frühen Ersten Zwischenzeit außer Mode. Nichtsdestoweniger lässt die Aufnahme dieses Bildes auf einen Anflug von Nostalgie auf Seiten der reifen Hemire um die sorgenfreien Tage ihrer Kindheit ahnen. Auf der anderen Seite der Scheintür ist sie am Ende ihres Lebens als alte Frau mit hängenden Brüsten dargestellt. So spiegelt das Monument die Spanne ihres Lebens, wobei im Mittelpunkt ein Bild von ihr im mittleren Alter steht, wie sie vor einem Opfertisch sitzt. Als sie auf ihr nächstes Leben vorausblickte, wandte sie sich an die, welche vielleicht ihr Grab besuchten und um ihren ewigen Beistand beteten: »Für alle Leute, die da sagen werden ›Brot für Hemi in diesem ihrem Grab‹, ich bin ein wirksamer Geist und werde es nicht zulassen, dass es ihnen schlecht geht.«

25 | ANTEF II.
KRIEGERKÖNIG AUS THEBEN

Antef II., unter seinem Horusnamen bekannt als Wahanch, wurde in eine Welt voller Konflikte hineingeboren, der Bürgerkrieg zur Wiedervereinigung zwischen der 9./10. Dynastie von Herakleopolis und der 11. Dynastie Thebens sollte sein ganzes Leben bestimmen. Als junger Mann kam er auf den Thron und verlor keine Zeit, die Kämpfe fortzusetzen, die sein Vorgänger Antef 1. begonnen hatte. Thebens Obrigkeit herrschte schon über die sieben südlichsten Nomoí (Gaue) Oberägyptens, doch das war nicht genug. Der große Preis war die heilige Stätte von Abydos (äg. Abdju), das unmittelbar nördlich von Thebens Territorium lag. Hier waren die Könige von Ägyptens 1. Dynastie begraben, an einem heiligen Ort, den man für einen der Eingänge in die Unterwelt hielt. Für einen künftigen gesamtägyptischen König war die Kontrolle über Abydos und die umliegende Provinz, den Gau von This/Thinis (äg. Tjeni) unentbehrlich. Doch This, wie der Rest des nördlichen Niltals, stand noch loyal zu den

Stele aus dem Grab Antefs II. in el-Tarif, Theben, 11. Dynastie. Der König ist unten in der linken Ecke beim Opfern dargestellt, der Text auf der Stele gibt Hymnen auf Re und Hathor wieder. Antef war auf diese Weise bemüht, sich der Nachwelt als frommer, gottesfürchtiger Herrscher darzustellen.

Königen von Herakleopolis. Eine direkte Konfrontation zwischen den beiden widerstreitenden Seiten war daher unvermeidlich. Eine für einen von Antefs loyalen Nachfolgern, Djari, eingemeißelte Inschrift berichtet vom Beginn des Konflikts: Die Thebaner waren schließlich aus ihrem südlichen Kernland ausgebrochen und hatten ernstlich die Schlacht um den Rest Ägyptens begonnen.

Thebens erster Angriff auf This war nur zum Teil erfolgreich und rief eine heftige Antwort seitens des Feindes hervor. Antef begriff, dass die Provinz schwer einzunehmen wäre, beschloss daher stattdessen, seine Widersacher in der Flanke zu umzingeln. In einem brillanten Meisterstück militärischer Strategie nutzte er die Wüstenrouten, um Thais zu umgehen und das Gebiet im Norden zu besetzen. Indem er seine neue Grenze im Wadi Hesi in Mittelägypten einrichtete, schaffte er es, This von direkter Hilfe aus Herakleopolis abzuschneiden. Sein Schicksal war besiegelt. Antef sandte eine Botschaft an den König von Herakleopolis, Cheti, und legte die neue Sachlage dar, doch das Resultat stand nie in Zweifel: »Ich bin im heiligen Tal gelandet, nahm Tjeni in seiner Gesamtheit und legte alle Festungen in Asche. Ich habe es zum Tor zum Norden gemacht.« Antefs Bericht aus erster Hand ist voller Leidenschaft und Entschlossenheit, er präsentierte seine Eroberung von This als Befreiung, indem er andeutete, dass die Herrscher von Herakleopolis zuvor die Friedhöfe von Abydos entweiht hätten. Das war wahrscheinlich Kriegspropaganda, was zeigt, dass Antef Meister psychologischer wie militärischer Taktik war.

Die Wirkungen des Bürgerkriegs begannen, sich im ganzen Staat auszubreiten, eine Hungersnot überzog das Land. Bei so vielen Männern, die eingezogen waren, für die eine oder andere Seite zu kämpfen, schienen die lebenswichtigen Arbeiten zur Wartung der Bewässerungskanäle und Versorgung des Getreides vernachlässigt worden zu sein. Doch Antef ließ sich nicht von seinem Endziel ablenken. Er rühmte sich, das Reich von Herakleopolis bis nach Norden zur Deltaspitze verwüstet zu haben. Während damit die wirkliche Lage übertrieben worden sein mag, gibt es keinen Zweifel, dass er das Gebiet unter Kontrolle Thebens bedeutend vergrößert hatte.

Die spätere Phase seiner Herrschaft war vielleicht durch einen Waffenstillstand gekennzeichnet, der es Theben ermöglichte, mit Norden und Süden Handel zu treiben und Bauarbeiten auszuführen – schließlich war es eine der Hauptaufgaben des Königtums, die Tempel der Götter zu verschönern. Antefs bedeutendstes Projekt befand sich am Ostufer von Theben an einem Ipet-sut, ›der erlesenste der Plätze‹ (Karnak), genannten Ort. Hier weihte er für ›seinen Vater‹ Amun-Re einen Tempel ein. Obwohl die überragende Gottheit des Gebiets von Theben der kriegerische Gott Month war (der persönliche Gott von Antefs Großvater Mentuhotep), hatten die Priester von Karnak damit begonnen, ihren Lokalgott Amun zu größerer Bedeutung zu erheben. Als alter Schöpfergott wurde er jetzt mit der Sonne gleichgesetzt und bekam insofern den Doppelnamen

Amun-Re. Alles, was von Antefs Tempel erhalten ist, ist ein kleiner okto-gonaler Pfeiler, der unten an einer Seite mit ziemlich grob gehauenen Hieroglyphen beschriftet ist; doch seine Förderung des Amun-Re-Kultes eröffnete die lange Geschichte von Ägyptens prächtigstem Tempel, der schließlich das größte religiöse Bauwerk der Welt werden sollte.

Karnak gegenüber, am Westufer des Nils und nächst dem Grab seines Vorgängers, begann Antef mit seinem eigenen Grabmonument. An seiner Front lag ein großer Hofraum, der von den Grabkapellen seiner loyalsten Anhänger umgeben war. In des Königs eigener Kapelle errichtete er eine Stele, die als Inschrift einen bewegenden Hymnus an Re, den Sonnengott, und Hathor, die in den Hügeln von Theben residierende Schutzgöttin, trägt. Der Vers gibt eine Andeutung auf die menschliche Zerbrechlichkeit, die hinter dem Gesicht eines großen Eroberers verborgen liegt:

>»Empfiehl mich dem frühen Tagesanbruch:
>Möge er seine Wachsamkeit um mich legen;
>ich bin der Pflegling des frühen Tagesanbruchs,
>ich bin der Pflegling der frühen Nachtstunden.«

Bei all seinen übermenschlichen Leistungen betrachtete Antef den Tod und das Leben nach dem Tode in einer Mischung aus Ehrfurcht und Bestürzung. Einen weiteren anrührenden Hinweis auf seine Menschlich-keit wurde auf einer zweiten, mehr informellen Stele unsterblich gemacht, auf welcher der König in der Gesellschaft seiner geliebten Hunde darge-stellt ist. Ihre Namen sind Berberisch – was auf importierte reinrassige Tiere deutet – mit ägyptischer Übersetzung: Bechai (›Gazelle‹), Abaker (›Hund‹), Pehtes (›Schwarzer‹) und Tekru (›Kessel‹). Der König, der fünf-zig Jahre lang regierte und Theben auf den Weg zur Herrschaft über das Land führte, fand noch Zeit für die einfachen Freuden des Lebens.

26 | TJETJI

HOHER BEAMTER, DER ZWEI MONARCHEN DIENTE

Antefs II. militärische Siege erweiterten das Gebiet unter seiner Kontrol-le beträchtlich und markierten einen Wendepunkt im Bürgerkrieg. Sie schufen, vielleicht erstmalig, ein Gefühl dafür, dass die Herrscher Thebens eher echte Könige ›in Bereitschaft‹ waren als nur Provinzführer, die um Position und Einfluss rangelten. Diese Verschiebung in Ausrichtung und Denkweise war durch die Einrichtung eines vollentwickelten königlichen Hofes zu Theben gekennzeichnet, der über alle zugehörigen Beamte, Künstler und Handwerker verfügte. Die Herausbildung des Mittleren Rei-ches sozusagen *in statu nascendi* wird durch die Karriere des Tjetji bei-spielhaft veranschaulicht, der unter Antef II. und seinem Nachfolger Antef III. als Kammerherr und Schatzmeister diente.

Tjetjis Grabstele, eine rechteckige Kalksteinplatte mit sorgfältig ausge-

Kalksteinrelief Tjetjis, aus seinem Grab in Theben, 11. Dynastie. Tjetji wird von zwei Bedienten seines Stabes begleitet. Der Hieroglyphentext beschreibt seine lange Karriere bei Hofe, einschließlich des Todes Antefs II. und der Thronbesteigung Antefs III.

führten Hieroglyphen und Reliefs, zeigt die Entwicklung eines neuen höfischen Stils unter den Antefs, der die Arbeiten der lokalen Werkstätten während der Jahrzehnte zuvor, die unter Standard waren, ersetzte. Die Gestalt Tjetjis selbst ist elegant und geschmackvoll; gekleidet ist er in einen wadenlangen Rock mit steifer Schürze, und er trägt ein breites Perlenkollier um den Hals. In der für die ägyptische Regierung so typischen Hierarchie wird er von zwei niederen Beamten begleitet, die in kleinerem Maßstab gezeigt werden: seinem Siegelträger und Günstling Magegi und seinem Nachfolger Tjeru.

Außer der Position des Kammerhern des Königs, mit privatem Zugang zum Monarchen, besaß Tjetji den wichtigen Posten des Kanzlers und war damit für alle wirtschaftlichen Angelegenheiten innerhalb des Reiches verantwortlich. Er berichtet uns, dass Antef über ein Gebiet »von Abu bis

Tjeni« herrschte, das die acht südlichsten Provinzen Ägyptens umfasste. Obschon das weniger als ein Viertel des Landes repräsentierte, schloss es einige von Ägyptens landwirtschaftlich produktivsten Gebieten ein, ebenso wie seine heiligste Stätte, Abydos (äg. Abdju). Daher bedeutete es eine größere Verantwortung, für das gesamte Einkommen und die Aufwendungen des königlichen Fiskus zuständig zu sein, doch Tjetji rühmte sich der Erfüllung seiner Pflichten in beispielhafter Weise:

> »Der Schatz lag in meiner Hand, unter meinem Siegel; er war das Beste aller guten Dinge, die ich Der Person meines Herrn von Oberägypten, von Unterägypten brachte …, und das wurde Der Person meines Herrn von den Führern gebracht, die über das Rote Land herrschen, von der Furcht vor ihm wegen in allen Hügelländern … Ich war für sie ihm gegenüber verantwortlich, ohne dass je ein strafwürdiges Ereignis geschah, da meine Kompetenz groß war … Daher war ich Seiner Person wahrer Vertrauter.«

Im Mittelpunkt der Wirtschaft standen die Festsetzung und Erhebung von Steuern, und Tjetji sorgte dafür, dass ein neues Boot gebaut wurde, um die Schatzbeamten den Nil hinauf- und hinabzubefördern, damit sie ihre Aufgaben erfüllten.

Nichts war für ägyptische Verwaltungsbeamte charakteristischer als die Besessenheit auf korrektes Vorgehen; so war Tjetji solz auf seine Bilanz in der Verbesserung der Leistung der Abteilungen, die seiner Aufsicht unterstanden. Ebenso zufrieden mit sich war er darin, dass er ein ›Selfmademan‹ war, der durch seine eigenen Leistungen zur Spitze aufgestiegen war: »Ich bin reich, ich bin groß, ich versorgte mich aus meinem Eigentum, das mir von Der Person meines Herrn heraus aus seiner großen Liebe zu mir gegeben wurde.« Diese Zufriedenheit spiegelt sich in Tjetjis stattlicher Gestalt mit rundlicher Brust und Fettrollen um den Leib.

Das zentrale historische Interesse an Tjetjis Inschrift liegt in ihrem Hinweis auf den Tod Antefs II. – »in Frieden ging er zu seinem Horizont« – und die Thronbesteigung seines Sohnes und Erben, Antefs III. Diese Übergangsmomente waren gefährlich und unsicher, besonders für Angehörige des abtretenden Regimes, doch Tjetjis Qualitäten waren für den neuen König zu wertvoll, als dass er ohne sie auskommen wollte, so »gab [Antef III.] mir jede Funktion, die in der Zeit seines Vaters meine gewesen war«. Am Ende einer langen erfolgreichen Karriere blickte Tjetji nach vorn auf sein eigenes Ableben; eine Stele enthielt ein bewegendes Gebet um ein gesegnetes Leben nach dem Tode:

> »Möge er das Firmament kreuzen, den Himmel queren,
> hinaufsteigen zum großen Gott, in Frieden landen im guten Westen …
> Möge er in gutem Frieden zum Horizont schreiten
> hin zu dem Ort, wo Osiris wohnt.«

Dies ist eine vielsagende Demonstration dessen, dass das Versprechen auf ein Leben nach dem Tode sich schon über den König und seine unmittelbare Familie hinaus auf andere Bevölkerungsgruppen ausgebreitet hatte.

Bemalte Sandsteinstatue Mentuhoteps II., aus seinem Totenbezirk in Deir el-Bahri, Theben-West, 11. Dynastie. Der König ist mit seiner Roten Krone dargestellt, die Haut ist zur Symbolisierung der Wiedergeburt schwarz gemalt, was ebenfalls eine Verbindung mit dem Totengott Osiris bezeichnet. Die übergroßen Beine und Füße sind typisch für die Königsstatuen der 11. Dynastie.

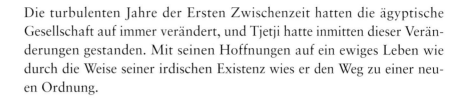

Die turbulenten Jahre der Ersten Zwischenzeit hatten die ägyptische Gesellschaft auf immer verändert, und Tjetji hatte inmitten dieser Veränderungen gestanden. Mit seinen Hoffnungen auf ein ewiges Leben wie durch die Weise seiner irdischen Existenz wies er den Weg zu einer neuen Ordnung.

27 | MENTUHOTEP II.
WIEDERVEREINIGER ÄGYPTENS

Die Regierung Antefs III. war kurz und dauerte höchstens ein paar Jahre. Auf dem Thron folgte ihm sein Sohn. Dieser neue König wurde, statt die Namen seiner drei Vorgänger zu tragen, nach dem Gründer der 11. Dynastie benannt, Mentuhotep (›Month ist zufrieden‹). Das signalisierte des Königs Ergebenheit nicht nur gegenüber dem illustren Vorfahren, sondern auch gegenüber dem Kriegsgott Thebens, Month. Tatsächlich sollte der junge König beide Versprechen erfüllen, indem er sich selbst als großer Führer im Krieg erwies und das Werk der Dynastie vollendete, indem er ganz Ägypten wieder – unter Herrschaft Thebens – zusammenbrachte. In den Annalen späterer Generationen sollte Mentuhotep II. neben dem legendären Menes (Narmer), dem ersten König der I. Dynastie, als einer von Ägyptens großen Gründerherrschern aufgeführt werden: als der Mann, der die Beiden Länder wiedervereinigte und der Schande politischer Uneinigkeit ein Ende setzte.

Mentuhotep kann kaum älter als ein Teenager gewesen sein, als er den Thron bestieg. Inspiriert durch seine Verbindung mit Thebens Kriegsgott, muss sich der junge König der militärischen Erfolge seines Großvaters Antef II. genauestens bewusst gewesen sein. Infolge der doppelten Abstammung von dem großen König über seinen Vater und seine Mutter (beide waren Kinder Antefs II.) muss Mentuhotep ein besonderes Gespür für die Verteidigung und Ausweitung der hart errungenen Siege seines Großvaters besessen haben. Für das erste Jahrzehnt seiner Herrschaft gibt es wenig Zeugnisse, doch vermutlich verbrachte er es, indem er seine Fertigkeiten als Militärstratege und Anführer von Männern ausbildete und ausfeilte. Die Gelegenheit, beides in Praxis umzusetzen, kam in seinem vierzehnten Regierungsjahr, als der Nomós This/Thinis – der die heilige Stätte von Abydos (äg. Abdju) einschloss – sich rebellierend gegen die Herrschaft Thebens erhob. Sollten die Könige der 9./10. Dynastie von Herakleopolis die Kontrolle über ein derart symbolhaftes Gebiet zurückgewinnen können, könnte sich das Blatt des Bürgerkriegs zu ihren Gunsten wenden. Die langfristigen Auswirkungen dessen, hätte man dem Nomós This den Abfall von der Konföderation Thebens und seinen Anschluss an den Feind

erlaubt, wären für Mentuhotep nicht ohne Folgen geblieben. Die Schlacht um This wäre das entscheidende Gefecht des gesamten jahrzehntelangen Kampfes um die Wiedervereinigung gewesen.

Die Rebellion von This zog nicht nur eine schnelle, vernichtende Antwort durch Mentuhoteps Streitkräfte nach sich, der König war auch darauf bedacht sicherzustellen, dass der Schwung des Sieges erhalten blieb. Nachdem sie mit den Aufständischen fertiggeworden waren, marschierten die thebanischen Truppen stetig weiter nordwärts und nahmen die Schlüsselfestung der Herakleopolitaner, Assiut (äg. Sawti) ein, bevor sie schließlich die Hauptstadt des Feindes selbst, Herakleopolis (äg. Hnes) einnahmen. So wie Mentuhotep seine taktischen Fähigkeiten im Krieg bewiesen hatte, zeigte er sich gleichermaßen geschickt im Einsatz von Psychologie, indem er die patriotischen Gefühle in den Köpfen seines Volkes aufrührte: In einem bemerkenswerten Beispiel nationaler Mythenschöpfung ließ er sechzig im Kampf erschlagene thebanische Soldaten mit großem Zeremoniell in einem Massengrab in Deir el-Bahri in West-Theben beisetzen. Dies war einer der ersten ›Soldatenfriedhöfe‹ der Welt, eine Erinnerung für die Thebaner an ihr kollektives Opfer in der Sache der nationalen Wiedervereinigung. Dazu noch nahm Mentuhotep, um seinen entscheidenden Sieg über den alten Gegner zu markieren, einen neuen Thronnamen an und fügte seiner königlichen Titulatur einen Horus-Namen hinzu. Als unumstrittener König ganz Ägyptens war er jetzt die wahre und würdige Inkarnation der höchsten Himmelsgottheit.

Königtum in der traditionellen ägyptischen Gestalt verlangte mehr als nur Bezeichnungen, um sich zu projizieren: Es verlangte auch große Bauwerke. In seiner ungewöhnlich langen Regierungszeit von fünfzig Jahren – darin kam er seinem Großvater Antef II. gleich – gab Mentuhotep Bauprojekte in seinem ganzen thebanischen Kernland, in Gebelein, el-Tod und Deir el-Ballas in Auftrag, weiterhin außerhalb in El-Kab, Dendera und Abydos. Sein ehrgeizigstes Unterfangen war jedoch sein eigener Totentempel in einer spektakulären Felsenbucht bei Deir el-Bahri. Der Platz bot nicht nur eine prachtvolle natürliche Kulisse für ein Bauwerk; er lag auch direkt gegenüber – und in Sichtweite von – Karnak, wo Antef II. einen Tempel für den Lokalgott Thebens, Amun, begonnen hatte. Höchst wichtig indes für Mentuhotep war vielleicht Deir el-Bahris lange Verbindung zur Muttergöttin und königlichen Schutzgottheit Hathor, von der man glaubte, sie wohne in Kuhgestalt in Thebens Westlichem Gebirge. Durch die Entscheidung, sein Grab und seinen Tempel für die Ewigkeit in Deir el-Bahri zu errichten, begab sich Mentuhotep symbolisch in Hathors schützende Umarmung.

Für das Monument eines Vereinigungskönigs war es nur passend, dass Mentuhoteps Grabtempel Aspekte des charakteristischen Stils der 11. Dynastie Thebens mit für das Alte Reich typischen Elementen der Architektur von Memphis kombinierte. Das Bauwerk erhob sich in großen Terrassen auf dem Grund gegenüber den Felsen, die durch Rampen verbun-

VORHERGEHENDE SEITEN, LINKS:
Bemaltes Kalksteinrelief der Kemsit aus ihrer Grabkapelle im Totenbezirk Mentuhoteps II. in Deir el-Bahri, Theben-West, 11. Dynastie. Kemsit war eine der sieben Frauen des Königs, hier trägt sie ein kunstvolles Federkleid und hält ein Gefäß mit parfümierter Salbe unter die Nase.

VORHERGEHENDE SEITEN, RECHTS:
Bemaltes Kalksteinrelief Mentuhoteps II. und seiner Gemahlin Kemsit, aus dem Totenbezirk des Königs in Deir el-Bahri, Theben-West, 11. Dynastie. Die überlangen Gliedmaßen sowie die fischschwanzähnliche Kosmetiklinie um die Augen sind typisch für den Darstellungsstil Thebens, der sich in der Ersten Zwischenzeit entwickelte.

den wurden. Die Fassade der untersten Terrasse wies eine lange Pfeiler-reihe auf, und dieses Thema wurde auf dem höheren Niveau in Gestalt von Portiken weitergeführt, die ein zentrales Massiv umschlossen. Dahinter lagen noch weitere Pfeiler, die in Gestalt eines Hypostyls (auf Säulen ruhende Halle) angelegt waren. Der Gesamteindruck muss überraschend verschieden von allem gewesen sein, das zuvor gebaut worden war, doch unleugbar königlich in Dimension, Dekor und kühner Symmetrie. Das Königsgrab selbst lag tief innerhalb des Felsens in einem Alabasterheiligtum, das sich am Ende eines 150 m langen Korridors, in den Fels gehauen, einnistete. Kontrapunktisch dazu führte am Eingang zum Tempel ein weiterer langer Tunnel zur Kammer für des Königs *Ka*-Statue, die ihn in der schwarzen Hautfarbe des Götterkönigs Osiris darstellte.

Einige von Mentuhoteps wichtigsten Beamten entschieden sich dafür, sich innerhalb der geheiligten Grenzen des architektonischen Meisterstücks ihres Monarchen bestatten zu lassen: der Oberhaushofmeister Henenu, der Kanzler Cheti und die Wesire Ipi und Dagi; der Kalksteinsarkophag des Letztgenannten war auf der Innenseite mit dem kompletten eingemeißelten Bestand der [heute so genannten, A. d. Ü.] *Sargtexte* versehen, was zeigt, dass die zuvor für den König reservierten religiösen Konzepte vollständig in andere Ränge der Gesellschaft durchgesickert waren. Cheti scheint auch eine Schlüsselrolle in Mentuhoteps militärischen Kampagnen im Anschluss an die Wiedervereinigung Ägyptens gespielt zu haben. Diese zielten auf Nubien. Im neununddreißigsten Jahr der Herrschaft des Königs wurde eine Expedition nach Abisko südlich des Ersten Katarakts gestartet, wahrscheinlich um die ägyptische Kontrolle über die Handelsrouten zurückzugewinnen. Der Erfolg dieser Aktion fand seinen Ausdruck darin, dass Mentuhotep das Epitheton ›Vereiniger Beider Länder‹ annahm. Zwei Jahre später war Cheti in der Lage, an der Spitze einer großen Flotte von Unternubien nach Assuan zu segeln. Mentuhoteps Politik in Nubien, wiewohl in relativ zurückhaltendem Umfang durchgeführt, legte nichtsdestoweniger die Grundlagen für die aggressiveren Militäroperationen der nachfolgenden 12. Dynastie.

Mentuhoteps Eroberungen waren auch nicht auf das Schlachtfeld beschränkt, denn er hatte wenigstens sieben Frauen. Tatsächlich ist, ungewöhnlich für einen Herrscher des Mittleren Reiches, sein Familienleben bemerkenswert gut dokumentiert. Seine Hauptfrau, Neferu, war auch seine leibliche Schwester. Eine zweite Frau, Tem, gebar ihm sein einziges bekanntes Kind, den Sohn, der ihm als Mentuhotep III. nachfolgte. Drei weitere Frauen, Aschajet, Hehhenet (die bei einer Niederkunft starb) und Sadhe werden in Inschriften als ›Frauen des Königs‹ benannt, während zwei weitere Konkubinen, Kawir und Kemsit, in des Königs Grabtempel in Deir el-Bahri bestattet wurden. Die Szenen auf ihren prachtvollen Kalksteinsarkophagen und in ihrer Grabkammer – Aschajet ist dargestellt, wie sie an einer duftenden Lotosblüte riecht, Kemsit an einem Krug mit parfümierter Salbe, während Kawit ihr Haar geflochten hat –

evozieren ein Bild entspannter Kultiviertheit, eines Hofes, der die Früchte des Friedens in der schweren Zeit nach einem brutalen Bürgerkrieg genießt. Solcherart war die fortdauernde Leistung Mentuhoteps II.: Ägypten seinen früheren Ruhm wiederzugeben, indem er die Zwistigkeiten der Vergangenheit vertrieb und das Land in ein neues goldenes Zeitalter hoher Kultur geleitete.

28 | MEKETRE

KANZLER UNTER MENTUHOTEP II.

Nach Beendigung der Kriege zur Wiedervereinigung kehrte die Verwaltung Ägyptens unter Mentuhotep II. zu ihrer primären Aufgabe, der Überwachung der Wirtschaft, zurück: Aufzeichnung der Reichtümer des Landes, Einnahme von Steuern und Kontrolle über die Herstellung von Sekundärprodukten zur Bezahlung der Regierungsangestellten und Finanzierung der Bauprojekte des Hofes. Im Zentrum der Maßnahmen, verantwortlich für den Staatsschatz, stand der Kanzler, einer der wichtigsten Beamten im Land. Mentuhoteps Kanzler ist jedoch nicht so sehr wegen seiner Karriere berühmt als vielmehr wegen der Inhalte seines Grabes in Theben.

Sein Name war Meketre, begraben wurde er an einer eindrucksvollen Ruhestätte, die in einen Berghang nahe Deir el-Bahri gehauen wurde. Das Grab war nach der neuesten Mode gebaut, mit einer Zugangsrampe, wel-

Holzmodell eines Viehzensus aus dem Grab des Meketre in Theben-West, 11. Dynastie. Als für den Zensus verantwortlicher Beamter sitzt Meketre, von Schreibern flankiert, auf einem erhöhten Podest unter einem Baldachin und beobachtet, wie das Vieh vorbeigetrieben wird.

Hölzernes Bootsmodell aus dem Grab des Meketre in Theben-West, 11. Dynastie. Derartige Modelle sollten nicht nur die Freuden des Lebens im Jenseits fortbestehen lassen, sondern den Verstorbenen auch bei seiner Pilgerreise im Leben nach dem Tode nach Abydos unterstützen, dem geheiligten Kultzentrum des Gottes Osiris.

che steil zum Felsen hin anstieg, und einem breiten Hof, der den Zugang zu einem Korridor bildete, der zur Grabkammer führte. Der größte Teil des Grabes und sein Inhalt wurden im Altertum ausgeraubt, doch die Diebe übersahen eine kleine, versiegelte Kammer nahe dem Eingang. Als Archäologen es in den Jahren nach 1930 öffneten, fanden sie eine einzigartige Sammlung von Holzmodellen, insgesamt fünfundzwanzig an Zahl. Ihre Größe, Qualität und Aufmerksamkeit für das Detail sind bemerkenswert; zusammen liefern sie faszinierende ›Schnappschüsse‹ vom Leben eines hohen Beamten in der 11. Dynastie Ägyptens.

Das komplexeste Modell stellt einen Viehzensus dar. Nicht nur praktische Notwendigkeit, die es dem Staat ermöglichte, eine genaue Übersicht über den Viehbestand der Nation zu gewinnen, war er auch ein hochsymbolischer Akt, da ›Vieh‹ generell landwirtschaftlichen Reichtum bedeutete. Während die Viehherden vorbeigetrieben wurden, saß Meketre unter einem Baldachin auf einem Stuhl, umgeben von Schreibern und anderen Beamten. Seine anderen Pflichten verlangten gewiss häufige Reisen kreuz und quer durch Ägypten, und vernünftigerweise dürfen wir annehmen, dass Meketres Flotte von dreizehn Modellbooten die vollständige Anzahl von Fahrzeugen nachbildete, die ihm täglich zur Verfügung standen. Sie umfassten vier Boote für Flussreisen, zwei Küchentender, vier schnellere Jachten, ein leichtes Sportboot und zwei Fischerboote.

Wie alle Ägypter war Meketre darauf bedacht, die ewige Bereitstellung von Gebrauchsartikeln für sein Leben nach dem Tode sicherzustellen. Daher schlossen seine Grabmodelle zwei weibliche Opferträger und maßstäbliche Modelle von Nahrung und Handwerkserzeugnissen ein, wobei sich jede Tätigkeit in einem ummauerten Raum abspielte. Sie liefern unsere beste Quelle an Zeugnissen für die Handwerkstechniken des Mittleren Reiches, eingeschlossen Spinnen und Weben, Zimmerhandwerk, Schlachterhandwerk, Brotbacken und Bierbrauen sowie die Lagerung von Getreide. Im täglichen Leben dürften sich solche Tätigkeiten in Werkstätten rund um Meketres Haus in Theben abgespielt haben.

Das Haus selbst wird durch zwei Modelle dargestellt, die uns einen Hinweis auf die kultivierte Ausstattung und den Komfort geben, die ein Regierungsbeamter unter Mentuhotep II. genoss. Die Fassade zur Straße präsentierte eine hohe verputzte Mauer; in ihrer Mitte lag der Haupteingang, zu dem ein dekoratives Gitterwerk oder profiliertes Paneel über Doppeltüren gehörte. Eine Einzeltür zur Rechten war wohl der Eingang für Diener und Lieferungen. Ein hohes vergittertes Fenster auf der anderen Seite dürfte dem Haus Lüftung zugeführt haben, um gleichzeitig das Eindringen von Staub und Schmutz von der Straße her möglichst gering zu halten. In Meketres Modellen wurden die Innenräume des Wohnhauses mit Wänden von gleicher Dicke ausgeführt, um das eleganteste Merkmal des Hauses zu betonen: einen ummauerten Garten mit Reihen von Sykomorenbäumen, die ein rechteckiges Schwimmbecken umgaben. Damit werden Meketre und seine Familie den ganzen Tag über mit Schatten versorgt gewesen sein, während permanentes Wasser in der trockenen Hitze einer ägyptischen Stadt besonders erwünscht war. Eine Säulenportikus beschattete die Gartenfront des Hauses und bot so einen sanften Übergang zwischen Innen- und Außenraum. Das Leben unter der 11. Dynastie dürfte nicht viel besser gewesen sein als dieses. Für Meketre waren die materiellen Belohnungen aus seinem hohen Amt beträchtlich.

29 | AMENEMHET I.

OPFER EINER HOFVERSCHWÖRUNG

Mentuhotep II. hatte den Lauf der ägyptischen Geschichte gewendet, indem er der Zersplitterung der Ersten Zwischenzeit ein Ende setzte und eine neue Ära mit einer starken Zentralregierung, das Mittlere Reich, einleitete. Doch sollten seine eigenen Abkömmlinge die Früchte der Wiedervereinigung nicht sehr lange genießen. Beide Nachfolger Mentuhoteps II. regierten nur kurz; mit dem Tod des zweiten Nachfolgers, Mentuhoteps IV., war die Linie des Königshauses der 11. Dynastie zu Ende. Die Familie, die seit den Tagen des Untergangs des Alten Reiches regiert hatte, fand sich ohne männlichen Erben. An wen sollte der Thron jetzt fallen?

Es gab immer mächtige Männer am ägyptischen Hof, und der einflussreichste unter der kurzen Regierung Mentuhoteps IV. war der Angehörige der Führungsschicht, Bürgermeister der Stadt, Wesir, Vorsteher der Königlichen Bauprojekte und Günstling des Königs, Amenemhet. Seine frühe Karriere ist hauptsächlich durch eine Reihe von vier Inschriften bekannt, die tief in der östlichen Wüste in die Felsfront der Schluffsteinbrüche im Wadi Hammamet eingehauen wurden. Amenemhet führte im zweiten Jahr der Regierung Mentuhoteps IV. eine Expedition an, die einen

Detail eines bemalten Kalksteinreliefs Amenemhets I. aus seinem Totentempel in el-Lischt, frühe 12. Dynastie. Der König trägt eine kurze, dichtgekräuselte Perücke mit der königlichen Uräus-Schlange daran, einen göttlichen Zeremonienbart sowie ein breites Halsband. Er trägt den Flegel, eines der ältesten Teile der königlichen Insignien.

Die Pyramide Amenemhets I. in el-Lischt, frühe 12. Dynastie. Hierbei handelte es sich um die erste größere Königspyramide, die seit dem Ende des Alten Reiches errichtet wurde; bewusst wurden Steine aus dem Komplex der Großen Pyramide Chufus (Cheops') wiederverwendet, vielleicht um ihr als königlichem Monument besondere Kraft und Legitimität zu verleihen.

Block des kostbaren grün-schwarzen Steins für den Sarkophag des Königs hauen und mitbringen sollten. Amenemhet sorgte dann dafür, dass das gesamte Unternehmen in ganz unüblich Weise detailliert an der Stelle des Steinbruchs festgehalten wurde, und zollte sich volles Lob für den Erfolg der Mission.

Das nächste Mal, dass man auf einen mächtigen Mann namens Amenemhet trifft, handelt es sich um den Nachfolger des Königs von Ägypten, Mentuhotep IV. Obwohl Hofdokumente die beiden Amenemhets niemals als ein und dieselbe Person gleichsetzten, kann es kaum Zweifel daran geben, dass der Wesir und Günstling des Königs seine Position am Hofe dazu ausnutzte, nach dem Thron zu greifen, als er vakant wurde. Doch das war nur die erste Hürde auf dem Weg zur Macht. Das Problem mit der Usurpation war, dass sie den Schleier von Göttlichkeit und Mysterium zerriss, der normalerweise das Amt des Königs schützte und so offenbarte, wozu es diente: als Quelle von Autorität und Reichtum ohne Rivalen, die gelegentlich und oft unter unvorhersagbaren Umständen in die Reichweite ehrgeiziger Männer gelangte. Amenemhet besaß deutlich Ehrgeiz und Entschlossenheit zum Handeln; doch nach der Machtergreifung musste er schnell und entschlossen agieren, um seine persönliche Autorität in Ägypten durchzusetzen und seine neue Dynastie zu legitimieren.

Seine erste explizite Maßnahme dazu war die Gründung einer neuen Hauptstadt für seine Regierung, die – um die Sache zu unterstreichen – Amenemhet-Itj-taui, ›Amenemhet packt die Beiden Länder‹ genannt wurde. Wahrscheinlich in der Nähe der heutigen Siedlung el-Lischt gelegen, sollte sie für die nächsten vier Jahrhunderte die königliche Hauptresidenz bleiben. Indem er das Verwaltungszentrum von Theben an die Deltaspitze verlegte, wo sie während des Alten Reiches gelegen hatte, suchte der neue König bewusst die Verbindung zu seinen illustren Vorfahren des Pyramidenzeitalters: Hier war ein Herrscher, der bedacht war, eine Wiedergeburt des früheren Ruhms Ägyptens herbeizuführen. Zur Bekräftigung dieser

Botschaft befahl er, mit Arbeiten zu seinem Grabdenkmal zu beginnen, der ersten monumentalen königlichen Pyramide, die nach 300 Jahren errichtet wurde. Dazu unternahm Amenemhet ungewöhnliche Schritte, um seiner eigenen Anlage Legitimität und Wirkmächtigkeit zu verleihen, indem er in den Baukörper aus Chufus Monumenten in Gisa genommene Blöcke einfügte, des größten aller Pyramidenbauer (Nr. 10).

Das andere große Bauprojekt aus Amenemhets Regierungszeit markierte eine entscheidende Verschiebung, nicht in inneren Angelegenheiten, sondern in der Außenpolitik. Seit dem späten Alten Reich hatte sich Ägypten einem fortgesetzten Ärgernis an seiner Nordostgrenze in Gestalt der ›Sandbewohner‹ gegenüber gesehen. Diese halbnomadischen Stämme auf der Sinaihalbinsel und in Südpalästina unternahmen periodische Angriffe auf ägyptische Handelskarawanen und störten so die wirtschaftlichen Aktivitäten, die den Königshof mit Prestigeartikeln wie Holz, Öl und Wein versorgten. Gelegentliche militärische Kampagnen wie die von Weni (Nr. 18) in der 6. Dynastie durchgeführten dienten dazu, Ägyptens Hegemonie wieder geltend zu machen. Doch jetzt änderte sich die Art der Bedrohung. Die fruchtbaren Felder des Nildeltas zogen einen steigen Zustrom aus eben diesen Stämmen aus der raueren Lebensumwelt der Levante an. Erlaubte man ihnen, ungehindert weiterzumachen, würde eine Zuwanderung von Fremden nach Ägypten die Stabilität des Landes bedrohen. So befahl Amenemhet, zur Verteidigung eine große Befestigungsanlage, bekannt als ›Mauern des Herrschers‹, über die ganze Länge von Ägyptens Nordostgrenze zu errichten. Für 200 Jahre erfüllte sie ihren Zweck und bewahrte die Beiden Länder vor ungewünschtem Einfluss relativ sicher.

Diese Kombination – von Vertrauen in ein neues Zeitalter, verbunden mit Unsicherheit um Bedrohungen von innen und außen – ist das substantielle Paradox von Amenemhet und seiner Herrschaft. Er leitete die größte Blüte der Literatur in Ägyptens langer Geschichte ein, das wahre Merkmal eines Renaissance-Herrschers; doch die neu verfassten Texte waren in ihrer Art weithin propagandistisch, vor allem dazu bestimmt, die Dynastie zu legitimieren. Amenemhets Wunsch, sich als rechtmäßiger König zu etablieren, reichte sogar bis zu einem Umschreiben der Geschichte. Insofern war eines der größten Dichtwerke seiner Zeit die *Prophezeiung Nefertis*, ein mythisches Werk, in dem sozialer Umbruch und verbreitete Unordnung durch einen ›Erlöser‹ mit Namen Ameni (der Kurzform des eigenen Namens des Königs) verbannt wurden. Amenemhet ist der Wiedervereiniger seines Landes, sein Rechenschaftsbericht überging passenderweise Mentuhotep II. und dessen zwei Nachfolger.

Die Literatur der 12. Dynastie wurde bekannt durch ihre Konzentration auf das Thema des ›nationalen Schmerzes‹, in dem die eigentliche Stimmung der Gesellschaft ausgeschaltet oder umgedreht wird. Das reflektierte nicht so sehr eine fortdauernde Erinnerung an die Erste Zwischenzeit und den Bürgerkrieg zwischen Süd und Nord als vielmehr ein

Brief auf Papyrus, von dem Bauern Hekanacht an seine Familie geschrieben, 12. Dynastie. Die Schrift ist die hieratische, eine kursive Form der Hieroglyphen, die sich besser zum Schreiben mit Feder und Tinte eignete. Hekanachts Korrespondenz vermittelt einen lebendigen Einblick in die täglichen Sorgen kleiner Landbesitzer im Ägypten des Mittleren Reiches.

Unbehagen innerhalb des Hofes Amenemhets und seiner Nachfolger. Trotz der in Texten und Monumenten ausgebreiteten Fiktion, hatte sich Ägypten seit dem Ende des Alten Reiches unwiderruflich verändert. Die vorherige Sicherheit war auf immer vorbei. Die königliche Autorität hing jetzt ebenso von Zwang und politischen Manövern ab wie zuvor vom Gedanken der Divinität. Zur Unterfütterung der Chancen, dass seine neue königliche Linie sich auf dem Thron hielte, verfiel Amenemhet auf eine radikal neue Taktik zur Hervorhebung des zwanzigsten Jahrestags seiner Thronbesteigung: Er ließ seinen Sohn und Erben Senuseret (Sesostris) zum König krönen und neben ihm regieren.

Doch am Ende, nach einer Herrschaft von dreißig Jahren, kehrte die zweifelhafte Art von Amenemhets Thronbesteigung zurück und verfolgte ihn. Die dem König am nächsten standen, die ihn die Macht durch nackten Ehrgeiz anstelle königlicher Verwandtschaft hatten erlangen sehen, dachten, sie könnten etwas Ähnliches versuchen. Eine Mörderbande überfiel Amenemhet, während er in den königlichen Gemächern schlief. Er erwachte und sah Schwerter gegen sich gerichtet. Hilflos, ohne seine Palastwache, erlag er den Angreifern. Doch seine schlaue Taktik der Ko-Regentschaft funktionierte wie beabsichtigt und sicherte eine relativ störungsfreie Ergreifung der alleinigen Macht durch seinen Sohn Senuseret I. So war es Amenemhets größtes Vermächtnis, seinen Nachkömmlingen die Sicherheit des Amtes zu geben, die er sich so ernsthaft gewünscht, die sich ihm jedoch zuletzt entzogen hatte.

30 | HEKANACHT

BAUER UND BRIEFSCHREIBER

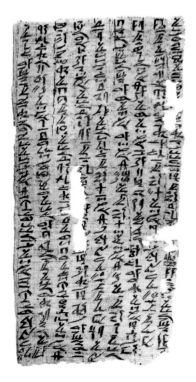

Gelegentlich, sehr gelegentlich, erhaschen wir Einblicke – durch die Sperre offizieller Propaganda und religiöser Texte hindurch, welche die altägyptischen schriftlichen Aufzeichnungen beherrschen – in eine ungeschmückte Wirklichkeit, in nackte Gefühle und in Komplikationen menschlicher Beziehungen. Vielleicht die berühmtesten Beispiele von Texten ›aus dem täglichen Leben‹ sind die Briefe, die von einem Bauern, Hekanacht, in den frühen Jahren des Mittleren Reiches nach Hause geschickt wurden.

Zu der Zeit, da er schrieb, stand Hekanacht wahrscheinlich in den Mitt- oder Enddreißigern, nach ägyptischen Begriffen ausgesprochen im mittleren Alter. Er war schon zum zweiten Mal verheiratet (dazu mehr unten) und war Herr eines großen Haushalts von Verwandten und Abhängigen. Er muss nach den Maßstäben der Zeit recht gut gebildet gewesen sein, zweifellos schriftkundig genug, um einige oder alle seine eigenen Briefe zu schreiben; er griff nur auf einen professionellen Schreiber zurück, wenn etwas Förmlicheres gefordert war.

Obwohl seine Hauptbeschäftigung – und Hauptinanspruchnahme – die Landwirtschaft war, spielte Hekanacht eine wichtige Rolle als *Ka*-Diener (Begräbnispriester) im Ipi-Kult. Ipi war ein Wesir unter Mentuhotep II., dessen Grab in Theben lag, und Hekanachts Pflichten verlangten von ihm, längere Zeiten in der ›südlichen Stadt‹ zu verbringen, weiter entfernt von seinem Heim in der Siedlung Nebsit (›Kreuzdorn-Gehölz‹), nahe der Faijum-Gegend beziehungsweise Memphis. Nach dem Namen von Hekanachts jüngstem Sohn zu urteilen, (Mer-)Snofru, kann die Familie in der Nachbarschaft der Pyramide König Snofrus aus der 4. Dynastie in Dahschur gelebt haben.

Bei einem seiner Aufenthalte in Theben zwischen dem Herbst des Jahres 5 (von Amenemhet I.?) und dem Sommer des Jahres 7 schrieb Hekanacht viele seiner Briefe nach Hause. Vorzugsweise geht es um wirtschaftliche Angelegenheiten, die vom Schuldeninkasso bis zur Kornverteilung reichen; darin spiegeln sich seine Sorgen darüber, dass er seine Landwirtsinteressen in den Händen von anderen lassen musste. Sein Ton ist besorgt, doch auch ungeduldig und kommandierend: »Gebt euch große Mühe! Achtet auf mein Saatkorn! Schaut nach all meinem Besitz! Passt auf, ich mache euch dafür verantwortlich. Gebt gut Acht auf all meinen Besitz.« Insbesondere war Hekanacht, ein Mann mit ausgeprägtem Geschäftssinn, bestrebt sicherzustellen, dass sein Verwalter, Merise, die notwendigen, rechtzeitigen Vorbereitungen für das folgende Landwirtschaftsjahr traf: kein Korn aus der Reservehaltung abzuschöpfen, um den Pachtzins für eine Parzelle Land zu bezahlen; die Möglichkeit zu erkunden, zusätzliches Land zu pachten, falls die Umstände günstig aussahen, usw. Trotz seines relativ niederen Status in der altägyptischen sozialen Hierarchie war Hekanacht ein offenkundig ganz zufriedener Landwirt. Tatsächlich machte er finanzielle Geschäfte mit wenigstens achtundzwanzig verschiedenen Personen. Sechzehn davon bestellten Land in derselben, Perhaa genannten, Region. Einer von ihnen, Herunefer, war ein mittelmäßig hochrangiger Staatsangestellter und die bei weitem höchstgestellte von Hekanachts Bekanntschaften.

Neben dem Umgang mit Geschäftskollegen und Nachbarn waren Hekanachts persönliche Beziehungen durch die Mitglieder seines großen Haushalts bestimmt. Zusätzlich zu drei unbenannten Dienern zählten seine Verwandten und Abhängigen achtzehn. Diese umfassten seinen Vorarbeiter, Nacht; den Hausverwalter, Merise; den Hausschreiber Sihathor; einen Feldarbeiter, zuständig für das Vieh der Familie, Sinebniut; Hekanachts Mutter Ipi; eine ältere weibliche Verwandte, Hetepet; einen jüngeren Bruder, Inpu; einen Sohn von einer vorherigen Frau, Snofru; eine jüngere Schwester oder Tochter aus einer vorherigen Ehe, Sitniut; zwei Töchter aus Hekanachts zweiter Ehe, Netwet und Sitweret; und die neue Frau selbst, Iutenhab, auch als Hetepet bekannt. Hekanacht zeigte gegenüber seiner Mutter die typische ehrfurchtsvolle Haltung eines ägyptischen Mannes: Er sandte besondere Grüße und versicherte ihr: »Mach dir keine Sorgen um mich. Sieh, mir geht es gut und ich lebe.« Ebenso verriet er eine Spur von Begünstigung gegenüber seinem Sohn Snofru, indem er seinen Verwandten sagte: »Was er auch will, ihr sollt ihn mit dem zufriedenstellen, was er will.«

Die meisten Angehörigen seines Hauses waren vermutlich in jugendlichen Jahren oder in den Zwanzigern, die Atmosphäre scheint konkurrenzbestimmt und fiebrig gewesen zu sein. Mit einer solchermaßen großen Zahl von Personen unter einem Dach ist es nicht überraschend, dass es von Zeit zu Zeit Spannungen gab. Der Hauptgrund dafür war die Haltung der anderen Verwandten Hekanachts gegenüber seiner neuen Frau, selbst erst in den Zwanzigern. Er spürte deutlich, dass sich die anderen bei seiner Abwesenheit gegen die neu Hinzugekommene zusammentaten. Als er glaubte, dass eine der Dienerinnen, Senen, sich gegenüber Iutenhab besonders schlecht benommen hatte, schickte Hekanacht das unglückliche Mädchen sogleich fort. Dann schob er es zurück auf seine Familie und beschuldigte sie, seine Frau nicht gegen die Boshaftigkeit des Mädchens in Schutz genommen hatte, denn dieses betrachtete er als emporgekommene Schlampe: »Sollst du meine neue Frau nicht respektieren?« schrieb er in erbittertem Ton.

Zweifellos steckte mehr hinter den Vorkehrungen, die Hekanacht zu Hause traf, auch wenn man in seinen zahlreichen Briefen nach Hause zwischen den Zeilen liest. Die Beziehung zwischen seiner neuen Frau, der Dienerin und den übrigen Familienmitgliedern ist so voller Ränke, dass Agatha Christie sie als Grundlage für ihre ›Murder Mystery Novel‹, ihren Kriminalroman *Death Comes As the End* (deutsch: *Rächende Geister*; A. d. Ü.) nahm. Ob der brodelnde Groll auf einem kleinen Bauernhof in Nebsit im zwanzigsten Jahrhundert v. Chr. zum Vatermord führte, werden wir nie wissen; doch zweifellos wirft die Geschichte ein faszinierendes und seltsam vertrautes Licht auf das gewöhnliche Familienleben im alten Ägypten.

31 | SARENPUT
FÜRST VON ELEPHANTINE

Der Aufstieg einer neuen Dynastie schuf Gelegenheiten für Menschen niederer Herkunft, doch mit Talent und Ehrgeiz, hohe Ämter zu erlangen. Die alleinige Machtübernahme Senuserets I. (Sesostris I.) unter den dramatischen Umständen der Ermordung seines Vaters gab der Förderung Außenstehender besonderen Antrieb, da der beste Weg für den König, sich die Loyalität seiner Beamten zu sichern, darin lag, sich mit Männern zu umgeben, die ihm alles verdankten. Einer dieser Männer war Sarenput (I.), der unter Senuserets I. Herrschaft zum Nomarchen (Gauvorsteher) und Fürsten von Elephantine (äg. Abdju) bestellt wurde.

Von Sarenputs Vater wissen wir nichts, doch der von seiner Mutter und seiner Frau, Sat-tjeni, geteilte Name legt nahe, dass eine oder beide der Frauen vielleicht aus der Stadt This/Thinis (äg. Tjeni) im nördlichen Oberägypten stammten. Wie die meisten Ehepaare der Zeit hatten Sarenput und Sat-tjeni eine große Familie: drei Söhne, alle mit Namen Hekaib, und zwei Töchter, deren eine zu Ehren der Ortsgöttin von Elephantine Satethetep, die andere, jüngere, nach ihrer Mutter und Großmutter Sattjeni hieß. In seinem Lebensbericht schweigt sich Sarenput über seine

Relief des Statthalters von Elephantine, Sarenput, aus seinem Grab in Kubbet el-Hawa bei Assuan, 12. Dynastie. Sein Grab ist am Ort eines der prächtigsten und demonstriert Reichtum und Macht, die sein Amt ihm einbrachten.

frühe Laufbahn aus, zeigt jedoch keine solche Zurückhaltung um die Ehrenämter, die ihm von Senuseret I. verliehen wurden. Seine Beförderung war so bemerkenswert, wie sie schnell war: Aus dem Nirgendwo wurde er sofort Mitglied der Führungsschicht, hoher Beamter, Königlicher Siegelträger, Alleiniger Gefährte und Vorsteher der Priester der Herrin Satet von Elephantine. Ebenso hatte er das Amt eines Vorstehers der Priester des Chnum, des höchsten Gottes der Region um den Ersten Katarakt, und rühmte sich, am großen Festtag im Tempel Offiziant zu sein.

Als regionaler Vorsteher von Ta-Seti, der südlichsten Provinz Ägyptens, hatte Sarenput wichtige wirtschaftliche Aufgaben. Er war verantwortlich für die Aufsicht über die Festsetzung und Erhebung von Steuern im ägyptisch kontrollierten Unternubien; mit eigenen Worten, er war »derjenige, dem die Produkte der Medjai überbracht werden, nämlich der Tribut der Fürsten der Wüste«. Ebenso war er eng mit allen militärischen Expeditionen befasst, die von Ägypten nach Nubien ausgesandt wurden, seit Elephantine der Ausgangspunkt für solche Kampagnen war. Daher war Sarenput ohne Übertreibung »Besitzer der Geheimnisse des Königs in der Armee, der hörte, was man hört, der [dessen Name] auf den Siegelringen in allen Angelegenheiten fremder Länder in den königlichen Gemächern steht«. Als Fürsten von Elephantine oblag ihm in seiner Eigenschaft als ›großer Vorsteher im Palast über Schiffe‹ auch die besondere Verantwortung für den gesamten Schiffsverkehr durch den Ersten Katarakt. Es wäre wahrscheinlich keine Übertreibung zu sagen, dass »wer segelt und wer anlandet unter seiner Kontrolle« standen. Ein Großteil des Verkehrs von Nubien nach Ägypten stand im Zusammenhang mit Handel, und Sarenput rühmte sich, »die Schätze durch die Städte von Ta-Seti zu schaffen«.

Loyalität zum König war Sarenputs leitendes Lebensprinzp: »Ich war aufrichtig gegenüber dem König, frei von Falschheit ... Ich war sein Diener dicht an seinem Herzen, tat, was Sein Herr liebt.« Dieser ergebene Dienst – »den Gott zu all dem führend, was gut ist« – wurde mit einer Unmenge an Geschenken seitens des Palastes belohnt: »Wenn Seine Person sich anschickte, das schändliche Kusch niederzuwerfen, veranlasste Seine Person, mir einen ungesottenen Stier zu bringen. Bezüglich all dessen, was in Elephantine getan wurde, veranlasste Seine Person, dass mir die Seite oder die Hinterteile eines Stiers gebracht würden, dazu eine Tafel, angehäuft mit aller Art guten Dingen, mit fünf ungesottenen Gänsen darauf; und vier Männer trugen sie zu mir.« Es mag gemessen an den Standards des ägyptischen Hofes ein dürftiges Geschenk gewesen sein, doch Sarenput zeigte offenkundig übertriebenen Stolz auf dieses Zeichen königlicher Gunst, so wie es nur jemand konnte, der gerade in ein hohes Amt befördert wurde.

Ein weit bedeutenderes Geschenk war ein prächtiges, in die Felswand über dem Nil gegenüber der Insel Elephantine gehauenes Grab. Wie Sarenput erklärte: »Seine Person erhöhte mich auf dem Lande: Ich wurde ausgezeichnet gegenüber den (anderen) Fürsten der Gaue. Ich veränderte die Sitten der alten Zeit; es wurde bewirkt, dass ich in einem Augenblick den Himmel erreichte.« Das fragliche Grab sollte das kostbarste werden, das bis heute in dem Gebiet errichtet wurde: »Ich bestellte Handwerker, an meinem Grab zu arbeiten, und Seine Person rühmte mich darob außerordentlich und sehr oft in Gegenwart der Hofangehörigen und der Herrin des Landes.«

Ein geräumiger aus dem Fels gehauener Vorhof bot über einen Korridor aus weißem Marmor Zugang zu dem Grab. Das Grab selbst wurde als Belohnung für loyale Dienste »mit allem erforderlichen Zubehör« aus den königlichen Werkstätten ausgestattet. Die Wände wurden mit schönen Reliefs verziert, und alles beherrschend waren Sarenputs autobiografische Inschriften – derselbe Text zweimal Wort für Wort wiederholt – nur für den Fall, dass die Nachwelt seinen kometenhaften Aufstieg aus der Dunkelheit vergessen sollte. Hinsichtlich des Jenseits erwartete Sarenput vertrauensvoll auf ein ewiges Leben im Reich des Himmels: »Mein Kopf durchstieß den Himmel, ich streifte die Körper der Sterne, ich tanzte wie die Planeten.« Kein schlechtes Ende für einen Selfmademan.

32 | HAPDJEFA

PROVINZGOUVERNEUR MIT RECHTSBEWUSSTER DENKWEISE

Die alten Ägypter gingen sehr weit, um sicherzustellen, dass die Grundbedürfnisse des Lebens ihnen im ewigen Leben nach dem Tode ungehindert erfüllt würden. Wandgemälde mit Opfergabenträgern, oder, fundamentaler noch, Bäckern und Brauern bei der Arbeit dienten zu diesem Zweck; das gleiche taten die dreidimensionalen Grabmodelle; und nicht weniger sorgte dafür die Opferformel selbst, die auf der Scheintür oder Grabstele eingemeißelt war: Sie versprach Brot, Bier und andere Bedarfsgüter für den Geist des Verschiedenen für den Fall, dass die eigentlichen im Grab mitbestatteten Beigaben einmal erschöpft oder zerstört sein sollten.

Diese ›mehrfachen Versicherungspolicen‹ waren tief in den ägyptischen Bestattungspraktiken verankert, weil das schlimmste aller Schicksale war, einen weiteren Tod zu sterben. Sollte im Leben nach dem Tode durch den Mangel an angemessener Versorgung ein Scheitern eintreten, bestünde das Resultat in totaler Vernichtung.

Hapdjefa, Nomarch (Provinzgouverneur, Gauvorsteher) von Assiut (äg. Sawti) unter der Regierung Senuserets I. führte die Vorbereitungen für das Leben nach dem Tode zum Extrem. An prominenter Stelle an der Ostwand der großen Halle seines Felstempels in Assiut, dem Sonnenuntergang gegenüber, ist eine Reihe von zehn Verträgen eingemeißelt. In legalistischer Präzision führen sie im Einzelnen die Vereinbarungen auf, die, wie Hapdjefa hoffte, den regelmäßigen Unterhalt des Kultes für ihn nach seinem Tode sicherstellen würden. So wie diese ein komplexes Netz miteinander zusammenhängender Geschäfte schildern, werfen sie auch ein faszinierendes Licht auf die politischen und sozialen Bedingungen der Zeit und darauf, was es bedeutete, im Ägypten der frühen 12. Dynastie Nomarch zu sein.

Während des Bürgerkriegs zwischen der 9./10. Dynastie von Herakleopolis und der 11. von Theben stand Assiut auf der Nordseite. Kaum hatten sich die Thebaner als siegreich gezeigt, machten sie sich daran, neue Vorsteher in den Regionen einzusetzen, die loyal zu den Feinden gehalten hatten. Hapdjefa war ein direkter Nachfolger – und vielleicht Abkömmling – des prothebanischen Nomarchen, der am Ende der Ersten Zwischenzeit zur Verwaltung Assiuts eingesetzt worden war. Zweifellos war er ein hochrangiges Mitglied des königlichen Regierungsapparats, mit den üblichen Titeln: Mitglied der Führungsschicht, hoher Beamter, Königlicher Siegelträger und Alleiniger Gefährte. Er besaß auch ökonomische Zuständigkeiten als Vorsteher der Beiden Kornkammern und verband in typisch ägyptischer Weise zivile Ämter mit religiösen Aufgaben in den örtlichen Tempeln: Er war Priester des Hor-Anubis ebenso wie Vorsteher der Priester des Upuaut, Herrn von Sauti. Zweimal war er verheiratet, mit Frauen namens Senu und Wepa, und hatte eine Tochter, die er nach seiner Mutter Idni nannte.

Der erste Vertrag legt fest, dass die lokalen Priester im Gegenzug für einen Anteil an einen Stier vom Tempel Weißbrot liefern sollten. Im zweiten Vertrag ist die Entgeltung der Priester für die Versorgung mit Brot auf Getreide vom Gut des Nomarchen festgelegt. Der dritte beteiligt den Tempel selbst an der Versorgung mit Brot und Bier im Tausch gegen einen Anteil an Hapdjefas Tempeleinkünften – ein seltsames Arrangement, das sich selbst aufhebt. Der vierte Vertrag verpflichtet die Priester, noch mehr Weißbrot bereitzustellen, im Gegenzug für ihren eigenen Brennstoff, für Bier und Brot. Und so geht es weiter mit den Vereinbarungen mit Tempelbeamten und Priestern, um die Bereitstellung von Brot, Bier, Fleisch und Kerzendochten im Austausch für Tempeleinkünfte, Land und Korn. Im neunten und zehnten Vertrag wollte Hapdjefa sich nicht nur der Vorräte für seinen Totenkult versichern, sondern auch der Anlieferung zu seiner Grabkapelle: Die Nekropolenvorsteher und ein anderer Nekropolenbeamter sollten beides garantieren, im Austausch gegen Land und Fleisch, die wertvollsten Güter, die dem Nomarchen zur Verfügung standen.

Selten wird ein Ägypter derart sorgfältig bedachte Vorbereitungen für sein Leben nach dem Tode getroffen haben, doch letztlich war es nutzlos. Als

Statue eines hochrangigen Beamten aus Kupfer und Silber, wahrscheinlich aus dem Faijum, 12. Dynastie. Es handelt sich hier um das früheste Beispiel einer Hohlgussfigur aus dem alten Ägypten, das die ausgereifte Technik der Künstler des Mittleren Reiches zeigt. Der hoch über den Hüften getragene Rock bedeckt zum Teil die korpulente Figur des Mannes.

Hapdjefas Grab in den Jahren nach 1880 ausgegraben wurde, fand man es geplündert wie die seiner weniger obsessiven Zeitgenossen. Seine (nutzlosen) Grabverträge waren als einziges von Interesse.

33 | CHNUMHOTEP
MANN AUS ERBLICHEM ADEL

Die Erste Zwischenzeit erlebte das Aufkommen starker lokaler Persönlichkeiten und kultureller Traditionen, die bis in das frühe Mittlere Reich weiterlebten. Politisch waren die 11. und 12. Dynastie zudem durch mächtige Provinzvorsteher, die Nomarchen, charakterisiert, die sich mit einem Hofstaat *en miniature* umgaben und ihre Bezirke oft in offener Bezugnahme auf den König regierten. Die ›Ära der Nomarchen‹ ist höchst spektakulär an der Stätte von Beni Hassan im mittleren Niltal dokumentiert, wo die Vorsteher des Nomós Oryx (der sechzehnten Provinz Oberägyptens) in spektakulärer Lage über dem Strom ihre schwelgerischen Felsengräber bauten. Einer dieser Grabinhaber, Chnumhotep, hinterließ uns ein besonders detailliertes Bild – über vier Generationen – von den Beziehungen zwischen der Zentralmonarchie und den Nomarchen während der ersten Hälfte der 12. Dynastie.

Chnumhotep erreichte das Erwachsenenalter und genoss den Gipfel seiner Karriere unter der Herrschaft Amenemhets II. und Senuserets II., doch die Beteiligung seiner Familie an der Lokalpolitik ging viel weiter zurück, auf den Anfang der Dynastie. Sein Großvater, der erste Chnumhotep, war von Amenemhet I. zum Aufseher (Nomarch) des Nomós Oryx berufen worden, als Element des Programms der neuen Dynastie zur Konsolidierung ihrer Macht über ganz Ägypten. Die Autorität des Nomarchen erstreckte sich auf beide Nilufer und schloss das bedeutende regionale Zentrum Menat-Chufu ein. Chnumhotep der Erste konnte den Einfluss der Familie noch weiter stärken, indem er seine Tochter an Nehri, Wesir und Vorsteher der königlichen Residenzstadt Itj-taui verheiratete. Von Chnumhoteps beiden Söhnen erbte jeder zu gegebener Zeit einen Anteil an des Vaters Landbesitz. Der ältere Sohn Amenemhet folgte ihm als Nomarch nach, während der jüngere Sohn Nacht die Aufsicht über die Stadt Menat-Chufu erhielt. Als Nacht ohne direkten Nachkommen im neunzehnten Jahr der Regierung Amenemhets II. starb, ging das Amt des Gouverneurs von Menat-Chufu ordnungsgemäß an seiner Schwester Sohn, Chumhotep den zweiten, über.

Der zweite Chnumhotep erkannte die Bedeutung seiner Abkunft mütterlicher- und väterlicherseits: »Mein eigentlicher Adel ist meine Geburt.« Er sicherte die Position der Familie, indem er eine eigene strategische Allianz einging, indem er die älteste Tochter des Nachbarnomarchen heiratete. Auf diese Weise lag es bei Chnumhoteps Söhnen, Nacht und Chnum-

Nachzeichnung eines Reliefs aus dem Grab des Chnumhotep in Beni Hassan, 12. Dynastie. Chnumhotep jagt hier im Marschland in einem Papyrusboot und spießt Fische auf in einem Akt, der (durch Wortspiel) Fruchtbarkeit und daher Wiederauferstehung symbolisiert. In dem unteren Register versuchen die ausgelassenen Diener des Nomarchen, jeweils der anderen Boote zum Kentern zu bringen.

hotep dem Dritten, das Nomarchenamt jeweils über die Gaue ›Schakal‹ und Oryx zu erben.

Der Glanzpunkt von Chnumhoteps zwei Jahrzehnte währender Karriere als Gouverneur von Menat-Chufu und des angrenzenden östlichen Hügellandes war der Besuch Senuserets II. in dessen sechstem Regierungsjahr sowie einer Handelsgesellschaft aus Asien, aus dem Land Schu (im heutigen Israel/Palästina). Unter Leitung ihres Führers Abischa gehörten zu den Besuchern Frauen und Kinder ebenso wie Männer; der Hauptartikel, den sie zum Tausch in das Niltal brachten, war Galenit, das Bleisulfiderz, das von den alten Ägyptern als Hauptingredienz in *Mesdemet* (schwarze Augenfarbe) höchst geschätzt war. Was sie bei der Rückkehr in ihr Land mitnahmen, ist nicht festgehalten, doch die friedliche Weise ihre? Aufnahme In Menat-Chufu deutet auf ein gegenseitiges Handelsabkommen zwischen gleichen Partnern hin.

Chnumhoteps weitere bemerkenswerte Leistung – für die Ägyptologen besonderen Grund zum Dank haben – war die einer prunkvollen architektonischen Hinterlassenschaft. In Menat-Chufu führte er verschiedene Projekte aus:

»Ich schuf ein Monument mitten in meiner Stadt; ich erbaute eine Säulenhalle, die ich in Ruinen vorfand; ich errichtete sie von neuem mit Säulen; darauf Inschriften mit meinem eigenen Namen. Ich verewigte den Namen meines Vaters auf ihnen. Ich dokumentierte meine Taten auf jedem Monument.«

In Beni Hassan erbaute er sein eigenes Felsengrab, »auf dass er seinen Namen auf immer verewige, auf dass er den Namen seines Beamtenstabs verewige, der hervorragenden (Männer), die in seinem Hauswesen waren«. Chnumhoteps Großherzigkeit gegenüber seinen Angestellten erstreckte sich bis dahin, dass er (in Form einer Inschrift) dem Architekten, der sein Grab baute, Anerkennung zollte. Daher handelt es sich hier um eines der wenigen Bauwerke des alten Ägypten, dessen Erbauer namentlich bekannt ist. Chnumhotep bemühte sich ebenfalls, die Gräber

Szene aus dem Grab Chnumhoteps in Beni Hassan, 12. Dynastie. Dargestellt ist die Ankunft einer Gruppe nomadischer Beduinen, die Galenit bringen (Bleiglanz; das Mineral für schwarze Augenschminke), um damit im Niltal zu handeln. Die Hieroglyphen über ihren Köpfen benennen sie als eine Gesellschaft von ›Asiaten‹.

früherer Nomarchen zu restaurieren: »Ich erhielt den Namen meiner Väter lebendig, den ich über den Türen ausgelöscht fand, machte ihn in der Form leserlich und sorgte für akkurate Lesbarkeit. Siehe da, das ist ein hervorragender Sohn, der den Namen seiner Vorfahren restauriert.« Natürlich war Chnumhoteps Motiv nicht völlig altruistisch: Seine gesamte Laufbahn und gesellschaftliche Position hingen ab von seinem Erbe als »Nehris Sohn, geboren von eines Nomarchen Tochter«; sein fortdauerndes Ansehen würde ebenso davon abhängen, dass er die Monumente seiner Vorfahren erhielt, wie von seinen eigenen Leistungen. Im alten Ägypten führte ererbter Status zu Ansprüchen wie zum Erweis von Wohltaten.

34 | ICHERNOFRET
ZEUGE DER MYSTERIEN DES OSIRIS

Während des Mittleren Reiches war Abydos (äg. Abdju) der wichtigste religiöse Ort in Ägypten und für Tausende von Gläubigen das Ziel von Pilgerfahrten. Sie kamen, Osiris Ehren zu erweisen, dem Gott der Unterwelt, dessen eigene Wiederauferstehung seinen Anhängern das Versprechen der Wiedergeburt bot. Abdju war der Ort eines imposanten Osiristempels (wo er mit dem lokalen Schakalgott Chontamenti gleichgesetzt wurde) und eines Grabes, das man für des Gottes eigene Begräbnisstätte hielt. Die heiligen Plätze und Bauten von Abdju spiegelten so die zentralen Elemente des Osirismythos: sein Königtum auf Erden, seinen Tod und seine Wiederauferstehung zu ewigem Leben.

Einmal im Jahr war Abdju die Bühne für ein prunkvolles Fest, das diese mythischen Ereignisse wiederholte: die ›Mysterien des Osiris‹. Doch die Osirisgeschichte war so mächtig und die jährliche Durchführung so von Symbolkraft beladen, dass die Mysterien kaum beschrieben wurden. Glücklicherweise jedoch ist ein Bericht, sei er auch verschleiert, erhalten. Es ist ein doppelter Zufall, dass sein Autor, Ichernofret, wahrscheinlich die bestgeeignete Person dafür war, eine solche Beschreibung zu liefern.

Ichernofret lebte unter der Regierung Senuserets III. im Gebiet von Memphis. Gemeinsam mit anderen Söhnen des Adels wuchs er als Pflegekind des Königs (wahrscheinlich Senuserets II.) im königlichen Palast auf und erhielt gemeinsam mit dem Thronerben Unterricht. Seine enge Beziehung zur Königsfamilie spiegelte sich in seiner frühen Beförderung: Er erhielt den höfischen Rang eines Gefährten, als er erst sechsundzwanzig Jahre alt war. Als sein Kindheitsfreund und Spielgefährte als Senuseret III. König wurde, wurde Ichernofret schnell einer der verlässlichsten Beamten des Souveräns. Er versammelte Titel und Aufgaben, stieg schnell zum Mitglied der Führungsschicht auf, wurde hoher Beamter, Königlicher Siegelträger, Alleiniger Gefährte, Vorsteher der Beiden Goldenen Häuser, Vorsteher der Beiden Silbernen Häuser und Chefsiegelträger des Königs.

Seine Karriere hatte vornehmlich im königlichen Schatzamt ihre Grundlage, wo er sich um die Einkünfte kümmerte, die den Hof und dessen Projekte finanzierten, und im Namen des Königs die Wirtschaftsangelegenheiten verwaltete. Doch von dieser Arbeit wissen wir wenig.

Hingegen nahm eine kurze Episode in Ichernofrets Leben in seiner biografischen Inschrift einen zentralen Platz ein. Das Vertrauen, das Senuseret III. in ihn setzte, führte zu einer einzigartigen Aufgabe, und zwar einer, die Ichernofret mitten in das Zentrum ägyptischen religiösen Lebens bringen sollte. Der König war gerade von einem siegreichen Feldzug in Nubien zurückgekehrt und brachte als Beute beträchtliche Mengen Gold

Stele Ichernofrets, 12. Dynastie. Die recht lange autobiografische Inschrift ist die beste erhaltene Quelle für die ›Mysterien des Osiris‹, ein jährliches religiöses Fest von großer nationaler Bedeutung, das im Mittleren Reich in Abydos stattfand. Ichernofret selbst ist in der Ecke unten links dargestellt, wie er vor einem mit Opfergaben überhäuften Tisch sitzt.

mit sich zurück. Als Teil seines dauernden Vertrages mit den Göttern beschloss Senuseret III., etwas von diesem Schatz dem Kult des Osiris zuzuweisen; genauer noch, er befahl, dass das heilige Bild des Gottes, das im Tempel zu Abydos untergebracht war, von neuem mit Gold geschmückt werde. Mit der Ausführung dieser speziellen Anweisung wurde Ichernofret beauftragt. Des Königs Worte waren klar: »Jetzt schickt dich Meine Person, dies zu tun, da Meine Person weiß, dass es keiner außer dir tun könnte.«

So setzte Ichernofret Segel von der Königsresidenz in Itj-taui nach Abydos, um an des Königs Stelle als ›sein geliebter‹ Sohn zu handeln. Bei Ankunft an der heiligen Stätte ging er sorgsam ans Werk. Die jährlichen Osirismysterien sollten in Kürze stattfinden, und es gab viel zu tun. Zuerst beaufsichtigte er Bau und Ausschmückung der Kultbarke des Gottes, des tragbaren Bootes, welches das Kultbild trug. Die verwendeten Materialien waren die kostbarsten, die es gab: Gold, Silber, Lapislazuli, Bronze, Zedernholz und ein anderes kostbares, als *Sesenedjem* bekanntes Holz. Als zweites sah Ichernofret darauf, dass die Heiligtümer der verschiedenen Götter, welche Osiris-Chontamonti während des Festes bedienten, erneuert und aufpoliert wurden. Zum dritten – und hier scheint die Pedanterie des Schatzbeamten durch – nahm er eine eingehende Beurteilung, verbunden mit einer Auffrischung der Kenntnisse über die Aufgaben, der Priester selbst vor: »Ich richtete die Stundenpriester auf die gewissenhafte Durchführung ihrer Aufgaben aus … Ich ließ sie das Ritual für jeden Tag und die Feste des Beginns der Jahreszeiten wissen.« Viertens beaufsichtigte er die Ausschmückung der *Neschmet*-Barke, des Bootes, das eine zentrale Rolle bei den bevorstehenden Zeremonien spielen würde. Alles, was noch blieb, war die Vorbereitung der Kultstatue des Gottes selbst. Unter Ichernofrets wachsamem Auge wurde sie mit Lapislazuli herausgeputzt, mit Türkis, Elektron und »allen kostbaren Steinen«. Schließlich kleidete er in seinem Amt als Stolist [griech.; Kultbild-Reinigungspriester; A. d. Ü.] und ›Meister der Geheimnisse‹ (mit anderen Worten: einer mit Zugang zum Gott selbst) das Bild des Osiris mit den königlichen Insignien des Gottes.

Alles war bereit für den Beginn der Feierlichkeiten. Zur Nachbildung der drei Elemente des Osirismythos (Königtum, Tod und Wiederauferstehung) umfassten die Mysterien drei separate Prozessionen, bei denen die Statue des Gottes zwischen seinem Tempel und Grab inmitten inszenierter Kampfepisoden hergetragen wurde. Im ersten Akt erschien der Gott als lebender Herrscher. Als Zeremonienmeister übernahm Ichernofret die Rolle von Upuaut (›Öffner der Wege‹), des Schakalgottes, der vor Osiris als Herold daherschritt. Der zentrale Teil des Dramas wiederholte Tod, Wiedergeburt und Bestattung des Osiris. Eine ›Große Prozession‹ begleitete das in einer Kultbarke des Gottes eingeschlossene Bild des Osiris zu der Peker genannten heiligen Stätte. Das war der Ort des ›Grabs des Osiris‹ (in Wirklichkeit die Begräbnisstätte des Königs der 1. Dynastie Djer). Den letzten Akt bildete die Prozession zurück zum Tempel, in den der wiedergeborene König wie in sein ›Haus‹ zurückkehrte. Ichernofret folgte dem Bild zurück in das Heiligtum und reinigte es: Die Osirismysterien waren für ein weiteres Jahr zu einem erfolgreichen Abschluss gelangt.

Verständlicherweise war Ichernofret stolz auf seine Leistungen und – wie alle frommen Ägypter seiner Zeit – entschlossen, Osiris' ewige Gunst zu erlangen. So baute er eine kleine Kapelle auf der ›Terrasse des Großen Gottes‹, der Böschung, welche die Hauptroute der Prozession vom Tempel nach Peker säumte. Die Präsenz hier würde ihm erlauben, an den heiligen Riten sozusagen stellvertretend teilzuhaben, jedes Jahr, immer wieder. Innerhalb der Kapelle stellte Ichernofret eine Stele auf, die ihn mit Angehörigen seiner Familie an einem Opfergabentisch sitzend darstellte; der begleitende Text gab einen recht langen Bericht über seine Beteiligung an den Osiris-Mysterien. Doch seine Frömmigkeit endete hier nicht. In einer Geste der Solidarität erlaubte er auch seinen engen Freunden und Arbeitskollegen, in seiner Kapelle ihre eigenen Stelen aufzustellen: Das von Osiris gebotene Versprechen der Wiederauferstehung galt für jeden.

35 | SENUSERET III.
HERR VON NUBIEN

In der klassischen Welt, die dem Niedergang der Pharaonen folgte, wurde über den ›edlen Sesostris‹, einen heldenhaften, archetypischen ägyptischen Herrscher eine populäre Legende erzählt; dieser baute große Monumente, erlangte entscheidende militärische Siege und gab seinem Land neue Gesetze. Auf der einen Seite spiegelte sie einfach das Ideal ägyptischen Königtums, das auf eine Gestalt projiziert wurde. Doch hinter dem Mythos stand auch ein realer Mensch: Senuseret III. (griech. Sesostris), der fünfte König der 12. Dynastie. Tatsächlich war er ein Herrscher, der dem Land seinen Willen effektiver auferlegte als die meisten seiner Monarchen.

Der Historiker des vierten Jahrhunderts v. Chr. Manetho bemerkte, dass Senuseret III. ungewöhnlich und beeindruckend groß war: vier Ellen, drei Handbreit und zwei Fingerbreit, um es genau zu sagen (1,98 m). Wenn das wahr ist, dürfte er eine imposante Figur abgegeben haben, die ihm die natürliche Aura von Autorität verliehen hätte. Wie immer seine Körperstatur war, Senuseret stellte zweifellos eine gebieterische Persönlichkeit dar. Er machte sich früh in seiner Herrschaftszeit daran, Ägyptens Verwaltung zu reformieren. Das Resultat war eine Rezentralisierung der Macht in den Händen des Königs und dessen engster Berater. Senuseret gestaltete sein Reich in drei große Verwaltungseinheiten um (das Delta, Oberägypten nach Süden bis Hierakonpolis und Elephantine

Statue Senuserets III., 12. Dynastie. Der charakteristische Stil, in dem er dargestellt wurde, sticht an dieser Statue besonders hervor. Die abstehenden Ohren und der mürrische Ausdruck wurden absichtlich übertrieben, um einen besonderen Eindruck vom Königtum zu vermitteln.

zusammen mit Unternubien, Unternubien); jede wurde von einem Ältestenrat regiert, die einem Wesir berichteten. Das beendete wirkungsvoll die regionale Autonomie, welche die 12. Dynastie charakterisiert hatte.

Der Niedergang der Nomarchen (Gauvorsteher) und die entsprechende Aufwertung des Königs wurde beredt in einem Hymnenzyklus ausgedrückt, der wahrscheinlich zum Gesangsvortrag vor Statuen Senuserets III. verfasst wurde:

»Heil dir, Chachaure, unser Horus, Göttlicher an Gestalt!
Landes Schützer, der dessen Grenzen weitet,
der fremde Länder mit seiner Krone schlägt,
der die Beiden Länder in seinen Armen umschlossen hält.«

Dieselbe monarchische Autorität sollte sich in Senuserets III. Pyramidenanlage in Dahschur widerspiegeln, die von einem weiten Friedhof umgeben war, so dass des Königs engste Beamte ihn im Tode begleiten konnten, wie sie es im Leben getan hatten.

So ehrgeizig Senuserets III. Programm nach innen war, so geradezu bedeutungslos blass war es im Vergleich zu seinen militärischen und territorialen Leistungen in Nubien. Schon zu Beginn seiner Herrschaft tat er seine Absichten gegenüber Ägyptens südlichen Schutzgebieten kund, indem er den Kanal um den Ersten Katarakt bei Assuan wieder öffnete, der ursprünglich unter der 6. Dynastie von Pepi I. und Merenre ausgehoben worden war. Senuseret ließ ihn ausheben, um den über Jahrhunderte angesammelten Schlick zu entfernen, erweiterte und vertiefte ihn: alles, um seinen Kriegsschiffen schnellen, ungehinderten Zugang nach Nubien zu ermöglichen. Weitere Instandsetzungen in seinem achten Thronjahr waren das Präludium zu einem vernichtenden Feldzug, des ersten von vieren, die der König über die nächste Dekade entfesselte. Geplant wurden sie mit militärischer Präzision: An den gut verteidigten Plätzen von Kor und Uronarti im Gebiet des Zweiten Katarakts wurden für Senuseret und seine Kommandeure behelfsmäßige Feldzugresidenzen gebaut. Die Versorgungskette für die Armee von Ägypten her wurde durch eine Reihe befestigter Kornkammern verstärkt, die größte in Askut, auf einer faktisch uneinnehmbaren Insel mitten im Nil gelegen. Die Feldzüge selbst wurden mit unnachgiebiger Grausamkeit durchgeführt. Senuseret zeigte gegenüber den Gegnern keine Gnade: »Ich trug ihre Frauen fort, trug ihre Untertanen fort, zog bis zu ihren Brunnen, suchte ihre Rinder heim; ich schnitt ihr Korn und legte Feuer daran.« Widerstand war angesichts solcher erdrückender Stärke aussichtslos.

Der Grund für diese Kampagnen lag darin, Ägyptens Zugang zu den Handelsrouten und den wertvollen Mineralressourcen der nubischen Wüsten zu sichern. Zu diesem Zweck wurde die Eroberung durch ein umfassendes Programm militärischer Besetzung durch eine Reihe von Festungen im Gebiet des Zweiten Katarakts gestützt. Senuserets III. Festen erfüllten das praktische Ziel der

Kopf einer Kolossalstatue Senuserets III. aus Luxor, rosa Granit. Hierbei handelt es sich um eine der mächtigsten Skulpturen aus Senuserets oder überhaupt irgendeines Königs Herrschaftszeit. Sie fasst die absolutistische Auffassung von Macht in der 12. Dynastie zusammen.

Grenz- und Zollkontrolle, sie markierten Ägyptens neue Südgrenze und lenkten die Bewegung von Menschen und Waren. Gleichzeitig hatten die Festungen einen psychologischen Zweck: Sie waren ein bewusstes Zeichen von Stärke, eine Zurschaustellung ägyptischer Militär- und Regierungsmacht, auf das Land gerichtet, das jenseits des Zweiten Katarakts lag, das Königreich Kusch. Diese neue Macht am Oberen Nil war für Ägypten und die ägyptischen Interessen in Nubien eine wachsende Gefahr. Trotz des verharmlosenden Tons, der in ägyptischen offiziellen Texten Kusch gegenüber angeschlagen wird, ist es deutlich, dass die Gefahr überaus präzise empfunden wurde. Die massiven Befestigungen waren Senuserets III. entschiedene Antwort und als Verteidigungseinrichtungen angelegt.

In seiner Vorherrschaft über Unternubien wie in der Durchsetzung königlicher Autorität in ganz Ägypten berief sich Senuseret auf seine eigene Person als Inspiration und Sammelpunkt. Auf einer im sechzehnten Jahr seiner Regierung in Semna aufgestellten Stele ermahnte er seine Nachkommen, Ägyptens Südgrenze zu verteidigen – nicht um des Landes willen, sondern dafür: »Bezüglich jedes meiner Söhne, der die Grenze erhalten soll, die Meine Person eingerichtet hat: Er ist mein Sohn, er ist ein Kind Meiner Person, das Abbild eines Sohnes, der für seinen Vater eintritt, der die Grenze dessen erhält, der ihn zeugte. Doch bezüglich eines jeden, der sie aufgeben sollte oder nicht für sie kämpfen sollte, er ist kein Sohn von mir und wurde mir nicht geboren.« Senuseret ging einen Schritt weiter und stellte sicher, dass er in Semna auf immer präsent sei, um das angemessene Verhalten zu stärken: »Meine Person ließ eine Statue Meiner Person an dieser Grenze aufstellen, die Meine Person eingerichtet hat, so dass du durch sie inspiriert sein mögest und in ihrem Namen kämpfest.«

Tatsächlich war die Bildhauerkunst etwas, worin Senuseret III. leidenschaftlich engagiert war. In ganz Ägypten wurden Statuen aufgestellt, welche die Allgegenwart königlicher Macht symbolisierten. Außerdem handelte es sich bei den Stücken nicht um die üblichen idealisierten Darstellungen, sondern um bemerkenswert charakteristische ›Porträts‹. Ihre Gesichtszüge wichen so deutlich von vorheriger Sitte ab, dass sie vom König selbst so in Auftrag gegeben worden sein mussten. Senuseret wurde mit unter schweren Lidern hervorquellenden Augen gezeigt, mit durchfurchter Stirn, hohlen Wangen und heruntergezogenem Mund. Die Bedeutung seines grübelnden, mürrischen Ausdrucks wird heiß diskutiert: Wurde er gewählt, um die Bürden des Königtums zu betonen oder eher die grimmige Entschlossenheit eines unbarmherzigen Autokraten? Anzumerken ist, dass der Körper des Königs stets kräftig und jugendlich dargestellt wurde und seine Ohren absichtsvoll übertrieben waren, um einen alles hörenden Monarchen zu bezeichnen.

Es besteht kein Zweifel, dass Senuseret in der Verwendung von Texten und Bildern, die seine Autorität unterstrichen, geschickt war. Trotz entscheidender Reformen sah er sich gleichwohl als Erben des Mantels eines Königtums, das bis zu den Herrschern des Alten Reiches zurückreichte. Daher nahm er bewusst Djosers Stufenpyramiden-Anlage aus der 3. Dynastie als Vorbild für sein eigenes Grabmonument in Dahschur. Dazu erbaute er einen Grabkomplex in Abydos, einem Platz, dem er besondere Reverenz bezeugte.

Was immer sein letzter Ruheplatz war, Senuseret hatte sich seine Unsterblichkeit durch die eigenen Taten gesichert. Der König, der Nubien seine Herrschaft aufgezwungen hatte, wurde in dem Gebiet später zum Gott erhoben. Auch in Ägypten sollten die Erinnerungen an den Herrscher weiterleben, der die königliche Autorität zu neuen Höhen erhoben hatte, indem er der Autonomie der Provinzen ein Ende setzte und das Königtum in ein Dauer-Propagandafeuer verwandelte. Durch die Stärke seiner Persönlichkeit hatte Senuseret nicht nur als idealer ägyptischer König agiert; er hatte sich als Muster eines neuen Herrschers hingestellt, als Vorbild für künftige Generationen. Die Legende vom ›edlen Sesostris‹ war geboren.

36 | HORURRE
EXPEDITIONSLEITER

Schmuck aus dem Mittleren Reich gehört zu den edelsten und raffiniertesten Dingen der antiken Welt. Die königlichen Werkstätten der 12. Dynastie führten die Kunst des Cloisonné-Dekors zu neuen Höhen, indem sie komplizierte Muster aus einer charakteristischen Kombination dreier Halbedelsteine in Gold einlegten, roten Karneol, dunkelblauen Lapislazuli und blassblauen Türkis. Zur Versorgung der Juwelenkünstler wurden regelmäßige Expeditionen zur Gewinnung der Mineralien in die entferntesten Teile Ägyptens ausgesandt. Besonders die 12. Dynastie erlebte geradezu eine Ekstase dieser Aktivitäten; sehr häufig war das Ziel das als ›Türkisterrassen‹ (heute Serabit el-Chadim) bekannte Gebiet im Südwesten der gebirgigen Sinai-Halbinsel. Das lebendigste Bild von einer solchen Expedition liefert uns eine bemerkenswerte Inschrift, die uns Horurre hinterlassen hat.

Horurre war der Leiter der Arbeitstruppen und offenbar ein häufiger Besucher der Türkisterrassen. Seine Erfolge verschafften ihm bei Hofe die Beförderung in Amt und Rang von Gottes Siegelträger, Kammervorsteher, Freund des Großen Hauses und Umgang mit dem König. Vielleicht wurde er wegen seiner Erfahrung und Vertrauenswürdigkeit im sechsten Jahr der Regierung Amenemhets III. eingesetzt, eine weitere Expedition zu den Türkisgruben zu leiten. Dieses Mal war es jedoch kein gewöhnliches Unternehmen: Es war geplant, an der Schwelle zum Sommer im Sinai anzukommen, »wenn es nicht die geeignete Jahreszeit für einen Aufenthalt in dieser Bergbauregion war«. – Die Expedition brach in der vollen Stärke ihrer dreiundzwanzig Mitglieder von Ägypten auf. Neben Horurre umfasste die Gruppe drei Kammerverwalter und den Schatzamtverwalter; einen Vorsteher der Steinschneider und dessen Team von elf Steinbrechern; drei Becherträger, die Wasser an die Arbeitsstätte zu bringen hatten; einen zum Schatzamt gehörenden Hausdiener, den passenderweise so genannten Ip (›Zähler‹); einen Priester, verantwortlich für das spirituelle Wohlergehen der Expedition; und, nicht zuletzt, einen Skorpiondoktor. Bedrohungen der Sicherheit der Männer kamen sowohl von giftigen Bissen und Stichen wie von der Sonne, von Hitze, Staub und Steinschlag.

Bald sah sich Horurre in der Mannschaft Meinungsverschiedenheiten gegenüber. Die Männer machten ihren Zweifeln an der Weisheit, zur schlechten Jahreszeit in das Bergbaugebiet zu ziehen, voll Luft. Nicht nur war das Wetter unerträglich heiß, sie glaubten auch, das würde die Qualität des Türkis beeinträchtigen: »Das Mineral findet sich zu dieser Zeit, doch was ihm in der quälenden Sommerzeit fehlt, ist die Farbe.« Horurre musste zustimmen, gab zu: »Die Farbe zu finden, erschien mir schwierig, während das Hügelland im Sommer heiß war, die Berge versengten und die Haut litt.« Er machte sich klar, dass er Führungskraft zeigen musste, und rief die Leute bei Morgengrauen zusammen. Er erklärte ihnen, die Macht des Königs sei seine Inspiration, und die Expedition müsse trotz der Umstände voranmachen.

Einige Wochen lang plackten sich Horurres Arbeiter unter den unbequemen Bedingungen der Hitze damit ab, aus dem umgebenden Grundgestein Türkisflöze herauszuholen. Die Arbeit war staubig und gefährlich, das Tempo war unerbittlich. Am ersten Tag des *Schemu*, des Sommermonats, ordnete er für die Arbeiten Einhalt an. Sie hatten vom kostbaren Türkis genug geschürft und konnten nach Hause zurückkehren. Es hatte keine Verluste unter Horurre gegeben, und später konnte er sich rühmen: »Sehr gut führte ich meine Expedition durch. Es gab keine lauten Stimme gegen meine Arbeit, und was ich tat, war erfolgreich.«

Bevor er in das Grün das Niltals heimkehrte, beschloss Horurre, ein dauerhaftes Zeugnis für seine Arbeit an den Türkisterrassen zu hinterlassen, als Ansporn für künftige Expeditionen und zur fortdauernden Erinnerung an seine eigenen Erfolge. Die Stelle dafür hatte er sich gut ausgesucht: Er stellte seine hohe Sandsteinstele auf dem Zugang zum Heiligtum der Göttin Hathor auf. Auf der Vorderseite zeigten die Reliefs den König, der die Göttin verehrte, und Horurre, der den König verehrte: eine perfekte Spiegelung der besonderen hierarchischen ägyptischen Weltsicht. Auf der Rückseite jedoch, sichtbar für Pilger, wenn sie den Tempel betraten, meißelte Horurre seine eigene Inschrift ein: ein Testament für seine zielstrebige Entschlossenheit in den Wüsten des Sinai.

Figur Horurres vom Hathortempel in Serabit el-Chadim, Sinai, 12. Dynastie. Die harten Bedingungen in den ›Türkisterrassen‹, zu denen Horurre im Auftrag des Königshofes Minenexpeditionen führte, zernagten eine Seite der Gedenkstele, darunter das Bild des Expeditionsleiters selbst.

37 | SOBEKHOTEP III.

DER GEMEINE MANN, DER KÖNIG WURDE

Über eine Periode von zweihundert Jahren ging unter der 12. Dynastie die Nachfolge glatt und ohne Unterbrechung von einer Generation auf die nächste über, unterstützt von der Einrichtung der Ko-Regentschaft. Ägypten war sicher zuhause, stark in Nubien, wohlhabend und selbstsicher. Wenige mochten daher vorhergesehen haben, dass binnen weniger Jahre nach Amenemhets III. Tod Ägyptens Stabilität mit einem ernsten Ansturm von Problemen innerhalb und außerhalb des Königshofes zu tun haben würde. Zuerst einmal gab es dynastische Streitereien. Die Thronbesteigung einer Frau, der Königin Sobeknofru, weist stark darauf hin, dass die königliche Linie selbst ein Ende erreicht hatte, was eine Nachfolgekrise auslöste. Weitere Spannung verursachte das Eindringen von Migranten aus der Levante in das östliche Delta.

Das hatte schon viel früher begonnen, doch mit der weiteren Entwicklung des Mittleren Reiches war aus dem Tröpfeln eine Flut geworden. Unter Ausnutzung der Schwächung der Monarchie ergriff eine rivalisierende Dynastie kanaanitischen Ursprungs die Macht in der Region. Das Resultat war ein weiterer Schwund königlicher Autoriät und eine

Relief Sobekhoteps III. von der Insel Sehel bei Assuan, 13. Dynastie. In dieser Doppelszene opfert der König den Göttinnen Satet und Anket, Schutzgottheiten des Gebietes des Ersten Kataraktes.

schnelle Aufeinanderfolge von Herrschern, da eine prominente Familie nach der anderen bestrebt war, ihren bevorzugten Kandidaten auf den Thron zu heben. Zuerst, scheint es, waren die Könige noch die geradlinigen Abkömmlinge der großen Herrscher der 12. Dynastie. All das veränderte die Thronbesteigung von Sechem-sewadj-taui-re Sobekhotep – Sobekhoteps III. Er hatte in keiner Weise königliches Blut in sich. Ja, er protzte sogar öffentlich – auf einer Reihe von Skarabäen, einem Altar, einer Felseninschrift und einer Stele – mit seiner nichtköniglichen Herkunft. Sein Vater war ein gewöhnlicher Mann, sei es auch im Rang eines Angehörigen der Führungsschicht und hohen Beamten; vielleicht war er sogar Offizier des Militärs. Sobekhotep selbst hatte seine frühe Karriere zweifellos in der Armee geschmiedet und wurde anschließend dazu berufen, in »des Herrschers Mannschaft«, der persönlichen Leibwache des Königs, zu dienen. Das muss ihm eine intime Kenntnis des Hofes und des königlichen Sicherheitsdienstes verschafft haben – das ideale Sprungbrett zur Auslösung eines Staatsstreichs. Das Selbstvertrauen, mit dem er für seine Verwandten aus einfachem Stand Reklame machte (seinen Vater Mentuhotep, seine Mutter Iuhetibu, seine beiden Brüder Chachau und Dedetanuq, seine Schwester Reniseneb und seine beiden Töchter Iuhetibu Dendi und Dedetanuq), deutet darauf hin, dass seine unmittelbaren Vorgänger, königlichem Blut zum Trotz, in den Augen ihrer Untergebenen ernsthaft diskreditiert worden sein müssen. Sobekhoteps Anziehungskraft lag vielleicht gerade in dem Umstand, dass er etwas anderes bot: einen natürlichen Führer für die Leute, der durch die Vergehen der Könige der frühen 13. Dynastie nicht beeinträchtigt war.

Er enttäuschte seine Helfer nicht. Er leitete eine neue Ära der ägyptischen Politik ein, die ein großes Maß an Stabilität der Verwaltung und damit nationalen Wohlstands wiederherstellte. Ein in das erste und zweite Jahr seiner Regierung datierter Papyrus gibt einen Einblick in die alltäglichen Tätigkeiten von Arbeitern in Oberägypten. Er ist symptomatisch für die Veränderungen, die auf allen Ebenen eingeführt wurden. Die Zahl der Regierungsbeamten in Schlüsselpositionen wurde erhöht; königliche Bauprojekte nahmen wieder ihren Platz im Zentrum staatlicher Aktivitäten ein. Im Ergebnis ist Sobekhotep III. einer der bestbezeugten Könige der 13. Dynastie, trotz einer kurzen Regierungszeit von gerade vier Jahren.

Da Sobekhotep nur Töchter besaß, leitete er keine neue Dynastie ein; nach seinem Ableben verlor seine Familie die Macht so schnell, wie sie sie erlangt hatte. Doch zeigten die nachfolgenden Generationen keine Feindschaft gegenüber dem Usurpator-König, dem ultimativen sozialen Aufsteiger, der einen diskreditierten Thron erobert und ihm eine dringend benötigte Injektion von Dynamik verpasst hatte. Sobekhoteps Nachfolger war ein weiterer Mann von niederer Herkunft, Neferhotep I.: Ägyptens herrschende Klasse hatte offenkundig beschlossen, dass nicht-königliches Blut ein positiver Vorteil sein konnte, wenn es darum ging, die beeinträchtigte Würde des Landes wiederherzustellen.

TEIL 4 | EIN GOLDENES ZEITALTER

DIE FRÜHE 18. DYNASTIE

Der Zusammenbruch der Zentralregierung am Ende des Mittleren Reiches war ein noch größerer Schlag gegen das ägyptische Selbstwertgefühl als dasselbe Phänomen fünf Jahrhunderte zuvor; der Unterschied war dieses Mal, dass keine Periode der Teilung, sondern der Unterjochung eingeleitet wurde. Die Herrschaft der 15. Dynastie der Hyksos, Beispiel dafür ihr prominentester König, Apopi (Apophis) (Nr. 38), bedeutete einen schweren Affront gegen die ägyptische Ideologie, da die Beiden Länder als Zentrum und Vorbild der Schöpfung galten, allen anderen Ländern wesensmäßig überlegen. Insofern war das Motiv für die Vertreibung der Hyksos nicht bloß die nationale Wiedervereinigung, sondern die Wiederherstellung der Schöpfungsordnung. Wieder einmal kam der Anstoß für die Wiedervereinigung aus Oberägypten, genauer noch von den Herrschern Thebens. An vorderster Front führend, scheuten sich die Könige der 17. Dynastie nicht, den Feind im Kampf zu stellen; einer von ihnen, Taa II. (Nr. 39), scheint darin gefallen zu sein. Nach mehreren Jahrzehnten des Kampfes, von dem Berichte zweier Soldaten vorliegen, die mitten im Schlachtgetümmel mitgekämpft hatten (Nr. 41–42), wurden die Hyksos vertrieben und Ägyptens Autonomie wiederhergestellt.

Der Charakter des Neuen Reiches wurde stark durch die Ereignisse rund um seine Entstehung beeinflusst. Die Invasionen der Hyksos und der Kuschiten in der Zweiten Zwischenzeit hatten Ägypten die neuen Realitäten der internationalen Beziehungen bewusst gemacht. Starke natürliche Grenzen und ein patriotisches Überlegenheitsgefühl reichten zur Verteidigung gegen gut bewaffnete, entschlossene und neidische Nachbarn nicht mehr aus. Wenn Ägypten seine Unabhängigkeit behalten sollte,

Malerei aus dem Grab des Kinebu in Theben, 20. Dynastie, mit Darstellung Ahmose-Nefertaris. Die Königin der frühen 18. Dynastie wurde von nachfolgenden Generationen verehrt, ihr Kult gelangte in den Mittelpunkt volkstümlicher Verehrung unter den Arbeitern in Theben. Schwarze Haut und Lotosblüte symbolisieren die Wiedergeburt.

musste es dazu angrenzende Länder gewaltsam erobern und annektieren, um gegen künftige Angriffe eine militarisierte Pufferzone zu schaffen. Die Könige der frühen 18. Dynastie nahmen diese Herausforderung mit Begeisterung an. Sie etablierten eine stehende Berufsarmee und betrieben eine Politik der Ausweitung der Grenzen Ägyptens, um im Nahen Osten ein Imperium zu schaffen. Diese Politik kulminierte in einer Reihe außergewöhnlicher Feldzüge unter Thutmosis III. (Nr. 46), dem größten der Kriegerpharaonen. Von jetzt an war in der Symbolik des Königtums militärische Ikonografie ein Schlüsselelement, während die Armee innerhalb der ägyptischen Gesellschaft zu einem mächtigen Block wurde.

Im Widerstand gegen diesen Militarismus ist die prominente Rolle, die von den nachfolgenden Generationen königlicher Frauen gespielt wurde, ein weiteres eindrucksvolles Merkmal der 18. Dynastie. Der Einfluss von Königsfrauen während der Befreiungskriege setzte sich lange nach der Vertreibung der Hyksos in der größeren Arena der nationalen Politik fort. Frauen wie Ahmose-Nefertari (Nr. 40) und Teje (Nr. 53) standen in der Erfüllung ihrer Pflichten nicht demütig neben ihren Gatten, sie nahmen aktiv am Regierungsgeschäft teil, unterhielten ihren eigenen Hof und beeinflussten zentrale Entscheidungen. Hatschepsut (Nr. 43), Tochter eines und Frau eines anderen Königs, ging einen Schritt weiter und proklamierte sich selbst zur Monarchin. Trotz der Ruhmestaten ihrer Herrschaft stand ihr Geschlecht der Ideologie des Königtums entgegen und führte zur Profanierung ihrer Monumente und ihres Andenkens nach dem Tode – ein Schicksal, das ihr Günstling und ›Faktotum‹ Senenmut (Nr. 44) geteilt zu haben scheint.

Die Pracht von Ägyptens Goldenem Zeitalter ist am besten in Theben bezeugt, dem Kultzentrum des obersten Staatsgottes Amun-Re und mit der Regierungshauptstadt Memphis rivalisierende religiöse Kapitale. Die Herrscher der 18. Dynastie verschwendeten ihre Aufmerksamkeit auf Thebens Tempel, errichteten ihre Grabmonumente an dem dortigen Westufer und wurden in spektakulären, in die Felsen des abgelegenen Tals der Könige gehauenen Gräbern bestattet. Neben den königlichen Grabstätten errichtete die herrschende Klasse ihre eigenen Grabbauten in der Nekropole von Theben. Die Gräber stellen nicht nur architektonische und künstlerische Juwelen dar, sie liefern auch eine Unmenge an Informationen über das Leben und die Laufbahn der Männer, die Ägypten führten (Nr. 45, 47, 48–51, 54–55) – vom Wesir an der Spitze der bürokratischen Leiter (Nr. 47) bis zu einem niederen Schreiber auf ihrer untersten Sprosse (Nr. 54). In der kosmopolitischen, mannigfaltigen Gesellschaft des Neuen Reiches war es für einen Mann mit bescheidenen Mitteln wahrhaftig möglich, durch die eigenen Fähigkeiten zu großer Prominenz zu gelangen. Amenhotep, Sohn des Hapu (Nr. 55), schaffte gerade das und gewann zu Lebzeiten und durch postume Vergöttlichung außerordentliche königliche Gunst.

Seine Karriere erreichte unter der Regierung Amenhoteps III. ihren

Höhepunkt, die den Zenit der Größe und des opulenten Reichtums der 18. Dynastie markierte. Die aufwendigen Jubiläumsfeiern des Königs, von denen das erste von Amenhotep, Sohn des Hapu, inszeniert wurden, waren dazu bestimmt, die Institution des Königtums auf ein neues Niveau zu heben; die Bauprojekte des Königs in Nubien waren sogar noch eindeutiger, denn der Tempel zu Soleb wurde ihm selbst, dem Vergöttlichten, geweiht. Die quasi-göttliche Natur der ägyptischen Monarchie war ein fundamentaler Grundsatz von Religion und Regierung seit dem Anfang der 1. Dynastie, doch Amenhoteps III. Politik steuerte einen neuen Kurs in Richtung auf umfassende Göttlichkeit schon zu Lebzeiten des Königs. Das war ein kühner Schritt, im Einklang mit dem Glanz des Zeitalters; doch sollte er für Ägypten eine Katastrophe bedeuten, als das Land in noch stärkerer Leidenschaft von Amenhoteps Sohn und Erben umklammert wurde.

Szene aus dem Grab Thutmosis' III. im Tal der Könige, 18. Dynastie: Der König wird von der Göttin der Sykomore (Maulbeerfeigenbaum) gesäugt. Die schematische Wiedergabe von Figuren und Hieroglyphen in Art einer Handzeichnung ist typisch für die Wandmalerei hier, die einem langen, auf den Wänden abgerollten Papyrus ähnlich sein sollte.

38 | APOPI (APOPHIS)
EIN ASIATE AUF ÄGYPTENS THRON

Von allen Dynastien, die über Ägypten herrschten, ist die 15. die vielleicht rätselhafteste: Eine Reihe von sechs Königen mit Herkunft aus Asien, der Nachwelt als Hyksos bekannt (eine griechische Verballhornung der ägyptischen Wendung *hekau-chasut*, »Herrscher aus fremden Ländern«). Ihre genaue geografische Herkunft ist unbekannt, doch war es vermutlich die libanesische Küstenebene um Byblos. Klar ist, dass sie und ihre Sippe eine gänzlich andere Kultur nach Ägypten brachten; doch innerhalb dreier Generationen waren diese fremden Herrscher ausreichend akkulturiert, so dass sie die volle ägyptische Königstitulatur annahmen. Der am besten bekannte dieser ›asiatischen Könige‹ ist der fünfte Hyksos-Herrscher, Apopi (Apophis), der dieses außergewöhnliche Kapitel der ägyptischen Geschichte beispielhaft illustriert. Seine lange Herrschaft von vierzig Jahren erlebte viele der Schlüsselereignisse, die zur Gründung des Neuen Reiches führten.

Apopi kam als junger Mann infolge eines Putsches an die Macht, nachdem sein Vorgänger, Chajan, seinen eigenen Sohn Janassi zum gesetzlichen Erben bestimmt hatte. Der Usurpator war zweifellos von nichtköniglicher Abstammung, doch sonst ist wenig über seine Familie bekannt, außer den Namen seiner beiden Schwestern Tani und Ziwai sowie seiner Tochter Harit. Apopi hatte möglicherweise auch einen Sohn, einen weiteren Apopi, doch ist der kaum bezeugt. Obwohl die Hauptstadt und Festung der Hyksos Avaris (Auaris; äg. Hut-waret, heute Tell el-Daba'a) im nordöstlichen Delta war, veranlasste Apopi Bauprojekte in ganz Ägypten und ging überall seinen königlichen Tätigkeiten nach, von Theben im Süden bis in die Gegend von Memphis und bis in das südliche Palästina im Norden und Osten. Besonderes Interesse scheint er für das Gebiet um Gebelein (äg. Inerti) in Oberägypten gehabt zu haben, da er dort dem benachbarten Kult Sobeks, des Herrn von Semnu, weihte und in Gebelein selbst ein Heiligtum baute, von dem nur der Kalksteinarchitrav mit Inschriften mit Apopis Königsnamen und -titeln erhalten ist.

Doch scheint es, dass relativ früh unter Apopis Regierung die Macht der Hyksos über Oberägypten – stets ein Bollwerk ägyptischen Nationalbewusstseins – zu schwinden begann. Vielleicht im Gefühl, dass seinem Griff Territorium entglitt, mag Apopi eine Politik der verbrannten Erde befohlen zu haben: Er plünderte und zerstörte in Theben viele Tempel und Königsgräber. Ohne Zweifel raubte er eine große Zahl von Königsstatuen und verbrachte sie nach Avaris, wo er sie mit seinem eigenen Namen versehen ließ. Sie wurden in seinen eigenen Palästen und Tempeln aufgestellt, wo sie wohl von seiner königlichen Autorität künden sollten, auch wenn sein taktischer Rückzug nach Norden eine andere Geschichte erzählte. Nichtsdestoweniger macht Apopi aus seiner Situation das beste, indem er mit seinen Opponenten einen förmlichen Vertrag schloss, die offizielle

Grenze nach Kusai (äg. Qjs) zu verlegen. Die beiden nächsten Jahrzehnte seiner Herrschaft schienen ruhig gewesen zu sein, während sich die beiden Staaten das Niltal teilten und in relativem Frieden miteinander Handel trieben.

All das änderte sich mit dem Regierungsantritt eines jungen, dynamischen und entschlossenen Herrschers, Taa III. (Nr. 39). Taa machte sich schnell daran, einen Angriff auf das von den Hyksos kontrollierte Territorium zu führen. Obgleich er im Kampf getötet wurde, bevor er weiter an Boden gewinnen konnte, war es für Apopi ein Pyrrhussieg. Der nächste König von Theben, Kamose, setzte den Vormarsch unerbittlich weiter fort und warf Apopis Streitkräfte binnen dreier Jahre zurück nach Atfih, unmittelbar nördlich des Zutritts zum Faijum. Angesichts dieser desaströsen Rückschläge versuchte Apopi, seine Königswürde durch Zulegung neuer Titel und Epitheta zu erhalten: »Er, dessen Macht siegreiche Grenzen zustandebringt: kein Land ist frei davon, ihm Tribut zu zahlen« oder »Beherzt am Tag der Schlacht, er, der berühmter ist als irgendein anderer König; wie erbärmlich sind die fremden Länder, die ihn nicht anerkennen«. Sein Thronname Auserre verkündete ›groß ist die Stärke des Re (d. h. des Königs)‹. Alles war Wunschdenken.

Während die Regierungsmaschine weiter funktionierte – beispielsweise wurden im dreiunddreißigsten Jahr von Apopis Regierung Schreiber beauftragt, einen langen, wichtigen mathematischen Papyrus abzuschreiben –, befand sich der Hyksos-Staat in permanentem Kriegszustand. Die Gesellschaft war tiefgreifend militarisiert, wie es ein Dolch zeigt, der einem von Apopis Soldaten, Abed, gehörte und der mit einem Bild seines Gefolgsmanns Nehemen verziert ist. Dieser ist mit Lanze, Kurzschwert und Dolch bewaffnet. Kampf beherrschte das letzte Jahrzehnt von Apopis Herrschaft. Als er starb, wahrscheinlich in den höheren Sechzigern, muss er gewusst haben, dass das Ende der Hyksos-Herrschaft in Ägypten nahe bevorstand. Sein Nachfolger, ein weiterer Usurpator, hielt sich kaum ein Jahr, bevor die Asiaten von den Streitkräften des Thebaners Ahmose endgültig aus dem Delta vertrieben wurden; dieser leitete so die 18. Dynastie ein.

Apopis Andenken wurde von den folgenden Generationen der alten Ägypter geschmäht, nicht zuletzt wegen seines Pechs, seinen Namen mit der Riesenschlange geteilt zu haben, welche in der ägyptischen Mythologie das Chaos verkörperte. Getreu dieser Assoziation erschien Apopi als das Miniaturbild des Bösen, das alles repräsentierte, das an Ägyptens Zeit der Unterwerfung unter die Fremdherrschaft schlecht und schändlich war. Doch seinem fremden Hintergrund zum Trotz versuchte er in vielfältiger Weise, als vorbildlicher Monarch zu regieren. Held oder Schurke, der ›König aus Asien‹ bleibt eine faszinierende Gestalt.

Skarabäus-Siegel mit Aufschriften von Namen zweier Herrscher der 15. (Hyksos-)Dynastie: Scheschi (oben) und Apopi (unten). Apopi ist der am besten dokumentierte Hyksos-König, mit bekannten Monumenten aus Oberägypten wie aus dem Kernland seiner Dynastie im östlichen Delta.

39 | TAA II.

DER KÖNIG, DER IN DER SCHLACHT GEGEN DIE HYKSOS FIEL

Nach Generationen politischer Zersplitterung und Herrschaft durch Ausländer wandten sich die Ägypter zur Errettung erneut nach Theben. In den dunkelsten Tagen der Hyksos-Herrschaft war eine Familie aus dem Militär an die Spitze gestiegen, welche die gleiche Hoffnung auf nationale Wiedergeburt zu bieten schien, wie sie die Antefs und Mentuhoteps II. (Nr. 27) am Ende der Ersten Zwischenzeit darstellten. Während Apopi von seiner Festung im Delta aus herrschte, folgte ein tapferer Thebaner namens Taa seinem Vater als lokaler Herrscher nach. Sein Territorium war klein, doch es bot den einzigen Widerstand gegen die fremde Vorherrschaft und bildete wohl daher das Sprungbrett für eine breitere Befreiungsbewegung. Insofern war es Taa, auf dem die Hoffnungen und Erwartungen eines Volkes ruhten.

Glücklicherweise war er der richtige Mann auf dem richtigen Platz zur richtigen Zeit. Für einen Altägypter war er ziemlich groß, um die 1,70 m, und besaß den muskulösen Körper eines gesunden, aktiven Mannes. Sein großer Kopf war von dickem, schwarzem, gekräuselten Haar bedeckt: im Äußeren jeder Zoll ein potentieller Held. Taa war der Sohn eines weiteren Taa und einer bemerkenswerten Mutter namens Tetischeri, welche als größte Ahnin der Könige der 18. Dynastie verehrt werden sollte. Nach späteren Berichten zu urteilen, war sie eine eindrucksvolle, einflussreiche, eigenständige Frau und scheint ihrem Sohn eine Zielstrebigkeit eingeimpft zu haben, die ihn durch schwierige und gefährliche Situationen bringen sollte. Der jüngere Taa nahm seine leibliche Schwester Ahhotep zur Hauptfrau; wie ihre Mutter war sie eine draufgängerische Frau mit starkem Willen, die nicht zögerte, ihren Mann in dessen Entschluss zu dem Krieg zu bestärken, der vor ihnen lag. Taa heiratete mindestens zwei seiner weiteren Schwestern und hatte durch diese verschiedenen Frauen eine große Familie, zu der vier Söhne und nicht weniger als sieben Töchter gehörten. Die meisten seiner Kinder hießen zu Ehren des Mondgottes Ahmose; Ahmose Nefertari (Nr. 40) sollte in puncto Einfluss ihrer Mutter und Großmutter gleichkommen.

Die Königsfamilie verbrachte mit ihren engsten Beratern und ihren Generälen viel Zeit in der Stadt Deir el-Ballas, nördlich von Theben selbst. Die Stadt lag strategisch so, dass von dort aus der Flussverkehr und die Karawanenrouten durch die Wüsten kontrolliert werden konnten. Mit zwei befestigten Palästen bot die Stadt einen sicheren Vorposten für den Krieg gegen die Hyksos, dessen Ausbruch nunmehr erwartet wurde. Kurz nach seiner Thronbesteigung beschloss Taa – noch erst Ende zwanzig oder Anfang dreißig –, dass die Zeit zur Rückeroberung Ägyptens gekommen war. Er ordnete den Beginn des Angriffs auf die Hyksos an. Das Gefühl der Erwartung und Erregung im thebanischen Heerlager, als der Feind angegriffen wurde, muss beträchtlich gewesen sein. Doch erlitten die Befreier, wie sie jetzt selbst erleben mussten, einen vernichtenden Schlag, als ihr Führer, Taa selbst, im Kampf getötet wurde. Vielleicht wurde er überrumpelt und von hinten angegriffen, als er seinen Kampfwagen lenkte. Durch erste Schläge niedergesteckt, fielen die Angreifer über ihn her und brachten ihm mit ihren Dolchen, Äxten und Speeren weitere tödliche Wunden bei.

Im dichten Kampfgetümmel gab es weder die Zeit noch die Gelegenheit, den Leichnam des Königs ordentlich zum Begräbnis vorzubereiten. Er wurde hastig, vielleicht auf dem Schlachtfeld, einbalsamiert, sogar ohne die Glieder nach dem Todeskampf wieder gerade zu richten. Darauf wurde Taa zur Bestattung in einem Königsgrab zurück nach Theben gebracht. Der Leichnam des Königs wurde in einen reich vergoldeten Sarg gelegt, geschmückt mit seinem Bild, das den königlichen Kopfschmuck trug, die beschützende Kobra an seiner Stirn. Die Inschrift bezeichnete ihn

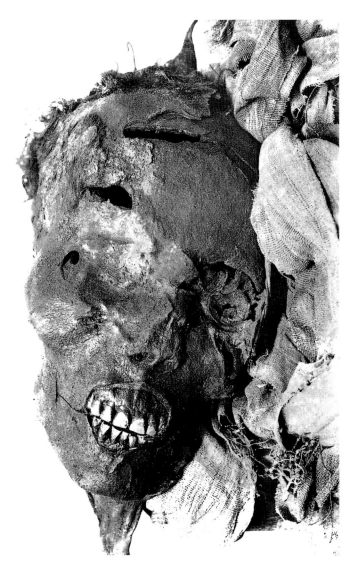

Mumifizierter Schädel Taas II., 17. Dynastie. Die Wunden am Kopf des Königs wurden ihm wahrscheinlich von einer schmalen Axtklinge zugefügt, was darauf hindeutet, dass er auf dem Schlachtfeld starb, vielleicht im Kampf gegen die Hyksos.

so, wie er bei künftigen Generationen verehrt werden sollte: »Taa, der Tapfere«. Dreihundert Jahre nach seinem Tode wurde sein heldenhafter Kampf gegen die Hyksos in literarischer Form unsterblich gemacht, in der er bis auf den heutigen Tag weiterlebt: in der Heldenerzählung von einem jungen Kriegerkönig, der zur Befreiung seines Landes sein Leben gab.

40 | AHMOSE-NEFERTARI
KÖNIGLICHE TOCHTER, FRAU UND MUTTER

Die drei Generationen, welche das Ende der 17. Dynastie und den Anfang der 18. Dynastie umspannten, waren in vielerlei Weise eine bemerkenswerte Periode in der altägyptischen Geschichte, nicht zuletzt durch die hervorragende Rolle königlicher Frauen in Staatsangelegenheiten. Taa II. (Nr. 39) war von starken Frauen, seiner Mutter Tetischeri und seiner schwesterlichen Frau Ahhotep, unterstützt und ermutigt worden. Sein Sohn Ahmose besaß in Gestalt seiner leiblichen Schwester und Gattin Ahmose-Nefertari die Unterstützung einer gleichermaßen einflussreichen Frau, deren Einfluss bis in die Regierungszeit ihres Sohnes Amenhoteps I. fortdauerte.

Ahmose-Nefertari wurde während der Herrschaft ihres Vaters Taa II. in die Königsfamilie Thebens hineingeboren. Sie erlebte seinen Tod im Kampf gegen die Hyksos, die Thronbesteigung ihres Bruders und Gemahls sowie dessen schließlichen Sieg gegen die Invasoren aus Asien, und sie spielte eine zentrale Rolle bei der Kontrolle von Ägyptens Übergang vom Krieg zum Frieden sowie beim Aufstieg ihrer eigenen Familie von einer thebanischen zur nationalen Dynastie.

Im alten Ägypten waren Religion und Politik untrennbar. Ahmose-Nefertari erkannte das und stellte sicher, dass sie beim Tode oder Rückzug ihrer Mutter vom Amt von ihrem Gemahl in die höchst wichtige Rolle von Amuns Göttlicher Gemahlin berufen wurde. Ahmose stattete sie und ihre Erben sogar auf Ewigkeit mit Land und Gütern aus und schuf so eine wirtschaftliche Basis, um ihre Position dem politisch-religiösen Einfluss gleichwertig zu machen. Die Amun-Priesterschaft wurde schnell die mächtigste im Land, und Ahmose-Nefertari war als Göttliche Gemahlin in der Lage, bei deren Angelegenheiten eine zentrale Rolle zu spielen. Die Bedeutung ihrer neuen Position spiegelt sich in dem Umstand, dass sie oft beschloss, diesen Titel allein zu benutzen, lieber als ›des Königs Große Gemahlin‹.

Ihre Rolle erstreckte sich auf das gesamte Spektrum kultischer Aktivitäten wie die Weihung ritueller Opfer, Teilnahme an wichtigen Festen und Beteiligung am Bau sowie der Restaurierung religiöser Gebäude. Bevor Ahmose beschloss, in Abydos ein Denkmal für seine Großmutter Tetischeri zu errichten, suchte er Ahmose-Nefertaris Zustimmung. Ihr Name

Holzstatuette der Ahmose-Nefertari aus Theben-West, 19. Dynastie. Dieses Votivfigürchen kommt aus dem Arbeiterdorf von Deir el-Medina, dessen Einwohner Ahmose-Nefertari – zusammen mit ihrem Sohn Amenhotep I. – als Mitgründerin ihrer Gemeinde verehrten.

wurde in den Texten verzeichnet, welche die Wiedereröffnung der Kalksteinbrüche in Tura vermerken. Ihr Interesse und ihre Beteiligung an Neugründungen erreichte unter der Regierung ihres Sohnes Amenhotep I. den Höhepunkt, als sie als Mitschutzherrin eines neuen Dorfes für die Nekropolenarbeiter fungierte, die mit dem Bau der Königsgräber im Tal der Könige beschäftigt waren. Solange sie existierte, verehrte die Gemeinde des ›Platzes der Wahrheit‹, wie sie genannt wurde, Ahmose-Nefertari Seite an Seite mit ihrem Sohn als Schutzgottheiten.

Ahmose-Nefertari überlebte sowohl ihren Gemahl wie ihren Sohn und lebte bis unter die Herrschaft ihres Schwiegersohnes Thutmosis I. Ihre bemerkenswerte Lebenszeit umspannte so fünf, vielleicht sechs Regierungsphasen. Ihr Tod war Anlass für nationale Trauer. Eine Privatstele beschrieb ihn so: »Gottes Gemahlin Ahmose-Nefertari, gerechtfertigt vor dem großen Gott, dem Herrn des Westens, flog gen Himmel.« Ahmose-Nefertari war gegangen, aber nicht vergessen, und sollte in der Dynastie, deren unbestrittene Gründerin sie war, in zentralen Momenten für eine Reihe starker Frauen Inspiration bedeuten.

41 | AHMOSE, SOHN DER ABANA
MARINEOFFIZIER IN KRIEGSZEITEN

Die Befreiung Ägyptens, die Vertreibung der Hyksos und das Wiederzusammenschmieden einer starken, unabhängigen Nation bildeten fortdauernde Errungenschaften der Könige der 18. Dynastie. Der detailreichste und lebendigste Bericht zu diesen folgenschweren Ereignissen stammt von einem Marineoffizier, der in allen großen Schlachten der Zeit eine führende Rolle einnahm: Ahmose, Sohn der Abana.

Ahmose wurde geboren und aufgezogen in der blühenden Stadt Elkab (äg. Necheb) im tiefen Süden Ägyptens. Sein Vater Baba diente als Soldat in der Armee Taas II. (Nr. 39), und der Sohn muss mit Geschichten von kühnen militärischen Taten aufgewachsen sein und dabei verstanden haben, dass sie Teil eines umfassenderen Kampfes waren, Ägypten von den verhassten ›Herrschern aus fremden Ländern‹ zu befreien. Der junge Ahmose folgte seinem Vater ins Militär, entschied sich jedoch für die Kriegsflotte statt für das Heer. Sein erster Einsatz fand an Bord des königlichen Schiffes ›Opfer‹ statt. Es war eine gemächliche, aber nur kurze Einführung in das Marineleben. Nach Heirat und Begründung einer Familie wurde Ahmose zur Nordflotte versetzt und wurde aktiv beim Kampf gegen den Hyksos-Feind eingesetzt. An Bord seines neuen Schiffs, der ›Glanz in Memphis‹, nahm Ahmose an der Belagerung der Hyksos-Festung von Avaris (Auaris, äg. Hut-waret, heute Tell el-Dab'a) teil. Die ägyptische Flotte griff den Feind auf dem Hauptkanal der Stadt an. Ahmose befand sich selbst im dichtesten Handgemenge, tat sich jedoch durch seinen Heldenmut hervor und brachte von seinem ersten bewaff-neten Kampf eine ziemlich grässliche Trophäe mit: die Hand eines erschla-genen feindlichen Kämpfers. Der König belohnte seine Tapferkeit mit dem Gold der Ehre, was Ahmose zu weiteren mutigen Taten anspornte.

Während der Belagerung von Avaris erreichten die Streitkräfte des Königs Nachrichten von einer Rebellion in Oberägypten, die von einem unzufriedenen Beamten angeführt wurde. Ließ man sie an Schwung gewinnen, konnte sich ein solcher innerer Steit als katastrophal für die umfassendere militärische Kampagne erweisen. So wurde Ahmose, Sohn Abanas, sofort entsandt, um den Aufstand niederzuschlagen. Sein Erfolg wurde von einem dankbaren Monarchen mit ›Gold in doppeltem Maß‹ belohnt. Bei seiner Rückkehr an die Nordfront kam Ahmose rechtzeitig, um zu erleben, wie Avaris den belagernden ägyptischen Streitkräften in

Bemaltes Relief des Ahmose, Sohn der Abana, aus seinem Grab in El-Kab, frühe 18. Dynastie. Ahmose ist sitzend neben seiner Frau dargestellt, unter dem Stuhl ein Hausaffe. Die Hieroglyphen-inschrift über den Köpfen berich-tet von Ahmoses hervorragender militärischer Karriere.

die Hände fiel. Er selbst nahm vier Kriegsgefangene und durfte sie als Sklaven behalten. Der König, nicht nur entschlossen, die Hyksos aus Ägypten zu jagen, sondern sie ein für alle Mal zu vernichten, verfolgte sie bis in die Levante zu ihrer Festung Scharuhen, deren Belagerung die Ägypter darauf für zermürbende sechs Jahre aufnahmen. In einer Mischung aus Entschlossenheit und Hartnäckigkeit triumphierten die Ägypter. Ahmoses Belohnung waren weiteres Gold und noch mehr Kriegsgefangene als Sklaven.

Der nächste größere Feldzug ging nicht in den Norden Ägyptens, son-

Detail der bemalten Wandverzierung aus dem Grab Ahmoses, Sohn der Abana, in El-Kab, frühe 18. Dynastie. Ahmose diente drei Königen nacheinander und half mit, dass die 18. Dynastie von Theben ihre Macht auf ganz Ägypten ausweiten und im Nahen Osten und Nubien ein Imperium errichten konnte.

dern nach Süden, nach Nubien. Nachdem er die nationale Souveränität über das Niltal und das Delta wiederhergestellt hatte, wünschte König Ahmose nunmehr, Ägyptens Imperium in den südlichen Ländern wiederaufzubauen. Sein Namensvetter, der Marineoffizier, jetzt ein in der Schlacht gehärteter Veteran, tat sich weiter im Kampf hervor. Doch war zuhause nicht alles zum besten: Die politische Opposition gegen die neue 18. thebanische Dynastie war augenscheinlich stärker, als die offiziellen Berichte einzugestehen wagten, und die Erhebung ein paar Jahre zuvor war nach alledem kein isoliertes Phänomen gewesen. Denn es brach ein zweiter gut organisierter Aufstand aus, der von einem »Feind aus dem Süden« angeführt wurde. Eine der Monarchie loyale Abteilung, dabei Ahmose, Sohn der Abana, wurde ausgeschickt, um die Rebellen abzuschneiden; sie trafen an einem Ort namens Tinet-ta-amu aufeinander. Der Anführer der Meuterei wurde zusammen mit seinen Anhängern gefangengenommen. Ahmose selbst fasste zwei Bogenschützen an Bord der feindlichen Schiffe; er und seine Bootskameraden wurden mit Sklaven und Land belohnt, um ihre Loyalität zu erhalten. Doch bevor sich die Aufregung gelegt hatte, brach eine dritte Rebellion aus, angeführt von einem Mann namens Tetian. Auch er wurde schließlich besiegt, doch die Atmosphäre gegen Ende der Herrschaft König Ahmoses muss fiebrig und angefüllt mit Gerüchten innerer Umwälzung gewesen sein. Indem er unerschütterliche Treue zur thebanischen Dynastie zeigte, erwarb sich Ahmose, Sohn der Abana, zweifellos seine Belohnungen.

Ahmose 1. folgte sein Sohn Amenhotep 1. auf den Thron, und schnell wurden die Anstrengungen »zur Ausweitung der Grenzen Ägyptens« fortgesetzt. Ahmose, Sohn der Abana, segelte mit dem neuen König nach Süden, nach Kusch (Nubien südlich des Zweiten Katarakts), »kämpfte unglaublich«, fing den nubischen Anführer und brachte binnen zweier Tage unter Segeln seinen Souverän zurück nach Ägypten. Mittlerweile sprach Ahmose ganz patriotisch von »unserer Armee« und wurde für seine Leistungen mit Gold, zwei Sklavinnen und den Kriegsgefangenen belohnt, die er dem König schon präsentiert hatte. Außerdem wurde er zum ›Krieger des Herrschers‹ ernannt, ein Zeichen großer Ehre.

Einmal Soldat, immer Soldat: Sogar in seinen reifen Jahren hörte Ahmoses Beteiligung an Militärkampagnen nicht auf. Unter der Regierung Thutmosis' 1. brachte er den König an einen Chenthennefer genannten Ort, »um die Gewalt aus dem Hochland zu vertreiben, um die Plünderung des Hügellandes zu unterdrücken«. Für seine Tapferkeit und Kaltblütigkeit bei schwierigen Segelbedingungen wurde er zum ›Chef der Matrosen‹ an der Spitze der ägyptischen Marine befördert. Eine zweite Revolte der Nubier zog eine unbarmherzige Antwort Thutmosis' 1. nach sich. Am Ende eines heftigen Angriffs segelte der König unter Ahmoses Führung zurück nach Karnak, den Leichnam des besiegten nubischen Anführers mit dem Kopf nach unten am Bug des königlichen Bootes aufgehängt – eine grimmige Warnung an andere potentielle Rebellen.

Ahmoses lange, bemerkenswerte militärische Karriere endete, wo sie begonnen hatte, im Kampf gegen Feinde an Ägyptens Nordgrenze. Doch dieses Mal war der Feind das Königreich Mitanni (äg. Naharin), das in dem Bestreben, seinen Einfluss über die ganze Levante auszudehnen, Ägyptens eigene imperiale Ambitionen in der Region bedrohte. An der Spitze der ägyptischen Streitkräfte begleitete Admiral Ahmose den König nach Syrien-Palästina (äg. Retjenu), »um inmitten der fremden Länder sein Herz zu waschen (Genugtuung zu erreichen)«. Im Landkampf erbeutete Ahmose einen Kampfwagen zusammen mit Pferden und dem Lenker und präsentierte sie seinem Monarchen. Er wurde reich belohnt, mit »Gold in doppeltem Maß«.

Im hohen Alter sonnte sich Ahmose in seinen vielen Ehrungen: »Ich wurde sieben Mal in der Gegenwart des ganzen Landes mit Gold beschenkt; ebenso mit Sklaven und Sklavinnen. Ich wurde mit sehr vielen Feldern ausgestattet.« In seiner Heimatstadt Necheb gab er ein Felsengrab in Auftrag, das eine Inschrift mit langem Text auf den Wänden trug, zur Erinnerung an seine Leistungen für die Ewigkeit. Er hatte an zehn bedeutenden Feldzügen unter drei Königen teilgenommen und dabei durch seine eigenen Taten mitgeholfen, die 18. Dynastie auf Ägyptens Thron zu etablieren und zu schützen. Wenn je ein alter Ägypter die Unsterblichkeit verdient hat, so zweifellos Ahmose, Sohn der Abana. In seinen eigenen Worten: »Der Ruhm eines Tapferen und seine Leistungen sollen in diesem Land nie untergehen.«

42 | AHMOSE PENNECHBET

SOLDAT UNTER VIER AUFEINANDER FOLGENDEN MONARCHEN

Die Geschichte der militärischen Glanzleistungen der frühen 18. Dynastie, die in solch fesselnden Details von Ahmose, Sohn der Abana (Nr. 41), berichtet wird, wird in der autobiografischen Inschrift seines nahen Zeitgenossen, Namensvetters und Miteinwohners von Elkab (Necheb) fortgesetzt: von Ahmose, genannt Pennechbet. Er diente ebenfalls einer Folge von Königen, wurde für Tapferkeit in der Schlacht reich belohnt und lebte bis ins hohe Alter.

Ahmose Pennechbet war ein Infanterist und erlebte seinen ersten Einsatz im zweiundzwanzigsten Jahr von König Ahmoses Regierung. Nach der erfolgreichen Belagerung von Scharuhen stieß der König tiefer in das Küstengebiet der Levante vor (äg. Djahi), um mit jedem übrig gebliebenen Widerstand gegen die ägyptische Herrschaft aufzuräumen. Ahmose Pennechbet stand mitten im Kampfgetümmel, so wie in vielen noch folgenden Jahren: »Ich folgte Nebpehtire [König Ahmose], dem Siegreichen. In Djahi erbeutete ich für ihn einen lebenden Gefangenen und eine Hand.

Ich wurde auf dem Schlachtfeld nicht vom König getrennt seit (der Zeit von) Nebpehtire, dem Siegreichen, bis zu Aacheperenre [Thutmosis III.], dem Siegreichen.«

Unter Amenhotep I. kämpfte Ahmose Pennechbet in Nubien und einem nicht identifizierten Land namens Chek. Seine Belohnungen umfassten zwei goldene Armreifen, zwei Halsketten, eine Armspange, einen Dolch, einen Kopfschmuck und einen Fächer. In den Feldzügen Thutmosis' I. kämpfte er erneut in Nubien sowie gegen das westasiatische Königreich Mitanni. Sein loyaler Dienst brachte ihm in Form von zwei Armreifen, vier Halsketten, einer Armspange, zwei goldenen Äxten, sechs Fliegen und drei Löwen (die letzten Auszeichnungen für Tapferkeit) noch größere Anerkennung ein. Ahmose Pennechbets letzter aktiver Einsatz erfolgte unter Thutmosis II. gegen Schasu (Beduine) von Südpalästina. Die königlichen Belohnungen bei dieser Gelegenheit waren noch weit kostbarer: drei goldene Armreifen, sechs Halsketten, drei Armspangen und eine Silberaxt – Silber war unter der 18. Dynastie wertvoller als Gold. In einer treffenden Zusammenfassung seiner Heereslaufbahn stellte Ahmose Pennechbet fest: »Ich folgte den Doppelkönigen, den Göttern; ich war bei Ihren Personen, als sie in den Süden und den Norden zogen, an jedem Ort, wohin sie gingen. Ich habe ein gutes hohes Alter erreicht und hatte ein Leben von königlicher Gunst, empfing Ehrungen unter Drei Personen und die Liebe, bei Hofe gewesen zu sein.«

Seine letzte Belohnung als loyaler Diener der Dynastie bestand darin, dass er zum Erzieher der Prinzessin Neferure bestellt wurde, der ältesten Tochter der ›Göttlichen Gemahlin, des Königs Großer Gattin, Maatkare‹ (Hatschepsut), welcher er ebenfalls als Schatzkämmerer diente. Ahmose kümmerte sich in der Kindheit um das kleine Mädchen, »als sie ein Kind an der Brust war«. Nach einem langen, ereignisreichen Leben starb er unter der Ko-Regentschaft von Hatschepsut und dem jungen Thutmosis III., blind gegen des Letzteren größere Ambitionen, nicht ahnend, dass sein letzter königlicher Dienstherr dabei war, genau die Monarchie zu revolutionieren, der er so treu unter vier aufeinander folgenden Königen gedient hatte.

43 | HATSCHEPSUT
DER WEIBLICHE PHARAO

In der dritten Regierungszeit unter der 18. Dynastie wurden Thutmosis I. und seine Hauptfrau Ahmose mit der Geburt einer Tochter gesegnet. Sie nannten sie Hatschepsut, ›Vornehmste der edlen Frauen‹. Es sollte sich als prophetische Wahl erweisen. Denn in einem Königshaus, das an Königsgemahlinnen und Königstöchter von starker Persönlichkeit gewohnt war, sollte die junge Prinzessin alle ihre Vorfahren übertreffen und für sich selbst größere Macht gewinnen als sie alle. Von Hatschepsuts frühem Leben unter der Herrschaft ihres Vaters ist wenig bekannt. Obwohl sie unter den königlichen Frauen in einem der ›Haremspaläste‹ aufgewachsen sein dürfte, muss sie sich der wachsenden Reputation ihres Vaters als großer Eroberer bewusst gewesen sein; gewiss, so scheint es, hat sie seine Entschlossenheit, Zielstrebigkeit und seinen Mut geerbt. Als junge Frau, vielleicht noch in ihren Jugendjahren, wurde sie verheiratet, wie es der Brauch verlangte, und zwar mit einem engen königlichen Verwandten. Ihr Gatte war ihr Halbbruder Thutmosis (Thutmosis' I. Sohn von einer anderen Frau). Das Paar hatte zusammen eine Tochter namens Neferure. Mutter und Tochter sollten ihr ganzes Leben lang in enger Beziehung zueinander stehen, ihr Schicksal eng verflochten sein.

Thutmosis' I. Tod muss für Hatschepsut ein niederschmetternder Schlag gewesen sein, da sie sich schon sehr mit ihrem Vater identifizierte. Überdies war sie jetzt die Frau des neuen Königs, Thutmosis II. – auch wenn sie seine Zuneigung mit einer zweiten Gefährtin, Iset, teilen musste, die ihm schon einen Sohn und Erben geboren hatte.

Gleichwohl stellten Thutmosis' II. Inschriften Hatschepsut als Königstochter, Königsschwester, Gottes Gemahlin und des Königs Große Gemahlin formal in den Vordergrund. Man spürt in der jungen Frau ein wachsendes Bewusstsein ihrer Bedeutung für die Dynastie. Kaum ein Wunder also, dass Hatschepsut, als ihr Gemahl nach kurzer Regierung von nur zwei Jahren starb, die Gelegenheit packte. Eine Inschrift hält den neuen Status quo fest: »Sein Sohn (Thutmosis III.) erhob sich auf dem Thron als König Beider Länder und herrschte auf dem Platz dessen, der ihn zeugte. Seine Schwester, des Gottes Gemahlin Hatschepsut, lenkte die Geschäfte des Landes.«

Zum Teil war es eine Frage praktischer Politik: Da beide vorgesehenen Erben, Thutmosis III. und seine Halbschwester Neferure noch Kinder waren, war eine Regentschaft erforderlich. Am Anfang bezog sich Hatschepsut auf sich selbst weiter als des Königs Große Gemahlin oder als Gottes Gemahlin und erkannte so ihren Status als Regentin an, der von ihrem toten Gemahl abgeleitet war. Doch schon nach kurzer Weile begann sie expliziter, königliche Titel anzunehmen, wie Herrin Beider Länder, eine raffinierte weibliche Version eines der traditionellen Beinamen des Königtums. Der kalkulierte Gebrauch von Epitheta zur Hebung ihrer Position war von Handlungen begleitet, die traditionell mit königlichen Prärogativen verbunden waren wie die Aufstellung eines Obeliskenpaares in Karnak und Tempelreliefs, die sie bei der Verrichtung von Opfern direkt an die Götter zeigten. An irgendeinem Punkt nach sieben Jahren als Regentin machte Hatschepsut den Versuch, auf den Gipfel der Macht zu gelangen, indem sie den Anschein der Regentschaft zugunsten des königlichen Vollstatus aufgab. Sie nahm die traditionelle fünffache Titulatur eines ägyptischen Monarchen an und ließ sich auf Reliefs im (männlichen) Gewand eines Königs darstellen.

Bemalter Kalksteinkopf Hatschepsuts aus ihrem Totentempel in Deir el-Bahri, Theben-West, 18. Dynastie. Trotz ihres weiblichen Geschlechts, auf das die zarten Details hinweisen, trägt sie den traditionellen falschen Bart des Königtums.

Eine Frau als Regentin war eine Sache; eine Frau als Pharao eine ganz andere (es hatte in Ägyptens langer Geschichte als Nationalstaat zuvor nur einen Fall gegeben). Hatschepsut hatte sich der fünfhundert Jahre alten Institution der Ko-Regentschaft bedient, um sich zum König krönen zu lassen, ohne Thutmosis zu verdrängen und einen Bürgerkrieg zu riskieren; als designierter Erbe hätte er, besonders unter dem Militär, machtvollen Rückhalt gehabt. Es kann wenig Zweifel daran bestehen, dass sie durch die Kraft ihrer eigenen Persönlichkeit triumphierte. Doch kann sie nicht allein gehandelt haben; sie muss von Beamten umgeben und unterstützt worden sein, die ihren nie zuvor dagewesenen Griff nach der Macht zu unterstützen willens waren. Der prominenteste von ihnen war ihr Haushofmeister, Senenmut (Nr. 44); zu den anderen gehörte der Kanzler Nehesi und der Verwalter der königlichen Liegenschaften, Amenhotep. Sie alle hatten eines gemeinsam: Als Männer von einfacher Herkunft waren sie in der Aufrechterhaltung ihres Status von Hatschepsut abhängig. Insofern war ihr eigenes Schicksal mit dem ihrigen verbunden, und es dürfte in ihrem Interesse gelegen haben, ihr uneingeschränkte Unterstützung zu bieten.

Das Königsamt war inhärent männlich, insofern mussten Hatschepsuts Titel und Bilder am Faktum ihres Geschlechts manipulieren, indem sie sowohl männliche wie weibliche Epitheta und Attribute benutzte. Sie und ihre Ratgeber verlegten sich auf eine zunehmend radikale Kampagne, indem sie die Geschichte umschrieben, um ihre Position zu legitimieren. Zunächst benutzte sie dieselben Regierungsjahre wie Thutmosis III. und datierte so den Beginn ihrer ›Königsherrschaft‹ auf den Tod Thutmosis' II. und die Krönung Thutmosis' III. Sodann ignorierte sie Thutmosis II. völlig und präsentierte sich als die gesalbte Erbin ihres Vater Thutmosis I.: Ein Relief in ihrem Grabestempel in Deir el-Bahri zeigte sie vor Thutmosis I. bei der Krönung am Hofe in Gegenwart der Götter, und zwar beim feierlichen Anlass des Neujahrsfestes. Ein weiterer Schritt bestand darin, sich auf den Mythos göttlicher Geburt zu berufen, indem die Vorstellung verbreitet wurde, dass sie vom höchsten Gott Amun gezeugt worden und daher auserwählt sei, ›König‹ über Ägypten zu werden. Der verwegenste aller Versuche der Mythenbildung war die Inschrift, die über dem Türsturz in Speos Artemidos (griech. ›Grotte der Artemis‹) eingemeißelt wurde, des ersten Felsentempels in Ägypten, gelegen in einem isolierten Wadi südlich von Beni Hassan. Obgleich vorgeblich Pachet, der Katzengöttin, geweiht, diente das Heiligtum in Wirklichkeit dazu, Hatschepsut in die Rolle des nationalen Befreiers zu kleiden: Der Türsturz trägt eine Inschrift, auf der sie als der Herrscher bezeichnet wird, der die Hyksos vertrieben hat (womit dann gleich die drei ersten Könige der 18. Dynastie übergangen wurden).

Nachdem ihre Position auf dem Thron gesichert war, wandte Hatschepsut ihre Aufmerksamkeit den traditionellen Rollen des Königtums zu, nicht zuletzt Bauprojekten. Während ihrer anderthalb Jahrzehnte als

König erreichten Architekten und Künstler neue Höhen der Kreativität und errichteten im ganzen Reich Monumente für ihren (weiblichen) Souverän, von Buhen in Nubien bis Serabit el-Chadim auf dem Sinai. Als königlicher Schutzherr überschüttete sie den großen Tempel des Amun-Re in Karnak mit Aufmerksamkeit, indem sie ihm zwei neue Kammern, einen achten Pylonen, eine Prozessionsstraße mit Barkenheiligtümern (die von Karnak südwärts zum Luxor-Tempel führte) und auch noch ein neuartiges Heiligtum aus rotem Quarzit (dem ›Palast der Maat‹, auch als ›Rote Kapelle‹ bekannt) hinzufügte. Indes, ihre ehrgeizigste und berühmteste Ergänzung zur größten religiösen Anlage des Landes war ein Obeliskenpaar, das zwischen dem vierten und fünften – von ihrem Vater erbauten – Pylonen aufgestellt wurde. Die Inschriften auf den Basen dieser riesigen Granitnadeln (der eine *in situ* verbliebene ist der größte stehende Obelisk Ägyptens) betonen Hatschepsuts Frömmigkeit und Legitimität und gewähren überraschende Einblicke in ihren Charakter: »Möge, wer dieses hört, nicht sagen, es sei eine Lüge, was ich sagte; sondern er sage ›Wie sehr ist das wie sie‹, wahrhaftig in den Augen ihres Vaters!«

Was ihre Erweiterungen von Karnak noch übertrifft, Hatschepsuts am besten bekanntes Gebäude, ist ihr Totentempel in Deir el-Bahri in Westtheben. Djeser-djeseru genannt, »Heiligstes der Heiligtümer«, wurde er nach dem angrenzenden Tempel König Mentuhoteps II. (Nr. 27) gestaltet, übertraf ihn jedoch an Umfang und Großartigkeit. Entworfen wurde er »als Garten für meinen Vater Amun«; seine von Terrasse zu Terrasse führenden Rampen waren von Bäumen gesäumt. Hinter den Kolonnaden, welche auf jedem Niveau die Fassade bildeten, stellten farbige Reliefs die wichtigsten Ereignisse aus Hatschepsuts Regierungszeit dar: das Herausbrechen, den Transport und die Aufstellung der Obelisken von Karnak sowie die Reise in das ferne Land Punt. Während Djeser-Djeseru die öffentliche Fassade für Hatschepsuts Totenkult sein sollte, wurde an dem traditionellen Ruheplatz der Pharaonen, dem Tal der Könige, für sie eine

Büste Hatschepsuts aus braunem Granit, 18. Dynastie. Von Hatschepsut gibt es zahlreiche Darstellungen, besonders aus Theben, wo sie an Ost- und Westufer größere Projekte errichten ließ. Einige Statuen betonen ihre traditionellen königlichen Attribute, während andere, wie diese Büste, weichere, weiblichere Züge bieten. Die Spannung zwischen ihrem Geschlecht und ihrem Amt war ein bestimmendes Merkmal von Hatschepsuts Herrschaft.

geheime Grabstätte vorbereitet. Ihr erstes Grab in Theben hatte sie noch als des Königs Große Gemahlin, Thutmosis' II. Gattin, begonnen. Ihr königliches Grab war noch weit eindrucksvoller. Möglicherweise sollte es ganz und gar unter den Berg führen, so dass die Grabkammer unter ihrem Totentempel auf der anderen Seite des Felsens gelegen hätte. Doch machte eine Felsschicht von minderer Qualität diese ehrgeizigen Pläne zunichte. Nichtsdestoweniger bleibt das Grab das längste und tiefste im Tal. Hatschepsut verlegte den Sarkophag ihres Vaters in die Grabkammer, damit er neben ihr liege: Ganz deutlich hatte sie die Absicht, für den Rest der Ewigkeit mit ihrem illustren Vater vereint zu sein.

Hatschepsuts schließliches Ende bleibt jedoch ein Geheimnis. Das letzte Mal tauchte sie in den schriftlichen Quellen im zwanzigsten Jahr ihrer Herrschaft (dem dreizehnten ihrer Ko-Regentschaft) auf. Wie inzwischen nachgewiesen wurde*, starb sie einfach aus natürlicher Ursache (sie dürfte in den Mittfünfzigern gewesen sein); darauf machte sich Thutmosis III. zunächst daran, viele ihrer Tempel zu vervollständigen, zu erweitern und auszuschmücken. Erst in der Spätzeit seiner Regierung befahl er, die Erinnerung an sie zu tilgen. Ihre Statuen wurden zertrümmert, ihre Bilder herausgemeißelt, ihre Obelisken in Karnak mittels Schutzwänden vor den Blicken verborgen. Doch handelte es sich um gezielte Zerstörungen: Nur Hatschepsut als ›König‹ befand sich im Visier der Bilderstürmer, ihre Bildnisse und Monumente als des Königs Große Gemahlin wurden verschont. Daher scheint es, dass Thutmosis III. nicht durch persönliche Rache an der Frau inspiriert war, die ihn vom Thron fern gehalten hatte, sondern von dem Wunsch, die Urkunden zu korrigieren und jedes Zeichen einer Frau zu tilgen, die das heilige Amt des Königtums innegehabt hatte. Der

* Im Juni 2007 wurden die Ergebnisse einer DNA-Analyse (Vergleich eines Zahns aus Hatschepsuts Grab mit einer schon vor einhundert Jahren im Tal der Könige gefundenen Mumie) veröffentlicht. Danach wurde diese Mumie von ägyptischen Archäologen zweifelsfrei als Hatschepsut identifiziert; zudem ergaben die Untersuchungen, dass sie an Krebs oder Diabetes gestorben sein muss (A. d. Ü.).

Sandstein-Reliefblock aus der ›Roten Kapelle‹ Hatschepsuts im Tempel von Karnak, 18. Dynastie. Hatschepsut ist im traditionellen königlichen Gewand beim Lauf mit dem heiligen Apis-Stier dargestellt, einem der ältesten Rituale des Königtums. Trotz ihrer männlichen Erscheinung weist der begleitende Text klar auf ihr weibliches Geschlecht hin.

Name Hatschepsuts wurde so in späteren Königslisten ausgelassen, doch ihre Denkmäler und ihr Ruhm bestehen bis auf den heutigen Tag fort: fortdauernde Zeugnisse für eine außergewöhnliche Frau.

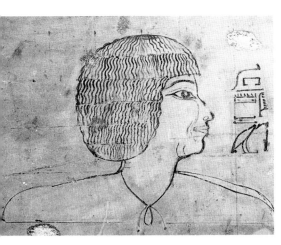

Zeichnung des Senenmut aus seinem Grab in Theben-West, 18. Dynastie. Außer den Reliefs in seiner eigenen Grabstätte nutzte Senenmut seine einflussreiche Position an Hatschepsuts Hof, sich im Allerheiligsten ihres Tempels verewigen zu lassen.

44 | SENENMUT
GÜNSTLING AM HOFE HATSCHEPSUTS

Hatschepsuts Aufstieg von der Königswitwe zum ›König‹ konnte nicht ohne den Rückhalt in einer Gruppe mächtiger Beamter geschehen. Der oberste unter ihnen und einer der prominentesten Würdenträger aus dem gesamten Neuen Reich war ihr Haushofmeister Senenmut. Sein Hintergrund war für Hatschepsuts engeren Kreis nicht untypisch, sein Schicksal jedoch außergewöhnlich.

Senenmut kam aus Armant (äg. Iuni) im Süden Thebens. Seine Eltern, obgleich wahrscheinlich Angehörige der kleinen schreibkundigen Klasse, hatten keine Titel. Senenmut wuchs mit drei Brüdern und zwei Schwestern auf. Es gibt Hinweise auf einen Militärdienst in der frühen Erwachsenenzeit, doch die Laufbahn seiner Wahl lag in der Verwaltung, genauer in der Aufsicht über die ausgedehnten vom Amun-Tempel zu Karnak kontrollierten Liegenschaften; der Tempel war der größte Landbesitzer in der Region. Es handelte sich um eine solide Tätigkeit, doch sicher nicht um den Passierschein zu großem Reichtum; als Senenmuts Vater starb, konnte man ihm nur das einfachste der Begräbnisse bieten, ohne alle Grabbeigaben. Als, im Gegensatz dazu, einige Jahre später seine Mutter starb, gehörten zu ihrem eigenen Besitz zwei Silberkrüge und eine Silberschüssel, und die von ihrem Sohn bereitgestellte Grabausstattung war von höchster Qualität, eingeschlossen eine vergoldete Mumienmaske und ein Herzskarabäus aus Serpentin, in Gold gefasst. Senenmut war auch in der Lage, den neu erreichten Wohlstand dazu zu nutzen, seinen Vater in luxuriösere Umstände umzubestatten.

Die Erklärung für Senenmuts plötzlichen, merklichen Zuwachs an Wohlstand lag in der Regentschaft Hatschepsuts. Sie war es, die ihn in seine lukrativsten Ämter berief, und er stieg zu ihrem einflussreichsten Höfling auf. Ob sie ihn einfach wegen seiner administrativen Fähigkeiten bewunderte oder ob es da eine tiefere Zuneigung gab, lässt sich nicht bestimmen. Zweifellos gab es bei Hof Gerüchte um die Natur der Beziehung zwischen der Monarchin und ihrer rechten Hand, doch diese könnten durch Eifersucht auf seinen konkurrenzlosen Einfluss motiviert gewesen sein. Klar ist, dass Senenmut privilegierten Zugang zu Hatschepsut und, in seiner Eigenschaft als Erzieher ihrer Tochter Neferure, zu dieser hatte. Senenmuts Verantwortungsbereiche umfassten die königliche Schatzkammer und insofern konkret die nationale Wirtschaft; Aufsicht

Blockstatue Senenmuts aus Theben, 18. Dynastie. Dargestellt ist er, wie er sich um die kleine Neferure kümmert, die Tochter Hatschepsuts. Seine Position als Erzieher der Prinzessin verschaffte ihm bei Hof großen Einfluss, daher verweisen seine Statuen häufig auf sein Amt.

über das königliche Audienzzimmer, was ihm die Kontrolle über die gab, die Hatschepsut sah und nicht sah; schließlich die Verwaltung von Hatschepsuts und ihrer Tochter persönlichem Eigentum. Senenmuts Monumente berichten von über neunzig verschiedenen Titeln, die er in verschiedenen Stadien seiner Laufbahn besaß; in Staatsangelegenheiten war ihm nur der Wesir gleichgestellt.

Deutlich schwelgte Senenmut in seinem neu erworbenen Reichtum: fünfundzwanzig Statuen beziehungsweise Fragmente von ihm sind erhalten. Kein anderer Beamter des Neuen Reiches hinterließ eine derart stattliche Menge an privater Plastik. Viele, wenn nicht alle, waren vermutlich Geschenke von Hatschepsut selbst. Verschiedene waren in der Form neuartig und markierten das erste Auftreten neuer Typen. Es ist möglich, dass Senenmut einige von ihnen selbst erfunden hat.

Seine künstlerischen und schöpferischen Interessen wurden von Hatschepsut schnell erkannt, die ihn zum Vorsteher Aller Königlichen Werke und zum Chefarchitekten ernannte. In dieser Funktion hatte er die Aufsicht über die Steinbearbeitung, den Transport und die Aufstellung der beiden großen Obelisken in Karnak. Die Lastkähne, die sie von Assuan nach Theben verschifften, müssen über 90 m lang und 30 m breit gewesen sein. In Vorbereitung auf einen Aufschwung der königlichen Bauprojekte öffnete er die Sandsteinbrüche in Gebel el-Silsila wieder und beaufsichtigte persönlich einige der publicityträchtigsten Aufträge seiner Monarchin: »Es war der Oberhaushofmeister, Senenmut, der alle Arbeiten des Königs in Karnak, in Armant und Deir el-Bahri leitete, dazu die des Amun am Tempel der Mut, in Ischri und am Luxor-Tempel…«

Das bedeutendste Monument war Djeser-Djeseru, das ›Heiligtum der Heiligtümer‹, Hatschepsuts Totentempel in Theben-West. Senenmuts Rolle bei der Planung und dem Bau ist nicht klar, doch wurde er in dessen Dekorationsprogramm für einen besonderen Gunsterweis auserwählt. Darstellungen von ihm erscheinen in Nischen auf der oberen Tempelterrasse, und ebenso erschien er auf den Reliefs der Expedition nach Punt. Einen besseren Einblick in seine Persönlichkeit liefert jedoch ein drittes Bild, das hinter den offenen Türen des kleinen Heiligtums im oberen Tempelbereich verborgen ist. Hier ließ er sich selbst kniend und betend darstellen. Dass ein einfacher Bürger im allerheiligsten Teil des Tempels in derart nächster Nähe zum Kultbild des Gottes dargestellt wurde, war ein undenkbarer Akt von Majestätsbeleidigung; doch konnte Senenmut offenbar der Gelegenheit nicht widerstehen, sich auf diese Weise Unsterblichkeit zu kaufen. Seine einzigartige Position bei der Leitung von Djeser-Djeseru bedeutete, dass er, und nur er allein, bei einem solch dreisten Bruch des Protokolls davonkommen konnte.

Ironischerweise scheint Hatschepsuts Thronbesteigung als ›König‹ für Senenmuts Position bei Hofe so etwas wie einen Niedergang mit sich gebracht zu haben. Vielleicht jetzt, da sie das höchste Amt im Land erlangt hatte, hatte sie für ihn nicht mehr solchen Bedarf. Er wurde als

Erzieher für Neferure ersetzt, genoss jedoch weiterhin Wohlstand und Status als Oberhaushofmeister Amuns, zuständig für die ausgedehnten Ländereien, die Kornkammern, den Viehbestand, Gärten und Handwerker, die von der Priesterschaft von Karnak kontrolliert wurden.

Nachdem er viele Jahre seines Lebens Hatschepsuts Totentempel gewidmet hatte, wandte er seine Aufmerksamkeit nunmehr den eigenen Bestattungsvorbereitungen zu. Wie seine Souveränin entschied er sich für zwei erstklassige Plätze. Seine öffentliche Grabkapelle wurde in einem bedeutenden Friedhof in Theben-West erbaut. Doch ebenso traf er Vorbereitungen für einen diskreteren Bestattungsplatz in Deir el-Bahri. Obwohl der Eingang außerhalb der heiligen Einfriedung lag, führte die tiefe Zugangstreppe direkt unter den Außenhof des Tempels. Er wollte die Ewigkeit in der denkbar verheißungsvollsten Umgebung verbringen.

Senenmuts Ende war so nebelhaft wie sein Aufstieg zur Macht. Im sechzehnten Jahr von Hatschepsuts Regierung war er noch aktiv, verschwand jedoch bald danach aus den offiziellen Berichten. Es ist nicht bekannt, ob er dauerhaft in Ungnade fiel, sich vom öffentlichen Leben zurückzog oder einfach aus natürlichem Grund starb. Sicher ist, dass er nicht in einem seiner beiden Grabmonumente zur Ruhe gebettet wurde und dass sein Andenken zu irgendeinem späteren Zeitpunkt ausgelöscht wurde. Vielleicht zahlten es ihm seine Feinde – und er muss viele gehabt haben – heim, als sie die Gelegenheit bekamen. Es gab nämlich keine Nachkömmlinge, die sich um Senenmuts Erbe kümmern konnten: Wie es aussieht, heiratete er

Standbild mit Senenmut und Neferure aus Theben, 18. Dynastie.

offenbar nie und starb ohne direkte Nachkommen. Anscheinend war das der Preis dafür, dass er die Gunst seiner Monarchin gewann und behielt, dieser eifersüchtigen, von starkem Willen geprägten Frau.

45 | THUTMOSIS III.
SCHÖPFER EINES ÄGYPTISCHEN IMPERIUMS

Wie Hatschepsut (Nr. 43) vor ihm nahm sich Thutmosis III. seinen illustren Vorfahren, Thutmosis I., bewusst zum Vorbild. Für den weiblichen König war der Vater ein Modell königlicher Legitimität gewesen, dessen Namen und Ansehen sie für ihre eigenen politischen Ziele ausbeutete; doch für ihren Nachfolger waren es des Großvaters militärische Erfolge, die ihm die meiste Inspiration verschafften. Thutmosis' I. Eroberungen im westlichen Asien und in Nubien hatten die Grenzen der Pharaonenherrschaft weiter als je zuvor ausgedehnt und tatsächlich ein ägyptisches Imperium geschaffen. Als er nach Hatschepsuts Ableben die alleinige Herrschaft erlangte, war Thutmosis III. entschlossen, es diesen Siegen gleichzutun, ja sie zu übertreffen. So begann die Herrschaft des erfolgreichsten militärischen Führers, der je auf dem Thron des Horus saß.

Thutmosis verlor bei der Verfolgung seiner Ziele wenig Zeit und führte seinen ersten Feldzug gegen das Ausland sogleich im zweiten Jahr seiner unabhängigen Herrschaft. Diesem sollten in den nächsten achtzehn Jahren jährliche Expeditionen folgen. Die diese heldenhaften Schlachten beschreibenden Annalen, eingemeißelt in die Wände des Tempels von Karnak, bilden die längste historische Erzählung, die aus dem alten Ägypten erhalten ist. Wahrscheinlich basierten sie auf aktuellen Feldzugsjournalen, so wie sie der Heeresbefehlshaber Tjaneni führte: »Ich hielt die Siege fest, die er [d. h. der König] in jedem Land errang, indem ich sie den Tatsachen gemäß aufschrieb.«

Die erste Kampagne wurde sorgfältig geplant, um ein Maximum an strategischer Wirkung zu erzielen. Ägypten stand im Nahen Osten drei rivalisierenden Machtzentren gegenüber: dem Königreich Mitanni (äg. Naharin) mit seinem Kernland hinter dem Euphrat; Tunip im unteren Tal des Orontes; und einer Allianz von Stadtstaaten, die sich um die Festung von Kadesch im mittleren Orontes-Tal gruppierten. Ein zentrales Mitglied der Kadesch-Allianz war die Stadt Megiddo in der Ebene von Esdraelon (dem Jesreel-Tal in Nordisrael). Megiddo war nicht nur für sich selbst ein strategisch wichtiger Ort, die ägyptische Aufklärung überbrachte auch die Meldung, dass er den Gastgeber für ein entscheidendes Treffen von Führern der Kadesch-Allianz spielte. Wie der König selbst es ausdrückte, »die Einnahme Megiddos bedeutet die Einnahme von tausend Städten«. Es gab keine Zeit zu verlieren.

Thutmosis ließ seine Armee in gerade zehn Tagen bis Gaza marschieren, eroberte die Stadt zur künftigen Verwendung als Vorposten, drängte dann weiter nach Megiddo um die 130 km weiter im Norden. Kurz davor machte der König Halt und konsultierte seine Generäle, welche der drei möglichen Routen zu wählen sei. Zwei verliefen direkt und führten die Armee in den Norden der Stadt. Die dritte südliche Route verlief durch einen schmalen Engpass und war daher viel riskanter. Thutmosis entschied sich für die letztere und marschierte vornweg. Dies war nur das erste von vielen Beispielen strategischer Brillanz auf Seiten des Königs. Der Feind hatte angenommen, die ägyptische Armee würde eine der leichteren Routen nehmen und war daher vollständig überrascht, als die ägyptischen Streitkräfte auftauchten. Nur der Mangel an Disziplin unter den ägyptischen Soldaten – die sich ans Plündern machten, statt den Angriff zu Ende zu führen – ersparte der Kadesch-Allianz die völlige Vernichtung. Die Fürsten der Konföderation konnten zurück zur befestigten Stadt Megiddo entfliehen, wenngleich einige von ihnen an ihren Kleidern zum Schutzwall hochgezogen werden mussten. Doch nichts außer dem vollständigen Sieg konnte Thutmosis zufriedenstellen. Seine Streitkräfte belagerten Megiddo sieben Monate lang, nach denen die Stadt kapitulierte und sich der ägyptischen Übermacht ergab. Mit einem dermaßen entscheidenden moralischen Sieg im Rücken fegten die Streitkräfte des Königs durch die gesamte Region und eroberten in schneller Folge einhundertundneunzehn Städte.

Militärische Siege von dieser Größe waren selten, die Nachrichten von den Eroberungen des jungen Königs gelangten bis nach Assur an die Ufer des Tigris. Im folgenden Jahr sandte der Assyrerherrscher Tribut an Thutmosis III., entschlossen, mit der neuen Macht in der Levante gute Beziehungen aufrechtzuerhalten. In den anschließenden Jahren folgte Feldzug auf Feldzug, nicht weniger als vierzehn davon waren gegen ein einziges Ziel gerichtet: die Stadt Kadesch. Während sie sich gegen den ägyptischen Angriff als hartnäckig widerstandsfähig erwies, waren andere Städte weniger glücklich dran. Die Belagerung und geniale Eroberung Joppes (heute Jaffa) ging in die Folklore ein, ebenso wie Thutmosis' Leistungen im dreiunddreißigsten Jahr seiner Regierung. Das war die Gelegenheit, als er – seinen großen Vorgänger imitierend – den Euphrat überschritt und in der Nähe von Thutmosis' I. eigenem Denkmal eine Grenzstele aufstellte. Um dies zu erreichen, musste die ägyptische Flotte von von der Mittelmeerküste bis an den Euphrat von Ochsenkarren über Land transportiert werden, eine Entfernung von 400 km. Noch nicht zufrieden mit einem solch grandiosen Unternehmen, schickte er im selben Jahr auch eine Handelsexpedition in das ferne Punt. Niemals war Ägyptens Macht über ein so weites Gebiet zu spüren gewesen.

Thutmosis' letzter Feldzug fand im zweiundvierzigsten Thronjahr statt; zu dieser Zeit muss er in den späten Vierzigern oder frühen Fünfzigern gewesen sein. Selbst dann noch marschierte er seiner Armee voran. Nach fast zwei Jahrzehnten Kriegsführung erlangte er seinen höchsten Gewinn:

Schluffstein-Statue Thutmosis' III., 18. Dynastie. Die Gesichtszüge des Königs weisen auf einen Mann in reifen Jahren, während die Adlernase ein charakteristischer Zug seiner königlichen Familie war. Einzigartig unter den Statuen Thutmosis' III. scheint diese Skulptur realistische Ähnlichkeit zu vermitteln.

die Niederlage und Eroberung von Kadesch, verbunden mit dem Einmarsch nach und der Unterjochung von Tunip. Die gesamte Opposition gegen Ägypten in Nordwest-Syrien war bezwungen. Jedoch war das Territorium nicht der einzige Gewinn: Thutmosis ehelichte auch drei Frauen syrischer Abstammung (Menwi, Merti und Menhet), die zu seinen drei ägyptischen Gemahlinnen dazukamen.

Parallel zu diesen außergewöhnlichen Siegen in der Levante kämpften Thutmosis' Truppen auch in regulären Feldzügen in Nubien und dehnten die ägyptische Kontrolle nach Süden bis zum Vierten Kararakt aus. Beute und Tribut, die aus dermaßen ausgedehnten Eroberungen hereinflossen, finanzierten im gesamten Imperium ein ehrgeiziges Bauprogramm. Thutmosis zollte der Restaurierung der Monumente seiner illustren kriegerischen Vorgänger Senuseret (Sesostris) I. und III., Amenhotep I. und Thutmosis I. besondere Aufmerksamkeit. Seine eigenen größten Projekte lagen in Karnak, dem religiösen Mittelpunkt seines neuen Reiches. Er

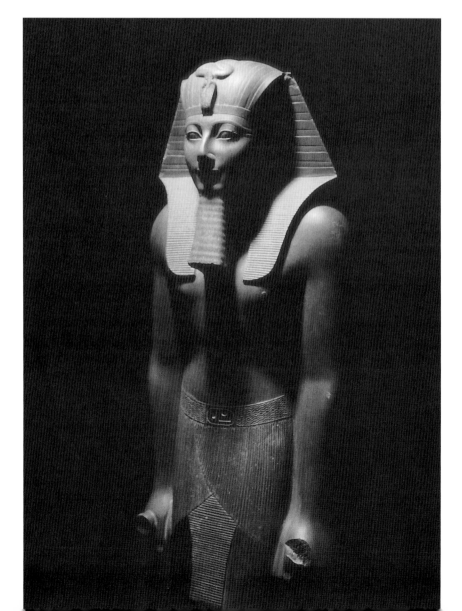

Standbild (Schluffstein) Thutmosis' III. aus dem Karnak-Tempel, 18. Dynastie. Symmetrie, Ausgewogenheit und die schön wiedergegebenen Details der Perücke, des Bartes und des Rockes des Königs machen es zu einem der schönsten erhaltenen Beispiele von Königsskulpturen aus dem alten Ägypten.

baute die Hypostylhalle Thutmosis' I. wieder auf und versah sie mit einer neuen Decke; riss Hatschepsuts Rote Kapelle nieder und ersetzte sie durch einen neuen Pylonen sowie ein Barkenheiligtum aus rotem Granit; errichtete eine von einem Paar einzigartiger ›heraldischer Pfeiler‹ gestützte Halle und eine gewaltige Umfassungsmauer um den zentralen Teil von Karnak mit ganzen Reihen von Kapellen und Werkstätten. Die auffälligste Erweiterung bildete eine Mammut-Festhalle im östlichen Teil der Tempelanlage, die kurz nach Beginn seiner Alleinherrschaft angefangen wurde. Deren Säulen waren so gestaltet, dass sie Zeltpfählen glichen, was ihn an die provisorischen Paläste erinnerte, die er bei Feldzügen benutzte. Die Wände einer Kammer wiesen eine Liste von einundsechzig königlichen Vorgängern auf, womit er seine eigene Position als würdiger Nachfolger von Generationen von Königen stärkte; eine weitere Kammer war mit Szenen exotischer Flora und Fauna geschmückt, »die Seine Person im Hügelland von Retjenu (Syrien-Palästina) fand«.

Thutmosis' Feldzüge in den Nahen Osten dominierten so seine Herrschaft und Monumente. Am Ende seiner dreiundfünfzig Jahre auf dem Thron kontrollierte Ägypten ein riesiges Territorium von den Ufern des Euphrat bis zu den entfernten Armen des Oberen Nils. Nie wieder sollten die Pharaonen über ein solches Imperium herrschen. Überdies war es durch die Energie und Entschlusskraft eines Mannes geschaffen worden.

Relief mit ›botanischem Garten‹ in der Festhalle Thutmosis' III., Tempel von Karnak, 18. Dynastie. Eine Reihe von Szenen in einer der schmalen Kammern der Halle veranschaulicht die exotische Flora und Fauna, auf die der König bei seinen Feldzügen in Syrien-Palästina stieß.

Es ist kaum ein Wunder, dass der Kult für Thutmosis III. für weitere 1500 Jahre bis an das Ende der Prolemäerzeit gepflegt wurde; nicht weniger, dass seinem Namen, auf Skarabäen und Amulette geschrieben, magischer Schutz zugeschrieben wurde. Denn er war, ganz ohne Zweifel, der größte aller Soldaten-Pharaonen.

46 | MENCHEPERRESENEB

HOHEPRIESTER AMUNS

In der Mitte der 18. Dynastie war der große Tempel des Amun-Re in Karnak die bedeutendste religiöse Institution Ägyptens geworden. Als bevorzugter Mittelpunkt königlicher Förderung war er eine Einrichtung von enormem Reichtum, mit Liegenschaften im ganzen Lande. Die Person mit der Gesamtverantwortung für Karnak, der Erste Prophet Amuns, war insofern eine der einflussreichsten Persönlichkeiten im Lande. Unter der Herrschaft Thutmosis' III. hatte Mencheperreseneb den Posten inne, dessen üppigst ausgeschmücktes Grab in Theben eine Vorstellung davon gibt, was es bedeutete, ›Oberaufseher der Priester Ober- und Unterägyptens, Verwalter der beiden Throne des Gottes, Oberaufseher über erwei-

Bemaltes Relief aus dem Grab des Mencheperreseneb in Theben, 18. Dynastie. Eine Minoer-Delegation aus Kreta, gekleidet in farbenfrohe, gefranste Gewänder, präsentiert seltene exotische Gegenstände, darunter ein stierkopfförmiges *Rhytón* (Trinkgefäß). Die Beziehungen zwischen Ägypten und Kreta scheinen unter der Herrschaft Thutmosis' III. einen Höhepunkt erreicht zu haben.

terte Dienststellen, Oberaufseher der Doppelschatzkammern für Gold und Silber, Oberaufseher des Tempels von Thes-chau-amun, der über die Mysterien der Beiden Göttinnen eingesetzt ist, Erster Prophet Amuns« zu sein.

Mencheperresenebs eigentlicher Name – ›Mencheperre (d. h. Thutmosis III.) ist gesund‹ – signalisierte die Tradition seiner Familie im loyalen Dienst für die Herrscherfamilie. Seine Mutter Taiunet war königliche Amme gewesen, ihre Großmutter im Palast als Pflegeschwester des Königs (wahrscheinlich Thutmosis I.) aufgewachsen. Die Frauen in Mencheperresenebs Familie besaßen somit starke Verbindungen zum königlichen Haushalt, und diese Nähe zur höchsten Quelle der Macht spielte bei Mencheperresenebs Beförderung ohne Zweifel eine bedeutende Rolle. Als Mencheperreseneb zum Amt des Zweiten Propheten aufstieg, begann er, ein Grab vorzubereiten, um seine gesellschaftliche Position zu feiern. Als er das Spitzenamt in der religiösen Hierarchie erreichte, gab er das Monument zugunsten einer noch prachtvolleren Begräbnisstätte in einer noch prestigeträchtigeren Lage auf.

Als Oberhaupt der Priesterschaft von Karnak war der Erste Prophet Amuns letztinstanzlich verantwortlich dafür, dass der Tempelbetrieb und die korrekte Durchführung der Rituale glatt liefen. Besonders wichtig waren diejenigen, die an glückverheißenden Daten des Kalenders abgehalten wurden; und keines war bedeutungsvoller als das Neujahrsfest. Für Mencheperreseneb war einer der stolzesten Momente in seinem Leben, als er vom König mit einem Blumenbouquet beschenkt wurde »nach Durchführung der Riten, willkommen für Amun-Re an seinem Fest Djeserachet, wenn er in Erscheinung tritt … auf seiner Reise zu Beginn des Jahres«. Natürlich war Mencheperreseneb auch mit architektonischen Anbauten in Karnak befasst und nahm starkes Interesse an den Bauprojekten des Königs:

> »Ich war Zeuge, wie Seine Person viele Obelisken und Flaggenmasten für seinen Vater Amun aufstellte. Ich war jemand, der den König durch die Leitung der Arbeiten an seinen Monumenten zufriedenstellte. Ich tat dies ohne jede Niederträchtigkeit des Geistes und wurde um dessentwillen gepriesen.«

Doch war es anscheinend die Verwaltung der Wirtschaft von Karnak, welche die meiste Zeit des Ersten Propheten beanspruchte. Mencheperresenebs Aufgaben umfassten die Inspektion der Herden Amuns; die Aufsicht über die dem Tempel von seinen Ländereien in ganz Ägypten geschuldeten landwirtschaftlichen Einkünfte; die Entgegennahme des Tributs von anderen seiner Rechtsprechung unterstellten Tempeln; und die Aufsicht über die Wiederauffüllung der Kornspeicher von Karnak zur Erntezeit. Zudem beaufsichtigte er das Eintreffen kostbarer Materialien, insonderheit »des Goldes aus den Wüsten von Koptos und des Goldes aus dem schändlichen Kusch als jährliche Abgabe«. Lieferungen kostbarer Metalle und Steine wurden auch vom Aufseher der goldhaltigen

Wüsten von Koptos veranlasst, der sich in einem Akt der Ehrerbietung gegenüber einem der höchsten Beamten Ägyptens vor Mencheperreseneb zu Boden warf.

Alle diese kostbaren Materialien waren letztlich für die dem Tempel des Amun-Re angeschlossenen Werkstätten bestimmt. Diese beschäftigten die besten Handwerker im Lande, um seltene, schöne Gegenstände für den Tempel selbst und den königlichen Hof zu schaffen. Als Erster Prophet war Mencheperreseneb für die Inspizierung der Werkstätten, die Aufsicht über die Herstellung von Streitwagen, Tempelausstattung und ähnlicher wertvoller Produkte verantwortlich. Zusätzlich zu solchen daheim produzierten Luxusobjekten nahm Mencheperreseneb auch den Tribut aus den jüngst eroberten Territorien des ägyptischen Imperiums im Nahen Osten entgegen. Eine seiner denkwürdigsten Aufgaben war es, eine große Delegation ausländischer Vertreter an den Hof zu geleiten, die seltene, exotische Güter mitbrachten: Minoer aus Kreta in ihrer farbenfrohen gefransten Kleidung, die kunstreiche Rhytá (Trinkgefäße) trugen; Syrer mit Bären; Hethiter aus Anatolien sowie die Führer von Tunip und Kadesch, die Waffen und Edelmetalle brachten. Thutmosis' III. Hof war farbenprächtig und kosmopolitisch, und Mencheperresenebs Position gab ihm bei staatlichen Anlässen und Gepränge einen zentralen Platz.

47 | RECHMIRE
HÖCHSTER MINISTER OBERÄGYPTENS

Ägypten im Neuen Reich war ein hochzentralisierter Staat. Im Knotenpunkt des gesamten Regierungsapparats stand ein Mann, der Wesir. Das Amt des Wesirs war in der 3. Dynastie oder früher als Antwort auf das Bedürfnis entstanden, Menschen und Ressourcen des ganzen Landes für königliche Bauprojekte zu mobilisieren, speziell die Pyramiden. Der dreiteilige Titel, der gewöhnlich mit ›Wesir‹ übersetzt wird, *taiti zab tjati*, betont die höfische, juridische und administrative Rolle, die das Amt vereinigte. Es wäre jedoch schwer, die genaue Natur dieses Amtes zu rekonstruieren, gäbe es nicht eine einzige Quelle aus der Mitte der 18. Dynastie: das Grab des Wesirs des Südens, Rechmire, in Theben. Seine detaillierten Inschriften liefern das vollständigste und wichtigste Zeugnis für das Wesirat, ja sogar für das Funktionieren der ägyptischen Regierung insgesamt, auf der Höhe der imperialen Macht des Landes.

Rechmire erlangte das höchste Amt im Lande nicht aus Zufall. Er kam aus einer hochstehenden Familie und folgte seinem Großvater Aametju und seinem Onkel User als Wesir des Südens. Das gab ihm Verantwortung für Oberägypten, das sich vom Ersten Katarakt im Süden bis Assiut im Norden erstreckte. In diesem Bereich war seine Macht absolut – mit seinen eigenen Worten: »Ich war ein Edler, der Zweite (nur) nach dem

König.« Seine Bestallung wurde, wie im Falle aller hohen Beamten, vom König persönlich in der königlichen Residenz bestätigt. Thutmosis' III. Ansprache bei der Gelegenheit war jedoch nicht auf die üblichen hochtrabenden Phrasen beschränkt. In ihrem Zentrum bildete sie eine Mahnung an Rechmire, weise und gerecht in Übereinstimmung mit den Prinzipien Maats zu handeln:

> »Gib Acht auf dich selbst, auf die Halle des Wesirs; sei achtsam in allem, was darin getan wird… Es ist eine Abscheulichkeit für den Gott, Parteilichkeit zu zeigen. Das ist die Lehre: Du sollst auf dieselbe Weise den behandeln, der dir bekannt ist, wie den, der dir nicht bekannt ist, den, der nahe ist, und den, der weit fort ist.«

Die ägyptische Zivilisation gründete auf den Begriffen von Wahrheit, Aufrichtigkeit und korrektem Betragen, und der Wesir war deren Garant *in praxi*.

Im Zentrum von Rechmires Aufgaben stand seine tägliche Audienz. Es war ein altes Prinzip ägyptischer Regierung, dass jede Person ohne Ansehen ihres gesellschaftlichen Standes um Hilfe oder Gerechtigkeit beim Wesir selbst nachsuchen konnte. Jeden Tag reihten sich darum Petenten draußen vor der Halle des Wesirs auf, um ihr Gesuch vorzubringen. Wenn sie an der Reihe waren, wurden sie vor Rechmire geleitet. Der große Mann saß da, seine hohen Beamten vor ihm, der Oberste Geheimrat zur Rechten und der Verwalter der Einkünfte zur Linken; Schreiber waren zur Hand, welche die Details und den Ausgang der Petition festhielten. Das genaue Arrangement der Audienz war im offiziellen Leitfaden des Wesirs

Bemaltes Relief aus dem Grab Rechmires in Theben, 18. Dynastie. Bedienstete tragen Amphoren, entweder auf die Schultern gehoben oder in einem Tragenetz an einer Stange hängend. Solche Szenen sollten eine ewige Versorgung mit den nötigsten Dingen im Leben nach dem Tode gewährleisten.

geregelt: »Er soll auf einem Stuhl sitzen, mit einem Teppich auf dem Boden und einem Baldachin darauf, ein Kissen unter seinem Rücken, ein Kissen unter seinen Füßen… ein Stab in seiner Hand; die vierzig Lederrollen sollen vor ihm geöffnet sein.« Bei diesen Lederrollen handelte es sich wahrscheinlich um Gesetzesdokumente, Aufzeichnungen von Vorschriften und vorherigen Urteilen, auf die sich der Wesir beziehen konnte, wenn er seine Entscheidungen traf.

Zur Ergänzung seiner täglichen Audienz machte es sich Rechmire zum Prinzip, hinaus unter die Leute zu gehen, »jeden Morgen hinaus über das Land zu gehen…, die Angelegenheiten der Leute zu hören …, ohne die Großen gegenüber den Niederen zu bevorzugen«. Er stützte sich auf seinen Stab, während seine Schreiber umhergingen und Gesuche aufnahmen und festhielten. Da der Tempel des Amun-Re in Karnak ein bedeutendes Machzentrum der Wirtschaft Oberägyptens war, war Rechmire ebenfalls eng mit dieser Einrichtung befasst. Seine Inspektionsreisen schlossen die täglichen Opfer, die Monumente selbst, die Handwerker in den Tempelwerkstätten sowie die Bildhauer und Bauleute bei der Arbeit an neuen Bauprojekten ein.

Gleichermaßen wichtig waren seine Verantwortlichkeiten als Oberhaupt der Regierung. Konkret war er Kommissar der Polizei, Minister für die Bewaffneten Streitkräfte, Minister für Landwirtschaft, Innenminister, Erster Schatzkanzler und Ministerpräsident, alles in einer Person. Jeden Tag nahm Rechmire Berichte vom Chef des Schatzamtes, aus den anderen höheren Staatsämtern und aus den Militärstandorten entgegen: »Lasst jedes Amt, vom ersten bis zum letzten, sich zur Halle des Wesirs begeben, um mit ihm Rat zu halten.« Ausgaben und Einnahmen der königlichen Residenz wurden ihm vorgelegt, Abgaben von seinen Lokalbeamten ihm überbracht. Seine verschiedenen Aufgaben umfassten die Besiegelung aller Eigentumsurkunden, Festlegung von Landes- und Bezirksgrenzen (kritisch in einer Agrargesellschaft), Besetzung der Garnison in der Residenz, Aushebung von Truppen zur Begleitung des Königs bei dessen Rundreisen, Erlass von Vorschriften für den Heeresrat, Sicherstellung der Wasserversorgung, Beaufsichtigung der Arbeit von Stadtverwaltungen, Beschaffung von Holzvorräten, Prüfung von Steuern und sogar die Festsetzung des Beginns der jährlichen Nilschwemme und des Beginns des Kalenderjahres. Hatte Rechmire Informationen aus jeder Regierungsabteilung erhalten, insbesondere aus dem Schatzamt, gab er dieses in einer täglichen Konferenz an den König weiter. Obwohl der König Staatsoberhaupt war, war es der Wesir, der die Aufgabe hatte, die königlichen Weisungen in Regierungspolitik zu übersetzen.

Die entscheidende Beziehung zwischen Monarch und Wesir bildete den Kern der ägyptischen Regierungsmaschinerie. Es lässt sich daher leicht vorstellen, wie nervös Rechmire gewesen sein muss, als der König, der ihn berufen hatte, Thutmosis III., starb und ihm sein Sohn Amenhotep nachfolgte. Bei Erhalt der Nachricht setzte Rechmire unverzüglich Segel flussabwärts zur königlichen Residenzstadt Hatsechem in Unterägypten, um den neuen König zu treffen und ihn, wie es die Tradition verlangte, mit seinen königlichen Insignien zu beschenken. Die Audienz verlief erfolgreich, und Rechmire segelte im Triumph heim nach Theben, denn er war im Amt bestätigt worden.

Trotz der detaillierten Erzählung von seiner Laufbahn auf den Wänden seines großartigen Grabmonuments bleibt der Schluss von Rechmires Geschichte ein Rätsel. Seine Bilder wurden systematisch verstümmelt, was vielleicht auf Ungnade deutet, sein Grab hatte keine Grabkammer, und sein endgültiger Ruheplatz ist unbekannt.

48 | DEDI
GOUVERNEUR DER WESTLICHEN WÜSTE

Die Wüsten westlich von Theben spielten in der Politik und für die Sicherheit Oberägyptens eine entscheidende Rolle. Während der Vereinigung des Landes in der späten Vordynastischen Zeit und des Bürgerkriegs der Ersten Zwischenzeit erwiesen sich die Verbindungsrouten durch die Wüste an der Kena-Biegung für Militäroperationen als lebenswichtig. In den Kriegen gegen die Hyksos hatte das Gebiet ebenfalls eine wichtige Rolle gespielt, als die Hyksos und die Kuschiten vor der Nase der Ägypter eine Allianz schmiedeten. Die 18. Dynastie hatte daher aus bitterer Erfahrung gelernt, dass das Versäumnis, die Wüsten zu kontrollieren, die nationale Sicherheit bedrohen konnte. So richtete man ein Überwachungs- und Kontrollsystem ein, das allen weiteren Risiken vorbeugen sollte.

Im letzten Teil der Regierungszeit Thutmosis' III. und den frühen Jahren seines Nachfolgers, Amenhoteps II., war der Gouverneur der Westwüste ein Mann namens Dedi. Seine Hauptverantwortung galt der Sicherheit der ›Hintertür‹ Ägyptens. Ihm stand eine Miliz zur Verfügung, die sich aus nubischen Rekruten und einheimischen Ägyptern zusammensetzte. Sie wahrten permanente aktive Präsenz in der gesamten westlichen Wüste und verfügten zur Ausführung ihrer Überwachungsoperationen über Wachtürme und Wachtposten. Von Zeit zu Zeit dürften auch unter Einschluss eines großen Soldatenkommandos in Begleitung eines Standartenträgers sorgfältig geplante Manöver stattgefunden haben. Das Ziel scheint gewesen zu sein, als Warnung gegenüber allen potentiellen Unruhestiftern eine bewusste Show zu inszenieren.

Dedis andere, damit zusammenhängende Rolle war die eines Regierungsgesandten für die Stämme der Westwüste. Die halbnomadischen Völker der Sahara hatten sehr viele Angehörige und traten weiter im Süden, in Nubien, auf, doch brachten ihre saisonalen Wanderungen und Handelsaktivitäten in den Oasen sie periodisch bis nach Norden in die Höhe Thebens. Es lag in Ägyptens Interesse, solche Bewegungen genau zu überwachen und dabei friedliche Beziehungen zu erhalten, ohne Zweifel an Ägyptens militärischer Vorherrschaft zu lassen. Dieser delikate diplomatische Balanceakt fiel Dedi zu. Das Fehlen jeder signifikanten Konfrontation während seiner Amtsdauer legt nahe, dass er seine Rolle effektiv und sorgfältig erfüllte.

49 | KENAMUN
AUFGEBLASENER HAUSHOFMEISTER

Die Struktur der altägyptischen Gesellschaft fand in den charakteristischsten Monumenten einen Spiegel: An der Spitze der Pyramide stand der halb-göttliche König, am Fuße befand sich die Mehrheit der Bevölkerung; dazwischen gab es verschiedene Ränge der Verwaltung, die vom unteren Funktionär bis zum höchsten Beamten des Landes rangierten. Innerhalb dieser Pyramide und insbesondere auf ihren äußersten hierarchischen Stufen waren Statusnuancen überaus bedeutsam. Man drückte sie auf verschiedene Weise sorgfältig und bewusst aus, nicht zuletzt in den Titeln und Würden einer Person. Der königliche Hof der 18. Dynastie scheint von dieser Art Propaganda besonders besessen gewesen zu sein. Neue Epitheta wurden erfunden, rein um mehr den Rang als das Amt zu bezeichnen. Beamte sammelten Titel wie Abzeichen, um den ihnen Ebenbürtigen gegenüber ihren Erfolg und ihre Bedeutung zur Schau zu stellen. Kenamun, königlicher Haushofmeister unter der Regierung Amenhoteps II., führte diese Praxis bis ins logische, freilich lächerliche Extrem.

Während seiner Laufbahn besaß er über achtzig verschiedene Titel und Epitheta, obschon nur wenige davon ein wirkliches Amt bezeichneten. Stattdessen unterstrichen die meisten seine Erfolge und Verbindungen bei Hofe: Angehöriger der Führungsschicht und hoher Beamter, Königlicher Siegelträger, vertrauter Gefährte, überaus geliebter Gefährte, königlicher Kammerherr, Fächerträger des Herrn der Beiden Länder, Königlicher Schreiber, Berater des Königs. Attaché des Königs an Jedem Ort, Vorsteher des Schatzhauses, Vorsteher der Beiden Goldhäuser, *Sem*-Priester [eine Art Opferpriester; A. d. Ü.], Gottes Vater, Hauptmann der Bogenschützen, Oberhaupt der Ställe, Aufseher des Viehs des Amun, Aufseher der Felder, Vorsteher der Schatzkammer, Vorsteher des Lagerhauses des Amun, Aufseher der Pförtner der Kornkammern des Amun… die Liste ist fast endlos. Einer von Kenamuns Titeln scheint das allgemeine Prinzip zusammenzufassen: Vorsteher Aller Arten von Arbeiten.

Dass er von Rang und Status besessen war, ist angesichts seiner Erziehung kaum überraschend. Kenamuns Mutter, Amenemopet, war im Palast Amme gewesen – »die größte Amme, die den Gott aufgezogen hat« –, daher dürfte er in der Gesellschaft von Kindern des Königshauses aufgewachsen sein, als Pflegebruder des künftigen Königs Amenhotep II. Von

Uschebti des Kenamun aus seinem Grab in Theben-West, 18. Dynastie. *Uschebtis* waren Figürchen, die im Leben nach dem Tode auf Abruf bereitstanden, um im Auftrag ihrer Besitzer niedere Dienste zu verrichten. Als hoher Beamter blieben Kenamun solche Arbeiten zu Lebzeiten zweifellos erspart, und er wollte auch im Jenseits gern, dass sie ihm erspart blieben.

frühem Alter an dürfte ihm Loyalität gegenüber dem Souverän eingeimpft worden sein, und er schwelgte darin, des Monarchen glühendster Unterstützer gewesen zu sein; so beschrieb er sich als »recht tuend mit Hilfe des Herrn der Beiden Länder«, »loyal gegenüber seinem Wohltäter«, »den Souverän zufriedenstellend«, »den König beseelend mit perfektem Vertrauen« und »herzlich geschätzt von Horus«. Mehr als nur ein Anflug von Eitelkeit, Prahlerei und Selbstgerechtigkeit schimmert durch diese immer mehr gekünstelten Formulierungen.

Kenamuns tatsächliche Tätigkeit war ein wenig prosaischer. Er trat in die Fußstapfen seines Vaters, indem er Haushofmeister auf einem Landgut wurde, in seinem Fall war das Perunefer, ein Landsitz, der von älteren Mitgliedern der königlichen Familie zur Erholung benutzt wurde. Beim Geschäft der Führung des Besitzes setzte Unterhaltung verschiedener Art besondere Akzente: Truppen von Tänzerinnen, Musikanten und die Überreichung des Neujahrsgeschenks an den König. Letzteres war einer der Glanzpunkte des Jahres, der in Kenamuns Grab in überschwenglicher Weise festgehalten wurde.

Als Kindheitsgefährte des Königs und jetzt getreuer königlicher Beamter war Kenamun immer an der Seite seines Souveräns. Er behauptete, Amenhotep II. auf dessen Reise »durch das schändliche Syrien« begleitet zu haben, »ohne den Herrn Beider Länder im Stich gelassen zu haben in der Stunde, da die Horden zurückgetrieben wurden«. Mit seiner Position in Perunefer hatte Kenamun die ideale Stellung, um jeden Klatsch bei Hofe aufzuschnappen, insbesondere jedes Murren gegen den König. Seine Rolle als Haushofmeister verschaffte ihm so den perfekten Deckmantel für seine Spitzeloperationen als »Herr der Geheimnisse«, Chef des internen Sicherheitsapparates des Königs. Er rühmte sich, »die Augen des Königs von Oberägypten, die Ohren des Königs von Unterägypten« zu sein. Es war Kenamuns Aufgabe, alle Dinge wahrzunehmen und sie seinem Herrn zu berichten: »Wenn der König in seinem Palast ist, ist er seine Ohren.«

Diese Macht hinter der Szene reizte offenbar Kenamuns Temperament und schürte sein Geltungsbedürfnis noch weiter. Als ihm die Erlaubnis zu einem Grab in der Nekropole von Theben gewährt wurde, beschäftigte er die besten Künstler der Zeit und stellte sicher, dass die Grabkapelle so ausgelegt wurde, dass sie so viel Platz wie möglich bot. In Bildern und Worten war Kenamun entschlossen, seine Erfolge der Nachwelt hinauszutrompeten. Seine Prahlerei erreichte neue Höhen, als er sich mit noch mehr Großsprecherei lobte: »Hauptgefährte der Höflinge, Aufseher der Aufseher, Führer der Führer, Größter der Großen, Regent des ganzen Landes«; und nicht zuletzt: »Einer, der, wenn er des Abends etwas seine Aufmerksamkeit schenkt, ist es am Morgen bei Tagesanbruch gemeistert.« Doch gibt es Anzeichen in dem Grab dafür, dass seine zügellose Eigenreklame, gepaart mit seiner Tätigkeit der verdeckten Überwachung, ihm bei Hofe mehr Feinde als Freunde einbrachte. Viele seiner Bilder und Eintragungen seines Namens wurden nach seinem Tode absichtlich getilgt. Obwohl im alten Ägypten die Belohnung für Ultra-Loyalität Aufstieg war, war es nicht weise, über seinen Rang hinauszustreben.

50 | NACHT

BESCHEIDENER BESITZER EINES SCHÖNEN GRABES

Die Gräber der Adligen in Theben gehören zu den höchsten Glanzpunkten des alten Ägypten. Die Männer (Frauen sind beachtenswert durch ihre Abwesenheit), für die sie erbaut wurden, repräsentieren ein ›Who is Who‹ der Pharaonengesellschaft während des Neuen Reiches. Doch unter den reich geschmückten Grabstätten von Wesiren, Hohenpriestern und Bürgermeistern gibt es ein kleines Grab, dem moderne Archäologen die Nummer 52 gaben, das für einen Mann aus den niederen Rängen der Bürokratie während der Regierungszeit Thutmosis' IV. gebaut wurde. Ja, sein Besitzer, Nacht, war sogar so niederen Standes, dass er keinen Titel führte: ein verblüffender Mangel in einer Gesellschaft, in der Titel alles waren.

Es ist sogar nicht einmal klar, warum Nacht sich ein Grab besorgen konnte – wenngleich nur ein bescheidenes –, und zwar in einem Areal, das sonst von eindrucksvollen Grabmonumenten beherrscht wird. Außer seinem eigenen Grab hinterließ er keine Spur, keinen Eindruck bei der breiteren Gesellschaft Thebens. In den knappen Texten, die auf die Wände geschrieben sind, wird er einfach als dienender Priester Amuns erwähnt, mit anderen Worten als ein Mitglied der Tempelbelegschaft von Karnak, der nach Dienstplan niedere, weithin nicht-priesterliche Aufgaben erfüllte. Diese dürften die Reinigung des Tempelbezirks und die Ablieferung geweihter Opfergaben an ihre endgültigen Empfänger umfasst haben. Nacht wird bei Tag oder Nacht eine festgesetzte Stundenzahl gearbeitet haben, und wahrscheinlich waren seine Tempelaufgaben zusätzlich zu seiner (unbekannten) ›Tagesarbeit‹. Wie viele seiner Zeitgenossen wird er es wahrscheinlich als Ehre betrachtet haben, aufgefordert zu werden, eine gewisse Zeitspanne im größten von Thebens Tempeln Dienste zu verrichten.

Seine Frau Tawi spielte auch eine Rolle im Amun-Kult, und zwar als Sängerin. Auch dabei handelte es sich vermutlich um eine Teilzeitaufgabe, die Frauen aus dem Ort übernahmen. Ehemann und Ehefrau dürften so gemeinsam, in bescheidener Weise, an den großen religiösen Riten und Festen teilgenommen haben, die den Kalender von Theben beherrschten. Eines der populärsten davon war das jährliche Schönheitsfest des Tales, eine Gelegenheit für das Volk, sich zu beteiligen, wenn die Thebaner die Gräber ihrer verstorbenen Verwandten besuchten, oft begleitet von Musik und Tanz. Nacht und Tawi hofften, dass ihr Sohn, Amenemopet, es nach ihrem Tod ebenso halten würde. In der Zwischenzeit hatten sie offenkundig Freude an ihrem kleinen Haushalt, die eine Hauskatze noch vervollständigte, welche von Zeit zu Zeit gewiss unter Tawis Stuhl saß und Fisch fraß.

Nachts hauptsächlicher Ruhm bleibt nicht in seinen Leistungen als Ehemann, Vater oder Teilzeitpriester lebendig, wohl aber in seinem Grab selbst. Obschon klein, ist es mit fein ausgeführten, lebendigen Malereien geschmückt, welche, selten für ein altägyptisches Denkmal, einem einzigen Künstler zugeschrieben werden können. Der Meistermaler, der in einigen Szenen einen fast impressionistischen Stil anwendete, bleibt namenlos, doch ist es wahrscheinlich, dass er ein Freund Nachts war. Sein Werk hat mehr als dreißig Jahrhunderte überdauert und verschaffte einem ansonsten gesichtslosen öffentlichen Angestellten unerwarteten Ruhm, einem aus der Masse einfachster Arbeiter, deren unbesungene Hingabe die antike ägyptische Zivilisation erbauten und erhielten.

Illustration aus dem Papyrus des Nacht mit dem *Totenbuch*, aus Theben, 18. Dynastie. Nacht und seine Gattin beten den thronenden Osiris, den Gott der Toten, an. Den Hintergrund der Szene bildet Nachts Anwesen mit Bäumen und Schwimmbecken.

51 | SENNEFER

BÜRGERMEISTER VON THEBEN

Das idealisierende Bild, das in der altägyptischen Kunst erhalten ist, ist fast sicher so falsch, wie es verführerisch ist. Nur über die weniger formalen schriftlichen Aufzeichnungen in privater Korrespondenz können wir Einblicke in die ungeschminkte Wirklichkeit gewinnen. Ein treffendes Beispiel ist Sennefer, Bürgermeister von Theben unter der Regierung Amenhoteps II.

Dieser besaß alle Attribute eines erfolgreichen Bürokraten. Zunächst einmal hatte er Glück mit seinen Verwandten. Sein Vater war Haushofmeister bei Gottes Gemahlin von Amun gewesen, und sein Bruder war noch weiter aufgestiegen und Wesir geworden. Mit derlei nützlichen Verbindungen war es nur zu erwarten, dass auch Sennefer ein hohes Amt erreichen würde. Er diente als Vorsteher der Priester von Gottes Gemahlin, Vorsteher des Tempels Amenhoteps I. und Festdirektor von Thutmosis I., bevor er in das Bürgermeisteramt befördert wurde. Das gab ihm die zivile Verantwortung für eine der größten Städte Ägyptens und die Aufsicht über Vieh, Doppelkornkammer und Nutzholzplantagen des Amunkultes.

Zum zweiten war Sennefer von einer loyalen, liebevollen Familie umgeben. Er war zweimal verheiratet, mit einer königlichen Amme namens

Senai und einer Sängerin Amuns mit Namen Merit. Drittens genoss er königliche Gunst als »jemand, der des Königs Herz zufriedenstellt« und konnte sich rühmen, dass er »ein hohes Alter zum Lobe des Herrn Beider Länder« erreichte. Diese Protektion manifestierte sich in konkreten Dingen. Sennefer bekam das Privileg eines Grabes in Theben zugestanden, das für die Decke der Grabkammer berühmt ist: Diese ist mit der Darstellung eines Weinstocks geschmückt, der mit hängenden Trauben voll schwarzer Beeren beladen ist. Vielleicht war er für Amuns Weingärten verantwortlich, oder möglicherweise war er gerade ein Weinkenner und Bonvivant, »der Bürgermeister, der seine Zeit in Glück verbringt«. Die Grabpfeiler, ein Merkmal, das sich in königlichen Grabstätten derselben Zeit findet, deuten ebenfalls auf einen Besitzer, der nur nach dem Besten verlangte. Ja, vielleicht hat Sennefer sogar ein Grab im Tal der Könige für sich und seine Familie mit Beschlag belegt, das ursprünglich für Hatschepsut bestimmt war.

Ein weiteres eindrucksvolles Zeichen für die Wertschätzung des Königs war, dass ihm eine Doppelstatue von sich und seiner Frau Senai aus Granit eingeräumt wurde; sie wurde im Tempel von Karnak aufgestellt, wo sie vielleicht Opfergaben von Adoranten empfing. Die Statue zeigte das Paar auf der Höhe seines Wohlergehens: Senai trägt förmliche Kleidung und eine mächtige Perücke, Sennefer ist mit dem Ehrengold geschmückt, die Fettrollen um seinen Körper demonstrieren seinen Wohlstand. Ebenso protzte er mit seinem Lieblingsbesitzstück, einem Amulett in der Form zweier verbundener Herzen, die den Thronnamen Amenhoteps II. tragen.

Die Doppelstatue wurde von Besuchern Karnaks augenscheinlich gut genutzt, der Schoß war durch die wiederholte Präsentation von Opfergaben abgewetzt. Unüblicherweise wurde das Stück von den Bildhauern, die es schufen, Amenmes und Djedchonsu, signiert, ›Umrisszeichnern des Amun-Tempels‹. An diesem kleinen Detail enthüllen sich die beiden Welten eines hohen Beamten: das öffentliche Ansehen und die privaten Beziehungen. Sennefer scheint seine Kontakte innerhalb des Tempels dazu benutzt zu haben, sich für sein persönliches Projekt der Dienste fähiger Handwerker zu bedienen. Solche Arrangements müssen jederzeit vorgekommen sein, doch selten sind sie in schriftlicher Form dokumentiert.

Das letzte Beweisstück für Sennefers Leben und Charakter ist ein sogar noch bemerkenswerteres Überbleibsel: ein versiegelter, ungeöffneter Brief, der an einen Pachtbauern namens Baki adressiert ist, der in der Stadt Hu (äg. Hursechem) arbeitete. In der Korrespondemz kündigte Sennefer an, dass er binnen dreier Tage in Hu eintreffen werde, und befahl Baki, die Lieferungen bereit zu halten. Der Briefton ist sowohl gebieterisch wie einschüchternd. Sennefer warnte Baki: »Lass mich nichts an dir auszusetzen haben, was deinen Posten betrifft«, und ermahnte ihn einige Sätze später wieder: »Denk jetzt daran, du sollst nicht bummeln, denn ich weiß, dass du träge bist und gern beim Essen liegst.« Natürlich mag Baki besonders langsam oder ungeschickt gewesen sein, doch ist es gleichermaßen mög-

lich – und vielleicht wahrscheinlicher –, dass Sennefer so mit allen Untergebenen verkehrte. Ägyptische Beamte waren nicht immer so perfekt, wie ihre Grabreliefs und Statuen zu suggerieren suchten.

Paarstatue (Granodiorit) Sennefers und seiner Gattin Senai, aus dem Tempel von Karnak, 18. Dynastie. Sennefer trägt das ›Ehrengold‹ (vier Halsketten aus Goldgliedern) und ein Amulett in Doppel-Herzform. Beides waren Geschenke vom König und daher hochgeschätzte Besitzstücke. Sennefers Fettrollen und die schwere Perücke seiner Gattin betonen ihren Wohlstand und den Status bei Hofe.

52 | AMENHOTEP III.
HERRSCHER IN EINEM GOLDENEN ZEITALTER

Die Eroberungen der frühen 18. Dynastie schufen im Nahen Osten und in Nubien ein ägyptisches Imperium, das sich »von Karoi [el-Kurru, nahe dem Vierten Katarakt] im Süden bis Naharin [dem Königreich Mitanni, hinter dem Euphrat] im Norden« erstreckte. Ägypten florierte durch dieses gewaltige Hinterland, da exotische und wertvolle Güter in das Schatzamt und die königlichen Werkstätten strömten. Die Kontrolle der nubischen Wüsten ermöglichte den Pharaonen den Zugang zu unvergleichlichen Mengen Goldes, was den Handel förderte und die nationale Prosperität noch weiter steigerte. Die späte 18. Dynastie war daher ganz buchstäblich ein ›goldenes Zeitalter‹ in puncto Macht und Prestige. Ihr Zenit fiel mit der Herrschaft eines Königs zusammen, der sich bewusst mit strahlenden Gegenständen als Metapher für das Leuchten der Sonne umgab: Amenhotep III.

Geboren wurde er um 1403 v. Chr. unter der Herrschaft seines Großvaters Amenhotep II., nach dem er benannt wurde. Der Knabe erhielt das zusätzliche Epitheton *mer-chepesch*, »der die Stärke liebt«; doch sollte die Stärke seiner Herrschaft mehr ökonomischer als militärischer Art sein. Als Amenhotep erst etwa zwei Jahre alt war, bestieg sein Vater als Thutmosis IV. den Thron. Wahrscheinlich wuchs der junge Prinz im Haremspalast zu Gurob, am Rande des Faijum, mit einer Amme auf. Hier dürfte er die verschwenderischen Ausschmückungen und die entsprechende Innenausstattung schätzen gelernt haben, die für den Rest seines Lebens eine beständige Leidenschaft werden sollten.

Als er noch ein Knabe war, erlitt Amenhotep den Verlust seines älteren Bruders Amenemhet. Das muss nicht nur ein niederwerfender persönlicher Verlust gewesen sein, sondern veränderte auch auf immer Amenhoteps Leben, denn jetzt war er seines Vaters ältester Sohn und Erbe. In der Absicht, ihn in sein neues Amt einzuführen, wurde der Kronprinz vom Vater auf einen Feldzug gegen Nubien mitgenommen, um die militärische Seite des Königtums aus erster Hand kennen zu lernen. Amenhotep schien keine Neigung zum Heeresleben gefasst zu haben: Mit einer einzigen Ausnahme (einem kleineren Geplänkel in Nubien) sollte seine Herrschaft von siebenundzwanzig Jahren frei von Feldzügen sein, in starkem Gegensatz zu den häufigen Schlachten, die seine Vorgänger ausfochten.

Seine Vorbereitung auf den Thron war allzu kurz. Im zarten Alter von etwa zwölf Jahren wurde er in der Nachfolge seines Vaters König. Das Durcheinander der Gefühle muss durch den verfrühten Tod seiner Schwester Tentamun im selben Jahr noch verschlimmert worden sein. Der junge Amenhotep musste die Begräbniszeremonien für den Vater wie für die Schwester vollziehen; bald darauf folgte seine Krönung in Memphis (äg. Ineb-hedj). Um ein folgenschweres Jahr abzuschließen, brachte Amenhotep noch einen Gedenk-Skarabäus* heraus, womit er seine

* Der Skarabäus-Käfer galt im alten Ägypten als Sinnbild des Sonnengottes. In seiner Form wurden bis ca. 6 cm, selten bis 11 cm lange (Schmuck-)Steine geschnitten, die als Amulette (mit Bohrung) getragen wurden oder auch als Siegel dienten. Auf der Unterseite trugen sie verschiedenartige Aufschriften. Amenhotep nutzte sie als erster auch zur Verbreitung persönlicher Nachrichten. Größere ›Herzskarabäen‹ – mit einem Spruch aus dem *Totenbuch* – wurden im Totenkult dem Bestatteten auf das Herz gelegt (A. d. Ü.).

Heirat mit der Dame Teje (Nr. 53) ankündigte, der Frau, die über seine ganze Regierungszeit seine beständige Gefährtin sein sollte.

Zuerst wurden die Staatsangelegenheiten von Amenhoteps Mutter, Mutemwia, in ihrer Eigenschaft als Regentin geregelt. Amenhotep selbst machte sich daran, seine Männlichkeit zu demonstrieren: Zur Vorbereitung auf die Übernahme der Herrschaftszügel, sobald er die Adoleszenz erreicht hätte, nahm er im zweiten Jahr seiner Regierungszeit an einer inszenierten Stierjagd im Wadi Natrun teil. Dabei will er, so reklamierte er, an einem einzigen Tag sechsundfünfzig von den insgesamt 170 von der königlichen Gesellschaft abgeschlachteten Stieren getötet haben. Nach einer Ruhezeit von vier Tagen für seine Pferde ritt er erneut aus und tötete weitere vierzig; an das ganze Ereignis erinnerte er mit einer weiteren Serie speziell dazu herausgegebener Skarabäen. Das Königtum verlangte nicht nur rohe Kraft und Meisterung der ungezähmten Naturkräfte, sondern auch konkrete Ausdrucksweisen dafür, um das Volk zu beeindrucken und die Götter gnädig zu stimmen: Tempel. So schickte Amenhotep seine Architekten und Bauleute zu einer Reihe von Projekten an die Arbeit, von einem kleinen Tempel für die Geiergöttin Nechbet in Elkab (äg. Necheb) bis hin zu einem Kalksteinheiligtum in Heliopolis (äg. Iunu). An einem zehnten Pylonen im Tempel des Amun-Re in Karnak und an Amenhoteps königlichem Grab im abgelegenen Westausläufer des Tals der Könige wurde mit der Arbeit begonnen.

Mit der Berufung Amenhoteps, Sohn des Hapu (Nr. 55), in das Leitungsamt der Arbeiten nahm das Bautempo zu, ebenso unternahm der König Schritte, um die mächtige Priesterschaft enger in den Griff zu bekommen, indem er seinen Schwager Anen als Zweiten Propheten Amuns in Theben und Oberhaupt der Seher (Hohepriester des Re) in Heliopolis einsetzte. So standen ihm die Reichtümer der großen Tempel zur Verfügung, und Amenhotep konnte die Ressourcen noch verschwenderischer für seine Bauprojekte, großartigen Statuen und die Weihung neuer Kultbilder ausgeben.

Im zehnten Jahr seiner Regierung gab er einen weiteren Gedenk-Skarabäus heraus, um die Zahl der Löwen (102) festzuhalten, die er während des ersten Jahrzehnts auf dem Thron getötet hatte, und um im selben Atemzug seine diplomatische Heirat mit der Prinzessin Giluchepa, Tochter Schuttarnas II., des

Königs von Mitanni, zu vermerken. Die Dame kam nach Ägypten mit einem Gefolge von 317 Frauen. Sie war nicht Amenhoteps einzige ausländische Frau: Ebenso heiratete er zwei ungenannte babylonische Prinzessinnen, die Tochter des Königs von Arsawa sowie Prinzessin Taduchepa, die Tochter Tuschrattas, des Nachfolgers von Schuttarna II. als König von Mitanni.

Trotz einer solchen Auswahl an Gattinnen war es Amenhoteps III. erste Frau, Teje, die unumstrittene Favoritin und einflussreichste Frau an seinem Hof war. Ihre Position spiegelt sich auf dem fünften und letzten vom König herausgegebenen Gedenk-Skarabäus, der die Aushebung eines Zeremoniensees für Teje in ihrer Stadt Djarucha (vielleicht ihr Geburtsort Achmim) feiert. Der See maß 3700 auf 700 Ellen (ca. 1950 × 370 m), und bei der glanzvollen Eröffnungszeremonie wurden der König und die Königin in ihrer königlichen Barke ›Die Strahlen Atons‹ auf ihm hin und her gerudert. Der Name spiegelte das wachsende Interesse an der Sonnenverehrung unter Amenhotep III.: Sein Palast in Theben wurde ›Glanz Atons‹ genannt, und eines der bevorzugten Epitheta, die er benutzte, war ›Aton-tjehen‹, »glänzender Aton«. Diese Fixierung auf die sichtbare Scheibe der Tagessonne als Metapher für das Königtum sollte das bestimmende Merkmal der Herrschaft ihres Sohnes werden.

Nach mehr als zwei Jahrzehnten auf dem Thron wandten sich Amenhoteps Überlegungen der Nachfolgefrage zu, und er bestallte seinen ältesten Sohn, Kronprinz Thutmosis, mit dem Hohepriesteramt für Ptah in der Hauptstadt Memphis. Vater und Sohn amtierten zusammen bei Bestattung und Leichenfeier des Apis-Stieres. Zurück in Theben, begann der König mit der Arbeit an einem seiner bis dato bedeutendsten Projekte, einem Tempel im südlichen Ipet (Luxor). Dieses kühne neue Bauwerk, mehr nach Karnak als zum Fluss ausgerichtet, war dazu bestimmt, als Kulisse für das jährliche Opet-Fest zu dienen, bei dem der König geheim mit dem höchsten Gott Amun-Re verkehrte. Durch dieses Ereignis wurde er wieder verjüngt und zeigte sich dann dem Volk unter Zu-

Rote Quarzitstatue, die ihrerseits eine Kultstatue Amenhoteps III. auf einem Schlitten darstellt, aus dem ›Cachette‹-Hof in Luxor, 18. Dynastie [›Cachette‹: Versteck im Boden, in dem man Statuen fand; A. d. Ü.]. Nicht nur als Skulptur ein Meisterwerk, ist diese bemerkenswerte Statue auch prall voll von theologischer Bedeutung: Die kindlichen Züge des Königs repräsentieren seine Wiederverjüngung beim jährlichen Opet-Fest, die rote Farbe des Materials setzt ihn ausdrücklich mit dem Sonnengott gleich.

Kopf einer kolossalen Quarzit-statue Amenhoteps III., aus seinem Totentempel in Theben-West, 18. Dynastie. Die Statue war in einem offenen ›Sonnenhof‹ aufgestellt, die Gleichsetzung des Königs mit dem Sonnengott wurde durch die Wahl des Steins betont – Quarzit besitzt eine starke begriffliche Konnotation zur Sonne.

rufen wie »Vornehmster von allen lebenden *Kas*« [*Ka*: die Lebenskraft im Menschen; A. d. Ü.]. Die unausgesprochene Vergöttlichung des lebenden Königs wurde in der Dekoration einer der inneren Kammern explizit gemacht, in welcher Amenhoteps Geburt aus einer Vereinigung seiner Mutter und des Gottes Amun dargestellt wurde. Kurz nach Beginn der Arbeiten in Luxor schlug die Tragödie zu, als Kronprinz Thutmosis starb; sein Platz als Erbe wurde von seinem jüngeren Bruder eingenommen, der Amenhoteps Glorifizierung der Monarchie ins Extrem führen sollte.

Die dreißigste Wiederkehr des Thronjubiläums war eine Gelegenheit zu einem nationalen Freudenfest. Das Fest wurde von dem treuen Beamten Amenhotep, Sohn des Hapu, geleitet und fand in Theben statt, das von jetzt an das permanente Domizil des Hofes war. Auf dem Höhepunkt der Feierlichkeiten segelten der König, seine Mutter Mutemwia, seine Gemahlin Teje und seine Tochter Sitamun in einer strahlend goldenen Barke durch einen künstlichen Hafen. Die sonnenbezogene Bildersprache konnte nicht deutlicher sein – mit den drei Generationen königlicher Frauen, die der Göttin Hathor Rollen als Mutter, Frau und Tochter des Re symbolisierten. Es folgten zwei weitere Jubiläumsfeste im fünfunddreißigsten und sechsunddreißigsten Jahr der Thronbesteigung des Königs; bei der letzteren Feier erschien Amenhotep von Kopf bis Fuß mit Goldschmuck bedeckt. Doch kein Maß an formeller Gleichsetzung mit dem Sonnengott konnte etwas an seiner unentrinnbaren Sterblichkeit ändern. Nach einer Regierungszeit von siebenundvierzig Jahren starb Amenhotep, um die fünfzig Jahre alt. Ägyptens strahlende Sonne war schließlich untergegangen.

53 | TEJE
KÖNIGIN MIT INTERESSE FÜR MACHTPOLITIK

In den offiziellen Aufzeichnungen wirken ägyptische Monarchen oft wie Ein-Mann-Shows, die von der Person des Königs beherrscht werden, während den anderen Mitgliedern des königlichen Kreises nur kleine Nebenrollen geboten werden. Im Gegensatz dazu glich Amenhoteps III. glitzernde Herrschaft sehr stark einer Doppelrolle. Vom ersten Jahr auf dem Thron bis zum Ende seines Lebens war seine Frau Teje seine ständige Gefährtin und Unterstützung. In staatlichen Texten war ihr Name dicht mit dem ihres Gatten verbunden. Sie war in außerordentlichem Maße die Empfängerin der Gunst des Königs, die ihr geweihten Monumente reichten von einem See zum Bootfahren in Mittelägypten bis zu einem Tempel in Nubien. Genau wie frühere Generationen königlicher Frauen aus der 18. Dynastie übte Teje beachtlichen Einfluss bei Hofe aus und spielte eine aktive, öffentliche Rolle in der Regierung. So schuf sie unwissentlich die Bühne für den außergewöhnlichen Aufstieg ihrer Schwiegertochter Nofretete (Nr. 57) zur Macht.

Teje war die Tochter eines Provinzbeamten mittleren Ranges aus Achmim in Mittelägypten. Ihr Vater Juja war Priester im lokalen Tempel des Min und Aufseher über ihre Rinderherde. Tejes Mutter, Tuja, war Sängerin in den Kulten für Amun und Hathor und führende Tempelmusikantin, ›Oberhaupt der Unterhaltungskünstler‹ in den Kulten für Amun und Min. Beide Eltern waren daher eng mit ihren Heimatgemeinden verbunden, hatten jedoch kein hohes Amt in der regionalen oder nationalen Regierung inne. Als der soeben gekrönte Amenhotep III. Teje im ersten Jahr seiner Regierung zur Frau wählte, brach er daher mit der jüngeren

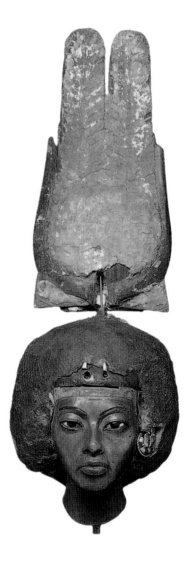

königlichen Tradition, indem er eine ›Bürgerliche‹ mit einem solchermaßen obskuren Hintergrund heiratete. Doch die Bande zwischen dem Paar – keiner von ihnen war viel älter als zwölf – war von Beginn an zweifellos stark. Amenhotep förderte seine Schwiegereltern und berief Juja zum ›Aufseher der Pferde‹ und zum Kommandanten des königlichen Streitwagenverbands; der Mutter Tuju verlieh er die Würde einer Königinmutter der Großen Gemahlin des Königs. Tejes Bruder Anen empfing ebenfalls eine Beförderung. Die Familie seiner Frau nahm der König freudig in den engeren königlichen Kreis auf.

Teje fand deutlich am königlichen Leben Gefallen und genoss den Luxus und die Kultiviertheit an Amenhoteps III. Hof. Neue Kleidermoden eroberten unter dem Einfluss seiner ausgedehnten ausländischen Kontakte Ägypten, und Teje genoss ihren ordentlichen Anteil an edler Garderobe. Eine ihrer exotischsten Schöpfungen war ein Federkleid mit zwei Geierflügeln, die sich um ihre Hüften und Schenkel legten, am Leib eng gegürtet und von breiten Schulterträgern am Platz gehalten. Doch Teje war keine bloße Dilettantin. Mit Ermutigung durch ihren Gatten begann sie, sich in Staatsangelegenheiten zu engagieren. In eigenem Namen sandte sie Briefe an ausländische Herrscher und empfing ihre Antworten, womit sie zum Aufschwung der für Amenhoteps III. charakteristischen diplomatischen Korrespondenz beitrug.

Auf der häuslichen Bühne erfüllte sie die weiblichen Rollen, die zur Vervollständigung des von ihrem Gatten bevorzugten Vorbildes göttlichen Königtums notwendig waren. Insofern war sie die Mut für seinen Amun; sie nahm die Hörner und die Scheibe der Hathor für seinen Horus an; sie assoziierte sich mit Nechbet, um eine explizite Parallele zwischen der Geiergöttin, die dem Sonnengott bei seiner Reise durch den Himmel half, und einer königlichen Gattin zu ziehen, die ihren Gemahl in seiner irdischen Herrschaft stärkte. Die königlichen Ikonografen bekleiden Teje auch mit einer furchterregenderen Rolle als Verteidigerin des Königs; auf einem Relief ist sie als Sphinx gezeigt, welche in einer direkt vom Bildinventar des Königs adaptierten Szene die Feinde des Pharaos niedertrampelt. Höchstwahrscheinlich war Teje eng in diese sorgfältig ausgearbeitete Propaganda einbezogen: Die aufgeworfenen Lippen und der heruntergezogene Mund, die man auf ihren Statuen sieht, weisen auf eine stählerne Entschlossenheit hinter der Fassade majestätischer Schönheit. Tatsächlich beschäftigte Teje auch ihren eigenen Bildhauer, einen Mann namens Iuti, um ihre persönlichen Züge zu gestalten; er war nur ein Mitglied ihres ausgedehnten Hauswesens, das von ihrem Haushofmeister Cheruef geführt wurde.

Von der Zeit kurz nach der Krönung ihres Gemahls bis zum dritten Jubiläumsfest war Teje immer an Amenhoteps Seite. Im letzten Jahr seiner Regierung wurde eine Statue der Ischtar, der mesopotamischen Göttin der Liebe und Fruchtbarkeit, von Tuschratta, dem König von Mitanni, nach Ägypten gesandt. Vielleicht bestand die Absicht darin, dass sie

Kopf Tejes mit der Haartracht der Göttin Hathor, aus Medinet el-Gurob, 18. Dynastie. Dieser exquisit modellierte Kopf aus Eiben- und Akazienholz war ursprünglich Teil einer größeren Statue und wurde im Altertum verändert, als die Perücke aus Leinen und die Frisur hinzugefügt wurden.

ein Symbol für die andauernde Zuneigung des Königspaars sein solle, doch mit Amenhoteps III. Tod gerade ein Jahr später sah Teje sich plötzlich allein. Sie verlegte ihren Haushalt in den Palast zu Gurob, um dort im Witwenstand zu leben, umgeben von ihrer treuen weiblichen Dienerschaft: der Leiterin ihres Haushalts gleichen Namens, Teje, der Sängerin Mit, den Dienstmädchen Nebetja und Tama. Um ihren Sohn, den neuen König Amenhotep IV. (später Echnaton), versöhnlich zu stimmen, unterhielt Teje auch eine Residenz in der neuen Stadt Achetaton (Tell el-Amarna); hier wurde ihr Haushalt vom Haushofmeister Huja geleitet.

Teje scheint in den frühen Jahren der Herrschaft ihres Sohnes enorme Präsenz gezeigt zu haben. Nachdem er mit einer Revolution in der Verwaltung begonnen hatte, konnte er es sich nicht leisten, ohne ihre Erfahrung und ihren Rat zu handeln. Bei einer Gelegenheit schrieb Tuschratta an Amenhotep IV. (der er da noch war) und drängte ihn, seine Mutter in Staatsangelegenheiten zu konsultieren, da sie die einzige war, die Amenhoteps III. Politik im Einzelnen verstand. Dass Teje bei einem ausländischen Herrscher ein so hohes Ansehen genoss, ist ein Zeugnis für ihren tiefreichenden Einfluss und politischen Verstand.

Teje überlebte ihren Gemahl um fast ein Jahrzehnt und starb in den frühen Sechzigern; allgemein nimmt man an, dass sie von ihrem Sohn im Königsgrab in Tell el-Amarna bestattet wurde. Doch die Entdeckung zweier *Uschebti*-Figürchen in Amenhoteps III. Grab in Theben, die auf sie als Königinmutter Bezug nehmen, legt nahe, dass sie in Wirklichkeit vielleicht nahe ihrem Gemahl bestattet wurde – wie sie es zweifellos gewünscht hätte. Ihr Einfluss als Matriarchin der Familie dauerte eine Generation lang weiter fort: Ihr Enkel Tutenchamun wurde mit Gegenständen zusammen begraben, die ihren Namen trugen, darunter eine Haarlocke von ihr. Ergebene Frau, weise Mutter, geliebte Großmutter, diplomatischer Briefpartner, offizielle Gemahlin, Fördererin der Künste: Teje war alles davon und noch mehr, eine überlebensgroße Gestalt, die weiterhin fasziniert, dreiunddreißig Jahrhunderte nach ihrem Tod.

54 | USERHET
EINFACHER SCHREIBER, KUNSTFÖRDERER

Lesen und schreiben zu können war im alten Ägypten eine seltene, wertvolle Fähigkeit. Die Angehörigkeit zur winzigen schreib- und lesekundigen Klasse öffnete die Türen zu einer Karriere in der Verwaltung, zu den Korridoren der Macht. Insofern bedeutete, ein ›Schreiber‹ zu sein, etwas, dessen man sich rühmen konnte, sogar wenn es nicht in ein hohes Amt führte. Ein gutes Beispiel war Userhet, der unter der Regierung Amenhoteps III. in Theben lebte und arbeitete. Userhets bunte Sammlung von Titeln umfassten: Schreiber des Brot-Zensus von Ober- und Unterägypten, Vorsteher des Viehs des Amun und Stellvertretender Herold. Doch öfter noch bezeichnete er sich selbst einfach als ›Schreiber‹. Seinen Eintritt in die unteren Ränge der Verwaltung förderten zweifellos seine fernen Beziehungen zum Königshaus: Er war als ›Kind der königlichen Kinderstube‹ aufgewachsen.

Gemalte Szene aus dem Grab Userhets in Theben, 18. Dynastie. In einer Episode aus seiner frühen Laufbahn bringt Userhet hier Amenhotep II. Opfergaben dar, der auf einem Thron unter einem kunstvoll ausgestalteten Baldachin sitzt. Die prachtvolle Ausschmückung ist ein besonderes Merkmal von Userhets Grab.

Gemalte Szene aus dem Grab Userhets in Theben, 18. Dynastie. Im oberen Register jagt Userhet wilde Tiere. Der Künstler betont den Unterschied zwischen der geordneten Komposition Userhets und seines Wagens sowie der chaotischen Masse fliehender Tiere vor ihm. Im unteren Register nehmen Userhet und seine Gemahlin Opfergaben entgegen.

Er blieb indes ein niederer Beamter, ein kleines Rädchen im enormen Getriebe der Bürokratie Thebens. Er richtete einen Haushalt ein, heiratete eine Frau namens Mutnofret, mit der er drei Kinder hatte: nichts Außergewöhnliches. Was Userhets überdauernden Ruhm garantierte, ist nicht seine Karriere, sondern seine Wahl eines Künstlers für die Ausschmückung seines Grabes in Theben. Durch Zufall kannte er einen der besten Künstler der Zeit, einen, der neuen Schwung und Kraft in das traditionelle Motivrepertoire bringen konnte. Als Ergebnis gehören die Szenen in Userhets Grab zu den berühmtesten im gesamten Kanon der privaten Grabkunst des Neuen Reiches. In der Hand des anonymen Künstlers wurde eine Standard-Jagdszene in der Wüste in eine dynamische Komposition aus Farbe, Bewegung und Pathos umgeformt: Wüstenhasen und eine Antilope fliehen in Panik vor einem Pfeilhagel; ein verwundeter Fuchs, in einem Dornbusch gefangen, verblutet langsam zu Tode. Derartige Emotion und Gespür für Aktion sind in der Grabkunst tatsächlich selten; der Künstler in Userhets Grab war zweifellos ein Meister.

Andere Details in dem Grab spiegelten Userhets Leben und Interessen wie etwa seine Aufsicht über die jährliche Viehzählung und seine Überreichung von Blumen an den König, der unter einem bunt bemalten Pavillon thront. Ein kleines naturalistisches Detail in Form eines Hausaffen gehörte zu einer formellen Bankettszene; dort hockt er unter Mutnofrets Stuhl und isst Obst aus einem Korb. In einer Darstellung von Userhets Begräbnisprozession wurden der Wagen des Besitzers und das Lieblingspferdepaar prominent herausgestellt, was darauf hinweist, dass Wagenlenken als Freizeitbeschäftigung nicht auf die höchsten Gesellschaftsränge begrenzt war, sondern einem größeren Teil der Bevölkerung Vergnügen bereitete. Eine Genreszene – eingefügt, um dem Bild Farbe zu geben, doch wahrscheinlich nicht direkt mit Userhets eigener Lebenspraxis verbunden – war die Aushebung junger Rekruten zur Armee. Sowie sie eingezogen wurden, warteten sie in einer Reihe, um vom Heeresbarbier die Haare geschnitten zu bekommen. Mittels derart scharf beobachteter Details erhob der Künstler die Ausschmückung von Userhets Grab über das Übliche und bot stattdessen lebendige Schnappschüsse aus dem Leben in den unteren Verwaltungsrängen der 18. Dynastie Thebens.

55 | AMENHOTEP, SOHN DES HAPU
RECHTE HAND DES KÖNIGS

Wennschon es sich um eine Gesellschaft handelte, in der ein ererbtes Amt das Ideal war, war das alte Ägypten nichtsdestoweniger stolz darauf, Männern mit Talent die Möglichkeit zu bieten, durch ihre eigenen Fähigkeiten bis nach oben zur Spitze aufzusteigen. Tatsächlich gibt es die ganze Pharaonenzeit über Beispiele von Individuen von niederer Geburt, die ein hohes Amt erlangten. Ein Mann indes ließ sie alle hinter sich: Amenhotep, Sohn Hapus, stieg nicht aus Lumpen zu Reichtum, sondern von Fronarbeit zur Gottheit auf.

Amenhotep wurde um 1435 v. Chr. herum unter der Regierung Thutmosis' III. (Nr. 45) geboren, ein Sohn des Hapu und seiner Frau Itu. Er wuchs in der kleinen Provinzstadt Athribis (äg. Hut-heri-ib), der Hauptstadt des zehnten Nomós (Gau, Provinz) Unterägyptens auf. Schon an dem Jungen müssen seine intellektuellen Fähigkeiten aufgefallen sein, denn er wurde zum Besuch des ›Hauses des Lebens‹ geschickt, das an den Tempel angeschlossen war. Diese Einrichtung beherbergte sowohl die heilige Bibliothek als auch das Skriptorium, in dem Priester neue religiöse Texte verfassten.

Der junge Amenhotep dürfte eine gründliche Einführung in das Lesen und Schreiben des Ägyptischen erhalten haben, eine Erziehung, die er mit sehr wenigen seiner Zeitgenossen teilte: »Ich wurde in die Bücher des Gottes eingeführt und schaute die Worte Thoths [die Hieroglyphen]. Ich

Sitzstatue (Granodiorit) Amenhoteps, Sohns des Hapu, aus dem Tempel von Karnak, 18. Dynastie. Amenhotep ist in der jahrhunderte alten Haltung eines Schreibers dargestellt, eine Papyrusrolle straff über den Schoß gespannt und eine Schreiberpalette über der Schulter. Die Statue war für spätere Generationen ein Objekt der Verehrung, sie verehrten Amenhotep als Gott der Weisheit.

drang in ihre Geheimnisse ein und lernte ihr Mysterium, und ich wurde um all ihre Aspekte konsultiert.«

Nachdem er lesen und schreiben gelernt hatte, trat er zweifellos in die niederen Ränge der örtlichen Verwaltung ein und schien zu einer sorgenfreien, doch unspektakulären Karriere prädestiniert. All das änderte sich mit der Thronbesteigung Amenhoteps III. (Nr. 52), zu welcher Zeit Amenhotep, Sohn des Hapu, schon Mitte vierzig war. Die neue Herrschaft brachte für gebildete Männer neue Chancen, so wurde Amenhotep königlicher Schreiber und an seinem Ort Oberpriester des Tempels des Horus-Chenticheti. Noch reichte seine Welt nicht über die Grenzen seiner Heimatstadt im mittleren Delta hinaus. An irgendeinem Punkt des Jahrzehnts darauf muss den König die Kunde von den Fähigkeiten dieses lokalen Beamten erreicht haben. Denn als er in den Fünfzigern war, wurde Amenhotep in den Süden nach Theben gerufen – mehr als 650 km entfernt –, um die Position eines Schreibers der Rekruten zu übernehmen, verantwortlich für die Aushebung und Bereitstellung von Arbeitskräften in ganz Ägypten für königliche Bauprojekte. Amenhotep war in seiner wichtigen Rolle so erfolgreich, dass er anschließend zum Vorsteher über Alle Arbeiten des Königs befördert wurde; jetzt besaß er die leitende Verantwortung für Amenhoteps III. aufwendige Projekte, angefangen vom Tempel des Soleb in Nubien bis zu des Königs Totentempel und den Kolossen am Westufer Thebens. Diese Letzteren gehörten zu den größten jemals bestellten königlichen Statuen, und Amenhotep war verständlicherweise stolz auf seinen Teil ihrer Erschaffung:

> »Ich bestimmte über das Abbild des Königs in jedem harten Stein, himmelhoch, leitete die Arbeit an seinen Statuen, groß in der Breite. Ich ahmte nicht nach, was vorher gemacht worden war …, und da ist nie jemand gewesen, der dasselbe getan hat seit der Gründung der Beiden Länder.«

Als Belohnung für seine ausgezeichnete Arbeit empfing Amenhotep eine außerordentliche Ehrung: Der König ließ Statuen seines bevorzugten hohen Beamten an der Hauptprozessionsroute im großen Tempel des Amun-Re in Karnak aufstellen. Dieses unübliche Zeichen königlicher Wertschätzung verlieh Amenhotep in den Gebeten der anderen Leute die Rolle eines Vermittlers. Mit seinen eigenen Worten: »Ich bin der Fürsprecher, vom König bestellt, um eure Bittworte zu vernehmen.«

Wenngleich nunmehr in den Siebzigern, war Amenhotep immer noch der fähigste Minister des Königs und erhielt daher eine Herausforderung von besonderer Bedeutsamkeit: die Koordination der prachtvollen Jubiläumsfeiern zu Amenhoteps III. dreißigstem Thronjubiläum. Die Festlichkeiten fanden in Theben statt und schlossen die Errichtung eines Jubiläumspalastes sowie die Inszenierung aufwendiger Wasserprozessionen und anderer visueller Spektakel ein. Als Festleiter und ›Angehöriger der Führungsschicht in den Ämtern des *Sed*-Festes‹ hatte Amenhotep, Sohn des Hapu, dafür Sorge zu tragen, dass alles nach Plan lief; bei einem der-

Sitzstatue (Granit) Amenhoteps, Sohns des Hapu, als älterer Mann, aus dem Tempel von Karnak, 18. Dynastie. Kleidung, körperliche Merkmale und Gesichtszüge stellen Amenhotep gegen Ende seiner langen Laufbahn dar.

art symbolträchtigen Ereignis gab es keinen Raum für Fehler. Das Jubiläum verlief in beispielhafter Weise, und Amenhotep wurde von einem dankbaren Monarchen mit Ehren überhäuft. Unter seinen Belohnungen war ein verziertes Gedenk-Stirnband (das ägyptische Pendant einer Jubiläumsmedaille), das er in späteren Jahren voll Stolz trug.

Amenhotep hatte nie eines der großen Staatsämter inne – Wesir, Kanzler, Hohepriester Amuns, Heereskommandeur –, doch genoss er wegen seiner persönlichen und intellektuellen Qualitäten einen außergewöhnlichen Grad an königlicher Gunst. Als Anerkennung für diese wurde er als Haushofmeister für die älteste Tochter des Königs, Sitamun, in die königliche Hofhaltung geholt. Jetzt war Amenhotep als der große alte Mann des Hofes fest etabliert, gefeiert für seine Leistungen, geliebt vom Volk. Er war schon in den Achtzigern, da muss er sogar sich selbst unsterblich vorgekommen sein: »Ich habe das Alter von achtzig Jahren erreicht. Ich werde vom König hoch gepriesen, und ich will 110 Jahre vollenden.« Doch das war ein wenig zu ehrgeizig, sogar für Amenhotep. Etwa um die Zeit des zweiten Jubiläumsfestes des Königs starb der alte Mann, sein letzter Wunsch war, »hinauszugehen zum Himmel und vereint zu sein mit den Sternen, begrüßt im Boote des Sonnengottes.« In einem Grab in den Hügeln von West-Theben wurde er begraben und empfing die einzigartige Ehre seines eigenen Totentempels –, etwas ohne jedes Beispiel für ein privates Individuum. Drei Jahrhunderte nach seinem Tode wurde sein Kult noch gepflegt.

Der postume Ruhm Amenhoteps, Sohn des Hapu, gewann einen populären Nachfolger, besonders im Gebiet von Theben, wo so viele seiner Großprojekte ausgeführt worden waren. Eine Inschrift aus der 22. Dynastie in Karnak adressierte ihn als großen Weisen: »O Amenhotep, in deinem großen Namen kennst du die geheime Macht in den Worten der Vergangenheit, die in die Zeit der Vorfahren zurückreichen.« In der Regierungszeit Ptolemaios' II. (180–164 v. Chr.) wurde Amenhotep, Sohn des Hapu, formal vergöttlicht und an zwei Stellen auf dem Westufer von Theben (Deir el-Medina und Deir el-Bahri) als Gott der Bildung und der Heilkunde verehrt. Von dort aus verbreitete sich der Amenhotep-Kult im ganzen Niltal und wurde bis in die Zeit der Römerherrschaft befolgt: ein bemerkenswertes Vermächtnis für einen Mann von niederer Herkunft.

TEIL 5 | DIE GROSSE HÄRESIE

DIE AMARNA-ZEIT

Detail einer Kalksteinplatte, von einem Privathaus in Amarna, späte 18. Dynastie. In dem überspitzten Stil seiner frühen Regierungszeit ist Echnaton hier in einer privaten häuslichen Szene dargestellt, wie er seine älteste Tochter Meritaton in den Armen wiegt. Vielleicht stand die Platte im Mittelpunkt eines Kultes der Verehrung der Königsfamilie.

Die Regierung Echnatons und seine unmittelbaren Nachwirkungen haben mehr Interesse und mehr Kontroversen ausgelöst als jede andere Phase der ägyptischen Geschichte. Die Amarnazeit, als die sie bekannt ist, dauerte kaum zwei Jahrzehnte, verwandelte jedoch die Zivilisation der Pharaonen unter allen Aspekten, von Kunst und Religion bis hin zu Politik und Verwaltung. Es besteht kein Zweifel daran, dass der Anstifter dieser revolutionären Veränderungen Echnaton selbst (Nr. 56) war, unterstützt und angetrieben von seiner Frau Nofretete (Nr. 57). Doch keine Revolution kann ohne ihre getreuen Anhänger siegen; als Hauptprotagonisten der Amarnazeit treten komplexe, faszinierende eigenständige Persönlichkeiten auf: vom Hohenpriester Merire (Nr. 58), zuständig für die Verbreitung von Echnatons neuer religiöser Lehre, bis hin zum Bildhauer Bak (Nr. 59), der vom König selbst in dem kühnen, neuen Kunststil der Zeit instruiert wurde, und bis zu Mahu (Nr. 60), dem Leiter der Polizei und verantwortlich für strenge Sicherheitsmaßnahmen in der neuen Hauptstadt (Tell el-) Amarna (äg. Achetaton). Vielleicht sind es diese buntscheckigen Charaktere, welche die Regierung Echnatons lebendiger erscheinen lassen, zugänglicher als andere Perioden der pharaonischen Vergangenheit.

Während die Revolution in Amarna selbst höchst nachdrücklich vorangetrieben wurde, waren ihre Wirkungen im ganzen Lande zu spüren. Tempel wurden geschlossen, Priesterschaften aufgelöst; Monumente für andere Götter als für Aton wurden systematisch verunstaltet; an den größeren Zentren der alten Religion wurden neue Aton-Tempel erbaut, darunter in Theben und Memphis. Es gibt Zeugnisse dafür, dass Echnatons neue Lehre in der allgemeinen Bevölkerung keine Zustimmung fand, und es muss ein verbreitetes Gefühl von Unbehagen über die fundamentalen Veränderungen gegeben haben, die in jedem Bereich des öffentlichen Lebens vorgenommen wurden. Nur vielleicht jenseits der Grenzen Ägyptens, in seinen fremden Territorien, ging das Leben weitgehend so weiter wie zuvor: Die Szenen aus dem Grab Huis, des Vizekönigs von Nubien (Nr. 61) deuten auf eine nahtlose Fortsetzung der traditionellen ägyptischen Strategie politischer Kontrolle und ökonomischer Ausbeutung.

Ebenso wie ihre Persönlichkeiten hat die Archäologie der Amarnazeit zu ihrem Ruhm und ihrer Popularität beigetragen. Der Umstand, dass Echnatons neue Hauptstadt fast so schnell aufgegeben wurde, wie sie gegründet und mittels Jahrzehnte dauernder sorgfältiger Geländeuntersuchungen und Ausgraben wiederentdeckt wurde, bedeutet, dass wir das Leben in Amarna bis zu einem Grad rekonstruieren können, wie es für eine andere alte ägyptische Stadt nicht möglich ist. Wir können die dortigen Paläste und Tempel, die Werkstätten und Häuser rekonstruieren; wir können uns vorstellen, wie der König die Zeremonienstraße einherschritt, nicht weniger als das Erscheinen des Königspaares auf dem Balkon des Königspalastes; mit unserem inneren Auge können wir Achetatons Straßen in einer Weise abwandern, wie es für Theben oder Memphis unmöglich ist. Zudem ist die Kunst der Amarnazeit unleugbar einnehmend, ja etwas unwirklich. Die Kolossalstatuen Echnatons und die bemalte Büste Nofretetes besitzen eine Kraft und Unmittelbarkeit, die von anderen ägyptischen Plastiken nicht erreicht wird.

Doch vielleicht ist der wichtigste Grund für die unendliche Faszination der Amarnazeit die mysteriöse Weise ihres Endes. So viele Fragen um die Ereignisse mit Blick das Ende der Herrschaft Echnatons und die Zeit danach bleiben ungelöst. Wer war Semenchkare? Folgte Nofretete [unter diesem Namen; A. d. Ü.] ihrem Gatten als eigenständiger ›König‹? Wo wurde Echnaton bestattet, und wo ist sein Körper jetzt? Welche verwitwete Königin schrieb einen verzweifelten Brief an den Hethiterkönig und bat um einen Gemahl, der neben ihr über Ägypten herrschen sollte? Zu diesem fesselnden Puzzle nehme man noch Leben, Tod und Begräbnis von Echnatons einzigem überlebenden Sohn, des Kindkönigs Tutenchamun (Nr. 62), hinzu, und es ist kaum ein Wunder, dass die Amarnazeit weiterhin zu so vielen Studien und Spekulationen inspiriert. Das Grab Tutenchamuns bleibt die einzige höchst spektakuläre archäologische Entdeckung, die je in Ägypten gemacht wurde. Doch trotz seiner fabulösen Schätze lieferte es überraschend wenig Informationen zum König selbst, zur Königin (Nr. 63) und zu seinem Nachfolger (Nr. 65). Weit informationsreicher sind die Gräber von Tutenchamuns hohen Beamten, etwa das seines Schatzhausvorstehers Maja (Nr. 64), das jüngst aus dem Sand von Sakkara ausgegraben wurde. Sie versprechen neue Einsichten in Ereignisse am Ende der 18. Dynastie. Doch der Reiz der Amarnazeit wird wahrscheinlich bleiben. Denn wie Lady Burghclere* so treffend zur Ent-

* Lady Burghclere war die Schwester des englischen Earl und Hobbyarchäologen Lord Carnavon, der die Entdeckung des Grabes Tutenchamuns durch Howard Carter finanzierte und begleitete; am 6. April 1923 starb er auf scheinbar geheimnisvolle Weise – der ›Fluch des Pharao‹ war ein Mückenstich (A. d. Ü.).

deckung von Tutenchamuns Grab bemerkte: »Eine Geschichte, die sich öffnet wie Aladdins Höhle und endet wie ein griechischer Mythos der Nemesis muss einfach die Vorstellungskraft aller Männer und Frauen gefangen nehmen.«

Goldthron aus dem Grab Tutench-amuns, späte 18. Dynastie. Der Thron wurde für den jungen König gemacht, bevor er Echnatons reli-giöse Revolution aufgab. Aton (die Sonnenscheibe) verströmt Licht und Leben über die Gestalten Tutenchamuns und seiner Frau Anchesenamun.

56 | ECHNATON
PHARAO UND HÄRETIKER

Religiöser Visionär oder fanatischer Eiferer? Aufgeklärter Herrscher oder tyrannischer Despot? Inspirativer Held oder destruktiver Häretiker? Keine andere Person aus dem alten Ägypten, dazu wenige weitere aus der Weltgeschichte, ruft derart leidenschaftliche und widersprüchliche Reaktionen hervor wie Echnaton. Er wurde als das ›erste Individuum in der Geschichte‹ bezeichnet, und zweifellos zwang er seinem Land seine persönlichen Glaubensvorstellungen in einem nie dagewesenen Ausmaß auf. Sein Bruch mit der Vergangenheit – in Kunst, Religion, sogar im Standort seiner Hauptstadt – veränderten Ägypten total, doch die Revolution dauerte nur ein Jahrzehnt. Sie verursachte einen derartigen Abscheu, dass die ganze Episode und der König, der an ihrer Spitze stand, von denen, die danach kamen, aus der offiziellen Geschichte herausgeschnitten wurden. Echnaton ist eine endlos faszinierende Gestalt, von der sich jede neue Generation immer wieder ihr eigenes Bild nach ihrer Vorstellung macht. Bisweilen ist es schwer, Wahrheit von Fiktion zu scheiden, doch die historischen Fakten seines Lebens kehren in diesen Bildern stets wieder, und sie helfen uns, zu den Ansichten von Ägyptens radikalstem Pharao vorzudringen.

Faktisch nichts ist über den jungen Prinzen Amenhotep bekannt, der als Echnaton herrschen sollte. Sein älterer Bruder Thutmosis war der gesetzliche Erbe; insofern konnte Amenhotep in den frühen Jahren seines Lebens keine Erwartung hegen, die Thronnachfolge zu übernehmen. All das änderte Thutmosis' vorzeitiger Tod. Nicht nur war Amenhotep jetzt Kronprinz, er wurde anschließend auch in Karnak als Ko-Regent seines Vaters Amenhotep IV. gekrönt, um den Übergang zu glätten, wenn der alte König starb. Der jüngere Amenhotep dürfte wohl Zeuge der glanzvollen Jubiläumsfestlichkeiten seines Vaters in Theben gewesen sein, wenn nicht gar formell eine Rolle dabei gespielt haben; die Feiern zeigten unter anderem Boote, die in Gold und Elektron geradezu getaucht waren und die in einem speziell dafür konstruierten Hafen segelten. Die Wirkung muss unwahrscheinlich faszinierend gewesen sein, und als Amenhotep IV. Alleinherrscher wurde, scheint er sogar seinen Vater in den Schatten gestellt zu haben.

Mit Beginn seiner Alleinherrschaft führte Amenhotep IV. einen radikal neuen Repräsentationsstil ein, der vor allem durch die körperliche Übertreibung der menschlichen Gestalt charakterisiert war: langgezogene, ganz schmal gehaltene Gliedmaßen, einen aufgeblähten Bauch und breite Hüften, eiförmiger Kopf. Dieser neue Kanon der Proportionen war so anders, dass er vom König selbst befohlen worden sein muss. Durch einen solchen entschiedenen Bruch mit der Vergangenheit hatte Amenhotep IV. verkündet, dass seine Herrschaft einen Neubeginn markieren würde. Das war ein Versprechen und ein Omen.

Das erste großdimensionierte Projekt, das den Stempel des neuen Stils trug, war ein Heiligtum für Aton, Gem-pa-aton genannt, östlich des Haupttempels für Amun-Re in Karnak. Die Sonnenscheibe beziehungsweise Aton stellten eine passende Metapher für den strahlenden Pharao dar, der seinen Untertanen Licht und Leben brachte. Amenhotep IV. jedoch betrachtete Aton gerade nicht als Metapher, sondern als seinen persönlichen Gott. Er sollte seine alles in den Hintergrund rückende Obsession werden.

Der Aton-Tempel in Karnak-Ost erschien Amenhotep augenscheinlich als unbefriedigend: Sein Gott verdiente ein weit größeres Bauwerk an unberührter Stelle, kein Nebenheiligtum, das an das Kultzentrum einer anderen Gottheit angefügt war. Nach kurzer Zeit wurden daher alle Bauarbeiten in Karnak angehalten. Amenhotep (»Amun ist zufrieden«) änderte seinen Namen in Echnaton (»Nützlich für Aton«), um seine Hingabe zur Sonnenscheibe über allen anderen Gottheiten zu signalisieren; und er beschloss, einen Ort zu suchen, an dem Aton in passender Weise verehrt werden konnte. Er stieß auf eine Felsenbucht am Ostufer des Nils in Mittelägypten.

Im späten Frühling des fünften Regierungsjahres machte Echnaton am gewählten Platz einen formellen Besuch. Er erschien auf seinem mit Elektron überzogenen Kampfwagen, strahlend wie Aton selbst. Vor seinen versammelten Höflingen erließ er eine Verfügung, mit der er seine neue Hauptstadt, Achetaton (›Horizont Atons‹; heute Tell el-Amarna) gründete. Vor den Felsen beaufsichtigte er ein spektakuläres Opfer für Aton und betete die Sonnenscheibe an, als sie über der Szene schwebte. Darauf wurde der gesamte Hof zusammengerufen, und die Beamten warfen sich vor Echnatons Füßen nieder. Er legte ihnen dar, Aton selber habe ihn angewiesen, die Stadt in Amarna zu gründen, da der Platz »keinem Gott und keiner Göttin gehörte«, und dass sie auf immer Aton als dessen Monument »mit einem ewigen, unvergänglichen Namen« gehören werde. Die Höflinge antworteten enthusiastisch: Sie hatten wenig Wahl.

Nur für den Fall, dass es irgendwelche Zweifler geben sollte, machte der König seinen Entschluss und seine Unbeirrbarkeit umfassend deutlich, dass er sein Projekt bis zur Vollendung durchsetzen wolle. Nicht einmal seine Frau Nofretete wäre in der Lage, ihn vom gewählten Pfad abzubringen. »Und auch des Königs Große Gemahlin soll nicht zu mir sagen, ›Sieh, da ist woanders ein schöner Platz für Achetaton‹, ich werde nicht auf sie hören.« Der König verfügte, dass die Stadt eine Folge von Hauptgebäuden bekommen solle. Überdies sollte Amarna auch nicht die neue Königsresidenz werden, sondern der ewige Ruheplatz für den König und seine unmittelbare Familie: »Wenn ich sterben sollte in irgendeiner Stadt des Nordens, des Südens, des Westens oder Ostens in diesen Millionen Jahren, lasst mich zurückbringen, auf dass ich in Achetaton begraben werde.«

Gelbliche Steinstatue Echnatons, späte 18. Dynastie. Die Identifikation des Königs als Echnaton ist weiterhin unsicher. Ursprünglich saß zu seiner Rechten die Figur seiner Gemahlin oder Mutter; ein Fragment ihres linken Armes ist noch sichtbar.

Kopf und Schultern einer kolossalen Kalksteinstatue Amenhoteps IV./Echnatons aus dem Aton-Tempel in Karnak, späte 18. Dynastie. Der König ist in dem überspitzten Stil seiner frühen Regierungszeit mit länglichem Gesicht und überschlanken Gliedmaßen dargestellt.

Die ganze Zeremonie wurde auf zwei Grenzstelen dokumentiert, die an der Nord- und Südgrenze von Amarna in die Felsen gehauen wurden. Genau ein Jahr später stattete Echnaton seiner Stadt einen weiteren Besuch ab, um die Fortschritte zu inspizieren. Er erließ eine Zweite Verfügung, in der er die Grenzen genauer festlegte. Kopien dieser Proklamation wurden in ähnlicher Weise auf Stelen entlang der Grenzlinie des Ortes verewigt. Im achten Jahr von Echnatons Herrschaft war der heilige Bezirk von Amarna mit fünfzehn derartigen Sichtzeichen markiert. Die Stadt selbst wuchs und entwickelte sich entlang dem Ostufer des Nils. Die zeremoniellen Hauptgebäude, die Echnaton festgelegt hatte, waren durch die Königsstraße miteinander verbunden. Diese bildete die Prozessionsallee, welche der König jeden Tag in seinem Streitwagen von seiner Residenz zum Regierungssitz fuhr. Die Strecke des Königs spiegelte den Pfad der Sonnenscheibe am Himmel entlang, die Fahrt bildete für die Stadt und ihre Einwohner das zentrale tägliche Ritual.

Tatsächlich stellte Echnatons neue Weltordnung ja ihn und die Königsfamilie in den Mittelpunkt des öffentlichen und religiösen Lebens. Des Königs Zuneigung zu Frau und Töchtern wurde als Zeichen von Atons Wohltätigkeit gefeiert. Indes, das Bild einer starken, liebevollen Königsfamilie verbarg eine komplexere Wirklichkeit. Echnaton zeigte eine erdrückende Verbundenheit mit den weiblichen Mitgliedern seiner Familie. Als seine Mutter Teje im zwölften Jahr seiner Regierung starb, ließ er sie im Königsgrab zu Amarna bestatten, gegen den Wunsch ihres verstorbenen Gemahls und wahrscheinlich gegen ihren eigenen. Nofretetes prominente Rolle in der offiziellen Ideologie hatte zuvor kein Beispiel, doch zumindest im letzten Jahrzehnt seiner Herrschaft besaß Echnaton auch eine Zweitfrau, Kije, die ihm wahrscheinlich wenigstens einen Sohn gebar (Tutenchaton, später Tutenchamun, Nr. 62). Ihr schließlicher Verlust der Gunst und die systematischen Übergriffe auf ihre Denkmäler spiegeln wohl Nofretetes mitleidlosen Aufstieg zur Macht.

Die letzten Jahre von Echnatons Herrschaft waren von wachsendem religiösen Fanatismus gekennzeichnet. Nach elf Jahren auf dem Thron beschloss er, Atons verschiedene Namen zu ›reinigen‹, die auf zwei Kartuschen geschrieben wurden, welche die vereinte Herrschaft von König und Gott symbolisierten; mit der Maßnahme sollten alle Spuren der alten Religion ausgerottet werden. Im ganzen Lande wurden auf Geheiß des Königs die Namen anderer Gottheiten, besonders der Amuns, systematisch auf den Monumenten ausgelöscht. Steinmetze erklommen Obelisken und kletterten Tempelwände hoch, um alle Bezüge auf Götter und Göttinnen außer Aton zu tilgen. In Echnatons Universum konnte keine andere Gottheit sein. Von jedem in Ägypten wurde erwartet, dass er des Königs ›Lehre‹ folgte, doch nur die oberen Ränge der Gesellschaft, die wegen ihrer Position vom König abhängig waren, scheinen die neue Religion angenommen zu haben – und wahrscheinlich mit wenig wirklichem Enthusiasmus. Monotheismus oder einfacher Egoismus – diese Religion war von orthodoxen ägyptischen Glaubensvorstellungen radikal verschieden, und es gibt keinen Zweifel, dass sie Echnatons eigenem Kopf entsprungen war. Der ultimative Ausdruck seiner Lehre war der *Große Hymnus auf Aton*. Die Autorschaft des Werkes ist nicht sicher, doch sehr wahrscheinlich wurde der Hymnus als zentrales Element seiner Religion vom König selbst verfasst. Seine Botschaft war klar und kompromisslos: »Es gibt niemand, der dich kennt, außer deinem Sohn Echnaton. Du hast ihn weise gemacht in deinen Plänen und deiner Macht.«

Echnaton starb nach siebzehn Jahren auf dem Thron. Begraben wurde er im Königsgrab zu Amarna. Trotz seiner vehementen Antipathie der traditionellen ägyptischen Religion gegenüber wurde sein Sarkophag aus rosa Granit gleichwohl von der gesamten bei Bestattungen üblichen Ausrüstung begleitet: einem Kanopenkasten, magischen Lehmziegeln, sogar Dienerfigürchen (*Uschebtis*), die ihm in der nächsten Welt dienen sollten. Bevor noch der Häretikerkönig im Grabe erkaltet war, scheint es, dass orthodoxer Glaube sich wieder geltend machte. Wie alle Revolutionen ging die Echnatons schnell, dramatisch, mitleidlos vonstatten. Wie so viele starb sie mit ihrem Impulsgeber.

57 | NOFRETETE
DIE MACHT HINTER DEM THRON

Nofretete wurde zum Synonym des extravaganten, exotischen Hofes, der in Achetaton geschaffen wurde. Sie inspirierte fast ebenso viele Theorien wie ihr Gemahl, doch ist über ihre Herkunft wenig bekannt, und ihr letztes Schicksal ist geheimnisumwölkt. Nichtsdestoweniger zeichnen die Zeugnisse zu ihrem kometenhaften Aufstieg zur Macht und ihr unumstrittener Platz in den radikalen Plänen ihres Gatten das Porträt einer intelligenten, ehrgeizigen und mitleidlosen Frau.

Der Name Nofretete bedeutet »die Schöne ist gekommen«, ein passender Beiname für die Frau eines Königs, deren exquisite bemalte Büste – ausgegraben in der Werkstatt des Bildhauers Thutmosis und jetzt einer der Schätze des Ägyptischen Museums zu Berlin – als ein Emblem antiker Schönheit verehrt wird. Doch gerade woher Nofretete kam, wurde nie festgestellt; wahrscheinlich nützte es ihren Interessen, es geplant im Dunkeln zu lassen. Vielleicht war es nicht geziemend für die quasi-göttliche Gemahlin des Königs, eine irdische, sogar niedere, Geburt einzugestehen. Obwohl eine fremdländische Herkunft vor-

geschlagen wurde – indem man Nofretete mit der Mitanni-Prinzessin Taduchepa gleichsetzte, von der man weiß, dass sie unter der Regierung Amenhoteps IV. nach Ägypten geschickt wurde –, ist es wahrscheinlicher, dass sie aus derselben mächtigen Provinzfamilie stammte, die schon in der Person Tejes (Nr. 53) in die Königsfamilie eingeheiratet hatte. Möglicherweise war Nofretete sogar Tejes Nichte und insofern Echnatons erste Kusine. Sicherlich wurde sie als Säugling im Haushalt von Eje (Nr. 65), wahrscheinlich in Achmim in Mittelägypten aufgezogen, wobei Ejes Frau Ti als ihre Amme diente. Nofretetes einzige bekannte Verwandte war eine Schwester, Mutbenret, mit der zusammen sie wahrscheinlich ihre Kindheit verbrachte.

Nofretete heiratete ihren Gemahl, als der noch Prinz war, oder aber sehr früh in dessen Regierungszeit, als er noch unter seinem Geburtsnamen Amenhotep bekannt war. Als er seinen Namen in Echnaton änderte und so den Beginn seiner Revolution signalisierte, antwortete sie in gleicher Weise, indem sie ihrem Namen das Epitheton Neferneferuaton hinzufügte, »Schön sind die Schönheiten Atons«, um ihre Ergebenheit gegenüber dem neuen Gott zu proklamieren. Von jetzt an handelten Gemahl und Gemahlin zusammen, gemeinsame Impulsgeber für die Änderungen, die geheiligte Bräuche fortfegten, gemeinsame Nutznießer der neuen Ordnung, die das Königspaar in das Zentrum der Verehrung durch das Volk rückte. In der neuen Religion war Aton der Schöpfer, Echnaton und Nofretete seine Kinder. Zusammen bildeten sie eine göttliche Triade – ironischerweise die Einheit im Kern des traditionellen ägyptischen Pantheons –, doch besaßen sie einen exklusiven Anspruch auf Göttlichkeit. Zur Betonung ihrer Rolle setzte sich Echnaton mit Schu gleich, dem Sohn des Schöpfers und Gottes des Lichts und der Luft, Nofretete hingegen übernahm den Part von Tefnut, Schus Schwester und Gemahlin. Sie übernahm Tefnuts oben flache Frisur und machte sie sogar zum Symbol ihrer Autorität: In der Öffentlichkeit trug sie nach dem vierten Thronjahr ihres Gemahls kaum etwas anderes.

Auf den Felsenstelen, welche die Grenzen der neuen Hauptstadt markierten, pries Echnaton Nofretete als »groß im Palast, gefällig im Gesicht, schön in den Doppelfedern, Herrin der Freude, deren Stimme zu hören einen erfreut, Besitzerin von Freundlichkeit, groß an Liebe, deren Vorkehrungen dem Herrn der Beiden Länder gefallen«. Die Vertrautheit ihrer Beziehung wurde sogar zum zentralen Element der neuen Religion und wurde für alle öffentlich sichtbar gemacht. Reliefs aus der Stadt zeigten des Königs Große Gemahlin immer präsent an ihres Gatten Seite. Auf einem wurde Nofretete dargestellt, wie sie mit Echnaton Blicke austauschte, während sie auf seinem Schoß saß und ein Perlenkollier um den Hals befestigte. Auf einem weiteren wurde sie abgebildet, wie sie ihm einen liebevollen Blick zuwirft, während die drei ältesten Töchter des Paares auf dem Schoß ihrer Eltern spielen. Nie zuvor gab es eine königliche Partnerschaft wie die ihre.

Kalksteinstatue Nofretetes aus Amarna, späte 18. Dynastie. Die Königin ist als ältere Frau mit gefurchtem Gesicht und hängenden Brüsten dargestellt. Insgesamt ist der Stil der Skulptur weniger extrem als bei Darstellungen aus der frühen Zeit von Echnatons Regierung.

Bei Opferszenen wurde Nofretete in gleicher Größe wie ihr Gemahl gezeigt. Allerdings stellten Reliefs in Karnak, wo sie ihr eigenes Heiligtum hatte, Nofretete beim Opfer direkt an Aton dar, ohne dass der König präsent war. Das bedeutete eine bemerkenswerte Abkehr von früheren Usancen. Auf einer privaten Stele aus Atechaton wurden Gemahl und Gemahlin mit ihren Kronen gezeigt. Ein anderer Block ging noch einen Schritt weiter und stellte Nofretete dar, wie sie eine (weibliche) Gefangene erschlägt, eine Wiederholung der charakteristischen Pose des Königtums. Es gab kein früheres Beispiel für jemand, der in Ausführung dieses hoch symbolischen Aktes gezeigt worden wäre, außer dem König selbst; insofern kündete dies von der außergewöhnlichen Rolle Nofretetes neben ihrem Gemahl.

Weiteres sollte folgen. Auf Reliefs im Grabe Merires (Nr. 58), in Echnatons später Regierungszeit geschaffen, waren die einander überlappenden Figuren von Echnaton und Nofretete fast mit einem einheitlichen Umriss wiedergegeben, was auf die göttliche Einheit des Königspaares wies. Nofretete fügte ihrem Namen weitere Epitheta hinzu, darunter ›geliebt von Aton‹ und sogar ›Herrscher‹; dahinter verbarg sich eine stetige Erhöhung ihres Status bis hin zur Ko-Regentin mit ihrem Gemahl. Dann, auf dem Zenit ihrer Macht, verschwand sie aus dem Blick, und zwar im Anschluss an das Begräbnis ihrer zweiten Tochter Meketaton. War sie gestorben oder in Ungnade gefallen, oder hatte sie eher noch eine tiefergehende Veränderung durchgemacht? Es ist verführerisch, darüber zu spekulieren, dass Nofretete der Logik ihres eigenen Lebens folgte, eine vollständige Königstitulatur annahm und die Ikonografie anpasste, um in dem Prozess ihre frühere Rolle abzulegen.

Als freilich Echnaton einige Jahre später starb, war der nächste König, der auftrat, nicht Neferneferuaton, sondern Semenchkare. War Nofretete schließlich in der Versenkung verschwunden, oder hatte sie vielleicht noch einen weiteren Wechsel von Bild und Namen vorgenommen, der zu ihrer Alleinherrschaft passte? Falls sie unabhängig regierte, war das nur für eine sehr kurze Zeit. Der Thron ging schnell an einen königlichen Verwandten über, der mit Nofretete wahrscheinlich nur durch Heirat verwandt war, der Kindkönig Tutenchamun. In dem Machtkampf, der das Ende der Amarnaperiode umgab, war Nofretetes Partei die Verliererin. Was letzten Endes aus ihr wurde, ist nicht bekannt. Vielleicht wurde sie im Königsgrab in Amarna neben ihrem Gemahl zur Ruhe gebettet: Das wäre gewiss ihr Wunsch für den Tod gewesen. Denn im letzten Gestus der Zuneigung wurde Echnatons Sarkophag an seinen vier Ecken nicht mit Bildern der vier traditionellen Schutzgöttinnen geschmückt, sondern mit Figuren der Nofretete. Vielleicht war das eine Anerkennung dafür, dass seine Revolution nie passiert wäre wenn nicht für die außergewöhnliche Frau an seiner Seite und hinter seinem Thron.

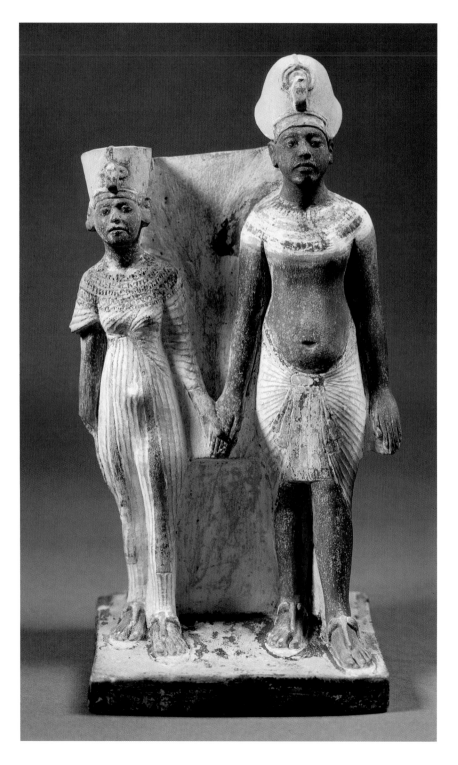

Paarstatue mit Nofretete und Echnaton, bemalter Kalkstein, aus Amarna, späte 18. Dynastie. Übereinstimmend mit Echnatons Betonung der Königsfamilie als Mittelpunkt allgemeiner Verehrung hält das Paar in bewusst intimer Geste die Hände. Nofretete trägt ihre charakteristische flach anliegende Haartracht.

58 | MERIRE
EIFERER FÜR EINE NEUE RELIGION

Im Mittelpunkt von Echnatons ›Häresie‹ stand natürlich seine religiöse Lehre. Deren Kern bildete Aton, und im Zentrum der Aton-Verehrung stand der Große Aton-Tempel in (Tell el-) Amarna (äg. Achetaton). Der Hohepriester Atons stand mithin genau im Knotenpunkt der Amarnarevolution; die meiste Zeit von Echnatons Herrschaft über hatte dieses Amt ein Mann namens Merire inne.

Neben den gewöhnlichen Indikatoren für den Rang war Merires Haupttitel in seiner vollen Form Größter der Seher Atons im Tempel Atons zu Achetaton. Größter der Seher war traditionell die Bezeichnung für den Hohenpriester des Re in Heliopolis (äg. Iunu). Jetzt, da Re von Aton als Sonnengott ersetzt worden war, wurde der Titel auf das Oberhaupt der Aton-Priesterschaft übertragen. Es war eine besonders passende Bezeichnung, da Aton explizit die sichtbare Sonne war: Aton-Tempel wurden von großen offenen Höfen beherrscht, von wo aus die Sonnenscheibe ungehindert und unmittelbar beobachtet und in all ihrer Herrlichkeit verehrt werden konnte.

Es gab im Atonismus ein weiteres Element, das ihn von den traditionellen Kulten Ägyptens abhob. Gemäß der reinsten Form von Echnatons Doktrin – der ›Lehre‹ – war der König der einzige, der Aton kannte, der einzige Kommunikationskanal zwischen Gott und Volk. Offizielle Texte machten es ganz deutlich, dass Echnaton und Aton Ko-Regenten waren, wobei die Sonnenscheibe im Himmel und der König auf Erden herrschten. Zudem war der Atonismus im Wesentlichen ein Kult der Königsfamilie, wodurch gewöhnliche Leute, falls sie Aton anzubeten wünschten, darin bestärkt wurden, es über die Bilder Echnatons, Nofretetes und ihrer Töchter zu tun. Das alles machte eine Priesterschaft irgendwie überflüssig, doch Echnaton behielt eine. Vielleicht war das Muster im ägyptischen Bewusstsein einfach zu verwurzelt, oder vielleicht war es eine Frage der Praktikabilität, da man vom König nicht erwarten konnte, dass er bei der täglichen Zeremonie im Großen Aton-Tempel von Amarna priesterlich fungierte, geschweige denn in Kultzentren in anderen Städten. Also blieb da der Bedarf an einem Hohenpriester, auch wenn seine sekundären Titel, ›Fächerträger zur Rechten des Königs‹ und ›Hochgepriesener des guten Herrschers‹, es deutlich machten, dass diese Position dem König selbst untergeordnet war.

Etwa in Echnatons neuntem Thronjahr wurde Merire in die Position des Hohenpriesters Atons befördert, ein Amt, das er die nächsten sieben Jahre innehaben sollte. Sorgfältig sorgte er dafür, dass seine vorherige Karriere und seine Herkunft verborgen blieben; doch wie viele aus Echnatons engerem Kreis kam er wahrscheinlich von Nirgendwo und verdankte alles der Gunst des Königs. Die Einführung fand im Königspalast im Zentrum von Amarna statt. König und Königin, begleitet von ihrer ältesten Tochter Meritaton, erschienen auf dem Balkon, wo sie sich auf ein prachtvoll besticktes Kissen lehnten. Merire, der eine lange weiße Robe und eine dekorative Schärpe trug und von Angehörigen seines Hauswesens begleitet wurde, trat vor das königliche Paar und kniete vor dem König nieder. Schreiber waren zur Hand, die von dem Ablauf einen offiziellen Bericht anfertigten. Vier Sonnenschirmträger warteten auf, um Erleichterung von der Tageshitze zu bieten. Und im Hintergrund standen für den Fall eines Anzeichens von Unruhe vier Polizisten mit Knüppeln bereit. Schließlich handelte es sich um ein autokratisches Regime, und die Königsfamilie begab sich ohne Beisein von Sicherheitsleuten nirgendwohin.

Echnaton sprach zu Merire und bestätigte seine Bestallung mit einer formellen Rede. Die Zuschauermenge, darunter ein Trupp von Tänzerinnen mit Tamburinen, rief laut ihren Beifall, und als der Tumult sich gelegt hatte, antwortete Merire. Wie es für den Anlass passend war, waren seine Worte kurz und nur zur Sache: ›Reichlich sind die Belohnungen, die Aton zu geben weiß, seinem Herzen gefällig.‹ Darauf hoben ihn seine Freunde hoch auf ihre Hände, und er verließ den Platz als einer aus des Königs engerem Kreis.

Ein zweiter Meilenstein in Merires Karriere kam einige Zeit später, als er für seine außerordentliche Loyalität zum König mit der Verleihung des ›Goldes der Ehre‹ belohnt wurde. Das war das höchste Zeichen der Wertschätzung, die einem gewöhnlichen Mann erwiesen werden konnte; es bestand aus schweren Halsketten aus Goldkügelchen, die dem Kandidaten während der Amtseinsetzung um den Hals gelegt wurden. Die Zeremonie fand zwischen den Magazinen, wo ein Großteil des Reichtums des Großen Aton-Tempels aufgestapelt war, und dem Flussufer von Amarna statt. Merire wurde in allem Staat herausgeputzt, mit Ohrringen und in einem Festgewand. Zu seinen Begleitern gehörten die üblichen Fächerträger, Sonnenschirmträger und Schreiber ebenso wie Angehörige seines Tempelpersonals. Er wurde im Außenhof des Kornlagers von Echnaton und Nofretete, die beiden in Begleitung zweier ihrer Töchter und eines großen Gefolges, empfangen. Sowie er den Pharao gewahrte, erhob Merire die Arme zur Begrüßung und Verehrung. Der König trat vor, hängte ihm die goldenen Ketten um den Hals und begrüßte die versammelte Gesellschaft. Die Rede war wortreich, gestelzt, ziemlich legalistisch und alles andere als kurz, wie so viele Reden von Diktatoren in der Geschichte. Merire schien keine Antwort gegeben zu haben: Vielleicht war er einfach von der Situation überwältigt.

Das ganze Ereignis wurde detailliert in Merires Grab festgehalten. Es war in die nördlichen Felsen von Amarna gehauen und bildete – mit einer imposanten Fassade von nahezu 30 m Breite – die prächtigste Grabstätte in der ganzen Nekropole. In ihr spiegelte sich sein hoher Status bei Hofe wider. Auf den Grabreliefs war seine Frau Tenre dargestellt, doch nirgendwo gab es eine Erwähnung von Kindern des Paares. Vielmehr

Relief Merires aus seinem Grab in Amarna, späte 18. Dynastie. Merire hat die Hände in Gebetshaltung erhoben, wahrscheinlich zum König hin gerichtet. Als Hoherpriester Atons war Merire Hauptbefürworter von Echnatons religiöser Revolution.

beherrschten Szenen mit dem König, der Königsfamilie und ihrem Gefolge das Monument. Jeder Türpfosten war mit Grußanreden an Aton, Echnaton und Nofretete versehen. Der größere Teil der Ausschmückung befasste sich mit Aktivitäten des Königs und der Königin. Der Grabinhaber selbst wurde in eine fast sekundäre Position verwiesen. Keinen stärkeren Hinweis auf das Wesen des Atonismus konnte es geben – die zentrale Rolle des Königs im Leben (und Tod) seines ganzen Volkes.

Seltsamerweise wurde Merire niemals in seinem prächtigen Grab zur Ruhe gebettet; seine Grabkammer wurde nie fertig gestellt. Sein Ende bleibt ein Geheimnis. Für den Hohepriester der neuen Religion Echnatons, in der es kein Leben nach dem Tode gab, nur eine irdische Existenz unter den wohltuend-gütigen Strahlen der Sonnenscheibe, scheint dies völlig angemessen.

59 | BAK
EIN BILDHAUER ALS ANFÜHRER EINER KÜNSTLERISCHEN REVOLUTION

Von Anbeginn der Zivilisation der Pharaonen an wussten Ägyptens Herrscher die Macht der Kunst zum Ausdruck, zur Stärkung und Verewigung königlicher Autorität zu schätzen. Die offizielle Kunst des ägyptischen Hofes symbolisierte das geordnete Universum, über das die Götter und ihre irdischen Repräsentanten, die ägyptischen Könige, wachten. Diese Weltsicht fand Ausdruck in zweidimensionalen Reliefs und dreidimensionaler Plastik. Künstler, die in der offiziellen Tradition arbeiteten – und für irgendetwas anderes gab es wenig Spielraum – waren daher hauptsächlich Diener des Staates. Die enge Beziehung zwischen dem König als Staatsoberhaupt und den Künstlern, die ihn verherrlichten, besitzt ein Beispiel in der Karriere Baks, des Chefbildhauers während der frühen Jahre von Echnatons Herrschaft.

Bak wuchs in einer Künstlerfamilie auf. Sein Vater Men war Chefbildhauer unter der Regierung Amenhoteps III. und hatte eine Frau aus Heliopolis (äg. Iunu) mit Namen Rij geheiratet. Bak seinerseits ergriff den Familienberuf und stieg zur Position des ›Chefbildhauers an den großen, mächtigen Monumenten des Königs im Hause Atons in Achetaton (Amarna)‹ auf. Vater und Sohn hatten sich selbst in einer Inschrift in den Granitbrüchen zu Assuan (›das Rote Gebirge‹) dargestellt; Assuan war die Quelle für manchen der besten Bildhauersteine. Men wird vor einer Kolossalstatue seines königlichen Herrn gezeigt, vielleicht einem der sogenannten Memnon-Kolosse, die vor Amenhotep III. Totentempel in Theben-West standen. Bak seinerseits wird in Anbetung einer Statue *seines* Herrn, Echnaton, dargestellt. Besonders auffällig ist der Stilunterschied zwischen den beiden Szenen. Während Men und Amenhotep III. nach dem traditionellen, geheiligten Kanon ägyptischer Hofkunst abgebildet sind, werden Bak und Echnaton in dem revolutionären Stil gezeigt, den der König als Teil seines entschiedenen Bruchs mit der Vergangenheit einführte. Vater und Sohn müssen sich daher der Unterschiede bestens bewusst gewesen sein.

Die Kunst der Amarnazeit, speziell die aus dem frühen Teil von Echnatons Herrschaft, ist absolut charakteristisch. Die Längung des Kopfes, die Verzerrung der Körperproportionen, die Androgynie bei königlichen Darstellungen – das waren kühne Abweichungen von akzeptierten Normen, die auf den höchsten Ebenen sanktioniert worden sein müssen. Auf einer Inschrift unweit der Szene in den Assuan-Brüchen bestätigt Bak die Quelle des neuen Kunststils, indem er sich als ›Schüler, den Seine Person selbst instruierte‹ beschreibt. Wir müssen uns daher vorstellen, dass Echnaton zu Beginn seiner Herrschaft seinen führenden Malern und Bildhauern die Richtlinien für seine künstlerische Revolution vorgeschrieben hat. Da des Königs Wort Gesetz war, konnte es ohne ausdrückliche Weisung aus dem Palast keine Rückkehr zum traditionellen Kanon geben.

Zweifellos nahm Bak den König bei dessen Wort und nahm die königliche Direktive mit Enthusiasmus in sich auf. Wie alle, die zu Echnatons ›Lehre‹ konvertierten und sich auf die Förderung des Königs stützten, um ihren Status zu erhalten, war Bak ein leidenschaftlicher Verfechter des neuen Weges, die Dinge anzupacken. In seiner Inschrift in Assuan drückte er seine Ergebenheit dem König gegenüber öffentlich aus; sie ist betitelt ›Ausdruck der Verehrung des Herrn der Beiden Länder und Küssen des Bodens vor Waenre‹ (Echnaton).

Als Chefbildhauer leitete Bak ein Team von Handwerkern und war dafür verantwortlich, sie im neuen Stil auszubilden. Eines der schönsten Objekte aus seiner Werkstatt war seine eigene Gedenkstele, die aus rötlich-braunem Quarzit gehauen wurde. Sie stellt Bak neben seiner Frau Taheri dar; sie hat in einer Geste der Zuneigung einen Arm um die Schulter ihres Gatten gelegt. Sie trägt ein einfaches Futteralkleid, während er in ein aufwendigeres plissiertes Gewand gekleidet ist, ganz im Einklang mit der herrschenden Mode. Er wird zudem als recht korpulent gezeigt, was seinen Reichtum und Status betont. Ungewöhnlicherweise treten die beiden Figuren – besonders die Baks – aus dem Hintergrund der Stele hervor, so dass sie Dreidimensionalität gewinnen. Wir können hier die Hand des Meisterbildhauers sehen, der außerstande ist, sein bevorzugtes Medium aufzugeben, sogar bei der Ausführung eines zweidimensionalen Stückes. Es ist tatsächlich verführerisch, darüber zu spekulieren, ob Bak die Stele selbst gearbeitet hat. Schließlich dürfte er der perfekteste Bildhauer seiner Zeit gewesen sein. Ob ihn da das Werk eines geringeren Talentes für sein eigenes Denkmal wirklich zufriedenstellen konnte? Sollte das richtig sein, wäre Baks Stele das älteste Selbstporträt in der Geschichte.

Quarzitstele Baks und seiner Frau Taheri, späte 18. Dynastie. Baks zugespitzte Korpulenz weist auf seinen weltlichen Erfolg hin. Im umlaufenden Text behauptet Bak, er habe die Instruktionen zum neuen radikalen Kunststil der Amarna-Zeit direkt vom König bekommen.

60 | Mahu

Echnatons Polizeichef

Fundamentalistische und despotische Regimes haben immer mit eiserner Faust regiert. Sie dulden keinerlei Opposition, und gleichzeitig sind sie in beständiger Furcht vor Verschwörungen und Staatsstreichen. So umgeben sie sich mit einem Sicherheitsapparat und wenden häufig einen offen militaristischen oder paramilitärischen Herrschaftsstil an. Es kann wenig Zweifel sein, dass das alte Ägypten in vielen, wenn nicht den meisten Perioden seiner Geschichte ebenfalls eine Diktatur war. Des Königs Wort war die letzte Autorität und dürfte durch Gewalt abgestützt gewesen sein, oder wenigstens durch die Androhung von Zwang. Polizei- und Armeeeinheiten, welche die inneren Sicherheitskräfte bildeten, ließen in den offiziellen Dokumenten wenig Spuren zurück, wahrscheinlich weil ihre Existenz selbst mit dem utopischen Bild, das die Elite zu verbreiten wünschte, im Clinch lag; doch sie existierten, und eine Person aus der Amarnazeit liefert uns einen Einblick in diesen weitgehend verborgenen Aspekt der altägyptischen Gesellschaft.

Mahu war der Polizeichef von Amarna (äg. Achetaton). Wie die meisten Sicherheitschefs, die autoritären Herrschern dienten, war er ein Ultra-Loyalist. Wahrscheinlich war er von bescheidener Herkunft und gehörte zu denen, die vom König persönlich eingestellt wurden. Als solcher dürfte er alles – Position, Status und Reichtum – der fortgesetzten Förderung durch den König verdankt haben. Eine Ahnung davon gibt es in Mahus Grab in den nördlichen Felsen von Amarna. Die auf die Wände geschriebenen Texte umfassen nicht weniger als vier Abschriften des Hymnus auf Aton, des offiziellen Glaubensbekenntnisses von Echnatons neuer Religion. Es einmal wiederzugeben, hätte als deutliche Feststellung der Loy-

LINKS:
Relieffragment aus einem Grab in Amarna, späte 18. Dynastie. Es zeigt Angehörige der bewaffneten Miliz, die Echnaton und seine Familie auf ihren offiziellen Ausgängen durch die Hauptstadt begleiteten. Als Polizeichef war Mahu für die Sicherheit des Königs zuständig.

alität zum Regime genügt. Dass es viermal wiederholt wurde, ließ keinen Raum für Zweifel.

Die begleitenden Szenen in Mahus Grab liefern faszinierende Schnappschüsse seiner offiziellen Aufgaben. Die Verfolgung Krimineller war direkt genug, doch es gab weitere beunruhigende Aspekte an Mahus Rolle. Echnatons radikale Politik muss in verschiedenen Bereichen der Gesellschaft eine tiefe Unbeliebtheit hervorgerufen, die Furcht vor Aufständen sein Regime verfolgt haben. Mahu war sich ›der Leute, die sich denen von den Wüstenhügeln anschließen würden‹ nur allzu bewusst; diese unternahmen sporadische Angriffe auf die Regierungstruppen. Amarna war daher eine Stadt, in der es von Sicherheitspersonal nur so wimmelte. Ebenso wie die Polizeikräfte unter Mahus direktem Kommando, gab es die Soldaten und ›Führer der Armee, die vor Seiner Person Präsenz zeigen‹. Jedesmal wenn der König oder andere Mitglieder der Königsfamilie ihr befestigtes Palastgelände am Flussufer verließen, wurden sie von einem starken Sicherheitsaufgebot begleitet. Gelegentlich wird Mahu sich selbst den Polizeitrupps angeschlossen haben, die vor und neben dem königlichen Wagen herliefen. Häufiger noch wird er in seinem eigenen Streitwagen an der Spitze seiner Truppen gefahren sein.

Öffentliche Loyalitätsbekundungen waren bei Echnaton augenscheinlich *de rigueur*, und Mahu wusste, was von ihm erwartet wurde. Seine Rede vor dem König war ein Vorbild an Speichelleckerei:

»O Warenre, du bist auf immer, o Erbauer Achetatons,
    den Re selbst erschuf!«

In einer derartigen Atmosphäre von Paranoia verfügte sogar ein erz-loyaler Polizeichef nicht über uneingeschränkte Kontrolle über die königliche

UNTEN:
Nachzeichnung eines Reliefs aus dem Grab Mahus in Amarna, späte 18. Dynastie. Mahu erscheint nach rechts zur Mitte hin, die Hände in einem Gestus der Lobpreisung zu Echnaton und Nofretete hingewandt. Hinter Mahu sieht man Polizeikräfte, die vor der königlichen Prozession einherlaufen bzw. anhalten, um sich vor dem König zu verneigen.

Sicherheit. Es gibt Zeugnisse, dass die Eliteleibwache des Königs fremde Soldaten umfasste, denen man weniger als gebürtigen Ägyptern zutraute, gegen den revolutionären Pharao einen Groll zu hegen.

Die häufigen offiziellen Prozessionen und Auftritte mit Echnaton und Nofretete, die das Leben in Amarna umrahmten, müssen Mahu in der meisten Zeit seiner Laufbahn voll in Anspruch genommen haben, doch er fand auch Zeit – ob infolge persönlicher Frömmigkeit oder aus Pflichterfüllung –, die Aton-Tempel im religiösen Herzen der Stadt zu besuchen. Vor dem Tempel kniend, holte er das Beste aus der öffentlichen Zurschaustellung seiner Loyalität heraus, indem er seine Polizeikollegen beim Absingen von Lobpreisungen für Echnaton anführte:

»Möge der Pharao – Leben, Wohlergehen und Gesundheit – gesund sein!

O Aton, mach ihn immerwährend, diesen Waenre!«

Solche regelmäßigen, wiederholten Demonstrationen treuer Ergebenheit wurden schließlich belohnt, und Mahu wurde in den Palast gerufen, um Dank für seine loyalen Dienste entgegenzunehmen. Voller Stolz kehrte er aus der königlichen Audienz wieder zurück, die Arme in ekstatischem Triumph erhoben. Vielleicht waren bei dieser Gelegenheit seine Worte mehr als gewöhnlich aus dem Herzen gesprochen, als er deklamierte: »Mögest du erheben Generationen auf Generationen, o Herrscher!«

Für Mahu selbst jedoch war nur eine einzige Lebensspanne der zugewiesene Rahmen. Er starb vor dem Rückzug des Hofes aus Amarna und erlebte so nicht mehr den Niedergang des Regimes, dessen zuverlässigster Unterstützer er gewesen war.

61 | HUY

VIZEKÖNIG VON KUSCH

»Gold – überall das Glitzern von Gold«: Der fabelhafte Schatz Tutenchamuns löste bei seiner Entdeckung 1922 eine Sensation aus und wurde zum Symbol des Reichtums der Pharaonen. Ägyptens Wohlstand im Neuen Reich war im ganzen Nahen Osten bekannt und wurde beneidet; im wesentlichen gründete er auf den reichlich vorhandenen Ressourcen einer Ware: Gold. In einem Brief an den Hof Amenhoteps III. schrieb der König von Mitanni, Tuschratta: »Ist da im Land meines Bruders nicht Gold wie Staub auf dem Boden?«

In Wirklichkeit kam in der 18. Dynastie das Gold der Pharaonen nicht aus Ägypten selbst, sondern aus den eroberten und annektierten Territorien Nubiens. Die goldhaltigen Felsen und alluvialen Ablagerungen von Wawat (Unternubien) und Kusch (Obernubien) belieferten den ägyptischen Staatsschatz mit der Hauptwährung für Auslandshandel und die Handwerker in den königlichen Werkstätten mit dem Material zur Her-

Kalksteinschale des Huy aus Abusir, späte 18. Dynastie. Der Vizekönig von Kusch unter Tutenchamun kniet vor der Opferschale, die Hände auf dem Rand. Der Gegenstand erfüllt so einen symbolischen wie praktischen Zweck, er stellt Huys Frömmigkeit gegenüber den Göttern dar.

stellung glänzender Objekte für Palast und Grab des Königs. Zugang zu Gold war der Hauptgrund für Ägyptens Interesse an Nubien. Die Sicherstellung regelmäßiger Versorgung lag auf den Schultern des ägyptischen Gouverneurs, des ›Königssohnes‹ (Vizekönigs) von Kusch.

Huy, Vizekönig von Kusch unter der Herrschaft Tutenchamuns, war so der letztlich verantwortliche Mann für die Herstellung des königlichen Goldschatzes. Amenhotep-Huy (so mit vollem Namen) sicherte durch seine Heirat mit der Dame Taemwadjsi eine engere Verbindung zum Königshof, denn sie war eine Bekannte von Amenhoteps III. Schwiegereltern, Juja und Tuja. Während der unruhigen Herrschaft Echnatons und deren unmittelbaren Nachwirkungen sind Huys Umstände nicht bekannt. Vielleicht hielt er sich einfach bedeckt und wartete und hoffte auf bessere Zeiten. Diese kamen mit der Thronbesteigung Tutenchamuns, als Taemwadjsi zur Vorsteherin des neuen Haremspalastes des Königs berufen wurde, während ihr Gatte Huy die Traumstellung des Vizekönigs von Kusch einnehmen konnte.

Die offizielle Bestallung fand im Königspalast in Gegenwart des Kindkönigs selbst statt. Nachdem die Höflinge Tutenchamun auf den Stufen des Thronbaldachins ihre Ehrerbietung bezeugt hatten, wurde Huys Berufung vorgelesen, nicht vom König, sondern – infolge von dessen Jugend – vom Vorsteher des Staatsschatzes. Die Proklamation war kurz und sachlich: »So spricht Pharao: übertragen wird dir von Nechen bis Nesut-taui«, was Huys Gerichtsbarkeit über ein gewaltiges Territorium bestätigte, das

Gemalte Szene aus dem Grab Huys in Theben, späte 18. Dynastie. Als Vizekönig von Nubien war Huy für die Eintreibung der Reichtümer in dem Reich im Süden Ägyptens verantwortlich, um die königliche Schatzkammer zu bestücken. Hier erweist eine Reihe nubischer Häuptlinge, mit Federn im Haar, dem König die Ehre.

sich von Hierakonpolis in Oberägypten bis Napata in Obernubien erstreckte. Huy antwortete seinerseits: »Möge Amun, Herr von Nesuttaui, handeln gemäß alledem, was du befohlen hast, o Höchster, mein Herr.« Darauf empfing er die Insignien seines neuen Amtes, eine aufgerollte Schärpe und einen goldenen Siegelring. Als er den Palast verließ, ein Blumenbouquet in jeder Hand, wurde Huy von den Beamten seines neuen Bereichs willkommen geheißen. Vor ihm marschierten die Matrosen des Vizekönigs, ihnen voran wieder schritt ihr Oberstandartenträger. Die ganze fröhliche Prozession wurde von einem Lautenspieler und anderen Musikanten begleitet, während Huys Diener und Zuschauer Segenswünsche ausriefen.

Huys erste Handlung als Vizekönig bestand darin, im Amun-Tempel für seine Bestallung Dank zu sagen, wo er Myrrheopfer darbrachte. Erst nach Ausführung dieses feierlichen Aktes legte er seine Zeremonienrobe, goldene Armspangen und goldene Halskette an, die seinen neuen Status als ›Fürst, großer Höfling, bedeutend in seinem hohen Amt, groß in seiner Würde, treuer Schreiber des Königs, seines geliebten, Amenhotep‹ kundtat. Seine ganze Familie war anwesend, um den Augenblick zu erleben, eingeschlossen seine vier Söhne, seine Mutter Wenher, seine Schwester Gu und andere weibliche Verwandte, denen sich für den Anlass Angehörige aus Huys Hauswesen, Freunde und Nachbarn angeschlossen hatten.

Nach Ende der Feierlichkeiten war es für Huy an der Zeit, mit seinen amtlichen Aufgaben zu beginnen. Er reiste von der Königsresidenz auf

Gemalte Szene aus dem Grab Huys in Theben, späte 18. Dynastie. Eine nubische Prinzessin in ihrem Wagen wird vor den ägyptischen König geleitet.

dem Fluss nach Nubien, an Bord des prächtigen Schiffs des Vizekönigs. Seine geliebten Pferde hatten ihren eigenen Stall, während Huy den Vorzug einer von einem breiten Sonnensegel beschatteten Kabine genoss. Als das Boot in Faras (äg. Sehetepnetjeru) ankam, dem ägyptischen Regierungssitz in Nubien, wurde Huy von lokalen Würdenträgern begrüßt, die symbolische Gaben an Lebensmitteln und Säcke voll Gold mitbrachten. Doch das Hauptinteresse des Vizekönigs wird dem ersten Treffen mit dem gesamten Team seiner Beamten gegolten haben: den Abgeordneten von Wawat und Kusch; dem Bürgermeister von Soleb (äg. Chemmaat); dem Vorsteher des Viehs; dem Kommandeur der Festung von Faras; dem Bürgermeister von Faras; und dem Hohenpriester, Zweiten Propheten sowie den *Wah*-Priestern [rangniedere Priester; A. d. Ü.] des örtlichen Kults des vergöttlichten Tutenchamun.

Natürlich bestand Huys Hauptaufgabe darin, die Ausbeutung von Nubiens wirtschaftlichen Ressourcen, Vieh und Gold, durch Ägypten zu beaufsichtigen. Die Bedeutung der letzteren spiegelte sich in seinen Titeln Vorsteher der Goldländer Amuns und Vorsteher der Goldländer des Herrn der Beiden Länder. Bei regelmäßigen Gelegenheiten inspizierte Huy das für den königlichen Staatsschatz bestimmte Einkommen. Auf einem einfachen Stuhl sitzend, sein Amtsszepter haltend, sah er zu, wie Goldringe und Säcke mit Goldstaub hereingebracht, gewogen und gezählt wurden. Von Faras wurden regelmäßige Schiffsladungen mit Gold, Mineralien, Vieh und exotischen Gütern abgesandt, und Huy war für die Inspizierung der Transportschiffe verantwortlich, um sicherzustellen, dass sie für die lange Flussreise in gutem Zustand waren. Zweifellos konnte er es sich nicht leisten, dass eine kostbare Fracht unterwegs unterging. Ebenso hatte er zu garantieren, dass die Festung von Faras selbst, Ägyptens Machtbasis im annektierten Nubien, regelmäßig mit allem notwendigen Nachschub an Erzeugnissen und Produkten, einschließlich Ochsen, Pferden, Affen, Ziegen und Gänsen, versorgt wurde.

Der Höhepunkt seiner dienstlichen Pflichten war die offizielle Präsentation der nubischen Produkte vor dem König. Die umfassenden Szenen in Huys Grab zu Theben, die das Ereignis festhielten, gleich ob direkt oder vorgestellt, bilden zweifellos ein prächtiges Schauspiel. Huy erschien in all seinem Putz, hielt das Szepter der vizeköniglichen Autorität und schwenkte eine Straußenfeder, um seinen höfischen Status als ›Fächerträger zur Rechten des Königs‹ kundzutun. Opferträger paradierten vor dem auf dem Thron sitzenden Monarchen mit roten und grünen Mineralien, Elfenbeinzähnen, Ebenholzstämmen, Schilden, Möbeln und dem allerwichtigsten Gut von allen in Form eines goldenen Modell-Streitwagens, goldener Ringe, Säcken von Goldstaub und kunstvollem goldenem Tischdekor. Am Ende der Zeremonie trat Huy aus dem Palast, nachdem er seine hoch angemessene Belohnung erhalten hatte: »Gold an Hals und Armen, immer wieder, außerordentlich viele Male.«

62 | TUTENCHAMUN
DER KINDKÖNIG

Bemalte hölzerne Halbfigur
Tutenchamuns, aus seinem Grab
im Tal der Könige, späte 18.
Dynastie. Der Zweck dieser
lebensgroßen Statue ist unbekannt. Die goldene Farbe der
Krone bedeutet, dass Tutenchamun in einen Gott verwandelt
wurde.

Er kam als Kind auf den Thron, starb an der Schwelle zum Erwachsenenalter und übte nie Kontrolle über sein Reich aus; doch seine verschwenderische Grabstätte wurde zum Synonym der Macht der Pharaonen. Seine Monumente wurden von den Nachfolgern systematisch wider-
rechtlich mit Beschlag belegt, er wurde von späteren Chronisten aus der
Geschichte herausretuschiert, und an Ereignissen aus seiner Regierungszeit ist wenig bekannt. Doch ohne Zweifel ist er der berühmteste König
des alten Ägypten. Seine Herkunft und Persönlichkeit bleiben im Dunkeln, doch sein Gesicht ist ein Emblem, Millionen in aller Welt
bekannt. Das sind gerade einige der Paradoxa, die den Kindkönig Tutenchamun umgeben; wie Howard Carter bemerkte:
»Das Geheimnis seines Lebens entzieht sich uns noch immer.«
Die Entdeckung seines Grabes 1922 rief eine Sensation hervor
und löste allgemeine Faszination für das alte Ägypten aus, die
nie nachgelassen hat. Die ›wunderbaren Dinge‹, mit denen
Tutenchamun bestattet wurde, flößen weiterhin Ehrfurcht ein
und ziehen in den Bann. Doch was ist mit dem König selbst,
dem Kind hinter der goldenen Maske?

Seine Abkunft ist nirgends zu fassen. Der beste Schlüssel ist eine
Inschrift auf einem Block in (Tell el-) Amarna (äg. Achetaton), der wiederverwendet in Hermopolis gefunden wurde. Er trägt die Worte ›der
Königssohn von seinem Leib, seinem geliebten, Tutenchamun‹. Das legt
stark nahe, dass Tutenchamun Echnatons Sohn war, wahrscheinlich von
einer Zweitfrau namens Kija. Gewiss ist der Name, der dem Kind gegeben wurde, ›lebendiges Bild Atons‹ (Tutanchaton), so religiös, wie man
es vom Begründer des Atonkultes erwarten würde. Als Königssohn
wird Tutenchamun in Amarna aufgewachsen sein, wahrscheinlich im
Nordpalast, der als Anwesen der Königsfrauen und -kinder gedient zu
haben scheint. Seltsamerweise gibt es keine erhaltenen Bilder des Kna-
ben aus Amarna; diese Unsichtbarkeit, was die offiziellen Zeugnisse
betrifft, zusammen mit Kijas plötzlichem Sturz in Ungnade und »Ver-
schwinden« in ähnlicher Weise, ist vielleicht Nofretete zuzuschreiben.
Als Mutter der Töchter des Königs und ehrgeizige, eigenständige Frau
dürfte sie die Geburt eines Sohnes und Erben von einer anderen Frau
kaum begrüßt haben.

Die beiden konkurrierenden Linien verbanden sich, als Echnatons
Sohn von seiner Zweitfrau seine Tochter von Nofretete heiratete.
Tutenchamuns Verbindung mit Anchesenpaaton (Nr. 63) muss seinen
Anspruch auf den Thron außerordentlich gestärkt haben, nicht zuletzt
weil seine Frau im Anschluss an den Aufstieg der einen älteren
Schwester und dem vorzeitigen Tod der anderen Thronanwärterin
geworden war. Doch die Nachfolge auf den Thron, als sie bei Echna-

tons Tod spruchreif wurde, war alles andere als unkompliziert. Erst nachdem einer oder zwei Bewerber gekommen und gegangen waren, konnte Tutenchamun sein Erbe beanspruchen.

Der Hof hatte seinen Sitz weiterhin in Amarna, doch die Sandmassen verschoben sich schnell und der Atonkult stand davor, fortgeräumt zu werden. Die in der Reihe nach Tutenchamuns Erhebung zur Königsherrschaft folgten, waren ältere, erfahrene Männer: der ›Vater Gottes‹ Eje (Nr. 65) und der Militärbefehlshaber Haremhab (Nr.66). Sie machten sich klar, dass die Restauration der alten Kulte und Gewissheiten die einzige Option waren: Echnatons Reformen waren im Lande insgesamt einfach zu unpopulär, um sie nach seinem Tode aufrechtzuerhalten. Der Umschwung der Politik kam schnell. In seinem zweiten Jahr als König änderte Tutanchaton seinen Namen in Tutenchamun und signalisierte damit die Wiedereinsetzung Amuns als oberster Staatsgott und die Herabstufung Atons. Gleichzeitig wurde die Königsresidenz zurück nach Theben verlegt, Amarna aufgegeben. Zur Markierung dieses entschiedenen Bruchs mit der Häresie des Atonismus erließ Tutenchamun ein offizielles Dekret aus der Hauptstadt Memphis. Es legte die Wiederherstellung der alten Gottheiten, die Wiedereröffnung und die Neuerrichtung ihrer Tempel, die Wiedereinsetzung der lokalen Priesterschaften und die Weihung neuer Kultstatuen fest. Tutenchamun pries sich selbst als den, der ›Wohltaten für seinen Vater und alle Götter stiftet…, indem er wiederherstellte, was zerstört wurde…, und die Unordnung überall aus den Beiden Ländern vertrieb‹. Außerdem legte sich der König einen neuen Titel zu, ›Wiederholer der Geburten‹, und machte damit ganz deutlich, dass er der Initiator eines neuen Zeitalters war.

Unverzüglich begann man mit der Wiedererrichtung und Verschönerung der bedeutenden Staatstempel. In Karnak wurden die Atontempel niedergerissen und der von Echnatons Gefolgsleuten angerichtete Schaden beseitigt. Der Verzierung des Dritten Pylonen wurde eine Figur Tutenchamuns hinzugefügt, um auf ewig seine entschlossene Rolle zu dokumentieren. In Memphis weihte der König einen neuen Tempel (›das Haus von Nebcheperure‹) und setzte mit der Begräbniszeremonie für den Apis-Stier ein Zeichen für die Wiederherstellung traditioneller Gepflogenheiten. Im fernen Nubien wurden in Kawa (äg. Gempaaton) und Faras Tempel gebaut, in Soleb Restaurierungsarbeiten an Amenhoteps III. Tempel ausgeführt. Besonders engagiert war Tutenchamun – oder vielmehr die Leute hinter ihm – darin, sich mit dem goldenen Zeitalter seines Großvaters in Verbindung zu bringen, der jetzt als letzter legitimer König vor der Häresie galt. Also wurde einem der größten Denkmäler Amenhoteps III., dem Tempel von Luxor, vor dem Peristylvorhof ein neuer Prozessions-Säulengang angefügt; dessen Wände wurden mit Szenen vom Opet-Fest geschmückt, einem der heiligsten Ereignisse aus Thebens religiösem Kalender.

Natürlich ging mit der Restauration der alten Religion der Wiederaufschwung der althergebrachten Glaubensvorstellungen zu einem Leben nach dem Tode einher. Diese verlangten von Tutenchamun, eigene Vorsorge für sein Begräbnis und den Totenkult zu treffen. Anscheinend hat er in Theben-West mit einem Totentempel angefangen, nicht weit von dem seines Großvaters, und mit einem Königsgrab im westlichen Ausläufer des Tals der Könige, ähnlich dicht bei Amenhoteps III. Grabstätte. Doch vereitelten dramatische Ereignisse diese Pläne.

Gerade als er die Volljährigkeit erreichte, starb Tutenchamun vorzeitig im Alter von etwa neunzehn oder zwanzig Jahren – ob aus natürlichen Gründen oder durch ein Gewaltverbrechen, bleibt Anlass für eine reizvolle Spekulation (obwohl seine Mumie keinerlei Gewaltspuren zeigt). Denn natürlich konnten die Kräfte hinter dem Thron nicht begeistert sein – angesichts der Aussicht, der König, ihre Marionette, werde selbständig regieren, also vielleicht die eingeleitete Politik umkehren und sie selbst ihrer Ämter entheben. Zweifellos war der Hauptnutznießer an Tutenchamuns vorzeitigem Tod Eje. Wie die Umstände auch waren, mit den Begräbnismaßnahmen hatte man unübliche Eile. Ein kleines unkönigliches Grab auf der Sohle des Hauptabschnitts im Tal der Könige wurde unter Druck als königliche Ruhestätte in Dienst genommen. Verschiedene Grabbeigaben waren wiederverwendet oder für Tutenchamuns Begräbnis angepasst worden. Sogar der Sarkophag des Königs stammte aus zweiter Hand und war vermutlich ursprünglich für eines der Königsbegräbnisse in Amarna hergestellt worden; ein neuer Deckel wurde gefunden, der auf den Kasten passte, und obwohl er aus andersartigem Stein gefertigt war, aus Granit statt aus Quarzit, musste er genügen.

Nordwand der Grabkammer Tutenchamuns im Tal der Könige, späte 18. Dynastie. Rechts ist Tutenchamuns Nachfolger, Eje, bei der Zeremonie der ›Mundöffnung‹ dargestellt, womit er dem toten König das ewige Leben garantiert und seine eigene Nachfolge als Erbe besiegelt.

Tutenchamun wurde bei Frühlingsanfang zur Ruhe gebettet. Nicht bald danach brachen Grabräuber das Grab auf, doch es wurde wieder versiegelt, der größte Teil des Inhalts blieb intakt. Später von Abraum eines anderen Königsgrabes bedeckt, war es für über 3000 Jahre verloren und vergessen, auch Tutenchamun dem Vergessen anheimgegeben: Trotz seiner Restaurierung der alten Verhältnisse war er zu eng mit dem ›Feind aus Achetaton‹ verbunden, um als legitimer Pharao gezählt zu werden, und so wurde sein Name absichtlich aus den Königslisten getilgt.

Doch gegen alle Chancen erlangte der verletzliche, manipulierte Kindkönig Wiedergutmachung: Die Entdeckung seines Grabes und seines fantastischen Inhalts holten ihn ins Leben zurück und ließen seinen Namen wieder lebendig werden – um mehr als alle anderen Pharaonen gefeiert zu werden.

LINKS:
Kalksteinkopf Tutenchamuns mit der Blauen Krone, späte 18. Dynastie. Die viel größere Hand, die auf des Königs Krone ruht, gehörte wahrscheinlich zu einer Figur des Gottes Amun, des Staatsgottes Ägyptens, dessen Kult Tutenchamun unter seiner Herrschaft zu Beginn wiederherstellte.

RECHTS:
Goldene Totenmaske Tutenchamuns aus seinem Grab im Tal der Könige, späte 18. Dynastie. Dieses legendäre Stück aus gehämmertem Gold, eingelegt mit Glas und Halbedelsteinen, wurde zum Symbol des Reichtums Ägyptens und seiner Pharaonen.

63 | ANCHESENAMUN
TUTENCHAMUNS KINDERBRAUT

Echnatons Religion war im Wesentlichen ein Kult der Königsfamilie, in dem der König, seine Gemahlin und ihre drei ältesten Töchter die führenden Rollen spielten. Obwohl der König und Nofretete herausragten und mit dem himmlischen Aton eine Triade bildeten, waren die Töchter für das Bild einer ›heiligen Familie‹, das der König zu entwerfen wünschte, keinesfalls weniger wichtig. Insofern war Anchesenpaaton, die dritte Tochter Echnatons und Nofretetes, vom Moment ihrer Geburt an ein öffentliches Gut, das vom königlichen Hof für seine Ziele benutzt wurde. Ihr besonderes Schicksal lag darin, dass sie für den Rest ihres Lebens das Spielzeug mächtigerer Personen bleiben sollte.

Anchesenpaaton (›sie lebt für Aton‹) wurde im oder um das fünfte Thronjahr ihres Vaters geboren. Soll man der offiziellen Propaganda glauben, standen Vater, Mutter und Töchter in enger, liebevoller Beziehung zueinander. Eine für den privaten Kult genutzte Stele zeigt den König und die Königin, die sich gegenübersitzen und einander ansehen, wobei die drei Töchter um sie her spielen. Anchesenpaaton spielt an der Schulter ihrer Mutter mit einer der Uräus-Schmuckfiguren, die an ihrer Krone herabhängen, wie jedes kleine Kind es täte. Doch dies war keine gewöhnliche Familie.

Als sie gerade acht Jahre alt war, starb Anchesenpaatons Vater, und ihrer Leben verkehrte sich in Unruhe. Da ihre älteste Schwester, Meritaton, in die Rolle der Großen Königlichen Gemahlin erhoben worden und ihre andere Schwester Meketaton einige Jahre zuvor bei der Niederkunft gestorben war, sah sich Anchesenpaaton in der Position der gesetzlichen Erbin. Nach ein paar Jahren der Ungewissheit darüber, welche Partei sich behaupten würde, ging der Thron nicht auf Anchesenpaaton selbst, sondern auf ihren Gatten und Halbbruder Tutanchaton über. Er war nicht älter als neun oder zehn und nicht in der Lage, Politik zu diktieren. Das junge Paar fand sich als bloße Marionetten in der Hand älterer, erfahrener Entscheidungspersonen. Die Anhänger der alten Religion sahen in Tutanchaton und seiner jungen Braut den perfekten Deckmantel dafür, den Atonismus schnell aufzugeben. Zum Zeichen dieses entschlossenen Bruchs mit der Aton-Häresie änderten Tutanchaton und seine Gemahlin ihre Namen: Der Bestandteil ›Aton‹ wurde durch die Bezeichnug des alten Staatsgottes, Amun, ersetzt. So wurde aus Tutanchaton jetzt Tutenchamun (Nr. 62), aus Anchesenpaaton entsprechend Anchesenamun.

Trotz der Umstände ihrer Verbindung scheinen sie wirkliche Zuneigung zueinander empfunden zu haben. Doch sollte ihr Eheleben von tragischen Schicksalsschlägen getroffen werden. Ihre Versuche, eine Familie zu gründen, wurden zunichte, als zwei Töchter nacheinander im Mutterleib starben beziehungsweise tot geboren wurden (im sechsten Monat bzw. im achten Monat). Trotz dieser traurigen Ereignisse in ihrem Familienleben

LINKS:
Elfenbeinfurnierter Deckel eines Kästchens aus dem Grab Tutenchamuns, späte 18. Dynastie. Diese berührende Szene zeigt den Kindkönig mit seiner jungen Gemahlin Anchesenamun (rechts) in einem Gartenambiente. Anchesenamun beschenkt ihren Gatten mit Blumensträußen. Auf Tutenchamuns Krankheit verweist der Stock, auf den er sich stützt.

UNTEN:
Gläserner Fingerring mit den paarig eingearbeiteten Kartuschen (Namensbändern) von Anchesenamun und Eje, späte 18. Dynastie. Dieses Stück weist darauf hin, dass nach dem Tode Tutenchamuns seine junge Witwe Anchesenamun ihren älteren Verwandten Eje heiratete (vielleicht unter Zwang), der damit seinen Anspruch auf den Thron stärken wollte.

hatten Anchesenamun und ihr Gatte auch relativ ungetrübte Zeiten miteinander. Eine Reihe von achtzehn Szenen auf dem kleinen goldenen Schrein aus Tutenchamuns Grab zeigt das Paar in intimen Augenblicken. Als Tutenchamun auf der Jagd war, soll Anchesenamun ihm Pfeile angereicht haben. Bei anderen Gelegenheiten hat sie ihm vielleicht eine Kette um den Hals gelegt, seinen Arm gestützt oder für ihn Sistrum gespielt. Er erwiderte diese Zuneigung, indem er Flüssigkeit in die hohlen Hände seiner Frau goss oder sie zärtlich begrüßte, wenn sie zu ihm in seinen Gartenpavillon kam.

Doch sollte diese Gesellschaft nicht von Dauer sein. Tutenchamun starb tragisch jung, gerade als er und seine Gemahlin das Erwachsenenalter erreichten. Anchesenamun wurde vor ihrem zwanzigsten Geburtstag Witwe. Vielleicht war sie verzweifelt genug, um an den Hethiterkönig Schuppiluliuma zu schreiben und ihn zu bitten, ihr einen von seinen Söhnen zum Heiraten zu schicken. Die Alternative kannte sie anscheinend nur zu gut: Die Ringeinfassung mit den verbundenen Namen Anchesenamun und dem ›Vater Gottes‹ Eje scheint darauf hinzudeuten, dass Letzterer seinen Anspruch auf den Thron dadurch stützte, dass er die Witwe seines Vorgängers zur eigenen Gattin nahm. Der Umstand, dass Eje möglicherweise Anchesenpaatons Großvater und zweifellos einige Jahrzehnte älter als sie war, sollte seinen Ambitionen nicht im Wege stehen. Für Anchesenamun muss diese Wendung der Ereignisse den Schmerz über den Verlust ihres jungen Gatten verschlimmert haben. Was aus ihr wurde, ist jedoch nicht bekannt. Der Ring, der ihre Verbindung mit Eje zeigt, ist das letzte Zeugnis von Anchesenamun. Danach verschwindet sie aus der Geschichte: ein entwürdigendes Ende für ein Leben, das nie ihr eigenes war.

64 | MAJA
KÖNIGLICHER SCHATZMEISTER

»Mein Gott, es ist Maja!« Diese unsterblichen Worte, die um die Welt geschickt wurden, stieß ein niederländischer Archäologe am 8. Februar 1986 aus, als er in die verborgene, geheime Kammer eines Grabes in Sakkara stolperte und einer Inschrift ansichtig wurde, die seinen Inhaber benannte. Sie vermitteln die Erregung, welche die Wiederentdeckung der verlorenen Grabstätte Majas hervorrief, eines der bedeutendsten Beamten der späten 18. Dynastie. Nicht nur war Maja ein Hauptakteur unter der Regierung Tutenchamuns, seine Laufbahn umspannte die gesamte Amarnazeit und die unmittelbare Folgezeit. Seine Geschichte zeigt, wie einige der am engsten mit dem Häretiker-Regime Echnatons verbundenen Personen in unziemlicher Hast die Seiten wechselten, um ihre eigene Karriere zu retten.

Maja kam nicht aus einer besonders hoch stehenden Familie. Sein Vater,

Sitzstatue (Kalkstein) Majas aus
seinem Grab in Sakkara, späte
18. Dynastie. In seiner langen
Perücke und dem Faltenrock trägt
Maja die selbstzufriedene Miene
eines Beamten auf der Höhe seiner Laufbahn. Die sensible Form-
gestaltung macht diese Statue zu
einem der Meisterstücke der
Privatskulptur der 18. Dynastie.

Sitzstatue (Kalkstein) der Merit
aus dem Grab ihres Gatten Maja,
späte 18. Dynastie. Sie hält ein
Menat vor die Brust, das ihre
Rolle als Sängerin im Amun-Tempel verdeutlicht. (*Menat*, eigent-
lich auch ein Name der Hathor, ist
hier die Rassel in Gestalt ihrer
Trägerin; A. d. Ü.)

Iuy, war nur ›Beamter‹, während seine Mutter Weret Sängerin und Musi-
kerin beim Amun- und beim Hathorkult war – einfache Teilzeitrollen für
die Frauen der Bürokraten des Neuen Reiches. Weret scheint gestorben
zu sein, als Maja noch jung war; die Mutterrolle in der Familie wurde von
Iuys zweiter Frau Henutiunu übernommen. Augenscheinlich schmiedete
sie starke Bande zu ihrem Stiefsohn, denn er gab ihr einen prominenten
Platz im Dekorationsplan seines Grabes. Drei weitere Jungen, Nahuher,
Nacht und Parennefet, machten die Familie vollständig. Einige oder alle
waren vielleicht Iuys Söhne von seiner neuen Frau und daher Majas Halb-
brüder.

Ob infolge Talents oder durch Glück, Maja wuchs in enger Nachbarschaft zum Hof Amenhoteps III. (Nr. 52) auf. Im späteren Leben brüstete er sich ›der Gegenwart des Königs, die mir gewährt wurde, seit ich Kind
war‹. Unter Amenhoteps Nachfolger Echnaton empfing Maja die Beförderung zu seinem ersten bedeutenden Staatsamt. Tatsächlich scheint sein
Aufstieg rasch gewesen zu sein. In der Mitte von Echnatons Herrschaft
hatte er schon eine Menge wichtiger Würden und Rollen gesammelt: teu-
rer, geliebter Schreiber des Königs, Fächerträger zur Rechten des Königs
und Vorsteher Aller Werke des Königs. Sein hauptsächliches Amt war
jedoch ein militärisches, Vorsteher der Armee des Herrn Beider Länder.
Das muss ihn in engen Kontakt zu einem weiteren hochstrebenden
Armeeoffizier, Haremhab (Nr. 66), gebracht haben. Die Laufbahnen beider Männer sollten miteinander verflochten bleiben. Wie andere bedeutende Höflinge begann Maja mit einem Grab für sich selbst, das in einen
Felshang in Amarna (äg. Achetaton) gehauen wurde. Er dürfte, als Ech-

Mit Tinte in kursiven Hieroglyphen geschriebene Inschrift aus dem Grab Thutmosis' IV. im Tal der Könige. Der Text, vielleicht in Majas eigener Handschrift, hält die Inspizierung des Grabes und die Neubestattung seiner könig-lichen Besitzer fest, die Maja unter der Herrschaft Haremhabs durchführte, späte 18. Dynastie.

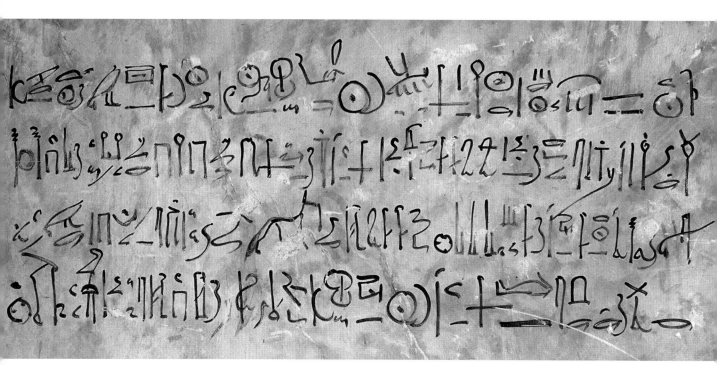

naton nach siebzehn Thronjahren starb, so schockiert gewesen sein wie der Rest der Regierung, und seine ganze Revolution geriet ins Stocken.

Maja beschloss eine Rückwendung zur Orthodoxie. Ab jetzt war er mit einer Frau namens Merit (›geliebt‹) verheiratet und zweifellos seines Reichtums und Status weiterhin versichert, wenn er die von seinen alten Kollegen Eje (Nr. 65) und Haremhab (Nr. 66) angeführte Gegenrevolution unterstützte. Letzterer hatte nach Echnatons Ableben rasch gehandelt, um die Kontrolle der Armee zu übernehmen, insofern konzentrierte Maja sich auf zivile Angelegenheiten; vielleicht teilten die beiden Männer einfach die Macht untereinander auf. Maja behielt seine frühere Rolle als Vorsteher der Arbeiten und übernahm die Verantwortung für Tutenchamuns königliche Bauprojekte im Tal der Könige, wozu vielleicht die Umbestattung Echnatons und von Mitgliedern seiner Familie in ein Grab zu Theben gehörte. In Karnak beaufsichtigte Maja die Arbeiten an der Sphingen-Allee, die zum Komplex der Mut in der Hypostylhalle und zum Zweiten, Neunten und Zehnten Pylonen führte. Zur Beschleunigung der Arbeiten befahl er den Abriss von Echnatons Aton-Tempel in Karnak und verwandte die Blöcke als Füllung für Tutenchamuns eigene Bauten – eine vollständige Zurückweisung des alten Regimes und allem, was es repräsentierte. Gleichzeitig ordnete er wohl an, dass die Szenen und Texte in seinem unvollendeten Grab in Achetaton sorgfältig entfernt und mit Tünche überdeckt würden, um jedes Zeugnis für seine Verwicklung in Echnatons Regierung auszumerzen.

Majas Enthusiasmus für die Wiederherstellung der alten Ordnung erstreckte sich auch auf ökonomische Angelegenheiten. Als Vorsteher des Staatsschatzes unter Tutenchamun leitete er eine für ganz Ägypten vom Ersten Katarakt bis ins Delta zuständige königliche Kommission zur Erhebung von Steuern und zur Wiederherstellung von Kulten – Ersteres war vielleicht die notwendige Voraussetzung für das Zweite. Für seine loyalen Dienste wurde er mit dem ›Ehrengold‹ sowie mit Kriegsgefangenen belohnt, die von Asienfeldzügen heimgebracht worden waren. Er genoss direkten Zugang zum Palast und wurde mit Epitheta verherrlicht, die üblicherweise den Königen vorbehalten waren: ›der die Beiden Länder befriedet‹, ›der das Land vermittels (seiner) Pläne vereint‹. Mehr noch, die Ausschmückung von Majas Grab in Memphis, begonnen auf der Höhe seiner Macht, erinnert mit Reliefs in monochromem Goldgelb, der Farbe der Wiederauferstehung, an eine königliche Grabstatt. Mit Eje und Haremhab gehörte Maja zu dem Triumvirat mächtiger Männer hinter dem Thron des Kindkönigs.

Als Tutenchamun vorzeitig starb, war Maja für die eilige Vorbereitung des königlichen Grabes und seines Inhalts zuständig. Um die eigene Unsterblichkeit sicherzustellen, ließ er seinen Namen und seine Titel auf zwei für die Grabbeigaben des Königs bestimmten Objekten inschriftlich unterbringen. Später sollte er Tutenchamuns Grab, nachdem Räuber eingedrungen waren, wieder versiegeln und den Beginn der Arbeiten an einem königlichen Grab für seinen langjährigen Kollegen Haremhab beaufsichtigen. Die beiden Männer kamen augenscheinlich weiter gut miteinander aus, da Maja seine ranghohen Posten behielt, sogar nachdem Haremhab die Königswürde erlangt hatte. Eine der letzten Handlungen Majas als Vorsteher der Arbeiten war die Ausführung der Wiederbestattung König Thutmosis' IV.; eine Inschrift im Grab, die an die Maßnahme erinnert, ist dort vielleicht sogar in Majas eigener Handschrift vorhanden.

Gerade ein Jahr später starb er, wahrscheinlich Ende fünfzig. Seine jungen Töchter, welche die anrührenden Namen Maja-menti (›Maja bleibt‹) und Tjau-en-Maja (›Atem Majas‹) bekamen, wurden von einem anderen Paar aus Memphis, Dehuti und Tui, adoptiert. Trotz Majas glücklicher Heirat hatten er und seine Frau Merit keine überlebenden Söhne. So fiel es Majas jüngerem Halbbruder Nahuher zu, als Erbe zu handeln und das Begräbnis des Paares in seinem verschwenderischen Grab auf dem Plateau von Sakkara zu beaufsichtigen – wo es auf seine Wiederentdeckung 3300 Jahre später wartete.

65 | EJE
DER GROSSE ÜBERLEBENDE

Eje wurde in einer mächtigen Familie in der Provinz, im Gebiet von Achmim in Mittelägypten, geboren. Wahrscheinlich war er ein Sohn von Juja und Tuja. Trifft das zu, beförderte die Heirat seiner Schwester Teje mit Amenhotep III. Eje in den innersten Kreis bei Hofe und verschaffte ihm besonderen Zugang zur letzten Quelle der Autorität, dem König. Ob durch Zufall oder Planung, Eje hatte auch das Glück, in seinem Hauswesen als Säugling und Schutzbefohlene seiner Frau Ti ein Mädchen zu haben, das zu bisher unvergleichlicher Macht bestimmt war: Nofretete. Nunmehr war sie erwachsen und verheiratet, und ihr Gemahl hatte als Amenhotep IV. / Echnaton den Thron bestiegen; daher sah sich Eje konkurrenzlosen Verbindungen gegenüber. Er war sowohl Pflegevater der Großen Königlichen Gemahlin als wahrscheinlich auch Onkel des Königs. Seine Position nutzte er voll aus und stieg schnell in eine prominente Stellung im innersten Führungskreis um Echnaton auf. Ejes militärische Ämter umfassten den Vorsteher Aller Pferde Seiner Majestät sowie den Kommandeur der Streitwageneinheit, während sein Status bei Hofe in den Titeln Fächerträger zur Rechten des Königs und königlicher Schreiber (Privatsekretär des Königs) zum Ausdruck kam. Ti ihrerseits wurde gepriesen als ›Hochbegnadete Waenres (Echnaton), der des Königs Große Gemahlin gnädig gesonnen war‹.

Erfolg und Status unter Echnaton hingen, plumper als je zuvor, von der persönlichen Gunst des Königs ab. Absolute Loyalität zum Königspaar war die Vorbedingung; ebenso wurde von den hohen Beamten des Königs

Kalksteinkopf eines älteren Mannes aus Asfun, späte 18. Dynastie. Die Kalotte wurde nur knapp ausgeformt, damit für die königliche Uräus-Schlange an der Stirn Platz war. Das weist darauf hin, dass die abgebildete Gestalt die Umwandlung vom gewöhnlichen Bürger zum König durchgemacht hat. Daher wurde sie plausibel als Eje identifiziert.

öffentliche Verehrung der neuen Religion erwartet, und Eje wusste sehr gut, was er zu tun hatte, um seine Position bei Hofe zu erhalten. In seinem Grab, der größten privaten Grabstätte in Amarna, die ihm der König gewährt hatte, verkündete Eje seinen Eifer für die neue religiöse Ordnung, indem er dessen Wände mit der vollständigsten Fassung des *Großen Hymnus auf Aton* bedeckte, dem definitiven Ausdruck von Echnatons Doktrin. Überdies verwies Eje bewusst auf sich selbst als ›jemand, der dem König lauscht und seinen Lehren folgt‹. Seine Belohnung entsprach solch reicher Zurschaustellung der Ergebenheit: das Ehrengold, verliehen vom König, und andere Auszeichnungen, darunter ein Paar roter lederner Reithandschuhe – das perfekte Geschenk für einen leidenschaftlichen Reiter.

Eje muss erwartet haben, seine Laufbahn und seine Tage in Amarna zu beenden, bequem in seiner Position als rechte Hand des Königs. Doch der vorzeitige Tod Echnatons veränderte alles. Der mysteriöse, vorübergehende Nachfolger Semenchkare besaß nichts von Echnatons persönlicher Autorität noch, scheint es, denselben extremen Enthusiasmus für seine Religionsreformen. Die dereinst mächtige Amun-Priesterschaft, die ohne viel Federlesens von Echnatons Gefolgsleuten aus ihren Tempeln vertrieben worden war, war entschlossen, die Gelegenheit zu ergreifen, um sich wieder zur Geltung zu bringen und Ägypten zur Orthodoxie zurückzuführen. Die allgemeine Bevölkerung war vielleicht auch der Exzesse Echnatons überdrüssig geworden, während die Armee ihrerseits pragmatisch genug war zu sehen, dass das Blatt sich wendete. In einer offenkundigen, jedoch brillanten Kehrtwendung wandte Eje Echnatons Regime den Rücken zu und präsentierte sich stattdessen als Gegenrevolutionär, der die alte Ordnung restaurieren konnte und wollte. Er war clever genug sich klarzumachen, wie nützlich er für Echnatons Widersacher sein konnte: Eine öffentliche Zurückweisung des Königs und all seiner Werke durch den Mann, der ihr größter Verfechter war, hätte einen fatalen Schlag für Echnatons gesamtes Projekt bewirkt.

Als neuer Anfeuerer für die Traditionalisten nutzte Eje seine militärischen Verbindungen, um sicherzustellen, dass der Thron schnell auf den jungen Prinzen Tutenchamun überging, zu jung, um selbständig zu herrschen und total von seinen Beratern abhängig. Nachdem er sich in die Position als Fächerträger Tutenchamuns und ›Vertrauter des Königs über das gesamte Land‹ gebracht hatte, wird Eje maßgeblich an der Preisgabe Echnatons, der Rückverlegung des Hofes nach Theben und der Restauration der alten Religion beteiligt gewesen sein, die durch königliches Dekret verkündet wurden. Doch unwissentlich hatte Eje Kräfte geweckt, die seine eigene Position bedrohten. Es gab jetzt andere, gleichermaßen ehrgeizige Männer, die den König umgaben, Personen, für die Ejes vorbelasteter Hintergrund ein Dorn im Auge war. Noch gefährlicher für Eje, hatten sie doch in der Person Haremhabs eine Galionsfigur, einen Heeresführer, der sich schnell als bedeutende Macht im Lande etablierte, da

er die höchsten militärischen, diplomatischen und administrativen Titel auf sich vereinte.

Tutenchamuns kurze neunjährige Herrschaft muss für Eje eine gleichermaßen erheiternde wie beunruhigende Sache gewesen sein, da er mittels des jungen Königs herrschte, während er beständig im Rücken nach Konkurrenten Ausschau hielt. Als Tutenchamun unerwartet früh starb, musste Eje sich wiederum schnell rühren, um seine Position zu sichern, und das tat er auf die waghalsigste Weise. Gemäß ägyptischem Brauch wurde die Person, welche die Beerdigung des Verstorbenen ausführte, zum legitimen Erben, ob nun eine Blutsverwandtschaft existierte oder nicht. Bei Tutenchamuns Tod gab es keine überlebenden Abkömmlinge, und die königliche Hauptlinie war erloschen. Blieben zwei mögliche Nachfolger, Eje und Haremhab. Letzterer genoss wahrscheinlich den Rückhalt in der Armee, war jedoch vermutlich fort auf einem Feldzug. Im Gegensatz dazu war Eje zur rechten Zeit an der richtigen Stelle, um seinen Zug zu machen. Ein zügiges Begräbnis für Tutenchamun war wesentlich, wenn Eje das Ereignis inszenieren und dabei den Thron für sich selbst erlangen wollte. Das für den Kindkönig vorgesehene Grab war noch nicht fertiggestellt, daher wurde eilends ein kleines, nicht-königliches Grab auf der Sohle des Tals der Könige in Dienst gestellt. Es wurden Grabbeigaben requiriert, und Tutenchamun wurde hastig bestattet. Zudem ließ Eje sich auf den Wänden von Tutenchamuns Grabkammer beim Ritual der ›Mundöffnung‹ des mumifizierten Leichnams des toten Königs darstellen, um seine Legitimation zu betonen. Eine solche Szene

Relief aus dem Grab Ejes in (Tell el-) Amarna, späte 18. Dynastie. Eje und seine Frau, behängt mit Halsketten aus wulstigen Goldscheiben, empfangen für ihren loyalen Dienst vom König Belohnungen. Eje war einer der ergebensten Anhänger Echnatons, machte anschließend jedoch dessen Reformen rückgängig, um die eigene Karriere zu retten.

hatte in der Ausschmückung eines Königsgrabes keine Parallele, doch Ejes Absicht war klar, und er hatte sich ja schon als Meister der Propaganda erwiesen. Genau so, wie er die Wände seines eigenen Grabes in Achetaton dazu benutzt hatte, seine Loyalität zu Echnaton und der Aton-Religion zu verkünden, so nutzte er jetzt die Wände von Tutenchamuns Grab zur Unterstützung seiner eigenen Thronbesteigung.

Mittels einer Kombination aus politischer Klugheit und rohem Ehrgeiz hatte Eje den höchsten Gipfel der ägyptischen Gesellschaft erreicht. Doch sein Triumph war nur von kurzer Dauer: Ein Leben lang hatte er auf den allerhöchsten Preis gewartet und regierte nun gerade drei Jahre lang. Seine Hoffnung auf Begründung seiner eigenen Dynastie wurde auch zunichte, als sein Sohn und Kronprinz, Nachtmin, von Haremhab beiseite geschoben wurde. Um diese Zeit sollte nichts und niemand den Heereskommandanten mehr vom Thron abhalten. Es war dann Haremhab, der von späteren Generationen als erster legitimer König seit Amenhotep III. angesehen wurde; Eje sollte aus der Geschichte ausgemerzt werden.

Zeit seines Lebens konnte Eje sich auf der Spannungslinie zwischen Häresie und Orthodoxie nicht festlegen. Beides hat er zu seinem Vorteil genutzt, doch letzten Endes stand er einem unüberwindlichen Dilemma gegenüber: Seine enge Verbindung zu Echnaton und der Königsfamilie hatten ihm Macht, sogar das Königtum eingebracht, verdammten ihn in den Augen der Nachwelt jedoch auf immer. Die Restauration der alten Religion rettete seine Karriere, besiegelte andererseits sein Schicksal.

TEIL 6 | DAS ÄGYPTISCHE REICH

DIE RAMSES-ZEIT

Das Gefüge des nationalen Lebens war infolge Echnatons verhängnisvoller Revolution in Trümmer zerfallen. Nach dem Ende der Amarnazeit fiel es einem Armeegeneral, Haremhab (Nr. 66) zu, die Ordnung wiederherzustellen. Mit militärischer Präzision stellte er die orthodoxe Religion wieder her, besetzte die demoralisierten Priesterschaften mit erprobten und getreuen Armeekollegen neu und reformierte mittels eines sorgfältigen, durchgreifenden Erlasses die Gesetze. Ohne eigene Erben erwählte er einen anderen Armeeoffizier als Nachfolger. Letzterer bestieg als Ramses I. den Thron, und Könige aus der Ramessiden-Dynastie – die meisten von ihnen trugen ebenfalls den Namen Ramses – herrschten für die nächsten 200 Jahre über Ägypten.

Ihrer Herkunft treu, waren die Ramessiden Soldaten-Pharaonen. Ägyptens Auslandsbesitzungen waren während der Amarnazeit ziemlich vernachlässigt, und jetzt galt es, sich neuen Bedrohungen zu widersetzen, insbesondere dem Hethiterreich. So unternahmen die ersten Könige der 19. Dynastie eine Reihe von Feldzügen, um Ägyptens Kontrolle über den Nahen Osten wieder zu etablieren. Unterstützt wurden sie von Söldnern und anderen Soldaten fremder Herkunft, die in Ägypten gesiedelt und ägyptische Sitten angenommen hatten – Männer wie der General Urhije (Nr. 68) und sein Sohn Jupa (Nr. 69). Tatsächlich war das Ägypten der Ramessiden eine entschieden kosmopolitische Gesellschaft, mit Menschen aus Syrien-Palästina, dem Mittelmeerraum, Libyen und Nubien, die glücklich Seite an Seite mit gebürtigen Ägyptern lebten. Obwohl die Erinnerung an ihre ausländischen Vorfahren Generationen dauern mochte, wie beim Zeichner Didia (Nr. 74), waren sie nur zu glücklich, die Vortei-

Lebensgroße Sitzstatue von Haremhab und Horus, späte 18. Dynastie. In dieser imposanten Statue setzte sich Haremhab explizit mit seiner persönlichen Gottheit und dem Gott des Königtums gleich, um zu symbolisieren, dass unter seiner Herrschaft eine neue Ära traditioneller Monarchie begonnen hatte.

229

le zu genießen, wenn man als loyale Untertanen des Pharaos lebte und arbeitete.

Trotz konzertierter militärischer Kampagnen Ramses' II. (Nr. 70) und seines Nachfolgers Merenptah (Nr. 75) erwies es sich als unmöglich, die ägyptische Oberherrschaft im ganzen Nahen Osten durchzusetzen. Die Schlacht von Kadesch nämlich, die Ramses II. als famosen Sieg hinstellte, war in besonderem Maße ergebnislos und führte zur Einrichtung friedlicher Beziehungen zwischen Ägypten und dem Hethiterreich als einer auf lange Sicht produktiveren Lösung als ein permanenter Konflikt. Doch andere, dritte Mächte waren jetzt im gesamten östlichen Mittelmeer im Aufstieg begriffen und erwiesen sich als anhaltend provokant für Ägypten. Die ernsthafteste Bedrohung ergab sich unter der Herrschaft Ramses' III. (Nr. 78), als eine vereinte Macht aus Land- und Seestreitkräften, die Seevölker, Ägyptens Verteidigung fast überrannte. Entschlossene Führung und wuchtige Militäraktionen ließen Ägypten den Sieg davontragen, doch nationale Sicherheit der Art, wie man sie in Zeiten zuvor verstanden hatte, konnte nicht wiederhergestellt werden.

Abgesehen von den Komplikationen ausländischer Beziehungen war das Ägypten der Ramessiden ein dynamischer, wohlhabender Platz. Die alten Städte Theben und Memphis hatten eine dritte Hauptstadt dazubekommen, das Bollwerk der Ramessiden-Dynastie im nordöstlichen Delta, Pi-Ramesse. Alle drei Zentren höfischer Kultur hatten ihre charakteristischen Merkmale. Pi-Ramesse war das Zentrum königlicher Zeremonien, wo Ramses II. Würdenträger empfing und viele seiner Jubiläumsfeste feierte. Memphis blieb der Regierungssitz, wo Beamte, große und kleine, wie Raia (Nr. 71) und Mes (Nr. 73) ihre Karriere durchliefen und ihre Gräber für das Leben nach dem Tode bauten. Die älteren Grabmonumente der Nekropole von Memphis, besonders die Pyramiden des Alten Reiches, zogen die Aufmerksamkeit des ersten bezeugten Archäologen an, des Sohnes Ramses' II., Prinz Chaemwaset (Nr. 72). Seine Restaurierungen und Ausgrabungen in kleinem Stil in Sakkara und Gisa markierten einen Aufschwung des Interesses an Ägyptens eigener Vergangenheit, eine Entwicklung, die auch zur Zusammenstellung der umfassendsten aller Königslisten führte, des Turiner Königspapyrus.

Nicht jedoch Pi-Ramesse oder Memphis dominieren die archäologischen Dokumente der Ramessidenzeit, sondern Theben. Sowohl Ramses II. als auch sein Vater Sethos I. veranlassten spektakuläre Erweiterungen am großen Amun-Re-Tempel zu Karnak, während die königlichen Totentempel der 19. und 20. Dynastie auf dem Westufer noch eindrucksvoller als ihre Vorläufer aus der 18. Dynastie waren. Angehörige der religiösen und der administrativen Hierarchien von Theben ließen sich weiter in prachtvollen Gräbern bestatten, die mit Bildern und Texten des Inhalts ihrer offiziellen Aufgaben geschmückt waren. Einige Personen wie die Schreiber Thutmosis (Nr. 81) und Butehamun hinterließen eine reiche persönliche Korrespondenz. Ein ganz ungewöhnliches Objekt aus derselben Periode, das erhalten blieb, ist der letzte Wille einer gewöhnlichen Frau aus Theben namens Naunacht (Nr. 80), der auf die altägyptischen Erbgesetze ebenso ein Licht wirft wie auf ihre persönlichen Umstände. Eine noch bedeutendere Quelle als Zeugnis für das tägliche Leben im Theben des Neuen Reiches ist die Gemeinschaft der Nekropolenarbeiter in Deir el-Medina. Hier lebten ›Diener am Platz der Wahrheit‹ wie Sennedjem (Nr. 67) mit ihren Großfamilien. Sie waren aufgelegt und empfänglich für dieselben Freuden und Reize wie jede Gemeinschaft; unter ihnen erweist sich der Serienverbrecher Paneb (Nr. 76) als besonderer Dorn im Fleische des Dorfes.

Der Königshof selbst war gegenüber ernstlicher krimineller Aktivität ebenfalls nicht immun, wie die Verschwörung zur Ermordung Ramses' III. zeigt. Dabei handelte es sich jedoch nur um die letzte Episode in einer lange anhaltenden Reihe dynastischer Intrigen, welche die herrschende Ramessidenfamilie seit dem Ende der 19. Dynastie heimsuchte. Die von den höherstehenden Höflingen wie Bai (Nr. 77) gespielte Rolle bleibt im Dunkeln, doch anscheinend war die königliche Thronnachfolge unter der Tünche würdevoller Ordnung Gegenstand heftiger Streitereien. Ägypten hatte bei vorherigen Gelegenheiten den destabilisierenden Einfluss eines geschwächten Königtums erfahren, doch es versagte dabei, aus der eigenen Geschichte zu lernen. Eine Folge schwacher, kurzlebiger Könige in der Mitte der 20. Dynastie, denen machtvolle Dynastien von Beamten (zum Beispiel Ramsesnacht, Nr. 79) entgegentraten, bildeten die Bühne für die öffentlichen Tumulte und die Machtpolitik unter der Regierung Ramses' XI. Unter den rivalisierenden Egos starker Männer wie Panehsi (Nr. 82) und Herihor (Nr. 83) wurde die Verwaltung gespalten. Wieder zerbrach Ägypten entlang regionaler Grenzen, um nie wieder seine nationale Kraft zurückzugewinnen. Die Ära der letzten großen Pharaonen war vorbei.

Statue (grauer Granit) des Schreibers Ramsesnacht aus dem Tempel von Karnak, 20. Dynastie. Ramsesnacht diente im Neuen Reich einer Reihe nachfolgender Monarchen, die lange Dauer seines Amtslebens steht im Kontrast zur kurzen Regierungszeit seiner Herren. Diese Statue zeigt ihn in der uralten Pose des Schreibers und betont damit seine Zugehörigkeit zur schreib- und lesekundigen Elite, die in Ägypten herrschte.

66 | HAREMHAB
BEGRÜNDER EINES NEUEN ZEITALTERS

Der Aufstieg einer stehenden Berufsarmee ist ein charakteristisches Merkmal des Neuen Reiches. Die Befreiungskriege gegen die Hyksos und das sich anschließende Engagement Ägyptens im weiteren Nahen Osten schufen die Notwendigkeit einer gut organisierten militärischen Klasse. Kriegerpharaonen wie Thutmosis I. und III. definierten ihre Herrschaft durch ihre auswärtigen Eroberungen, welche die Grenzen Ägyptens so ausweiteten, dass sie den größten Teil Syrien-Palästinas und einen Großteil Nubiens einschlossen. Zunächst hatte das Heer wenig offensichtlichen Einfluss in der Innenpolitik, doch im Gefolge der Amarnazeit änderte sich das fundamental.

Echnatons Revolution schloss die meisten bedeutenderen Tempel und zerstreute und neutralisierte die zuvor mächtigen Priesterschaften. Die meisten seiner eigenen in hohe Ämter Berufenen waren Parvenüs, Männer, die in ihrer Position von der persönlichen Gunst des Königs abhingen. Insofern blieb das Land, als Echnaton starb, ohne klares Regierungsorgan zurück, das die Dinge anpacken konnte – das heißt: außer dem Militär. Der Mann, der nach vorn ging, um die Ordnung und Würde einer zutiefst beunruhigten Nation wiederherzustellen, ›den Palast zu beruhigen, als er in Raserei verfallen war‹, war ein Berufs-Heeresoffizier. Von späteren Generationen sollte er als der erste legitime Pharao seit Amenhotep III. und der Begründer einer neuen Dynastie verehrt werden. Sein Name war Haremhab.

Seine Herkunft ist faktisch unbekannt, außer dass er aus der Stadt Herakleopolis (äg. Hnes) in Mittelägypten und offenbar aus einer ziemlich niederen Familie stammte (obwohl er später eine Andeutung auf eine Abstammung vom großen Pharao Thutmosis III. machte). Wie viele aus seiner Generation kam er durch eigene Verdienste zum Erfolg und wählte die Armee als besten Weg zur Beförderung. Geboren unter der Regierung Amenhoteps III., stieg er offenbar schon bis zu dem Zeitpunkt in die höheren Ränge auf, als Amenhotep IV./Echnaton den Thron bestieg. Angesichts der späteren Ablehnung des Häretikerkönigs ist es kaum überraschend, dass er sich in dem, was er unter Echnatons Regierung tat, ruhig verhielt. Vielleicht konnte er als höherer Heeresoffizier die meiste Zeit außerhalb Ägyptens verbringen und sich bedeckt halten.

Nach der Thronbesteigung Tutenchamuns stieg Haremhab schnell zu prominenter Größe auf. Tatsächlich zeigen die Menge seiner Titel und der frühe Zeitpunkt ihrer Verleihung die außerordentliche Reichweite seiner Befugnisse zu dieser Zeit: des Königs Beide Augen an Beiden Ufern (Ägypten), des Königs Beauftragter an Jedem Ort, Vornehmster von des Königs Höflingen, Vorsteher der Generäle des Herrn Beider Länder, Vorsteher Jedes Amtes des Königs, Vorsteher der Vorsteher Beider Ufer, Vorsteher Aller Göttlichen Ämter, Erbprinz von Ober- und Unterägypten. Der letzte Titel bezeichnete Haremhab als gesetzlichen Erben. Er scheint zweifellos eng in jeden Regierungsbereich einbezogen gewesen zu sein, und man darf vermuten, dass er im Land die effektive Macht darstellte, den *De-Facto*-Herrscher in einem Land, wo der König noch ein Minderjähriger war.

Trotz einer solchen Latte an Verantwortlichkeiten kehrte Haremhab seinem Hauptberuf und seiner Machtbasis, dem Heer, nicht den Rücken. Sein privates Grab in Sakkara, unter der Regierung Tutenchamuns erbaut, war mit Szenen aus seiner Laufbahn geschmückt, militärische Ereignisse

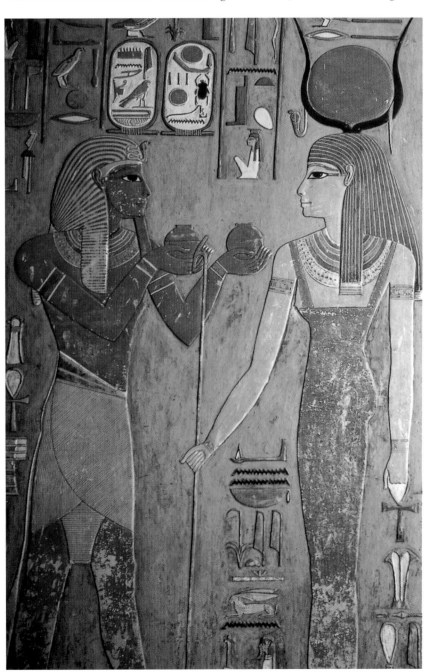

Bemaltes Relief aus dem Königsgrab Haremhabs im Tal der Könige, späte 18. Dynastie. Als Haremhab König wurde, gab er sein früheres Grab in Sakkara auf und begann mit der Arbeit an einem neuen königlichen Monument in Theben. Hier opfert er der Göttin Isis.

Bemaltes Relief aus dem Königsgrab Haremhabs in Sakkara, späte
18. Dynastie. In dieser Szene aus
der Herrschaftszeit Tutenchamuns
empfängt Haremhab, Stellvertreter
des Königs und Kommandierender
Befehlshaber der Armee, von seinem Souverän das ›Ehrengold‹ als
Lohn für loyale Dienste. Einige
Jahre später sollte Haremhab
selbst den Thron besetzen.

waren das hervorstechende Thema. Als Oberbefehlshaber der Armee leitete Haremhab mindestens zwei Feldzüge, einen nach Syrien, den anderen nach Nubien. Mit seinen eigenen Worten: ›Er wurde als des Königs
Gesandter bis an die Grenzen geschickt, wo Aton [die Sonne] sich erhebt,
und kehrte zurück, wenn er triumphiert hatte.‹ Darstellungen zeigen ihn
bei der Beaufsichtigung der Schreiber, wie diese die Kriegsgefangenen aus
dem letzten Feldzug registrieren, und beim Empfang des Ehrengoldes
durch den König. Haremhabs Grab in Memphis diente als Begräbnisplatz
für seine erste Frau Amenia, doch nicht für Haremhab selbst, denn er
stand vor einem Schritt, der sein Leben als Privatbürger sollte Geschichte werden lassen.

Obwohl er der gesetzliche Erbe war, trat Haremhab nach Tutenchamuns vorzeitigem Tod nicht die Thronnachfolge an. Ob er seine Chance verpasste, weil er im Felde war, oder ob es einfach zu einem Arrangement mit Eje kam – es war sein Rivale, der große Überlebende aus Echnatons Herrschaft, welcher der nächste König wurde. Haremhab muss
gewusst haben, dass der alte Mann es nicht lange machen würde; und so
war Eje denn auch nach drei Jahren gestorben. Mit dem machtvollen
Rückhalt im Militär, ergriff Haremhab seine Chance und den Thron.
Unverzüglich signalisierte er die Richtung seiner Politik, indem er seine
Herrschaft ab dem Tode Amenhoteps III. datierte: Unter Haremhab sollte die Amarnazeit – ›die Zeit des Feindes, der zu Achetaton [Amarna]
gehörte‹, wie er sie nannte – aus dem nationalen Bewusstsein gelöscht
werden.

Offizielle Inschriften konnten wohl die Geschichte umschreiben, indem
sie verkündeten, dass Haremhab für das Königsamt auserlesen worden
sei, als er noch Kind war; doch aus pragmatischen Gründen war es nichtsdestoweniger wichtig, nach einer Folge von vier belasteten Herrschern,
seine Legitimität nachzuweisen. Sein kühner, kalkulierter Schritt bestand
darin, den Zeitpunkt seiner Krönung mit dem jährlichen Opet-Fest in
Theben zusammenfallen zu lassen. Welch stärkere Sanktionierung seiner
Thronbesteigung hätte es geben können, als die Schirmherrschaft durch
Amun-Re selbst? Nachdem er mit dem Bild des Gottes im Tempelheilig-
tum von Luxor zu Rate gegangen war, erschien Haremhab wieder mit der
Blauen Krone zur Akklamation durch das Volk. Als weiteres Zeichen der
Rückkehr zur orthodoxen Religion machte er die Restaurierung der von
Echnaton geschlossenen Tempel zu seiner ersten Priorität:

> »Von den Marschen des Deltas bis nach Ta-Seti [Nubien] erneuerte er
> die Wohnhäuser der Götter und formte all ihre Bilder …, die man aus
> früherer Zeit zertrümmert (daliegen) fand.«

Er ließ die täglichen Rituale wiederaufleben und besetzte die dezimierten
und demoralisierten Priesterschaften mit neu Ernannten ›aus den Besten
der Heimattruppen‹: Haremhab, der Armeeoffizier, verließ sich auf seine
erprobten und getreuen Kollegen, um die Stabilität des Landes wiederherzustellen. In der Armee selbst führte er Reformen durch, indem er sie

aus Gründen der Zweckmäßigkeit für den Einsatz in Nord- und Süddivisionen teilte, jede mit eigenem Befehlshaber.

Für den König Haremhab war es Pflicht, die großen Tempel Ägyptens zu erweitern und zu verschönern, doch er zeigte wenig Lust auf eigene große Bauprojekte. Sogar sein neues königliches Grab im Tal der Könige blieb unvollendet. Von weit größerem Interesse für einen Berufstaktiker war die durchgreifende Reform der Regierung. Zu diesem Zweck erließ Haremhab ein Edikt, das eines der ausführlichsten Beispiele der Gesetzgebung der Pharaonen bleibt. Im Prolog legt er seine Absicht dar: »Seine Person ging mit sich im Herzen zu Rate …, um Böses zu zerschmettern und Ungleichheit zu zerstören.« Außerdem beschrieb er sich selbst als ›einen gegenüber Habgierigen pflichteifrigen und wachsamen Herrscher‹: Die Opponenten gegen seine Reformen waren gewarnt. Der Erlass umfasste neun Hauptmaßnahmen. Alle betrafen in irgendeiner Weise die Ausrottung von Korruption in der wirtschaftlichen und juristischen Praxis. Es gab neue Gesetze mit dem Verbot der Anforderung von Sklaven und Booten, die für staatliche Zwecke gebraucht wurden, und zur Vorkehrung gegen die Unterschlagung von Häuten bei der jährlichen Viehzählung; neue Strafen gegen Betrug bei der Festsetzung von Steuern, verbunden mit der Abschaffung der staatlichen Steuer auf Tierfutter; eine Reform des Systems der Versorgung des Hofes während der regelmäßigen königlichen Rundreisen; neue Regeln für lokale Gerichtshöfe, darunter die Einführung der Todesstrafe für der Korruption schuldig befundene Richter; allgemeine Richtlinien zur Anwendung der Justiz als Warnung gegen Bestechung und Parteilichkeit; und nicht zuletzt neue Regeln, um sicherzustellen, dass die königlichen Leibwachen gut und regelmäßig belohnt wurden – Haremhab hatte genug an Palastintrigen erlebt, um für seine eigene persönliche Sicherheit ein ausgeprägtes Interesse zu haben. Das Resultat dieses Pakets neuer Gesetze war, dass ›Maat zurückkehrte und ihren Platz wieder einnahm … und das Volk sich freute‹.

Als Haremhab sich dem Ende seiner Herrschaft näherte, war seine letzte Aufgabe zur Verankerung von Stabilität und Sicherheit, den Weg zu einer glatten Nachfolge zu ebnen. Seine zweite Frau, Mutnojdmet, war bei der Niederkunft gestorben, und so besaß der König keine eigenen Erben. Stets Mann aus dem Militär, wandte er sich wegen einer Lösung an seine Offizierskameraden in der Armee, insbesondere seinen engen Kollegen Pi-ramessu (Ramses I.), der rechtzeitig zum gesetzlichen Erben proklamiert wurde. Es war eine hervorragende Wahl: Pi-ramessu hatte schon einen Sohn und Enkel, und die Ramessiden sollten der Monarchie für spätere Generationen Stabilität sichern. Ebenso wie auf den großen Gesetzgeber selbst erwies sich der Epilog zu seinem Erlass als passendes Epitaph für seinen Einfluss auf Ägypten:

> »Ich werde unaufhörlich erneuert, wie der Mond … einer dessen Glieder Licht auf die Enden der Erde werfen wie die Scheibe des Sonnengottes.«

67 | SENNEDJEM
ARBEITER IM TAL DER KÖNIGE

Das wichtigste Bauvorhaben unter der Herrschaft jedes Königs war das königliche Grab, das nicht nur dem Leib des Königs ewigen Schutz bieten, sondern auch mit den allernötigsten praktischen wie magischen Dingen versorgen sollte, um in das Leben nach dem Tode wiedergeboren zu werden. Die nunmehr öffentlich zugänglichen Königsgräber – die Pyramiden – hatten zum Raub geradezu eingeladen, und die Herrscher des Neuen Reiches waren entschlossen, sich selbst größerer Sicherheitsvorkehrungen zu bedienen. Daher wählten sie ein abgelegenes Tal in den Hügeln bei Theben als Ort für ihre Gräber, die dort in den Fels gehauen werden sollten, um so den Augen verborgen zu bleiben. Die Arbeit des Heraushauens, des Herrichtens und der Ausschmückung der Gräber im Tal der Könige war höchst prekär; so wurden Schritte dagegen unternommen, dass Details der Arbeiten allgmein bekannt wurden.

Besonders bedeutsam war in dieser Hinsicht die Gründung einer speziell mit Mauern umschlossenen Gemeinde (Deir el-Medina) in der frühen 18. Dynastie, die vom Rest der Bevölkerung Thebens isoliert war; dort wurden die Nekropolenarbeiter und ihre Familien untergebracht, der Ort bleibt eine Zeitkapsel für das tägliche Leben im Neuen Reich. Er lieferte einen ungeheuren Reichtum an Zeugnissen zu den örtlichen wirtschaftlichen Aktivitäten, den sozialen Beziehungen, zu Gerichtsverfahren, religiösen Vorstellungen usw. Viele der Einwohner sind uns namentlich bekannt, und einer von ihnen, Sennedjem, hinterließ eine besonders große Fülle an Informationen. Sein Leben bietet einen Einblick in das Treiben in dem Handwerkerdorf auf seinem Höhepunkt zu Beginn der Ramessidenzeit.

Sennedjem war ein einfacher Nekropolenarbeiter, ein ›Diener am Ort der Wahrheit‹. Wie die meisten seiner Arbeitskollegen hatte er eine große Familie. Er und seine Frau Iineferti teilten ihr kompaktes Haus mit ihren zehn Kindern: vier Söhnen, Chabechener, Bunachtef, Rahotep und Chonsu; und sechs Töchtern, Irunefer, Taasch-sen, Hetepu, Ramessu, Anhotep und Ranehu. Das Haus selbst war in zwei Teile unterteilt. Auf der Vorderseite zur schmalen Straße hin lag der öffentliche Raum, in dem Gäste empfangen und unterhalten wurden. Dahinter, im rückwärtigen Teil des Hauses, lagen die privaten Kammern, darunter ein Küchenbereich. Eine Treppe führte zum Dach, das zusätzlichen Schlafraum bot. Das Haus war vollgestopft und laut, recht typisch für eine ägyptische Wohnung. Tagsüber spielten die Kinder mit Freunden und Nachbarn auf der Straße, während Iineferti die wichtigen Haushaltsgeschäfte erledigte; dabei traf sie sich oft mit den anderen Frauen des ›Platzes der Wahrheit‹ am Dorfbrunnen. Sie war so modebewusst wie die nächstbeste Frau und genoss es, ihre lange Perücke zu tragen.

Für Sennedjem lief der Rhythmus des Lebens ganz in wöchentlicher

Bemaltes *Uschebti* (Dienerstatuette) des Arbeiters Sennedjem aus Deir el-Medina, frühe 19. Dynastie. Mit den passenden Werkzeugen ausgerüstet, war es die Aufgabe des Uschebtis, im Leben nach dem Tode auf Ruf bereitzustehen, und im Auftrag des Grabbesitzers niedere Arbeiten zu verrichten.

Routine ab. Zu Beginn jeder Arbeitswoche verließen er und andere Nekropolenarbeiter ihre Häuser, um den Hügel hinter dem Dorf am Rande der Felsen hinaufzusteigen, bis sie den Pass erreichten, von dem aus man das Tal der Könige überblickte. Hier gab es ein Lager aus kleinen, mit Steinen errichteten Hütten, wo die Arbeiter am Ende jedes Tagewerks schliefen. Nachdem sie einiges von ihrem persönlichen Besitz im Camp abgelegt hatten, gingen die Männer weiter, den Hügel hinab, bis zur Stelle des Grabbaus selbst. Sennedjem selbst arbeitete am Grab Sethos' I. – zu dem Zeitpunkt das bis dato großartigste Grab im Tal – und vielleicht am Grab seines Sohnes, Ramses' II. Mit kupfernen Arbeitsgeräten und Rutenkörben zur Aufnahme ihres Splitts meißelten die Steinhauer langsam ihren Weg in das Grundgestein; dabei folgten sie der Anleitung von Architekten und Vorarbeitern, um den langen abschüssigen Grabkorridor zu schaffen. Hinter ihnen kamen Stuckateure und Maler, um die Wände nachzubearbeiten und zu dekorieren. Es war eine lange, heiße, ermüdende Arbeit, doch ein Werk, auf das die Männer stolz sein konnten.

Die Nekropolenarbeiter wurden gut, doch nicht zu reichlich bezahlt. Sie lebten komfortabel, nicht üppig. Freizeitbeschäftigungen waren einfach, wie etwa das Brettspiel *Senet*. Sie hatten jedoch den Vorteil der Bekanntschaft mit einigen der besten verfügbaren Arbeitern: ihren eigenen Kollegen. Die Objekte in Sennedjems Grab zeugen vom Können sei-

Bemalte Wand in der Grabkammer im Grabe Sennedjems in Deir el-Medina, 19. Dynastie. Die landwirtschaftlichen Szenen illustrieren Kapitel 110 des *Totenbuches*, ein Zauberwort, welches das ›*Laru*-Gefilde‹ beschreibt, das die alten Ägypter für das Bestimmungsziel der gesegneten Toten im Leben nach dem Tode hielten.

ner Nachbarn. Dazu gehörten ein Bett, ein mit dem Namen seines ältesten Sohnes beschriebener Stuhl und sechs Gehstöcke. Auch einige von Sennedjems eigenen Geräten waren dabei wie zum Beispiel ein Ellenmaß. Iinefertis angesammelte Schätze umfassten einen mit einer springenden Gazellenfigur verzierten Kasten, einen Kasten für Toiletteartikel und eine Vase.

Das Grab ist wegen seiner Ausschmückung verdientermaßen berühmt; wie angedeutet, wurde es wohl von Sennedjems Arbeitskollegen ausgeführt. In den Vordergrund gerückt wurden die Darstellungen von Sennedjems Großfamilie, was seine persönlichen Hauptanliegen spiegelt. Die bemerkenswertesten Szenen in Sennedjems Grab sind jedoch jene, welche das Leben hinter dem Grabe vorstellen. Er wird gezeigt, wie er die offenen Tore nach Westen anbetet, den Eingang zur nächsten Welt; und eine ganze Wand ist einer detaillierten Schilderung der Felder von Iaru gewidmet, der landwirtschaftlichen Idylle, in der Sennedjem und seine Familie die Ewigkeit zu verbringen hofften. Ein gesegnetes Leben nach dem Tode war nicht nur die Belohnung für die im Tal der Könige bestatteten Pharaonen; es lag gleichermaßen in der Reichweite der Männer, welche im Schweiße ihres Angesichts die Königsgräber bauten.

68 | URHIJE
EIN AUSLÄNDER WIRD ARMEEGENERAL

In Zeiten der Pharaonen musste man, um als Ägypter angesehen zu werden, nur ägyptische Bräuche und eine ägyptische Lebensweise annehmen. Volkszugehörigkeit und Herkunft waren unerheblich, solange eine Person ägyptischen Normen gemäß lebte. Zu allen Zeiten begrüßte die ägyptische Gesellschaft Menschen fremder Herkunft und gliederte sie ein, aus den Ländern, die an das Niltal grenzten und von weiter entfernt. Zu bestimmten Zeiten trieben verstärkte Einwanderung oder Zwangsansiedlung von Kriegsgefangenen die Zahl von ›Ausländern‹ innerhalb der ägyptischen Gesellschaft in die Höhe. Die Ramses-Ära, als der Pharao über ein Reich herrschte, das sich von Obernubien im Süden bis nach Syrien im Norden erstreckte, war eine derartige Zeit. Ägypten unter der 19. Dynastie war besonders kosmopolitisch. Die Armee, die das ägyptische Imperium verteidigte, stützte sich auf eine große Anzahl fremdländischer Söldner. Volkszugehörigkeit war keine Schranke zum Erfolg, auf allen Ebenen der Gesellschaft erreichten Menschen fremder Herkunft bedeutende Positionen.

Der Einfluss von ›Ausländern‹ am Ramessidenhof wird gut durch Leben und Laufbahn eines Urhije genannten Mannes verkörpert. Sein Name ist hurritisch (die in Ostanatolien und Nordmesopotamien von etwa 2500 bis 1000 v. Chr. hauptsächlich gesprochene Sprache) und bedeutet ›wahr‹. Es ist auffällig, dass Urhije seinen fremden Namen behielt, statt einen ägyptischen anzunehmen, um sich schneller an die ägyptische Gesellschaft anzupassen. Zweifellos vertraute er auf seine eigenen Fähigkeiten und spürte keine Not, seine Abkunft zu verbergen. Sein Selbstvertrauen und seine Anpassungsfähigkeit fanden ihr perfektes Betätigungsfeld in der ägyptischen Armee. Urhije war unter der Regierung Haremhabs geboren, des Generals, der Pharao wurde, und wuchs daher in einer Gesellschaft auf, in der das Militär eine zentrale Rolle spielte. Die Armee bot einem ehrgeizigen jungen Mann die beste Chance auf Fortkommen. Er ging zum Militär, als er das Erwachsenenalter erreichte, gerade als Sethos I. auf den Thron kam, und stieg schnell durch die Ränge nach oben. Er wurde zum Truppenkommandeur befördert, verantwort-

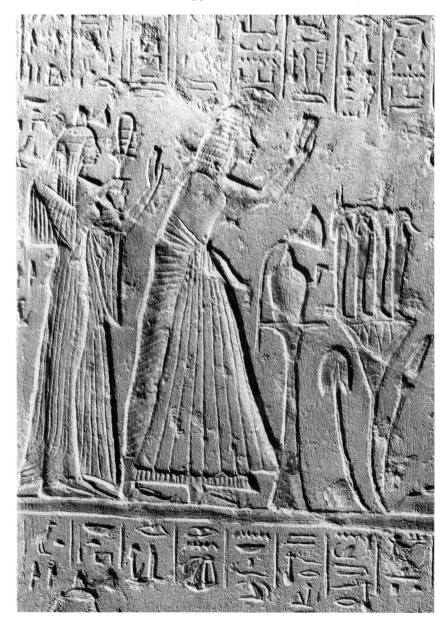

LINKS:
Detail einer Stele des Generals Urhije, 19. Dynastie. Urhije und seine Gattin (diese trägt ein *Sistrum*, d. h. eine heilige Rassel, um ihre Rolle als Sängerin Amuns zu verdeutlichen) verehren eine (nicht gezeigte) Gottheit und demonstrieren so ihre volle Akkulturation an ägyptische Bräuche und Sitten.

RECHTS:
Äußerer Steinsarg Jupas, 19. Dynastie. Die Pracht dieses Stückes demonstriert den schnellen Aufstieg von Jupas Familie von Einwanderern zu begünstigten Höflingen innerhalb einer Generation.

lich für einige hundert Männer, und schließlich in den Rang eines Generals.

Nach drei Jahrzehnten aktiven Dienstes machte Urhije den Schritt in das zivile Leben, als Sethos I. sein Sohn Ramses II. nachfolgte. Der loyale Mann aus dem Militär bekam eine Schlüsselposition bei Hofe, die des Oberhaushofmeisters des neuen Königs. Das bedeutete, dass Urhije die Gesamtverantwortung für die Verwaltung der persönlichen Güter und Einkünfte des Pharaos hatte. Das war eine höchst verantwortungsvolle Aufgabe, die nur den loyalsten Beamten des Königs anvertraut wurde. Augenscheinlich kam Urhije seinen Aufgaben in beispielhafter Weise nach, denn er wurde in Ramses' II. zehntem Jahr weiter zum Verwalter des Ramesseums befördert. Für ein Jahrzehnt war Urhije in praktischem Sinne letztverantwortlich für die Unsterblichkeit des Königs: Das Ramesseum war Ramses' Kulttempel für die Ewigkeit; die einwandfreie Aufrechterhaltung des Totenkultes hing von beständig fließenden Einkünften ab; diese Einkünfte wurden aus den eigenen Gütern des Ramesseums erzielt; und diese Güter wurden von Urhije verwaltet.

Für einen Mann fremdländischer Herkunft ist die Beendigung seiner Karriere mit der Verantwortung für die Reserven zum Totenkult eine mächtige Demonstration dafür, dass die ägyptische Gesellschaft Fähigkeiten und Loyalität über enge ethnische Überlegungen stellte. Urhije integrierte sich nicht nur selbst in die Kultur der Pharaonen, er erreichte dasselbe auch für seine Familie. Seine Frau Tuy wurde Laiendienerin zweiter Hauptkulte Ägyptens, als Sängerin Amuns und gleichfalls der Hathor. Sein Bruder Tey ging einen Schritt weiter und trat in die Priesterschaft ein. Und wie wir sehen werden, stieg in der nächsten Generation einer von Urhijes drei Söhnen, Jupa (Nr. 69), zu noch größerer Prominenz als sein außergewöhnlicher Vater auf.

69 | JUPA
ERFOLGREICHER EINWANDERER DER ZWEITEN GENERATION

Jupa wurde unter Sethos I. geboren, doch seine Karriere lag in der langen Herrschaft Ramses' II. Wie sein Vater Urhije (Nr. 68) vor ihm beschloss Jupa, in die Armee zu gehen, als besten Weg, Berühmtheit zu erlangen. Als Einwanderer in der zweiten Generation besaß er den beträchtlichen Vorteil, dass seine Familie schon voll in die ägyptische Gesellschaft integriert und leidlich wohlhabend war. Zweifellos förderte seines Vaters Einfluss den Fortschritt seiner Karriere, doch er hatte noch ganz unten zu beginnen und sich hochzuarbeiten. Zur Zeit der Schlacht von Kadesch, in Ramses' II. fünftem Jahr, war Jupa also gerade ein junger Mann und Stallmeisterlehrling im Großen Stall des Königs, einer von vierzig jungen

Rekruten, die mit verschiedenen niederen Arbeiten beauftragt waren. Seine besondere Aufgabe war die Herstellung einer festgesetzten Quote von 2000 Ziegelsteinen. Das war weder eine aufregende noch herausfordernde Arbeit, aber ein notwendiges Training für die Härten und die Disziplin des bevorstehenden Lebens in der Armee. Und es hatte seine Vorteile: Die Kameradschaft unter den Rekruten führte zur Begründung lebenslanger Freundschaften, besonders bei einer beliebten Person wie Jupa. Jahrzehnte später sollte er auf den Stelen von Zeitgenossen, gänzlich ohne Beziehung zu ihm, erwähnt werden, wahrscheinlich Freunde aus seiner Zeit in der Armee.

Jupa diente fünfundzwanzig Jahre im Militär, bevor er den Fußstapfen seines Vaters folgte und in zivile Dienste trat, zuerst als Oberhofmeister des Königs und dann als Vorsteher des Ramesseums. Doch war das in Jupas Fall nicht der Gipfel seiner Erfolge. In den Mittsechzigern wurde ihm die ehrenvolle, hoch angesehene Rolle des königlichen Jubiläumsherolds übertragen. In dieser Funktion war er, in ganz Ägypten, für die offizielle Verkündigung des neunten bis vierzehnten Jubiläums des Königs zuständig. Der Umstand, dass die vorherigen Inhaber des Postens der Lieblingssohn des Königs, Chaemwaset (Nr. 72), und der Wesir Chay waren, zeigt die besondere Wertschätzung, in der Jupa bei Hofe stand.

Jupa durfte den Auftrag zu einer knienden Statue von sich selbst und einem prächtigen Sarkophag erteilen und ließ sich sogar in einer Inschrift innerhalb des Month-Tempels von Armant verewigen. Wie alle guten Ägypter ließ er Nachkommen zurück, die sein Andenken in Ehren hielten. Doch keiner sollte ihm an Erfolg gleichkommen. Trotz fremdem Namen und fremder Herkunft war Jupas Laufbahn durch Ehrgeiz, harte Arbeit, familiären Einfluss und königliche Förderung charakterisiert: eine absolut ägyptische Kombination.

70 | RAMSES II.
DER GRÖSSTE ALLER PHARAONEN

»My name is Ozymandias, king of kings:
Look on my works, ye Mighty, and despair!«
»Mein Name ist Ozymandias, König der Könige:
Seht auf meine Werke, ihr Mächtigen, und verzweifelt!«
Der gestürzte Koloss, der Shelley zu seinem berühmten Gedicht inspirierte, steht bis auf den heutigen Tag im Ramesseum, dem Totentempel Ramses' II. in Theben (Ozymandias ist die griechische Verballhornung seines ägyptischen Thronnamens User-maatre). Die Mächtigen, die in den nachfolgenden Generationen über Ägypten herrschten, mochten sehr wohl verzweifelt haben, denn Ramses erbaute mehr Tempel und errichtete mehr Kolossalstatuen von sich als jeder andere Pharao, vorher und

Sitzstatue (Granodiorit) Ramses' II. aus Theben, 19. Dynastie. Der größte aller Ramessiden-Könige ist voll höchsten Selbstbewusstseins dargestellt, mit der Blauen Krone und dem Krummstab, des ältesten Elements der königlichen Insignien.

danach. Anscheinend hinterließ er sein Zeichen an jeder bedeutenden Stätte im gesamten Ägypten und Nubien. Entschlossen sicherzustellen, dass sein Name nicht von seinen Monumenten entfernt werden könne, derer sich seine Nachfolger bemächtigten, ließ er seine Kartuschen ungewöhnlich tief in den Stein einmeißeln. Ramses II. – »der Große«, wie er oft genannt wird – ist daher der allgegenwärtigste und am besten erkennbare königliche Bauherr auf den modernen Touristenpfaden.

In Entsprechung zu seinem architektonischen Erbe dominierte Ramses wie ein Koloss seine eigene Ära. Er zeugte mehr Kinder als jeder andere seiner königlichen Vorgänger und Nachfolger: nicht weniger als fünfzig Söhne und dreiundfünfzig Töchter. Es ist daher eine hübsche Wette, dass die meisten einheimischen Pharaonen, die nach Ramses über Ägypten herrschten, seine Abkömmlinge waren, auf diesem oder jenem Weg. Für seine Söhne erbaute er das größte Grab im Tal der Könige, möglicherweise das größte in ganz Ägypten; es wird immer noch ausgegraben, die Zahl seiner Kammern hat schon 150 überschritten, und jedes Jahr werden weitere entdeckt. In ähnlich verschwenderischem Maßstab ließ Ramses Tempel errichten. In Nubien allein baute er in Beit el-Wali, Gerf Hussein, Wadi es-Sebua, Derr und Napata. In Ägypten waren seine Bauprojekte auf die drei großen Städte konzentriert: die dynastische Kapitale Pi-Ramesse (heue Kantir), die traditionelle Hauptstadt Memphis und das religiöse Zentrum Theben. Die Monumente von Theben sind am besten erhalten, und keines ist eindrucksvoller als das Ramesseum. Inschriften in den Sandsteinbrüchen in Gebel el-Silsila halten fest, dass 3000 Steinbrucharbeiter beschäftigt wurden, um Steine allein für dieses Projekt zu liefern. Es war dazu bestimmt, Ramses' Namen und Kult für die Ewigkeit fortbestehen zu lassen, wie es in seinem offiziellen Namen ›Das Millionen-Jahre-Haus des Ramses im Bereich Amuns in Vereinigung mit Theben‹ zum Ausdruck kommt. Das Ramesseum war eine geniale Mischung aus traditionellen und innovativen Merkmalen, ein Meisterstück von Logistik und Ehrgeiz. Als solches bildete es die perfekte Verkörperung seines Schöpfers.

Ramses wurde unter der Regierung Haremhabs geboren, bevor sein Großvater Pi-ramesu (Ramses I.) als Erbe designiert war. Der schnelle Aufstieg der Familie aus der Dunkelheit der Provinz auf den Thron Ägyptens hatte auf die Erziehung des jungen Ramses eine tiefgreifende Wirkung. Im Alter von dreizehn oder vierzehn begleitete er seinen Vater Sethos I. zum ersten Mal auf einen Feldzug. Ramses verfügte schon über den nominellen Rang eines Oberbefehlshabers und scheint am Armeeleben Geschmack gefunden zu haben. Ein oder zwei Jahre später zog er erneut an seines Vaters Seite aus, um Ägyptens meistgefürchtetem Feind, den Hethitern, gegenüberzutreten. Das war der Beginn einer Verwicklung, die Ramses' ganze Regierungszeit charakterisieren sollte.

Als er mit sechzehn das Erwachsenenalter erreichte, wurde ihm sein eigener Hofstaat zuerkannt, komplett mit Konkubinen; da hatte er schon zwei Gemahlinnen, Nefertari und Isetnofret. Im Laufe der Zeit wurde Ramses mit mehr und mehr Staatsangelegenheiten betraut, wie der Aufsicht über die Steinbrucharbeiten in Assuan und der Kontrolle der Errichtung der großen Hypostylhalle in Karnak. Im Alter von zweiundzwanzig führte Ramses seinen ersten Feldzug und warf eine kleinere Rebellion in Nubien nieder. Gemäß der Familientradition nahm er zwei seiner eigenen jungen Söhne, Amenhirwenemef und Chaemwaset (Nr. 72) mit. Darauf, Mitte zwanzig, wurde Ramses nach dem Tode seines Vaters alleiniger Herrscher. Eine der längsten und großartigsten Herrschaftszeiten in der Geschichte Ägyptens hatte tatsächlich begonnen.

Zur Bestätigung seiner Thronbesteigung nahm Ramses im ersten Jahr seiner Regierung am Opet-Fest teil; so erfolgte durch die enge Verbindung mit dem Gott Amun seine Wiederverjüngung. Ganz entsprechend seinem inneren Trieb als großartiger Bauherr, befahl er, dass Baumaßnahmen mit umfassenden Ergänzungen zum Luxor-Tempel (der Kulisse für das Opet-Fest) begonnen und dass die Arbeiten am Tempel seines Vaters in Abydos nach Jahren der Vernachlässigung aufgenommen werden sollten. Um seine Kontrolle über die einflussreiche Priesterschaft von Theben zu straffen, bestellte Ramses einen neuen Hohepriester Amuns, Nebwenenef. Binnen eines Jahres hatte er signalisiert, dass er alles unumstritten im Griff hatte.

Darauf rückten die Angelegenheiten im Ausland in den Mittelpunkt, als Ramses einen Feldzug eröffnete, um Ägyptens Kontrolle über die Provinz Amurru wiederherzustellen. Doch das war nur ein Vorspiel. Im fünften Jahr seiner Herrschaft beschloss er, alle Eroberungen, die sein Vater gemacht hatte, zurückzugewinnen, auch wenn das Konfrontation mit der starken Hethiterarmee bedeutete. Ramses führte an vorderster Front, lenkte seinen Kampfwagen an der Spitze seiner vier Divisionen, als sie – Ziel: die befestigte Stadt Kadesch – von Pi-Ramesse aufbrachen. Als begabter Taktiker traf er die Vorsichtsmaßnahme, Unterstützungstruppen die Mittelmeerküste hinaufzuschicken, die sich in Kadesch mit der Hauptarmee treffen sollten. Binnen eines Monats nach Verlassen Ägyptens lagerten 2000 Mann auf einem Bergzug südlich der Stadt. Sie sahen sich fast zweimal so zahlreichen hethitischen Truppen gegenüber. Ohne Warnung attackierten die hethitischen Streitwagen eine der ägyptischen Divisionen, als sie lagern wollte, und trieben die Infanterie auseinander. Ramses sah sich bis auf seine persönliche Leibwache und Schildträger isoliert, auf allen Seiten vom Feind umringt, die Ägypter in Panik. In eindrucksvoller Entfaltung entschlossenen Handelns unter Beschuss rüttelte er seine Truppen auf, sich zu verteidigen, gerade lange genug, dass die Entsatztruppen – die eben noch im richtigen Augenblick von der Küste her eintrafen – die Hethiter angreifen und die Ägypter vor völliger Vernichtung bewahren konnten.

Durch seine eigenen Führungsqualitäten hatte Ramses eine vernichtende Niederlage vereitelt. Obwohl die Schlacht von Kadesch in Wirklichkeit ein Patt bedeutete, präsentierte der König sie als famosen Sieg, nicht zuletzt wegen der Rolle, die er bei der Wendung der Ereignisse gespielt hatte. Bei der Ausschmückung all seiner bedeutenden Bauprojekte ließ er Szenen und Berichte aus der Schlacht einfügen. Weitere Kampagnen nach Syrien sollten drei und fünf Jahre später folgen, doch keine sollte der Schlacht von Kadesch schon allein an Dramatik gleichkommen.

Die langfristige Folge von Kadesch war ein bemerkenswerter Friedensvertrag mit den Hethitern, glanzvolles Dokument eines diplomatischen Kompromisses. Er sicherte den fortgesetzten ägyptischen Zugang zu den östlichen Mittelmeerhäfen und freie Passage nach Norden bis Ugarit (heute Ras Schamra); zum Ausgleich überließen die Ägypter den Hethitern die Kontrolle über die Provinz Amurru. Beide Seiten verpflichteten sich vertraglich zu gegenseitigem Nichtangriff und einem Verteidigungsbündnis, erkannten gegenseitig die Gesetze legitimer Nachfolge an und vereinbarten ein vorher nie dagewesenes Auslieferungsabkommen. Zur Besiegelung dieser Vereinbarung tauschten angesehene Angehörige der ägyptischen und hethitischen Königsfamilie jeweils Freundschaftsbriefe aus.

Auf der innenpolitischen Bühne förderte Ramses kräftig einen Personenkult, durch den er die Vergöttlichung des Königtums auf neue Höhen führte. Dieses Bestreben erreichte in den Tempeln von Abu Simbel seinen Höhepunkt; sie wurden im fünfundzwanzigsten Jahr seiner Herrschaft vom König und seiner Hauptgemahlin Nefertari eingeweiht. Der Haupttempel war exakt so ausgerichtet, dass bei Sonnenaufgang am 22. Februar und am 22. Oktober (ein Datum davon war vermutlich Ramses' Geburtstag) die Sonne in das Heiligtum schien und die Gestalten von dreien der dort verehrten vier Götter erleuchtete: Amun, Re und Ramses selbst (Ptah als Gott der Unterwelt blieb im Schatten). Augenscheinlich spürte der König, dass er sich in Nubien mehr leisten konnte als im eigentlichen Ägypten; sein Tempel in Akscha war ausdrücklich ›Ramses, dem Großen Gott, Herrn von Nubien‹ geweiht.

Doch Ramses' Überlegungen waren nicht allein auf sich selbst fixiert. Seine geliebte Gemahlin Nefertari (›die schöne Gefährtin‹), ›um derentwillen die Sonne überhaupt scheint‹, war seine beständige Gefährtin seit der Zeit vor seiner alleinigen Herrschaft gewesen. Sogar ein Mann mit so vielen Frauen wie Ramses muss gramerfüllt gewesen sein, als Nefertari kurz nach der offiziellen Einweihung von Abu Simbel starb. Nach Ende der Bestattungszeremonien wurde Isetnofret in die Position der Großen Gemahlin des Königs erhoben, die zweite von acht Frauen, welche diesen

Reliefpaneel Ramses' II., 19. Dynastie. Der König ist als Knabe dargestellt, mit der ›Seitenlocke der Jugend‹. Er ist jedoch durch das königliche Diadem mit einer Uräus-Schlange sowie die vor seinem Gesicht eingemeißelten Titel deutlich als König bezeichnet.

Kolossalstatue (kristalliner Kalkstein) Ramses' II. aus Memphis,
19. Dynastie. Diese Statue – jetzt
in der Horizontale liegend – ragte
dereinst vor dem Tempel Ptahs
auf, der Schutzgottheit von Ägyptens Hauptstadt.

Rang während Ramses' siebenundsechzigjähriger Herrschaft innehatten.
Heirat war natürlich ein nützliches Instrument im diplomatischen Arse-
nal, und Ramses führte langwierige Verhandlungen, um sich eine Hethi-
terbraut zu sichern. Nach einem Jahr Gesprächen brach von der Zitadel-
le von Hattuscha (beim heutigen anatolischen Dorf Boğazkale) eine
Hethiterprinzessin auf und kam in Pi-Ramesse an, um dort vom König in
seinem Palast empfangen zu werden und einen ägyptischen Namen zu
erhalten: Maathorneferure. Ihre Mitgift umfasste Gold, Silber, Bronze,
Sklaven, Pferde, Rinder, Ziegen und Widder. Sie wurde in einen kosmopolitischen Harem aufgenommen, zu dem Babylonierinnen und Syrerin-
nen gehörten, was den multiethnischen und multikulturellen Charakter
von Ramses' Hof widerspiegelt. Einige Zeit später hieß Ramses in der Person des hethitischen Kronprinzen Hischmi-Scharruna einen weiteren hervorragenden Besucher aus Hatti willkommen. Ramses' Anregung zu
einem Besuch seitens des Hethiterkönigs fand eine kühle Antwort, doch
ist es möglich, dass tatsächlich ein hohes Gipfeltreffen zwischen den beiden größten Führern des Nahen Ostens auf neutralem Territorium stattgefunden hat. Es dürfte eine außerordentliche Begegnung gewesen sein.

Die zweite Hälfte von Ramses' Herrschaft scheint, mehr als von allem
anderen, von häufigen Jubiläen beherrscht gewesen zu sein. Das erste fand
in seinem dreißigsten Thronjahr in der Festhalle von Pi-Ramesse statt.
Dem folgten weitere Feierlichkeiten in perodischen Abständen von zwei
oder drei Jahren, bis zum dreizehnten Jubiläum (vielleicht gab es noch ein
vierzehntes). Wenn das Land von soviel Festlichkeit zu Ehren des Königs
vielleicht erschöpft gewesen sein mag, Ramses genoss sie in vollen Zügen.
Als er im Alter von zweiundneunzig Jahren starb, war der Ausdruck auf
seinem Gesicht der von Stolz, Würde und Zufriedenheit. Er muss voller
Vertrauen darauf gewesen sein, dass seine großartige Herrschaft nie in
Dunkelheit versinken würde. Er war wahrhaftig ein ›König der Könige‹.

71 | RAIA
MUSIKANT AUS MEMPHIS

Die Musik des alten Ägypten ist für immer verloren. Ohne musikalische
Notation (wenigtens bis zur Ptolemäerzeit) lassen sich die Lieder und Weisen, die im Leben Ägyptens eine so große Rolle spielten, in privaten wie
öffentlichen Bereichen, bei weltlichen und religiösen Feiern, niemals
wiedergewinnen. Einige der Instrumente sind erhalten, doch wir können
nur an den Melodien und Harmonien, die sie hervorbrachten, herum-
raten. Indes, es herrscht kein Zweifel an der zentralen Stellung von Musik
und Musikanten in der Pharaonenkultur. Mit seinem Leben und Tod
gewährt uns Raia einen Einblick in jene verschwundene Welt des Klan-
ges.

Raia war unter der Herrschaft Ramses' II. Chef der Sänger im Ptah-Tempel zu Memphis. Obwohl sich sein Titel nur auf das Singen bezieht, war er Allroundmusiker, und seine offiziellen Pflichten schlossen das Harfespiel vor Statuen Ptahs und Hathors, der Herrin der Sykomore, ein. Raia leitete den Männergesamtchor des Tempels; verschiedene seiner Mitglieder wie Ray, Neferptah und Prahhotep, waren vermutlich enge Freunde.

Raias Frau Mutemwia teilte seine musikalischen Interessen. Sie war Sängerin Amuns, eine Rolle, die Singen und wahrscheinlich Spielen eines Musikinstruments beim täglichen Gottesdienst umfasste. Zuhause in Memphis genossen Raia, Mutwemwia und ihre Tochter ein Leben in schlichter Häuslichkeit. Sie teilten ihr Haus mit Mutemwias unverheirateten Schwestern Iuy und Kuju; ein Hausaffe vervollständigte den Haushalt. Raia und seine Frau kamen mit ihren Nachbarn gut aus, mit Paser, dem Bauhandwerker, und seinem Bruder Tjuneroy, dem Vorsteher für Arbeiten. Wohl aufgrund des Einflusses dieser Freunde bei Hof konnte Raia für sich eine Grabkapelle in der prestigevollen Nekropole von Sakkara bauen.

Da ihm große Mittel fehlten, war Raias Grabmonument eine winzige Angelegenheit. Über dem Grund war es durch eine kleine Backsteinpyramide markiert, die auf einer Kalksteinplatte ruhte, welche ihrerseits das Dach der Grabkapelle bildete. Dieser Raum war so klein, dass ein Besucher darin gerade aufrecht stehen konnte. Raia traf alle notwendigen Vorbereitungen für sein Leben nach dem Tode und bestellte eine Vorlesepriester namens Schedamun, sich um seinen Totenkult zu kümmern, doch es gab kaum Raum für den Priester, um seine Pflichten zu erfüllen!

Relieffragment aus dem Grab Raias in Memphis, 19. Dynastie. Die Szene zeigt den Musikanten Raia beim Harfespiel vor seinen beiden Schutzgottheiten, Ptah (Gott von Memphis) und Hathor (Göttin der Musik).

Trotz der Bescheidenheit seines Grabs wurde Raias Beliebtheit in der Familie und bei Freunden und Kollegen bei seiner Beerdigung breit demonstriert. Seine Mumie wurde auf einem von Ochsen gezogenen Katafalk zum Grab getragen. Am Eingang wurde sie von einem Priester in der Maske des Gottes Anubis empfangen, bevor sie in die Grabkammer hinabgelassen wurde. (Später wurde Mutemwia neben ihrem Gatten begraben, so dass sie die Ewigkeit zusammen verbringen konnten.) Seine Witwe streute sich zum Zeichen der traditionellen Trauerbekundung Staub auf den Kopf, begleitet von weiteren Klageweibern, von denen einige für den Anlass gemietet worden waren. Besonders passend, gaben die lebenden Mitglieder von Raias Tempelchor ihrem überaus beliebten Vorsteher ein musikalisches Geleit, indem sie ein Grablied auf ihn anstimmten.

72 | CHAEMWASET
DER ERSTE ÄGYPTOLOGE

Die Pyramiden der Nekropole von Memphis waren auf der Höhe des Neuen Reiches schon über eintausend Jahre alt. Wie betrachteten die Ägypter jener ›goldenen Zeit‹ ihre eigene Vergangenheit und ihre eindrucksvollen architektonischen Überreste? Eine Antwort darauf lässt sich im Leben Chaemwasets finden, des vierten Sohnes von Ramses II.

Geboren während des Vaters Ko-Regentschaft mit Sethos I., war Chaemwaset vom frühen Alter an für seine königliche Bestimmung aufgebaut worden und erhielt die für einen Königssohn angemessene vollständige Ausbildung. Im Alter von gerade fünf Jahren bekam er den ersten Geschmack von einer Militäraktion, als er seinen Vater und den älteren Bruder Amenhirwenem auf einem Feldzug zur Niederschlagung einer kleineren Rebellion in Unternubien begleitete. Beide Jungen fuhren in eigenen Streitwagen, auch wenn diese von erfahrenen Offizieren gelenkt wurden. Mit Anfang zwanzig erhielt Chaemwaset religiöse Verantwortung als *Sem*-Priester (Offiziant bei Grabritualen) Ptahs, Beauftragter und Gehilfe des Hohenpriesters im Haupttempel der nationalen Hauptstadt. Chaemwaset mag diese Berufung wie eine Heimkehr empfunden haben. Seine Mutter, des Königs Große Gemahlin Isetnofret, hatte eine Zeit im Gebiet von Memphis verbracht, und der Prinz selbst war dort vielleicht geboren. Ganz sicher sollten die Hauptstadt und ihre alte Nekropole Chaemwaset für den Rest seines Lebens vereinnahmen und faszinieren.

Eine seiner ersten offiziellen Pflichten war die Teilnahme am Begräbnis des Apis-Stieres im sechzehnten Jahr der Herrschaft seines Vaters. Chaemwaset steuerte Objekte zu dem Grab bei und muss von der Zeremonie in ihrer Kombination aus kraftvoller Symbolträchtigkeit und hohem Alter tief beeindruckt gewesen sein. Als Chaemwaset vierzehn Jahre später selbst die Begräbnisrituale für den nächsten Apis leitete, inzwischen Nachfolger des Hohenpriesters des Ptah, beschloss er, das Ereignis noch größer zu machen und so gleichzeitig der Nachwelt sein Zeichen zu hinterlassen. Um die früheren Einzelbestattungen zu ersetzen, eröffnete er in Sakkara eine riesige Untergrundgalerie; für jede folgende Apis-Bestattung sollte durch Öffnung der Galerie eine neue Grabkammer gehauen werden. An der Oberfläche wurde der Apis-Kult in einem neuen Tempel ausgeübt, der auch als letzter Ruheplatz für den mumifizierten Körper jedes Stiers am Tage vor seiner Bestattung diente. In der Weihinschrift des Tempels formulierte Chaemwaset seine Bitte um Unsterblichkeit und richtete sich dazu folgendermaßen an künftige Generationen:

>»Es wird dir gewiss als Wohltat (erscheinen), wenn du (im Gegensatz dazu) anschaust, was die Vorfahren getan haben, in armen, unwissenden Werken. Gedenke meines Namens.«

Sein Wunsch sollte erfüllt werden: Die Untergrundgalerie beziehungsweise das Serapeion, als das sie später bekannt wurde, blieb für die nächsten dreizehn Jahrhunderte in Gebrauch, gerade so, wie Chaemwaset beabsichtigt hatte.

Sein Interesse an der Vergangenheit ging über die Ehrfurcht für den Apiskult hinaus. Chaemwaset war deutlich von den Monumenten des Alten Reiches beeindruckt und bezaubert, die immer noch die Silhouette der Nekropole von Memphis beherrschten. Mit seinen eigenen Worten, ›er liebte die Vornehmen, die vor ihm in der alten Zeit gewohnt hatten, und die Vortrefflichkeit von allem, das sie in aller Wahrheit eine Million Mal machten‹. Im Wesentlichen besaß er auch die Mittel, sich seiner Leidenschaft hinzugeben. Gegen Ende dreißig machte er sich daran, die Pyramiden und Sonnentempel der 3., 4. und 5. Dynastie zu besuchen, zu inspizieren und wiederherzustellen. An jedem Monument, das er erforschte, ließ er eine Standardinschrift einmeißeln, um sein Werk festzuhalten. Die Inschrift auf der Großen Pyramide lautete:

>»Es ist der Hohepriester, der *Sem*-Priester, des Königs Sohn Chaemwaset, der den Namen König Chufus lebendig erhalten hat.«

Als er seine Inspektionstour durch Gisa unternahm, führte Chaemwaset sogar eine kleine Ausgrabung durch und antizipierte so die Arbeit von Archäologen mehr als dreitausend Jahre später. Er wurde durch eine bemerkenswerte Entdeckung belohnt:

>»Es war der Hohepriester und Königssohn Chaemwaset, der sich an dieser Statue des Königssohnes Kawab erfreute, die er in der Füllung eines Schachts im Bereich des Brunnens seines Vaters Chufu fand.«

Die Statue wurde anschließend im Ptah-Tempel zu Memphis aufgestellt, so dass ihr Entdecker sie tagtäglich bewundern konnte.

Über seine religiösen Pflichten hinaus war Chaemwaset für die Verwaltung der Region von Memphis verantwortlich. Ebenso war er als königlicher Herold tätig, der die offiziellen Verkündigungen der ersten fünf Jubiläen seines Vaters vornahm. Zu der Zeit war er gegen Ende fünf-

zig, Chaemwasets ältere Brüder waren vor ihm gestorben, wodurch er Kronprinz und gesetzlicher Erbe wurde. Doch Chaemwasets Zeit auf Erden lief ebenfalls schnell ab, er starb im fünfundfünfzigsten Regierungsjahr seines Vaters; vierzig Jahre hatte er in aufopferndem Dienst Memphis, seinen Kulten und seinen Monumenten geschenkt.

Als großer Baumeister und Restaurator, vorbildlicher Priester und Prinz blieb Chaemwaset für Jahrhunderte nach seinem Tod in Erinnerung und wurde über ein Jahrtausend später zum Helden eines populären Erzählungszyklus. In seiner geliebten Nekropole von Memphis wurde sein Andenken in Abusir geehrt, in einem Heiligtum auf einem Hügel, das einen Blick über alle Pyramiden bot: das perfekte Denkmal für den ersten Ägyptologen.

73 | MES
SIEGER IN EINEM LANGE WÄHRENDEN PROZESS

Es gibt eine Tendenz, die altägyptische Zivilisation durch eine rosa gefärbte Brille zu betrachten. Die Ägypter selbst wünschten und trachteten, sich und ihre Kultur in idealen Begriffen zu porträtieren, da der Akt des Festhaltens einer Person oder eines Ereignisses Unsterblichkeit verlieh; und es gab den überwiegenden und verständlichen Wunsch, die besten, nicht die schlechtesten Aspekte ihres Lebens zu verewigen. Diese idealisierende Sicht der Pharaonenwelt ist für das moderne, voreingenommene Auge verführerisch, doch es ist genauso falsch wie verlockend. Wenn es zum Beispiel um die altägyptische Familie geht, ist es bestechend, sich auf das exemplarische Modell zu konzentrieren, das auf Stelen und Wandmalereien dargestellt ist: Eltern, Kinder und Verwandte, die in Harmonie und gegenseitiger Unterstützung leben. Das mag im Falle einiger glücklicher Individuen so gewesen sein, doch die Erfahrung – besonders in Gesellschaften, in denen Großfamilien in engen Verhältnissen leben – legt nahe, dass Meinungsverschiedenheiten, Eifersüchteleien, Streit und offene Feindseligkeit wahrscheinlich eher die Norm waren.

Eine einzigartige Inschrift aus der frühen 19. Dynastie beweist, dass auch die alten Ägypter für komplizierte, oft hitzige Familienbeziehungen anfällig waren. Der Verfasser des Berichtes war ein Mann namens Mes. Er lebte unter der Regierung Ramses' II. und stieg wie sein Vater vor ihm in das bescheidene Amt des Schatzamtsschreibers im Ptah-Tempel zu Memphis auf. Doch sein Begehren nach Ruhm, der stolzeste Moment seines Lebens, sollte nichts mit seiner Laufbahn zu tun haben. Vielmehr betraf dies seinen Sieg in einem Gerichtsprozess, einem legalen Kampf unter Verwandten bis aufs Messer, der sich bei seinem Abschluss über ein volles Jahrhundert hingezogen hatte.

Der Hintergrund des Falles reichte in den Anfang des Neuen Reiches

Statue (Sandsteinkonglomerat) Chaemwasets aus dem Tempel von Karnak, 19. Dynastie. Der Ramessidenprinz hält zwei Stäbe mit göttlichen Emblemen. Sein Interesse an der altägyptischen Kultur reichte von Geschichte bis zu Religion und sogar Archäologie.

und die Herrschaft Ahmoses zurück. Mes' ferner Vorfahr Neschi war unter Ahmose Aufseher des Siegels und Admiral gewesen und hatte in den Befreiungskriegen gegen die Hyksos tapfer gekämpft. Wie andere loyale Offiziere hatte Neschi als Belohnung für seinen Militärdienst ein Gut nahe der Hauptstadt Memphis zugesprochen bekommen; es wurde als ›Anwesen Neschis‹ bekannt. Das Gut wurde über die Generationen weitergegeben, und schließlich hatte es Mes' Großmutter, die Dame Schentra, geerbt. Schentra hatte verschiedene Kinder, und damit fing der Ärger erstmals an. Denn als Schentra starb, unter der Regierung Haremhabs, glaubte eine ihrer Töchter, Wernuro (wahrscheinlich die älteste), sie solle alles erben; ihre Geschwister dachten anders. Daher ging Wernuro vor Gericht, um die gesetzliche Einheit des Besitzes aufrechtzuerhalten und sich ihre Position als Alleinerbin bestätigen zu lassen. Sie war nur teilweise erfolgreich, indem sie das Recht erhielt, als Verwalterin des Besitzes zu handeln, und gleichzeitig zu akzeptieren hatte, dass das Gesetz die Anteile ihrer Miterben anerkannte.

Diese Entscheidung war augenscheinlich zu viel für ein Mitglied der Familie, Wernuros Schwester Tachuru. Sie reichte nun eine zweite Klage ein, um die offizielle Kontrolle über ihren Erbanteil zu erreichen. Als ihr dies zuerkannt wurde, hielten Wernuro und ihr Sohn Huy (Mes' Vater) mit einer Klage dagegen, um ihre Verwaltungsrechte über den ganzen Besitz zurückzugewinnen. Der Streit hatte die Familie nun auseinandergerissen. Der Grad der Ressentiments war heftig und sollte sich auf die nächste Generation übertragen. Als daher Huy etwa vierzig oder mehr Jahre später starb, beschlossen die Verwandten, die Angelegenheit ein für allemal zu regeln. Sie heuerten einen zweifelhaften Charakter namens Chay an, der Huys Witwe Nubnofret und ihr Baby, Mes, von ihrem Land vertreiben sollte.

Angesichts drohender Verarmung und dauerhafter Ausschließung von ihrem Familienbesitz stengte Nubnofret einen vierten Prozess an. Ihr Ziel war, die Kontrolle über den Besitz zurückzugewinnen, doch machten ihr Chays Intrigen im Auftrag ihrer Verwandten einen Strich durch die Rechnung. Er konspirierte mit einem Gerichtsbeamten, um die Steueraufzeichnungen zu fälschen, die in der Delta-Stadt Pi-Ramesse aufbewahrt wurden. Diese hätten gezeigt, dass Huy tatsächlich das Land bestellt hatte, um Nubnofets Anspruch aufrechtzuerhalten. Doch als die Dokumente dem Hohen Gericht beim Wesir in Heliopolis (äg. Iunu) vorgelegt wurden, war in ihnen keine Erwähnung Huys zu finden. Chays Erklärungen wurden bestätigt, und es sah aus, als ob Mes und seine Mutter alles verloren hatten.

Indes, die sich hämisch freuende Familie hatte nicht mit der Entschlossenheit des Jungen gerechnet, das seiner Mutter zugefügte Unrecht wiedergutzumachen. Sobald er erwachsen war, strengte er vor dem Großen Gerichtshof zu Memphis einen fünften Prozess an. Seine Klage gegen Chay umfasste zwei Forderungen. Die erste lautete, sein Recht auf den angestammten Landbesitz als eines direkten Abkömmlings von Neschi wiederherzustellen. Die zweite enthielt eine Anklage gegen Chay und einen Komplizen, die Steueraufzeichnungen gefälscht zu haben. In der ersten Forderung war Mes geschickter als sein Widersacher. Er machte sich klar, dass die Dokumente frisiert worden waren und so seinen Anspruch nicht erhärten würden; so berief er sich direkt auf die Bewohner in der Nachbarschaft des ›Anwesens von Neschi‹. Sie konnten seine Abkunft bezeugen und daher sein Recht auf das Land. Lebende Zeugen waren ein mächtigerer Beweis als bloße Dokumente, und sogar Chay musste Mes' legitime Abkunft vor Gericht bestätigen. Da so sein Erbe nachgewiesen war, brachte Mes weitere Dokumente vor, um die Anklage gegen Chay zu erhärten.

Mit angehaltenem Atem erwarteten Kläger und Beklagter den endgültigen Urteilsspruch. Er wurde von einem Schreiber vor der Richterbank verkündet. Wie alle altägyptischen Gerichtsentscheidungen hatte er die Form ›A hat Recht, B hat Unrecht‹. Das Gericht sprach zugunsten von Mes, und er hob die Hand, um den Spruch zu begrüßen. Chay dagegen senkte den Kopf unter dem vom Gerichtsbeamten geschwungenen Stock. Mes hatte obsiegt und verließ das Gericht, die Hände triumphierend erhoben; sein Gegner ging in Schande. Um diesen historischen Sieg zu feiern und sicherzustellen, dass sein Anspruch auf ewig aufrechterhalten werde, ließ Mes die gesamten Details des Prozesses auf den Wänden seiner Grabkapelle in Sakkara aufschreiben.

Mes, der Prozessführer ohne Angst, vor Gericht zu gehen, um sein Recht zu erwirken, ist eine seltsam vertraute Gestalt in der modernen westlichen Welt. Er erinnert stark daran, dass Familienfehden eine universelle menschliche Erfahrung sind.

Szene aus dem Grab des Mes in Sakkara, 19. Dynastie. Am Ende des heroischen Kampfes mit anderen Mitgliedern seiner Familie, der sich über Generationen hinzog, erhebt hier Mes (rechts) den Arm, um die Entscheidung des Hofes zu seinen Gunsten zu quittieren.

74 | Didia

Chefzeichner von fremder Herkunft

Einer der Hauptwünsche eines alten Ägypters war, sein Amt an seine Kinder weiterzugeben. Ein Zeichner namens Didia, der unter der Regierung Ramses' II. lebte, bietet ein Beispiel für diesen Wunsch. Denn Didia war in der siebten Generation seiner Familie Inhaber des Amtes des Chefzeichners Amuns. Sein ferner Vorfahr namens Pada-Baal (›Baal errettet‹) war in der Mitte der 18. Dynastie von Syrien-Palästina nach Ägypten gekommen, vielleicht als Kriegsgefangener. Offenbar hatte er sich geschickt so schnell wie möglich der ägyptischen Gesellschaft angepasst und gab so seinen Kindern ägyptische Namen. Doch die Familie behielt ein Gefühl für ihre Herkunft, denn die meisten ihrer männlichen Mitglieder heirateten Frauen, die selbst ›Ausländerinnen‹ von fremder Herkunft waren. Didia war auf seine Ahnenreihe stolz und schrieb sie auf einer Stele nieder.

Als Chefzeichner Amuns lag Didias Können im Zeichen, Malen und Entwerfen. Seine Arbeit war indes nicht auf bloßes Skizzieren beschränkt. Er diente dem Wesir Paser bei der Konstruktion und Dekoration der großen Hypostylhalle zu Karnak, die unter Sethos I. begonnen und unter Ramses II. vollendet wurde. Darauf, wie Didia selbst aufzeichnete, ›wurde ich von Seiner Person beauftragt, Arbeiten für Amun zu erledigen, Monumente in Karnak und am Großen Westufer Thebens zu restaurieren‹. Sein Auftrag bestand darin, die Tempel der 18. Dynastie und früherer Perioden zu restaurieren, die baufällig geworden waren, nämlich die Festhalle Thutmosis' III. in Karnak; den angeschlossenen Totentempel Amenhoteps I. und Ahmose-Nefertaris sowie den Totentempel Thutmosis' III. in Theben-West; schließlich den Tempel Mentuhoteps II., den Amun-Tempel Thutmosis' III. und den Totentempel Hatschepsuts in Deir el-Bahri.

Didia war auch fähig, seine eigenen hervorragend ausgeführten Stelen und eine schwarze Granitstatue zu produzieren (oder bei Kollegen in Auftrag zu geben). Seine Inschriften trugen Invokationen einer Fülle von Göttern und Göttinnen: Amun von Karnak und Mut natürlich, doch auch die Gottheiten von Heliopolis, Re, Atum, Schu, Tefnet, Geb und Nut; die Triade von Elephantine, Chnum, Satet und Anuket; Horus von Behdet (Edfu); Nechbet; Hathor von Gebelein; Sobek-Re, Herr von Sumenu; und Month von Theben. Nach sieben Generationen, die in Theben arbeiteten, war eine Familie syro-palästinischer Herkunft ägyptischer geworden als die Ägypter.

Grabstele des Didia aus Theben, 19. Dynastie. Wie es sich für einen Zeichner der siebten Generation ziemt, ist diese Stele ein kleines Meisterwerk, das dreidimensionale Plastik und zweidimensionales Relief in einer einzigen Komposition vereint. Didia und seine Frau sind im unteren Register bei der Entgegennahme von Opfergaben dargestellt.

75 | MERENPTAH
DER PHARAO, DER ISRAEL UNTERWARF

Während seiner außerordentlich langen Herrschaft hatte Ramses II. absichtlich den Unterschied zwischen der Göttlichkeit seines Amtes und seiner eigenen menschlichen Zerbrechlichkeit verwischt. Überdies muss er Tausenden seiner Untertanen praktisch unsterblich erschienen sein, deren ganzes Leben von seinen siebenundsechzig Jahren auf dem Thron umschlossen waren. Seine Erben müssen sich ebenfalls gefragt haben, ob der König je sterben werde, und einer Reihe von Kronprinzen wurden ihre Erwartungen zunichte gemacht, als sie vor ihrem Vater verstarben. Als Ramses schließlich in den Neunzigern sein irdisches Leben abschloss, war die nächste Thronlinie nicht sein erster, zweiter oder sogar dritter Sohn,

Granitbüste von einer Sitzstatue Merenptahs, aufgestellt in seinem Totentempel in Theben-West, 19. Dynastie. Obgleich Merenptah, als er König wurde, mindestens fünfzig Jahre alt war, zeigt diese Statue ihn in Idealgestalt als kräftigen jungen Mann.

sondern der dreizehnte, ein Prinz namens Merenptah. Er war bei seiner Thronbesteigung selbst ein älterer Mann, wahrscheinlich in den Sechzigern. Verheiratet und mit drei oder vier Kindern muss Merenptah die größte Zeit seines Erwachsenenlebens völlig nichtsahnend bezüglich seines schließlichen Schicksals verbracht haben; doch als ein älterer Bruder nach dem anderen starb, rückte er in der Thronfolge unaufhaltsam nach vorn. Als für ihn der Augenblick kam, das Königtum zu übernehmen, muss dem unerwarteten Erben klar gewesen sein, dass diese Herrschaft kurz sein würde. Unverzüglich begannen die Arbeiten an seinem Grab im Tal der Könige, sein Totentempel wurde unter Wiederverwendung von Blöcken vom nebenan gelegenen Monument Amenhoteps III. in Rekordzeit erbaut. Es war ein Rennen gegen die Zeit, und nicht einmal Respekt gegenüber seinen königlichen Vorfahren durfte im Wege stehen.

Merenptahs Instinkt, mit dem Ruhm seines Vaters Ramses II. gleichzuziehen, hatte angesichts der drängenden Eile, sein eigenes architektonisches Erbe zu vollenden, schlechte Chancen. Der Totentempel des neuen Königs liefert ein Beispiel für diese Spannung: Der Eingangspylon war fast so groß wie der des Ramesseums und kündete von der Größe seines königlichen Erbauers; doch der Tempel hinter der Fassade war nur halb so groß wie der Kolossalbau des Vaters.

Stets im Bewusstsein, die traditionelle Rolle des Pharaos erfüllen zu müssen, war eine der ersten Handlungen Merenptahs als König, eine durchgreifende Inspektion und Sanierung der Tempel in ganz Ägypten vorzunehmen. Obendrein ließ er vielen von ihnen seinen eigenen Namen hinzufügen; darin schlug er zweifellos ganz nach dem Vater. In den internationalen Beziehungen machte Merenptah ebenfalls den Leistungen seines Vorgängers Ehre. Gemäß den Bedingungen des Friedensvertrags mit den Hethitern, welcher der unentschiedenen Schlacht von Kadesch folgte, schiffte Merenptah Korn ins Hethiterreich, um eine Hungersnot zu lindern. Doch nicht alles in der Levante war Frieden und Freundschaft.

Die frühen Jahre einer neuen Regierung waren immer eine kritische Zeit. Der Tod eines Königs und die Inaugurierung eines unerprobten Monarchen boten fremden Gegnern und rebellischen Provinzen die perfekte Gelegenheit, eine Offensive zu starten. Insofern, als der Tod des großen Pharaos und Militärbefehlshabers Ramses' II. eintrat und der Nachfolger ein Sechzigjähriger war, war die Versuchung unwiderstehlich. In Merenptahs erstem Thronjahr revoltierten die Städte Aschkelon, Geser und Janoam in Syrien-Palästina gegen die ägyptische Vorherrschaft. Merenptah musste entschieden handeln, um die Auflösung des Reiches zu verhindern, das sein Vater und sein Großvater so entschlossen geschaffen hatten. Also schickte er seinen Kronprinzen, Sethos-Merenptah aus, um die Rebellen niederzuwerfen und die Kontrolle wiederherzustellen. Anschließend wurde an einem strategischen Ort in den Hügeln außerhalb Jerusalems ein befestigter Brunnen gebaut, welcher der Versorgung von Expeditionen ägyptischer Händler und Diplomaten sowie des Militärs mit Trinkwasser dienen sollte. Der ›Brunnen Merenptahs‹ erfüllte seinen Zweck, und binnen eines Jahres nach dem erfolglosen Aufstand wurden wieder normale Verbindungen mit Syrien-Palästina aufgenommen.

Indes, es sollte für Ägypten noch eine weit größere Bedrohung kommen. In Merenptahs fünftem Thronjahr unternahmen Nubier südlich des Niltals einen eigenen Aufstand. Das war keine gewöhnliche Erhebung: Es scheint sich um eine gezielte Ablenkungstaktik gehandelt zu haben, mit dem Ziel, die ägyptischen Truppen vom wirklichen Angriff fortzulocken. Denn am Westrand des Deltas war eine regelrechte Invasion im Gange, angeführt von den Libyern in Allianz mit den geheimnisvollen und vielgefürchteten Seevölkern. Zu den Letzteren gehörten Akiwascha (wahrscheinlich Achaier vom griechischen Festland) zusammen mit Schardana – einige von ihren Landsleuten hatten im Heer Ramses' II. gedient –, dazu Schekelescha, Turischa und Lukka. Zusammen machten diese Völker aus dem östlichen Mittelmeerraum [die Namen entsprechen *Sardiniern, Siziliern, Tyrsenern* bzw. *Tyrrhenern* sowie *Lykiern* ≈ Luwiern; A. d. Ü.] vielleicht ein Drittel der gesamten Invasionstruppen aus. Das war der entscheidende Augenblick in Merenptahs Herrschaft. Er musste schnell und entschlossen handeln, wenn Ägypten nicht wieder unter einem fremden Joch leiden sollte.

Schnell mobilisierte der König seine Streitkräfte. Er befahl dem Vizekönig von Kusch eine Aktion gegen die Nubier, die relativ leicht überwältigt wurden. Die ägyptische Hauptarmee marschierte sofort ab zum westlichen Delta und stellte die Eindringlinge nahe der Doppelstadt Pe und Dep (Buto, heute Tell el-Fara'in). Nach sechsstündiger grimmiger Schlacht errangen die Ägypter den Sieg. Die Invasion war auf der Stelle gestoppt worden. Zweifellos mächtig erleichtert und im Auftrieb durch seinen phänomenalen militärischen Erfolg, folgte Merenptah seines Vaters Beispiel und ließ eine Inschrift mit einem Bericht für die Ewigkeit über seinen Triumph anfertigen. Tatsächlich nicht einen Bericht, sondern zwei: Gerade so wie sein Vater sowohl einen poetischen wie einen Prosabericht zur Schlacht von Kadesch in Auftrag gegeben hatte, so verfasste sein Sohn zwei Versionen über seinen eigenen Sieg. Das Poem war ein Meisterstück der Übertreibung. Es umfasste einen plastischen Bericht über die Schlappe der libyschen Truppen; die Flucht ihres Anführers Merey, bezeichnet als der ›Abscheu von Memphis‹; und die Verwüstung ihres Heimatlandes in der Folge der Niederlage. Überdies wurde der König gepriesen als Sieger über alle Feinde Ägyptens: Tjehenu (Libyen), Kanaan, Aschkelon, Geser, Janoam, Chor und – am berühmtesten von allen – Israel. Diese Erwähnung des Volkes des Alten Testaments ist das einzig bekannte Vorkommen des Namens Israel in einem Hieroglyphentext. Es ist höchste Ironie, dass Merenptahs Platz in der Geschichte trotz seinen genuinen militärischen Erfolgen und Anstrengungen zur Verteidigung der ruhmreichen Leistungen seines Vaters letztlich durch diese eine, kurze und vielleicht sogar erdichtete Erwähnung reserviert wurde.

76 | PANEB
NOTORISCHER VERBRECHER

Die altägyptische Kunst präsentiert einen perfekt geordneten Blick auf die Welt, in dem die Menschen ihrem täglichen Leben in Frieden und Zufriedenheit nachgehen, Familien lieben sich in enger Verbundenheit, und die gesellschaftliche Hierarchie ist rundherum respektiert. Natürlich ist keine Gesellschaft in der Geschichte ein solches Utopia gewesen, und das alte Ägypten besaß zweifellos seinen Anteil an Leiden, Kriminalität und Streit. Doch wir müssen andere Beweisquellen heranziehen als die Kunst, wenn wir Einblicke in die düstereren Realitäten des Lebens bekommen wollen. Verwaltungs- und Rechtstexte wurden insbesondere dazu geschaffen, tatsächliche Vorkommnisse festzuhalten, statt ein idealisiertes Bild der Gesellschaft zu verewigen. Daher können sie flüchtige Einblicke in gesellschaftliche Übel liefern, die unter dem äußeren Anschein von Ordnung und Harmonie lauerten. Eine derartige Sammlung von Dokumenten vom Ende der 19. Dynastie wirft ein Schlaglicht auf die Verbrechen und Delikte eines notorischen Kriminellen aus Theben.

Der fragliche Schurke war ein Mann namens Paneb. Er lebte in dem

Kalksteinsplitter (Ostrakon) mit der groben Zeichnung eines Arbeiters, aus Theben, Neues Reich. Diese sinnträchtige Karikatur zeigt einen untersetzten Mann mit Stoppeln, übergroßen Ohren und einer vorstehenden Nase. Paneb erscheint in dem schriftlichen Bericht gleichermaßen als wenig anziehende Gestalt.

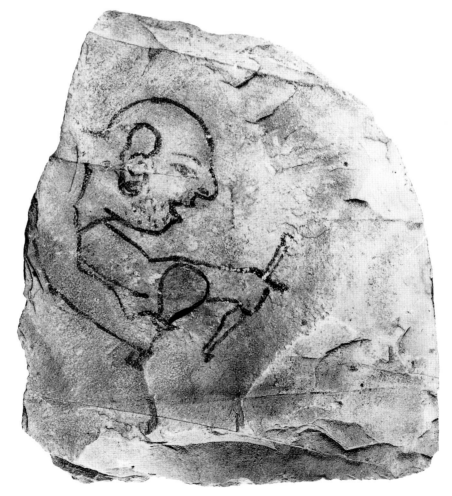

Dorf der Nekropolenarbeiter (Deir el-Medina), versteckt in einem abgeschlossenen Tal von Theben-West. Panebs Vater und Großvater waren beide beim Bau von Königsgräbern beschäftigte Arbeiter gewesen. Nefersenet, Panebs Vater, hatte an den Gräbern Ramses' II. und seiner Söhne gearbeitet und war offenbar in der näheren Umgebung gut bekannt, da er auf verschiedenen Graffiti erwähnt wird. Sein Sohn sollte noch mehr ein fester Begriff werden, doch aus ziemlich anderen Gründen.

Paneb besaß eine typische Großfamilie. Er teilte sein kleines Haus mit seiner Frau Wabet, ihren drei oder vier Söhnen und fünf Töchtern; doch es war kein Bild ungetrübter Wonne. Unter den beengten Bedingungen des Ortes, gewissermaßen Backe an Wange mit anderen Hausständen, war die Gelegenheit zu außerehelichen Affären immer gegenwärtig, und Paneb scheint die Versuchung unwiderstehlich gefunden zu haben. Er hatte sexuelle Beziehungen mit mindestens drei verheirateten Frauen, eine mit Namen Tui und zwei mit Namen Hunro, Vergehen, die ihn unbeliebt gemacht haben müssen, besonders bei seiner eigenen Familie.

Auch bei seiner Arbeit war Paneb hinterlistig und skrupellos. Als er erwachsen wurde, am Ende der langen Regierung Ramses' II., ging er zum Team der Nekropolenarbeiter und folgte damit den Fußstapfen seines Vaters. Als ›Kolonnenarbeiter‹ arbeitete Paneb all die Jahre unter der Regierung Merenptahs bis hinein in die Zeit Sethos' II. Im fünften Jahr unter dem neuen König bot sich plötzlich eine Gelegenheit zur Beförderung, als der Vorarbeiter Neferhotep starb oder sich zurückzog. Im alten Ägypten wurden wichtige Ämter gewöhnlich in der Familie weitergegeben, und Neferhoteps jüngerer Bruder, Amennacht, erwartete, die Nachfolge als Vorarbeiter anzutreten. Jedoch hatte er nicht mit Paneb gerechnet, der voll darauf eingestellt war, alles Nötige zu tun, um seine eigene Karriere voranzubringen, sogar auf Kosten anderer. Paneb bestach einfach den Wesir, damit der ihn zum Vorarbeiter berief, und überging so Amennacht. Anschließend, um seine Spuren zu verbergen, brachte Paneb gegen den Wesir eine Beschwerde vor, die zu dessen Entlassung aus der Stellung führte.

Als einer der beiden Vorarbeiter, verantwortlich für die ›rechte Seite‹ der Arbeitskolonne – während sein Kollege Hai die ›linke Seite‹ führte –, hatte Paneb nun reichlich Gelegenheit, seine Schäfchen ins Trockene zu bringen. Er hatte schon die Arbeit an seinem eigenen Grab begonnen, als er noch ein einfacher Steinschleifer war; doch jetzt hatte er die ganze Arbeitskraft seines Teams zur Verfügung. Er verlor keine Zeit, sie für seine eigenen Vorhaben zu nutzen und zog sie von ihrer vertraglichen Arbeit im Tal der Könige ab. Beispielsweise erschien einer von Panebs Unterstellten, Nebnefer, Sohn von Wadjmose, nicht zur Arbeit, weil er Panebs Rind fütterte. Ein solches Benehmen war vermutlich in Positionen von niederer Autorität ganz verbreitet und wäre nicht als ernstes Vergehen betrachtet worden. Jedoch ging Panebs kriminelle Aktivität weiter. Er stahl Werkzeuge von seinem Arbeitsplatz, nahm für den Bau seines

Grabes Spitzhacken und eine Hacke mit, die dem Staat gehörten. Ebenso nutzte er seinen Einfluss und Zutrittsmöglichkeiten, um weit schwerere Verbrechen zu begehen. Sethos II. war jetzt gestorben und im Tal der Könige zur Ruhe gebettet worden. Kann man Panebs späteren Anklägern Glauben schenken, plünderte er das königliche Grab, an dem er selbst gearbeitet hatte, und raubte aus ihm eine Streitwagendecke, Weihrauch, Öl, Wein und eine Statue. Er verschlimmerte seine Straftat noch, indem er sich auf den Sarkophag des toten Königs setzte, ein Akt erschreckender Entweihung.

Diebstahl, Grabraub, Blasphemie gegen die Götter: Aus Paneb war vom kleinen Übeltäter ein Schwerverbrecher geworden, und seine Feinde packten die Gelegenheit, ihn vor Gericht zu bringen. Amennacht, der andauernden Groll gegen Paneb hegte, weil der ihn unlautererweise seiner Stellung als Vorarbeiter beraubt hatte, diktierte einem Schreiber eine Reihe von Anklagen und legte sie dann dem Wesir Hori vor. In seiner Vorlage beschuldigte er Paneb sogar des Mordes. Der eigene Sohn des Beklagten, Aapehti, selbst Nekropolenarbeiter, schaltete sich mit Anklagen gegen seinen Vater wegen Ehebruchs und Unzucht ein. Allseits verurteilt, von Kollegen und Familienangehörigen, hatte Panebs kriminelle Karriere ihren Lauf genommen. Doch wirklich? Entäuschenderweise wissen wir nichts über sein letztendliches Schicksal, ob er überführt wurde oder ob er es schaffte, durch irgendeinen schlauen Trick der Gerechtigkeit zu entkommen. Was auch die Entscheidung des Gerichts war, Paneb hatte seine Unsterblichkeit erreicht, nicht durch gute Taten, sondern durch Niedertracht.

77 | BAY
KÖNIGSMACHER

Die siebenundsechzigjährige Herrschaft Ramses' II. dominierte die 19. Dynastie. Während sie in ihrer Zeit Quell großer Stabilität war, war ihre Wirkung auf spätere Generationen ernstlich destabilisierend, da nun eine Reihe entweder betagter oder unreifer Könige folgte. In einer solchen Situation gab es reichlich Raum für dynastische Intrigen, Komplotte und Gegenkomplotte. Die Dokumentation solcher Ereignisse ist natürlich ziemlich undurchsichtig, aber es ist deutlich, dass insbesondere ein Mann aus den Umständen seinen Vorteil zog, um seine eigenen Interessen voranzubringen; sein Name war Bay.

Während der Regierung Sethos' II., Merenptahs kurzzeitigem Nachfolger, hatte Bay das Amt des Kanzlers inne. Seine Herkunft liegt im Dunkeln, doch möglicherweise stammte er aus dem Nahen Osten. Zweifellos war er ein vollendeter Politiker. Das musste er sein, da Sethos' II. Herrschaft alles andere als frei von Turbulenzen war. In seinem zweiten Thronjahr wurde ein Usurpator namens Amenmesse im Niltal südlich des Faijum zum König proklamiert, der Sethos die effektive Hoheit gerade einmal über das Delta und das Gebiet von Memphis überließ. Amenmesse war vielleicht Sethos' Sohn, der frustriert davon war, dass er als gesetzlicher Erbe übergangen wurde und daher beschloss, selbst zu versuchen, die Macht an sich zu reißen und seinen Vater dabei zu verdrängen. Fast vier Jahre hielt er als König durch, bevor es Sethos II. gelang, die königliche Autorität in ganz Ägypten und den eroberten Ländern wiederherzustellen. Es ist nicht klar, welche Rolle, wenn überhaupt, Bay in diesen Ereignissen spielte; sogar wenn er nicht in Amenmesses Coup involviert war, sah er offenkundig den Schaden, welcher dem Ansehen der Monarchie zugefügt worden war, und beschloss, die Situation für seine eigenen Zwecke auszunutzen.

Sethos' II. Wiedereinsetzung in die volle Macht war kurzlebig, denn er starb etwa ein Jahr nach der Vertreibung Amenmesses. Kronprinz und legitimer Erbe war Sethos' Sohn Sethos-Merenptah gewesen, doch war der entweder schon tot oder nicht in der Lage, angesichts mächtiger Opponenten seine Rechte auf den Thron zu behaupten. Anführer des Oppositionslagers war Bay. Seine bevorzugte Wahl zum nächsten König war ein junger Prinz namens Siptah, sehr wahrscheinlich der Sohn Amenmesses; in Texten in Assuan und Gebel el-Silsila prahlte Bay damit, er habe ›den König auf dem Sessel seines Vaters eingesetzt‹. Bays Kandidat hatte gute Verbindungen zu Nubien und damit den Zugang zum Reichtum an Mineralien. Noch besser, als Kind war er geeignet für Manipulationen durch ältere, erfahrenere Männer am Hof, und Bay hatte die Absicht, eigene Macht auszuüben, indem er durch den jungen König regierte.

Siptah wurde ordnungsgemäß zum König proklamiert, doch wurde die Macht auf dem Weg einer Regentschaft in Person Tausrets, der Witwe Sethos' II. ausgeübt. Wenigstens war das die offizielle Version der Ereignisse, doch in Wirklichkeit war Bay die Macht hinter dem Thron. Seine neuerworbene Macht nutzte er voll aus und gab für sich im Tal der Könige ein Grab in königlichen Ausmaßen in Auftrag. Doch dauerte sein Einfluss im Zentrum der Herrschaft nicht lange. Im fünften Jahr von Tausrets Regentschaft versuchte sie selbst, voll an die Macht zu kommen, eine Entscheidung, die Bays Sturz beschleunigte. Auf Tausrets Befehl hin wurde er exekutiert, sein Name systematisch von den Inschriften getilgt, mit Ausnahme eines versteckten Hinweises auf ›den großen Feind‹. Sein Grab wurde nie benutzt.

Ein Jahr oder weniger danach war Siptah selbst tot, gerade erst in den Jugendjahren. Die Gegenrevolution war allseitig. Der Name des jungen Königs wurde von seinem unvollendeten Grab und von Tausrets nahe gelegener Grabstätte entfernt. Sie herrschte weiterhin als alleiniger König, doch das Land war auseinandergerissen. Es folgte Bürgerkrieg, und die Ordnung wurde erst durch die Ankunft eines neuen starken Mannes,

Granodioritstatue Ramses' II. als Stabträger, aus dem Tempel von Karnak, 20. Dynastie. Oben auf dem Stab ist der Kopf eines Widders befestigt, des dem Amun-Re von Karnak heiligen Tieres. Die Statue wird an einer der Prozessionswege des Tempels aufgestellt gewesen sein.

Sethnacht, des Begründers der 20. Dynastie, wiederhergestellt. Er und seine Nachkömmlinge strichen sowohl Siptah als auch Tausret aus der Geschichte und betrachteten Sethos II. als letzten legitimen König der königlichen Linie der 19. Dynastie. Was den Königsmacher Bay betrifft: Eine Quelle aus der 20. Dynastie bezeichnete ihn einfach als den ›syrischen Parvenü‹.

78 | RAMSES III.
DER LETZTE GROSSE KÖNIG ÄGYPTENS

Ramses III. ist der letzte große Pharao genannt worden. Gewiss waren die einunddreißig Jahre auf dem Thron Ägyptens nicht knapp an ruhmreichen Ereignissen: Tempelbau in großem Maßstab, grandiose militärische Siege, Expeditionen zur Herbeischaffung exotischer Dinge und Materialien aus fernen Ländern. Doch die Art, wie diese Herrschaft ein Ende fand – Hofverschwörung, versuchter Mord und vorzeitiger Tod –, war weniger ruhmvoll und prophezeite den Zusammenbruch der Zentralautorität, was die Dritte Zwischenzeit charakterisieren sollte.

Ramses wurde in den letzten Tagen der 19. Dynastie geboren. Sein Vater Sethnacht war vermutlich ein Armeegeneral und trug die Verantwortung für die im östlichen Delta stationierten Truppen. In der Folge der turbulenten Regierungszeit von Siptah und Tausret wandte sich die militärische Klasse Sethnacht als dem am besten geeigneten Mann zu, die Stabilität wiederherzustellen. Doch er war schon ein älterer Mann. Die effektive Macht während seiner kurzen zweijährigen Herrschaft wurde daher von seinem Sohn Ramses ausgeübt, der wie sein Vater seine Laufbahn wahrscheinlich in der Armee begonnen hatte.

Als Ramses selbst den Thron bestieg, brachte er das Versprechen auf eine bessere Zukunft mit. Hier war ein energischer, gesunder König, der nach einer Folge schwacher, ineffektiver Herrscher Stabilität und Ruhm des ägyptischen Throns wiederbegründen wollte. Bewusst nahm er sich Ägyptens größten König, Ramses II. zum Vorbild und wählte einen Thronnamen (Usermaatre-meriamun), der absichtlich den seines illustren Vorgängers (Usermaatre-setepenre) in Erinnerung rief. Ramses III. war vielleicht der Enkel Ramses' II., ohne Zweifel war er als Herrscher aus demselben Holz geschnitzt. Zwei seiner Söhne benannte er nach Söhnen Ramses' II. und berief sie sogar in dieselben Ämter wie ihre Vorfahren.

Gerade wie Ramses II. auf dem Westufer in Theben einen großartigen Totentempel gebaut hatte (das Ramesseum), so machte sich Ramses III. daran, dasselbe zu tun. Öffentlich verkündet als ›Das Millionen-Jahre-Haus König Ramses', verbunden mit der Ewigkeit auf dem Besitze Amuns‹, sollte der Tempel in Medinet Habu die letzte große architektonische Leistung des Neuen Reiches sein. Seine massiven Pylonen, zwei

Säulenvorhöfe, eine Hypostylhalle und der angrenzende Palast waren alle mit einer befestigten Umfassungsmauer umgeben. Der Zugang zu dem gesamten heiligen Raum war nach dem Vorbild einer syrischen Festung (*Migdol*) gestaltet, die oberen Zimmer reservierte der König für den privaten Gebrauch und schmückte sie mit persönlichen Szenen von sich und seinen Gemahlinnen aus.

Der Umstand, dass Ramses' Totentempel aus Syrien inspirierte Architekturelemente verwandte, illustriert den kosmopolitischen Charakter seiner Herrschaft. Auch seine Lieblingsfrau Iset war vermutlich von fremder Herkunft. Doch Ägyptens ausländische Beziehungen waren nicht auf kulturelle Einflüsse und diplomatische Heiraten beschränkt. Die Menschen im Norden, Osten und Westen waren inneren Erschütterungen ausgesetzt; ruhelose fremdländische Herrscher und vertriebene Menschen gleichermaßen sahen Ägyptens legendären Reichtum mit neiderfüllten Augen. Würde der junge König Ramses III. der Tapferkeit und Entschlossenheit seines berühmten Vorgängers entsprechen? Seine ersten fünf Thronjahre verliefen friedlich, doch das war die Ruhe vor dem Sturm. Vom fünften bis elften Regierungsjahr des Königs erlitt Ägypten nicht weniger als drei versuchte Invasionen, welche die militärischen Führungsfähigkeiten des Königs, hier speziell im Verteidigungsfall, bis an die Grenze auf die Probe stellten.

Der erste Angriff wurde vom Volk der Libu in der Cyrenaïka (Küstengebiet Libyens) geführt. Ihr wurde schnell begegnet, doch viel Schlimmeres sollte kommen. Im achten Jahr des Königs sah sich Ägypten einer der gefährlichsten Situationen gegenüber, die es je erlebt hatte. Politische und militärische Unruhen in der fernen mykenischen Welt waren vielleicht der Auslöser; nach dem ägyptischen Bericht ›verschworen sich die fremden Länder auf ihren Inseln, und die Völker wurden vertrieben und durch den Kampf zerstreut, alle auf einmal, und kein Land konnte vor ihren Waffen standhalten‹. Die Verdrängung großer Zahlen von Menschen aus der Ägäis und aus Anatolien verursachte eine massive Völkerwanderung. Die Migranten, kollektiv bekannt als Seevölker, umfassten mindestens neun verschiedene ethnische Gruppen: die Denjen (vielleicht die Danaer vom griechischen Festland), Akiwascha (Achaier?), Lukka (Lykier), Peleset (Philister), Schardana [Sardinier], Schekelescha [Sizilier], Teresch [Tyrrhener], Tjeker (Teukrer?) und Weschesch. Zusammen bewegten sie sich von ihren Heimatländern her durch das östliche Mittelmeer, plünderten Küstensiedlungen und Städte, griffen Kilikien, Zypern und Syrien an und destabilisierten sogar das einst mächtige Hethiterreich.

Und sie stürmten vorwärts nach Ägypten; eine Invasion zu Lande, einschließlich Frauen und Kindern in Wagen, steuerte auf Ägyptens Nordostgrenze zu, während Einheiten zur See das Delta anpeilten. Als Ramses von der zweigleisigen Invasion erfuhr, sandte er sofort Befehl an die Grenzfestungen, nicht nachzugeben und den Feind in Schach zu halten, bis die ägyptische Hauptarmee einträfe. Als die beiden Truppen an der

Illustration aus dem Großen Papyrus Harris, aus Theben, 20. Dynastie. Ramses III. steht vor dem Gott Re-Horachti, dargestellt als reifer Mann in durchsichtigen Gewändern und mit fein ausgearbeiteten Insignien.

Grenze aufeinandertrafen, war dort ein heftiger Kampf mit massiven Verlusten an Menschenleben im Gange; doch die Ägypter obsiegten. Jetzt wandte sich die Aufmerksamkeit der Deltaküste zu. Die feindliche Flotte hielt Kurs auf die Mündung eines der Nilarme, ohne Zweifel in der Absicht, stromaufwärts nach Memphis zu segeln; doch die Ägypter stellten sie auf dem offenen Meer, unterstützt von Bogenschützen, die von der Küstenlinie aus schossen. Am Ende der heldenhaften Begegnung waren die Ägypter siegreich, und Ramses hielt den ganzen Zusammenstoß auf der Außenwand seines Totentempels in Texten und Bildern fest. Die Beschreibung der Schlachten bildet die längste erhaltene Hieroglypheninschrift.

Obgleich Ägypten sich fortdauernde Freiheit und Unabhängigkeit erhielt, indem es die Angreifer vertrieb, legte die Anstrengung dem Land große Belastungen auf und muss sein Selbstvertrauen ernsthaft angeknackst haben. Überdies ließen sich Teile der Seevölker in der Küstenebene der Levante nieder, unbehaglich dicht an Ägypten, während andere, besonders Scherdana, sich im Niltal selbst einrichteten. Die geopolitische Situation im Nahen Osten änderte sich, nichts konnte den Prozess aufhalten.

Ramses konnte seine Aufmerksamkeit schließlich friedlicheren Aktivitäten zuwenden, wie der Aussendung von Expeditionen in ferne Länder, um kostbare Materialien für die königliche Schatzkammer zu beschaffen: Myrrhe und Weihrauch aus Punt, Kupfer aus Timna und Türkis vom Sinai. Der durch diese Einsätze geschaffene Wohlstand wurde in einer neuen Runde des Tempelbaus, darunter Karnak, eingesetzt.

Als sich Ramses III. dem dreißigsten Thronjahr näherte und damit dem Anlass seines Jubiläumsfestes, hatte er sich als würdiger Nachfolger seines Helden Ramses II. erwiesen und sein Volk tapfer und weise in Krieg und Frieden geführt. Doch es war nicht alles in Ordnung auf den Fluren

Szene in eingelassenem Relief am Eingangspylon des Totentempels Ramses' III. in Medinet Habu, Theben-West, 20. Dynastie. In der uralten Aktion der Bezeugung königlicher Macht erhebt Ramses den Arm, um eine Gruppe gefesselter Gefangener zu erschlagen, die zu seinen Füßen kauern. Der Staatsgott Amun-Re (rechts) schaut zu und erteilt seine göttliche Billigung.

der Macht. Einige Monate vor dem Jubiläum traten die Nekropolenarbeiter viermal in Streik, um ihren monatlichen Lohn an Getreide zu verlangen. Die Regierung, scheint es, war zu beschäftigt mit den Vorbereitungen für die anstehenden Feiern, um ihren irdischen Verantwortlichkeiten Genüge zu tun. Das Jubiläum selbst verlief glatt, verschleierte jedoch den brodelnden Groll bei Hofe. Die Ursache des Konflikts war der Ehrgeiz einer der Gemahlinnen Ramses' III., Teje, ihren Sohn, Prinz Pentweret, anstelle seines Vaters auf den Thron zu bringen. Die Verschwörung zur Ermordung des Königs wurde im Haremspalast ausgeheckt. Die darin Verwickelten schlossen Angehörige des innersten Kreises des Königs – so etwa den Obersten Kämmerer, Diener, einen Aufseher der Schatzkammer und einen Kommandeur der Armee – ebenso ein wie Beamte und andere direkt mit dem Harem Verbundene.

Der Putsch wurde vereitelt, Ramses setzte auf höchster Ebene eine Untersuchungskommission ein, um die Angeklagten vor Gericht zu stellen und abzuurteilen. Die Absicht war vielleicht, den König vor jeder weiteren direkten Verwicklung zu schützen. Doch es sollte Ramses' III. letzter Akt sein, die Ermahnung ›Möge alles, was sie taten, ihnen auf das Haupt fallen‹ der letzte königliche Befehl. Kurz danach starb der König, vielleicht infolge von Verletzungen, die er bei dem Attentatsversuch erlitt. Mit seinem Tode starb auch das selbstbewusste, selbstsichere Vorbild des Königtums. Ägypten sollte seinen früheren Ruhm nie zurückgewinnen.

79 | RAMSESNACHT
HOHEPRIESTER UNTER DEN SPÄTEN RAMESSIDEN

Die verbleibenden Jahre der 20. Dynastie nach dem Tode Ramses' III. waren durch eine schnelle Abfolge von Königen charakterisiert, da ein Erbe nach dem anderen nach ein paar Jahren auf dem Thron einer Krankheit erlag. Doch verglichen mit und im Gegensatz zu dieser beunruhigenden Vergänglichkeit im Amt des Königtums erlebte Ägypten auf den oberen Stufen der Verwaltung einige bemerkenswert dauerhafte, stabile Karrieren. Es war, als ob der Mantel nationaler Kontinuität vom Pharao auf seine hohen Beamten übergegangen wäre. Ein solcher Mann war der Hohepriester Amuns, Ramsesnacht.

Unüblich für jemand, der Oberhaupt der allmächtigen Amun-Priesterschaft werden sollte, war, dass Ramsesnacht von Geburt kein Thebaner war. Seine Familie kam aus Hermopolis (äg. Chemnu) in Mittelägypten, wo sein Vater Meribast eine Menge lokaler Ämter innehatte. Ramsesnacht heiratete eine Frau namens Adjitsherit und begründete eine Familie, bevor er schließlich in den Dreißigern oder Vierzigern ein hohes Amt erlangte, als er von Ramses IV. zum Hohepriester Amuns berufen wurde. Der neue König signalisierte dadurch seine Unabhängigkeit; wahrscheinlich überging er dazu andere, thebanische Kandidaten (die vermutlich ihre Beförderung erwarteten) zugunsten eines begabten Außenseiters. Ramsesnacht bekam schnell die Verantwortung für Dinge, die weit über seine primären religiösen Pflichten hinausgingen. Im dritten Jahr der Herrschaft Rames' IV. wurde er mit einer Expedition in die Schluffsteinbrüche des Wadi Hammamet beauftragt. Mit 9000 Männern war das die größte derartige Unternehmung seit der Regierung Senuserets I. in der frühen 12. Dynastie.

Gerade ein paar Jahre später war Ramses IV. tot. In den nächsten beiden Jahrzehnten kamen die Könige und gingen; doch Ramsesnacht blieb auf seinem Posten. In einer wenigstens siebenundzwanzig Jahre währenden Dienstzeit diente er unter sechs Monarchen, von Ramses IV. bis Ramses IX. Es gelang ihm auch, die Kontrolle seiner Familie über die Hohepriesterschaft unanfechtbar zu machen: Zunächst folgte ihm ein Sohn

Schluffsteinstatue des Ramsesnacht auf einem Kalzitpodest, aus dem Tempel von Karnak, 20. Dynastie. Der Hohepriester ist dargestellt, wie er heilige Bilder der göttlichen Dreiheit von Theben, Amun, Mut und Chonsu, präsentiert.

(Nesamun) im Amt, dann ein weiterer (Amenhotep), während seine Tochter Aatnmeret einen anderen bedeutenderen Kleriker heiratete. Als Ramsesnacht in den späten Sechzigern oder den Siebzigern starb, hatte er alles erreicht, wovon ein altägyptischer Beamter träumte: ein Leben lang Dienst am König (oder, in seinem Fall, an sechs); ein gutes Begräbnis im Westen (in seinem Fall ein prächtiges Grab in der Nekropole von Theben) und, am besten von allem, die Begründung seiner eigenen Familiendynastie.

80 | NAUNACHT
DIE FRAU, DIE IHRE UNDANKBAREN KINDER ENTERBTE

Trotz der relativ geringen Präsenz von Frauen in den offiziellen Aufzeichnungen des alten Ägypten genossen sie in gesellschaftlichen und rechtlichen Angelegenheiten eine höhere Gleichstellung als in anderen Kulturen der antiken Welt. Ja, sogar in vielen modernen Staaten hat die Stellung der Frau noch nicht dasselbe Niveau an Gleichheit erreicht wie im alten Ägypten. Der gesetzliche Status von Frauen hatte die gleiche Ausgangsbasis wie die der Männer – wenn sie wollte, konnte eine Frau gegen ihren Mann als Zeugin auftreten –, und sie behielt die Kontrolle über ihren eigenen Besitz, auch nach der Heirat. Frauen waren auch frei darin, über ihren Reichtum zu verfügen, wie sie wünschten. Das beste und berühmteste Beispiel einer Frau aus dem alten Ägypten, die genau dies tat, ist im letzten Willen und Testament der Naunacht enthalten, einer Einwohnerin Thebens in der späten Ramessidenzeit.

Naunacht war eine Frau mit bescheidenen Mitteln. Sie hatte keine besondere Stellung, beschrieb sich selbst einfach als ›freie Frau‹, obschon sie gelegentlich als Sängerin für Amun im Tempel von Karnak Dienst getan haben mag. Ihr erster Ehemann war ein Schreiber namens Kenhirchepeshef. Er war an Arbeiten in den Königsgräbern beteiligt gewesen und daher wohl ein bemittelter Mann. Daher war es vielleicht eher ein durch finanzielle Überlegungen motivierter Lebensbund als eine Liebesheirat. Offenbar gingen aus der Ehe keine Nachkommen hervor. Naunachts zweite Ehe mit einem Diener im ›Platz der Wahrheit‹ namens Chaemnun war insgesamt fruchtbarer. Sie hatten acht Kinder, vier Jungen und vier Mädchen.

Mit vielen Kindern gesegnet zu sein, war das Ideal im alten Ägypten, denn in einer Gesellschaft ohne soziale Sicherheit bot die nächste Generation das einzige Mittel, dass sich jemand im Alter um einen kümmerte. Doch einige von Naunachts Abkömmlingen entsprachen nicht genau den Erwartungen der Mutter oder der Gesellschaft. Die ungeschminkten Einzelheiten sind alle in Naunachts letztem Willen enthalten, den sie vor einem Gericht erklärte und schriftlich festhalten ließ, am fünften Tag des vierten Monats der Zeit der Nilschwemme im dritten Jahr der Regierung

Ramses' v. – irgendwann im November 1147 v. Chr. Das Gericht umfasste vierzehn Personen in unterschiedlichem Rang vom einfachen Arbeiter bis zum Bezirksbeamten. Naunacht hatte die Absicht, drei ihrer Kinder zu enterben, und sie nahm kein Blatt vor den Mund:

>Ich habe diese acht eurer Diener aufgezogen. … Doch seht, ich bin alt geworden, und seht, und sie kümmern sich nicht um mich, wo ich an der Reihe bin.«

Die Überlegung war einfach:

>Wer von ihnen mir geholfen hat, dem will ich von meinem Besitz geben; wer mir nicht gegeben hat, dem will ich nicht von meinem Besitz geben.«

Die Verlierer waren Naunachts zwei Töchter, Wosnacht und Manenacht. Während nicht zu verhindern war, dass sie zwei Drittel des ehelichen Eigentums erbten, das nach dem Gesetz dem Ehemann (Chaemnun) gehörte, konnten – und sollten – sie von jedem Teil von Naunachts Anteil ausgeschlossen werden:

>Sie sollen keinen Anteil haben an der Teilung meines einen Drittels.«

Auf ähnliche Weise wurde einer von Naunachts Söhnen, Neferhotep, aus dem Nachlass ausgeschlossen, da er schon mehr als seinen reinen Anteil in Form von Kupfergefäßen bekommen, sie jedoch vergeudet hatte. Im Gegensatz dazu wurde sein Bruder Kenhirchepeshef wegen besonderer Gunst ›an und gegenüber seinen Gefährten‹ ausgewählt und erhielt nicht nur seinen Ein-Fünftel-Anteil von Naunachts Besitztum, sondern auch ihren einzigen Vermögenswert, eine bronzene Waschschüssel.

Ein Jahr oder zwei, nachdem das Testament mündlich und schriftlich gemacht worden war, hatte die ganze Familie – Chaemnun und die acht

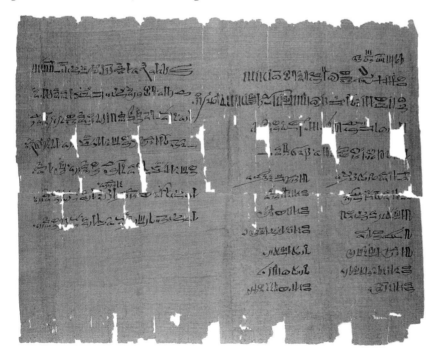

Auszug aus dem Testament der Naunacht, aus Theben, 20. Dynastie. Auf Papyrus geschrieben, gibt uns dieses Dokument einen lebendigen Einblick in die Beziehungen und Spannungen innerhalb einer Familie Thebens im Neuen Reich.

Kinder – die Demütigung zu erleiden, zu einer zweiten rechtlichen Anhörung zu erscheinen, um zu bestätigen, dass sie mit den Bestimmungen des Testaments zufrieden seien und es respektieren würden. Obgleich nichts von Naunachts Besitzgütern sehr viel wert war, zumeist Möbelstücke und Küchenutensilien, muss die Rüge für ihre ungeratenen Töchter empfindlich zu spüren gewesen sein. Sie hatten auf unangenehme Weise gelernt, was undankbare Kinder von einer Frau zu erwarten hatten, die wusste, was sie wollte.

81 | THUTMOSIS
BRIEFESCHREIBER IN TURBULENTER ZEIT

Die Fähigkeit zu lesen und zu schreiben war im alten Ägypten auf eine winzige Minderheit beschränkt. Sicher werden manche Menschen einige gewöhnliche Hieroglyphen erkannt haben, doch geübte Leser und Schreiber machten nicht mehr als fünf bis zehn Prozent der Bevölkerung aus. Diese Fähigkeiten, die durch strenges, bisweilen mühevolles Training in einer Schreiberschule erworben wurden, verhalfen zur Möglichkeit einer Karriere in der Verwaltung. Doch auf mehr alltäglicher Ebene schuf Lese- und Schreibfähigkeit auch die Möglichkeit, mit Freunden und der Familie zu kommunizieren. Diejenigen Ägypter, die lesen und schreiben *konnten*, scheinen begeisterte Briefeschreiber gewesen zu sein und teilten sich die gewöhnlichen wichtigen oder trivialen Dinge mit. Ein Bild von diesen geben die Briefe Thutmosis', die ganz am Ende des Neuen Reiches verfasst wurden.

Thutmosis war Schreiber von Beruf und während der zweiten Hälfte der Regierung Ramses' XI. mit der Nekropole von Theben verbunden. Thutmosis' offizieller Titel war ›Schreiber der großen, vornehmen Nekropole von Millionen von Jahren des Pharaos (Leben, Wohlstand, Gesundheit)‹, ein Posten, den er mindestens sechzehn Jahre innehatte; seine Aufgaben umfassten die Aufsicht über die Aufzeichnungen zur Steuererhebung aus dem Getreideanbau. Er lebte in Theben-West, reiste aber auch geschäftlich in andere Landesteile. Eine dieser Reisen führte ihn nach Mittelägypten, von wo aus er zahlreiche Briefe nach Hause schickte, um den Stand seiner Angelegenheiten und die Gesundheit seiner Verwandten zu überprüfen, besonders seiner Mutter Tanettabechen und seines Bruders Paikamun.

Doch war es eine viel längere Reise, die ihn von Theben fortführte, unter insgesamt recht kritischen Umständen, welche Thutmosis die Gelegenheit zu seiner ausführlichsten Korrespondenz gab. Im zehnten Jahr der ›Wiedergeburt‹ (der offiziellen Bezeichnung, die dem letzten Drittel der Regierung Ramses' XI. gegeben wurde), wurde Thutmosis zum Pflichtdienst in der ägyptischen Armee eingezogen. Der Grund war eine vom in

Ungnade gefallenen Vizekönig von Kusch, Panehsi (Nr. 82) angeführte Rebellion. Den Gegenangriff im Namen der Regierungstruppen führte der General Pianch. Thutmosis reiste zuerst nach Süden nach Edfu, wo er mit Pianchs Leuten zusammentraf; darauf wurde er nach Abu (Elephantine) eskortiert, den traditionellen Ausgangspunkt für Militärexpeditionen gegen Nubien.

Nach Beginn des Feldzugs sah sich Thutmosis in einer ungewohnten Rolle, umgeben von Leuten, die er nicht kannte, in einem fremden Land. Seine Briefe an seinen Sohn Butehamun nach Hause nach Theben sprechen beredt von seinem Heimweh und wachsender Verzweiflung.

> »Bitte sag Amun und den Göttern des Tempels, sie mögen mich lebend vom Feind zurückbringen«,

schrieb er an Butehamun, und bei einer anderen Gelegenheit:

> »Ich sage Horus von Kubban, Horus von Aniba [beides nubische Götter] und Atum, dem Herrn der Erde, dir Leben, Glück, Gesundheit zu geben; ein langes Leben und ein gutes reifes Alter; und dass Amun vom Thron Beider Länder, mein guter Herr, mich lebend zurückbringe von … dem Ort, an dem ich verlassen bin in diesem fernen Land, und dir meine Umarmung bringe.«

Ähnlich schrieb Thutmosis einem seiner Freunde, dem Wächter Kar:

> »Sage Amun, er möge mich gesund zurückbringen aus [diesem] Höllenloch, dem Ort, an dem ich verlassen bin.«

Bei anderen Gelegenheiten wandten sich Thutmosis' Gedanken von seiner eigenen Situation mehr irdischen Dingen zu, die sein Hauswesen und Geschäft betrafen. Er drängte seinen Sohn, sich um Mitglieder der Großfamilie zu kümmern. Ebenso riet er Butehamun, nicht den Anbau des Getreides und das Anpflanzen von Gemüse zu vernachlässigen. Von entscheidender Bedeutung waren die Vorkehrungen für den Transport des geernteten Korns: Wenn der nicht ordentlich vorgenommen wurde, drohte das Getreide verloren zu gehen, und die Familie sähe sich Lebensmittelmangel gegenüber. Butehamun schrieb, um seinem Vater zu versichern, dass zum Transport des Korns Esel bereitstünden; doch dann verlor er offenbar das Interesse an der Sache und sprang plötzlich vom Thema ab, um sich über Einzelheiten des täglichen Lebens zu Hause auszulassen. In einem der folgenden Briefe an den Sohn können wir die Wut des Vaters spüren, wenn er allerdeutlichste Instruktionen gibt:

> »Sobald dieses Wasser strömt, sollst du dieses Transportboot in Empfang nehmen, das ich dir geschickt habe, und es den Fischern und den *Medjai* (Polizei) geben [zum Korntransport].«

Thutmosis wusste auch aus Erfahrung, dass die Regelung der Familienangelegenheiten die Aufrechterhaltung richtiger Disziplin verlangte, wo Arbeiter vertraglich betroffen waren. Mit bestimmter Deutlichkeit, dass während seiner Abwesenheit nichts schief gehe, schrieb er an Butehamun:

> »Sieh zu, dass du jeden Mann zurechtweist, der sich mit einem anderen gestritten hat.«

Einer der Briefe, die Thutmosis an seine Familie und Freunde in Theben schrieb, als er am Ende der 20. Dynastie in der Fremde an Militärmanövern teilnahm. Thutmosis' Korrespondenz vermittelt etwas von der Unsicherheit und Unruhe, die den Untergang der Ramessidendynastie begleiteten.

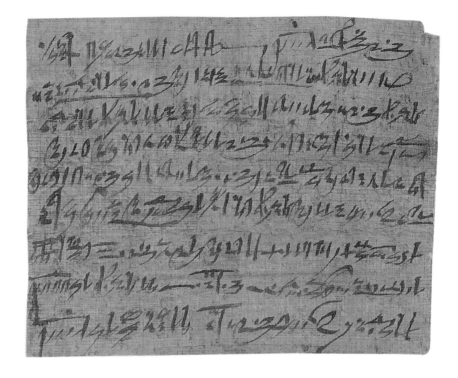

Falls Dinge außer Kontrolle gerieten, konnten immer die *Medjai* herbeigerufen werden, und Thutmosis stand sich offenbar mit wenigstens zwei der Polizisten gut, Kas und Hadnacht. Die Bezugnahme auf einen Schardana (fremden Söldner) namens Hori in einem Brief illustriert die kosmopolitische Natur der Gesellschaft Thebens im späten Neuen Reich.

Thutmosis mit der eisernen Disziplin hatte auch eine sanftere Seite. In einem seiner Briefe nach Hause bat er Butehamun, sich um die Kinder und andere Familienmitglieder zu kümmern, um die eingezogenen Soldaten, die Arbeiter auf dem Felde und die Hausgäste. Thutmosis' Sorge um seine Nachbarn wurde offensichtlich erwidert, denn einer seiner Freunde schrieb ihm zurück und sagte: »Du bist derjenige, den wir uns zu sehen wünschen.« Butehamun und einige von Thutmosis' Freunden waren genügend besorgt um sein Befinden, dass sie in ergebensten Tönen an General Pianch schrieben.

Die Ungewissheiten seiner Lage konnte Thutmosis nicht lange aus dem Gedächtnis verdrängen; in seinen Briefen nach Hause kam er schnell wieder auf seine missliche Lage zurück. Der Feldzug nach Nubien hatte gesundheitlich von ihm seinen Tribut gefordert; so bat er seinen Sohn zu helfen, indem er dem Gott Thebens ein Trankopfer darbrächte:

»Du sollst Wasser zu Amun von den Thronen Beider Länder bringen und ihm sagen, er möge [mich] retten … Sag Amun, er möge die Krankheit wegnehmen, die in mir ist.«

Das Gebet wurde erhört, denn Thutmosis schrieb später, dass Extrarationen Brot – und besonders von Bier – ihn wieder wohlauf gemacht hätten. Der Schreiber Thutmosis: Ein beliebtes Mitglied der Gemeinschaft, dessen Familie und geschäftliche Angelegenheit seine Gedanken fern von der Heimat beschäftigten – er bietet ein seltsam vertrautes Bild.

82 | PANEHSI

EIN ›STARKER MANN‹ ALS HERAUSFORDERER KÖNIGLICHER MACHT

Früh im zweiten Jahrzehnt der Regierung Ramses' XI. wurde Theben von Unruhe und innerem Streit zerrissen. Ägyptens bedeutendstes religiöses Zentrum, die Machtbasis der Amun-Priesterschaft, war im Umbruch. Die Probleme kamen von vielen Seiten. Katastrophale Ernten hatten eine ernste Hungersnot ausgelöst, auf die sich zeitgenössische Quellen – indirekt, doch anschaulich – als ›das Jahr der Hyänen‹ beziehen. Banden marodierender Libyer griffen die Stadt Theben praktisch ungestraft an. Gräber und Tempel auf dem Westufer waren in einem nie dagewesenen Grad räuberischen Aktivitäten ausgesetzt, zusätzlich zum erhöhten Gefühl von Unsicherheit und Krise. Als die Gesellschaft von Theben zu zerfallen begann, war der König in Pi-Ramesse, seiner Residenz im Delta: in sicherer Entfernung zwar, doch gefährlich weit von den Ereignissen. Da der Hohepriester Amuns, Amenhotep (Sohn von Ramsesnacht, Nr. 79), anscheinend zu machtlos war, um zu handeln, war ein entschlossener Führer gefordert, der die Ordnung wiederherstellte. Dieser Mann war Panehsi, Vizekönig von Kusch.

Als Vertreter des Königs in Nubien und Vorsteher der Südlichen Länder besaß Panehsi zwei bedeutende, unmittelbare Vorteile: finanzielle Ressourcen (in Form von Nubiens berühmten Goldreserven) und Truppen (der Vizekönig kontrollierte eine Kette von Festungen und Garnisonen, die sich vom Ersten Katarakt südwärts bis Obernubien erstreckten). Panehsis militärische Rolle spiegelte sich in seinen Nebentiteln – Vorsteher der Armee, Königlicher Schreiber der Armee und Vornehmster der Truppen Pharaos. Wahrscheinlich auf Befehl des Königs hin kamen Panehsi und seine Armee nach Theben, um Gewalt und Plünderung ein Ende zu setzen. Er sah sich dem unmittelbaren Problem gegenüber, wie er seine Soldaten ernähren sollte. Die Stadt befand sich in einer wirtschaftlichen Krise, und die einzigen größeren Kornvorräte waren im Besitz der Amun-Priesterschaft. Panehsi handelte entschlossen, indem er das wichtige Amt des Vorstehers der Kornkammern übernahm (oder an sich riss), um Zugang zu diesen entscheidenden Vorräten zu erlangen. Obwohl dies unter den Umständen ein notwendiger Schritt war, brachte ihn das gleichwohl in direkten Konflikt mit dem Hohenpriester, Amenhotep.

Die beiden mächtigsten Männer im Lande – einer ein Militär, der andere ein Mann der Religion, beide mit wirtschaftlichem und politischem Machtpolster – ließen es miteinander auf eine Kraftprobe um die höchste

Zwei Ansichten kleiner Wachsfiguren aus dem Grab Ramses' XI. im Tal der Könige, späte 20. Dynastie. Dieses ungewöhnliche Stück, vielleicht ein Bildhauerwerkstück, trägt keine Inschrift, doch seine Herkunft legt nahe, dass es sich um das einzige erhaltene Bildnis des letzten Ramessidenkönigs handelt, dessen Autorität durch die Rebellion Panehsis ernstlich unterminiert war.

Autorität ankommen. Getreu seinen militärischen Instinkten belagerte Panehsi Amenhotep in dessen befestigtem Tempelbezirk in Medinet Habu (äg. Djeme). Der Hohepriester rief den König um Hilfe an, und Ramses – in geschwächter Autorität infolge der jüngsten Ereignisse – fühlte vielleicht, keine andere Alternative zu haben als den Interessen der Amun-Priesterschaft nachzugeben. Ägypten stand am Rande eines Bürgerkriegs.

Panehsi war nicht der Mann, eine Herausforderung widerspruchslos hinzunehmen. Er marschierte nach Norden, um die königlichen Streitkräfte auf ihrem Weg von der königlichen Residenz zu stellen. Die Armee des Vizekönigs erreichte die Siedlung Hardai in Mittelägypten und plünderte sie. Es war ein flüchtiger Moment des Triumphes. Die Streitkräfte des Königs unter dem Kommando eines gleichermaßen brillanten Generals, Pianch, stellten Panehsis Truppen bald. Die überlegene Stärke der königlichen Armee erwies sich auf dem Schlachtfeld schnell. Um eine vernichtende Niederlage zu vermeiden, war Panehsi gezwungen, sich nach Süden zurückzuziehen, und verzichtete schließlich auf die Kontrolle über Oberägypten und kehrte in seine ursprüngliche Machtbasis in Nubien zurück. Die nächsten paar Jahre sah er sich fortgesetzten Angriffen durch ägyptische Armeen gegenüber. Doch im Lande wusste Panehsi am besten: Der Vizekönig konnte seine Widersacher austricksen. Zu Pianchs Enttäuschung lebte Panehsi weiter in relativem Wohlergehen, bis er schließlich starb und in Nubien begraben wurde.

Im Laufe einiger turbulenter Jahre war sein Ansehen von dem eines nationalen Erretters zu dem eines Abtrünnigen abgestürzt. Die Drehungen und Wendungen seiner außergewöhnlichen Karriere spiegeln den Todeskampf des ägyptischen Imperiums wider, in dem der Ramessidenhof, auf allen Seiten von unberechenbaren Kräften hin und hergestoßen, vor seinem unvermeidlichen Ende stand.

83 | HERIHOR
GROSSER VORSTEHER DER ARMEE

Die Vertreibung Panehsis (Nr. 81) und seiner Streitkräfte aus Theben durch General Pianch markierte eine entscheidende neue Phase in der Herrschaft Ramses' XI. Tatsächlich verkündeten offizielle Dokumente den Beginn einer Renaissance, und das nächste Jahrzehnt über wurden Ereignisse entsprechend dieser Ära datiert. Doch eine Wiedergeburt königlicher Macht war illusorisch. Nicht Ramses war es, der die Kontrolle über Theben zurückgewonnen hatte, sondern sein General. Pianch festigte seine Macht, indem er seiner Kontrolle über die Armee die Ämter des Wesirs und Hohenpriesters des Amun hinzufügte. Juridische, administrative und religiöse Autorität waren nun einer einzigen Person übertragen. Indes, der Prozess musste noch etwas weitergehen, bevor er seinen logischen Schluss erreichte: Der für den letzten Akt von Majestätsbeleidigung verantwortliche Mann sollte Pianchs Nachfolger sein, Herihor.

Herihors frühes Leben und Karriere bleiben geheimnisumhüllt. Einige seiner Kinder bekamen libysche Namen, was auf mögliche libysche Vorfahren hindeutet. Kriegsgefangene aus diesem lästigen Nachbarvolk Ägyptens siedelten schon seit der frühen 19. Dynastie im Niltal. In der Folge wurden sie assimiliert, und viele ihre Abkömmlinge traten in die ägyptische Armee ein, wo ihre angeborene Tapferkeit ein passendes Betätigungsfeld fand. Auch Herihor war vor seinem kometenhaften Aufstieg zur Macht als Pianchs Nachfolger vermutlich Armeeoffizier. Gewiss existierten familiäre Bande zwischen den beiden Männern, und es mag gut sein, dass Herihor Leute aus Pianchs Stab sozusagen handverlesen aufnahm. Geradeheraus zeigte er seine Absicht, dieselbe Politik weiterzuführen, nicht zu letzt in der Art, in der er noch größere Ehrungen und Zuständigkeiten auf sich versammelte. Wo Pianch bloßer Genreral gewesen war, nahm Herihor jetzt den Titel eines ›Generalissimo‹ an (wörtlich ›Großer Vorsteher der Armee‹). Diesen hatte er zusammen mit dem Wesirat und der Hohepriesterschaft von Amun inne. Vielleicht war es daher vorhersagbar, dass, als Ramses XI. zu gegebener Zeit starb, Herihor den letzten Schritt tun und sich zum König proklamieren würde.

Sein Königtum ist durchaus nicht allgemein bezeugt. Das Hauptmonument, das er hinterließ, ist der Chons-Tempel innerhalb des großen Bezirks des Amun-Re in Karnak. Als Hohepriester besaß Herihor Kontrolle über alles, was in Karnak geschah; vielleicht konnten seine königlichen Bestrebungen nur hier zur Realität werden. Wenn sein Königtum geografisch-räumlich beschränkt war, machte er das durch Ausgleich auf anderer Seite wieder wett: der Hof des Chons-Tempels enthält über hundert Darstellungen Herihors als König. Ebenso mühte er sich, seine Fruchtbarkeit als königlicher Familienvorstand zu betonen, indem er sich mit neunzehn Söhnen und fünf Töchtern zeigte. Die ägyptische Monarchie verlangte an der Spitze der Gesellschaft ein Königspaar, und Herihor hatte die Dame Nedjmet an seiner Seite. Diese Verbindung scheint eine wahre Liebesheirat gewesen zu sein; die Epitheta, welche Nedjmets Gemahl ihr gab, weisen auf wirkliche Zuneigung: ›Große in der Gunst, Herrin der Beiden Länder, Besitzerin von Charme, Freude der Liebe, des Königs Große Gemahlin, seine geliebte (Gattin)‹.

Für einen Mann mit militärischem Hintergrund scheint Herihor – recht überraschend – während seiner kurzen Herrschaft Nachdruck auf die sakralen Aspekte des Königtums gelegt zu haben. Die Reliefs im Chons-Tempel zeigen ihn im priesterlichen Leopardenfell, und er erkannte das religiöse Amt, das der Übernahme des Königtums vorherging, öffentlich an, indem er ›Hohepriester Amuns‹ zum Thronnamen wählte. Das hervorstechendste Ereignis seiner Herrschaft war ebenfalls eng mit dem Amun-Kult verbunden: der Bau einer neuen Barke für Amun-Re zur Verwendung beim jährlichen Opet-Fest. Herihor bemühte sich sehr, für dieses Vorhaben Nachschub an kostbarem Zedernholz aus dem Libanon zu beschaffen. Der als *Bericht Wenamuns* bekannte zeitgenössische Text, der die Reise eines königlichen Abgesandten nach Byblos beschreibt, ›um Bauholz für die große edle Barke des Amun-Re, des Königs der Götter, zu holen‹, ist vielleicht ein Bericht zu diesem Auftrag. Als König sorgte Herihor zweifellos dafür, dass Szenen von ihm bei der Feier des Opet-Festes im Dekorationsprogramm des Chons-Tempels dazugehörten.

Der *Bericht Wenamuns* vermerkte auch die formale Teilung Ägyptens, die nach dem Ableben Ramses' XI. erfolgt war, mit Herihor als Herrscher südlich von Theben und Smendes als Herrscher nördlich von Tanis. Herihor also, der unter der Zentralherrschaft der Ramessiden geboren worden war, sollte in einem geteilten Land sterben. Sein Leben und seine Laufbahn umspannten den Übergang zwischen der letzten großen Periode pharaonischer Autorität und den mehr unsicheren Zeiten, die nun folgten.

Illustration aus dem *Totenbuch* von Herihor und Nedjmet, aus Theben, späte 20. / frühe 21. Dynastie. Das Paar steht in königlicher Erscheinung vor Osiris, dem König der Toten. In Wirklichkeit war Herihors Herrschaft auf Theben beschränkt.

TEIL 7 | GÖTTERDÄMMERUNG

DRITTE ZWISCHENZEIT,
SPÄTZEIT UND PTOLEMÄERZEIT

Detail des Sargs des Padiusir (Petosiris) aus Tuna el-Gebel, frühe Ptolemäerzeit. Die Hieroglyphenreihen sind aus farbigem Glas eingelegt in das schwarze Holz, was eine lebhafte Wirkung ergibt. Stücke wie dieses illustrieren, dass die traditionelle ägyptische Kultur, besonders im Bereich des Totenglaubens, unter der Ptolemäerherrschaft weiter gediehen.

Die zehn Jahrhunderte zwischen dem Zusammenbruch des Neuen Reiches und der Eingliederung in das Römische Reich machen ein Drittel der altägyptischen Geschichte aus; sie erlebten eine Fülle künstlerischer und kultureller Entwicklungen, doch bleiben sie eine der am wenigsten erforschten Phasen der Zivilisation der Pharaonen. Dies liegt teilweise an der fragmentarischen und oft verwirrenden Natur der Zeugnisse und teilweise an dem fälschlichen Eindruck, Ägypten nach dem Neuen Reich sei eine Kultur im Niedergang gewesen. Obwohl die Dritte Zwischenzeit, Spätzeit und Ptolemäerzeit bis zu einem gewissen Grad als Jahre der ägyptischen Götterdämmerung charakterisiert werden können, sind sie nichtsdestoweniger durchweg interessant und voll bemerkenswerter Persönlichkeiten.

Dem Ende der Herrschaft Ramses' XI. folgte die formale Teilung des Reiches in Nord- und Südreich, mit Königen, die weiter vom Delta aus herrschten, während die Hohenpriester Amuns ihrerseits Macht in Theben und über einen Großteil Oberägyptens ausübten. Auf beiden Seiten gab es ehrgeizige Männer, deren Geschick davon abhing, dass sie königliche Gunst erlangten und behielten. Im Norden stieg Wendjebaendjedet (Nr. 84) als einer der getreuesten Beamten des Königs zu Berühmtheit auf. Im Süden folgte der libysche Prinz Osorkon (Nr. 85) – nach einer ruhmreichen Reihe von Kämpfen – auf den Thron, indem er das Königtum von Theben für sich beanspruchte. Ihre Geschichten illustrieren die inneren Konflikte, welche Ägyptens rivalisierende Königshöfe während der Dritten Zwischenzeit bedrängten.

Nationale Einheit wurde in gewisser Weise von den Königen der 25. und 26. Dynastie wiederhergestellt, obwohl die Ersteren Ausländer waren und Letztere als fremde Vasallen an die Macht kamen. Der nubische Pharao Pije (Nr. 86) scheint die Wiedervereinigung als seine heilige Pflicht betrachtet zu haben, da seine Verehrung des Gottes Amun so stark war wie die eines einheimischen Ägypters. Nachdem er die rivalisierenden Herrscher besiegt und seine Souveränität über das ganze Land durchgesetzt hatte, kehrte er umgehend in seine nubische Heimat zurück, um nie zurückzukommen. Seine fortdauernde Leistung jedoch war die Wiederherstellung von Ordnung und Stabilität, was lokalen Dynastien hoher Beamter ermöglichte, ihre eigenen Gebiete unter der Herrschaft von Recht und Gesetz zu regieren. Die Aristokratie von Theben in dieser Zeit tritt besonders hervor; Männer wie Harwa (Nr. 87), Montuemhat (Nr. 88) und Pedamenopet (Nr. 89) ließen sich Grabmonumente von wahrlich königlichem Maße erbauen. Tatsächlich erlebte die ägyptische Kultur so etwas wie eine Renaissance, da die Könige der Spätzeit und ihre wohlhabenden Untertanen in den großen Monumenten der Vergangenheit nach Anregungen suchten.

Eine völlige Neuerung war der politische Einfluss, mit dem die Göttliche Gemahlin Amuns, das bedeutendste Amt in der thebanischen Priesterschaft, ausgestattet wurde. Durch Verleihung des Titels an die älteste Tochter konnte sich ein König die Kontrolle über den Amun-Kult sichern – mit seinen großen Reichtümern und ausgedehntem Landbesitz – und damit über Oberägypten als Ganzes. Die Übertragung der Macht im Süden von der nubischen 25. Dynastie auf die 26. Saïten-Dynastie wurde auf diese Weise erreicht: Man ließ die amtierende Gottes-Gemahlin Schepenwepet II. (Tochter von Pije) als ihre Nachfolgerin Prinzessin Nitikret (Nr. 90) adoptieren, die Tochter des neuen saïtischen Monarchen Psammetich I. Die prachtvolle Wasserprozession, welche Nitikret auf ihrer Reise nach Theben begleitete und vom Kapitän der Flotte, Somtutefnacht (I.) (Nr. 91), lebendig beschrieben wurde, muss eines der größten Schauspiele der Spätzeit gewesen sein.

Unglücklicherweise gab es am Ende der 26. Dynastie keine glatte Thronablösung, weil nach Ahmose II. (Nr. 92) der letzte König von Saïs, Psammetich III., seinen Thron nicht an einen Rivalen aus der Familie, sondern an einen persischen Eroberer verlor. In den anschließenden Jahren der Besetzung, Befreiung und erneuten Besetzung nahmen ägyptische Beamte oft eine pragmatische Haltung ein und erreichten Übereinkommen mit dem Regime, das gerade die Macht hatte. Die Prüfungen und Drangsalierungen im Dienst unter aufeinanderfolgenden ägyptischen und persischen Herrschern sind in den autobiografischen Inschriften von Männern wie Wadjhorresnet (Nr. 93), Wennefer (Nr. 94) und Somtutefnacht (II.) (Nr. 96) plastisch dokumentiert. Eine letzte, kurze Periode der Unabhängigkeit und nationalen Erneuerung erlebte Ägypten unter der 30. Dynastie, bevor sein letzter Monarch, Nachthorheb (Nr. 95) sich einer persischen Invasion unterwerfen musste. Erst in der Mitte des 20. Jahrhunderts n. Chr. sollte Ägypten seine nationale Autonomie wiedererlangen.

Glücklicherweise jedoch war die zweite Periode persischer Vorherrschaft kurz und wurde von einem noch mächtigeren Eroberer in der Person Alexanders des Großen beendet. Die nächsten 300 Jahre über wurde Ägypten von griechisch sprechenden Makedonen beherrscht: zuerst von Alexander und seinen kurzlebigen Erben, dann von einer Dynastie, die einer der Generäle Alexanders, Ptolemaios (Nr. 98), begründete. Jenseits der neuen Hauptstadt am Meer, Alexandria, nahmen gebildete Ägypter eine hybride griechisch-ägyptische Kultur an, die gleichermaßen von ihren neuen Herrschern wie ihren eigenen tiefverwurzelten Traditionen beeinflusst war. Die Auswirkungen dieser Kulturvermischung sieht man in der Kunst und der weiteren Weltsicht der Zeit, wofür das Grab des Priesters Padiusir (Petosiris; Nr. 97) und die historischen Schriften des nahen Zeitgenossen Manetho (Nr. 99) jeweils ein Beispiel bilden.

Unter den Ptolemäern wandelte sich Ägypten von einer nordafrikanischen Nation mit primären Interessen in Nubien zu einem auf das Mittelmeer orientierten Land, dessen Schicksal unentwirrbar mit den anderen großen Mächten der Region verbunden war. In den Jahrhunderten nach Alexander war der Stab der Obrigkeit von Griechenland auf Rom übergegangen. Ägypten mit seinem legendären Reichtum war eine verführerische Beute für Roms ehrgeizige Herrscher, und sein Schicksal war besiegelt, bevor seine letzte ansässige Herrscherin, Kleopatra VII. (Nr. 100) ihre unselige Allianz mit Mark Anton einging. Doch das alte Ägypten ging mit der tragischen Königin nicht vollständig unter. Durch seinen Einfluss auf Rom und insofern auf die westliche Zivilisation formte die uralte Kultur der Pharaonen die moderne Welt mit. Zweitausend Jahre nach Kleopatra, fünftausend Jahre nach Narmer ist das Interesse an den Pharaonen, ihren Monumenten und am Leben ihrer Bewohner so mächtig wie je. Das alte Ägypten hält uns gefangen.

Quarzitstatue des Schreibers Pedamenopet aus dem Tempel von Karnak, 26. Dynastie. Die Künstler der Spätzeit blickten zur Inspiration auf frühere Zeiten zurück. Ein Beispiel dafür bildet diese Statue, die bewusst eine im Alten Reich verbreitete Form wiederbelebt.

84 | WENDJEBAENDJEDET
GÜNSTLING DES KÖNIGS

Neben den berühmten Inhalten von Tutenchamuns Grab gibt es aus dem alten Ägypten noch einen weiteren Goldschatz, fast genauso prächtig, doch Nichtspezialisten völlig unbekannt. Das ist der Schatz von Tanis, er datiert aus der 21. Dynastie. Wie man erwarten könnte, wurden einige der bemerkenswertesten Stücke wie die goldene Totenmaske Psusennes' 1. für Könige angefertigt. Indes, ein großer Anteil des gesamten Hortes wurde nicht für den Pharao, sondern eine nicht-königliche Person, einen Mann namens Wendjebaendjedet hergestellt. Innerhalb seiner ausgeschmückten Grabkammer, eingerichtet innerhalb der Kalksteinmauern von Psusennes' 1. eigenem Königsgrab, umfasste seine Grabausstattung einen Granitsarkophag (aus dem Neuen Reich, wiederbenutzt); einen vergoldeten Holzsarg mit einem Silbersarg darin; Goldstatuetten von Göttern und Göttinnen; einen Satz von vier Götterfiguren in Schreinen; einen grünen Feldspat-Herzskarabäus auf einer goldenen Kette; und eine Godronschale*, geformt wie eine Gänseblume, mit Intarsien aus farbiger Paste, darauf eine Aufschrift mit Wendjebaendjedets Namen und Titel. Die Pracht seiner Grabbeigaben demonstriert seinen Status, doch es gibt keinen Hinweis darauf, dass er mit einer Königsfamilie in Verbindung stand. Wer war dann dieser ungewöhnlich hochstehende ›Bürgerliche‹?

Seine Herkunft liegt im Dunkeln, obgleich sowohl sein Name wie der Umstand, dass er Priester des Osiris, des Herrn von Djedet (Busiris, heute Abusir) war, nahelegt, dass diese Stadt im mittleren Delta sein Geburtsort war. Der Name seines Vaters ist unbekannt, und nur zwei Familienangehörige, beide Frauen, sind auf Objekten aus seinem Grab mit Namen genannt: Tarudet und Hereret waren vielleicht seine Mutter und Großmutter oder aber seine Frau und Schwiegermutter. Seine priesterlichen Aufgaben reichten über seine Heimatstadt hinaus in die Kapitale der Dynastie, Tanis (äg. Djanet, heute San el-Sagar), wo er Priester und Verwalter des Gottes Chons war. Letzteres Amt dürfte ihn in Kontakt mit der Königsfamilie gebracht haben, und es scheint, dass Wendjebaendjedets Fähigkeiten vom König anerkannt wurden.

Wendjebaendjedet bekam gleichzeitig drei wichtige Rollen übertragen, eine religiöse, eine militärische und eine bei Hofe. Als Vorsteher der Propheten Aller Götter war er vielleicht als Vertreter des Königs bei den täglichen Kultveranstaltungen in Tanis tätig, um Psusennes' 1. Platz bei allen außer den wichtigsten Zeremonien zu übernehmen. Als General und Heeresführer des Pharaos war er nach dem Kronprinz der Zweite in der militärischen Hierarchie. Die Titel ›Angehöriger der Führungsschicht‹ und ›Königlicher Siegelträger‹ waren nur Hinweise auf den Rang, zahlreiche hohe Beamte unter allen Regierungen hatten ihn inne; doch zu diesen kam bei Wendjebaendjedet noch die einzigartige Auszeichnung als ›Leitender Alleiniger Gefährte‹ hinzu, was darauf hinweist, dass er der wichtigste

* Unter Godron (das; franz.) versteht man einen Metalldekor, bei dem die Ränder von Metallgefäßen mit Buckeln versehen werden (A.d.Ü.).

Goldmaske des Wendjebaendjedet aus Tanis, 21. Dynastie. Dieses prächtige Stück war Teil der kostbaren Grabausstattung Wendjebaendjedets, eines königlichen Günstlings am Hofe Psusennes' I. Es dürfte ein Geschenk des Königs gewesen sein.

Höfling des Königs war, der am meisten in Gunst Stehende all derer, welche direkten Zugang zum Monarchen hatten. Vielleicht ist dies der Schlüssel zu seinem außergewöhnlichen Status, der sich in der Grabausstattung widerspiegelt, die so weit über dem Standard normaler nichtköniglicher Begräbnisse stand. Unter den Goldstatuetten, dem Schmuck und den Gefäßen war auch ein Ring, der inschriftlich den Namen Ramses' IX. trug, offenbar ein Erbstück aus der königlichen Schatzkammer; dazu ein prächtiger Kelch mit Fuß in Gestalt einer geöffneten Blume, deren Blätter abwechselnd aus Gold und Elektron gemacht sind, darauf die Namen des Königs, Psusennes I., und seiner Gemahlin, Mutjodjmet. Keinen besseren Hinweis auf Wendjebaendjedets Nähe zum Königspaar könnte es geben.

Bei Hofe muss er eine imposante Figur dargestellt haben, geschmückt mit Ohrringen und einer langen Goldkette um den Hals, an der eine

Goldstatuette der Göttin Isis hing. Oberflächlich betrachtet, sollten ihm die Verbindung von religiösen, militärischen und zivilen Ämtern große Autorität gegeben haben; doch bei näherem Hinblicken waren alle seine Titel mit der Privatsphäre des Königs verbunden, alle dürften Zeichen königlicher Wertschätzung, nicht für administrative Funktionen gewesen sein. Wendjebaendjedet steht für das prominenteste altägyptische Beispiele jener am meisten verwöhnten und beneideten Figuren bei Hofe, des königlichen Günstlings.

85 | Osorkon

Der in erbitterten Machtkampf verwickelte Prinz

Die Dritte Zwischenzeit war eine turbulente Ära; rivalisierende Dynastien konkurrierten um die Macht, und regionale Statthalter wechselten beständig ihren Treueschwur. Einen lebendigen Einblick in ägyptische Politik während dieser Periode gewährt die autobiografische Chronik des Prinzen Osorkon.

Osorkon war eines von mindestens sieben Kindern und wurde wahrscheinlich in Theben geboren und aufgezogen. Zwei seiner Schwestern heirateten lokale Würdenträger, während Osorkon selbst in die Amun-Priesterschaft eintrat, die mächtigste Institution in ganz Oberägypten. Schon in einem frühen Alter wurde er zum Hohenpriester Amuns berufen; doch sein schneller Aufstieg spiegelt vielleicht mehr die politische Bedeutung seiner Familie als außerordentliche persönliche Fähigkeiten. An der Spitze der Amun-Priesterschaft hätte er eine lange, hervorragende Karriere erwarten können, doch eine dramatische Entscheidung seines Vaters Tekelot sollte sein Leben unwiderruflich ändern.

Schon seit dem Tode Ramses' XI., gut 230 Jahre zuvor, war Ägypten in Wirklichkeit ein geteilter Staat gewesen: Die Macht im Norden wurde von Königen ausgeübt, die von Memphis oder dem Delta aus herrschten, während die Obrigkeit im Süden des Landes in Theben residierte. Auch wenn die Gouverneure in der Stadt ein Lippenbekenntnis zur Idee eines einzigen Pharaos ablegten, hörte in Wirklichkeit die königliche Kontrolle nicht weit südlich von Memphis abrupt auf. Tekelot, der mächtigste Mann in Theben, beschloss, auf die Fiktion einer vereinten Monarchie zu verzichten und seiner Position als *De-facto*-König Oberägyptens eine stabile Form zu geben. Daher proklamierte er sich als Pharao einer neuen, thebanischen Königslinie, in jeder Hinsicht der libyschen 22. Dynastie gleichwertig, die von Tanis aus herrschte.

Die formelle Etablierung einer rivalisierenden Dynastie entfesselte die angestauten Kräfte internen Streits; Osorkon sah sich mitten in den Ereignissen. Während er in Mittelägypten war, versuchten Feinde, ihn aus der Hohepriesterschaft Amuns zu vertreiben. Unverzüglich segelte er so nach

Theben und musste unterwegs einer Anzahl kleinerer Rebellionen Herr werden. In der Stadt sicher angekommen, handelte er mitleidlos, um jede Opposition zu ersticken und seine Autorität wiederherzustellen. Nachdem er Amun im Tempel geopfert hatte, ließ er die Führer der Verschwörung, die ihn absetzen wollten, exekutieren; um allen künftigen Rebellen eine wirksame Botschaft zu senden, wurden die Leichen verbrannt, was ihnen jede Chance auf Wiedergeburt versagte.

Die Taktik funktionierte, und nur zwei Jahre, nachdem er fast seine Stellung verloren hatte, besaß Osorkon ausreichend Selbstvertrauen und war mächtig genug, um den Pflichten des Hohenpriesters während der drei großen in Theben jährlich abgehaltenen Feste nachzukommen. Doch die Ruhe währte nicht lange. Osorkons unbarmherzige Behandlung seiner Gegner muss großen Unmut verursacht haben; die Verschwörer fanden jetzt in Gestalt eines Pedubast genannten Mannes einen neuen Bannerträger, der sich zum König von Theben ausrief – in Gegenposition zu Takelot. Das Ergebnis, unvermeidlich, war Bürgerkrieg – der neun mörderische Jahre dauerte. Erneut stand Osorkon mitten im Getümmel.

Schließlich, als keine Seite einen entscheidenden Durchbruch erzielen konnte, wurde eine Vereinbarung ausgehandelt, nach der Takelot König blieb und Osorkon das Amt des Hohenpriesters zurückbekam, jedoch seinen Platz in der Thronfolge abtrat. So fiel, als Takelot starb, der Thron nicht an Osorkon, sondern an eine Ko-Regentschaft zwischen Pedubast und einem anderen Mann namens Iuput. Obwohl dieses Regime durch seine reine Existenz die territoriale Teilung Ägyptens fortschrieb, zeigte es gleichwohl seine wahren ›loyalistischen‹ Farben, indem es die Oberherrschaft der von Tanis aus herrschenden 22. Dynastie anerkannte. Osorkon war nicht der Mann, der diese Brüskierung der Errungenschaften seines Vaters leichtnahm, ebenso wenig den eigenen Ausschluss von seinem rechtmäßigen Erbe, dem Thron von Theben. Daher war es unvermeidlich, dass der unbefriedigende Kompromiss, der den Bürgerkrieg beendet hatte, bald scheiterte.

So brachen gerade ein paar Jahre nach Takelots Tod wieder Feindseligkeiten aus. Wahrscheinlich wurde Iuput abgesetzt oder getötet. Doch gab es für Osorkon keinen leichten Sieg. Stattdessen wurde er erneut aus der Hohepriesterschaft Amuns vertrieben, um von einem Unterstützer Pedubasts ersetzt zu werden. Schlimmer noch, er wurde gezwungen, Theben selbst zu verlassen. Sein Exil dauerte fast zehn Jahre. Osorkon und seine Geschwister sammelten jetzt Truppen, um erneut ihre Fortüne zu suchen. Die anfänglichen Schritte wurden von Osorkons jüngerem Bruder, Bakenptah, unternommen. Mit beträchtlicher militärischer Unterstützung gelang es ihm, sich die Statthalterschaft von Herakleopolis zu sichern; die loyal zu Pedubast Stehenden vertrieb er. Diese neue Machtbasis bildete das entscheidende Sprungbrett zu einem Großangriff auf Theben. Osorkon und sein Bruder segelten an der Spitze ihrer Truppen nach Oberägypten. In einer überraschend schnellen Kampagne besiegten sie alle ihre Feinde und zelebrierten zur Feier des Sieges in Theben das Amun-Fest. Nach dreißig Jahren der Auseinandersetzung hatten Takelots Erben wieder die volle Kontrolle über Theben.

Osorkon war jetzt um die fünfzig Jahre alt, doch in den Jahren des Kampfes war sein Machtappetit nicht geringer geworden. Zur Besiegelung seines Erfolges ließ er sich bei der Rückkehr zum König in Theben ausrufen (Osorkon III.) und setzte seinen eigenen Sohn, auch ein Takelot, als Hoherpriester Amuns ein; seine Tochter Schepenwepet machte er zur Göttlichen Gemahlin Amuns. Das Königtum und die beiden höchsten religiösen Ämter Thebens waren nun sicher in der Hand Osorkons und seiner unmittelbaren Familie. Außerdem hatte sich Osorkon mit dem jungen Takelot als Nachfolger von dessen Onkel als Statthalter von Herakleopolis die unbestrittene Herrschaft über ganz Oberägypten gesichert.

Den Rest seines Lebens scheint Osorkon in relativem Frieden und Stabilität verbracht zu haben. Als er die Mitte siebzig erreichte, nach fünfundzwanzig Jahren auf dem Thron und ein paar Jahre vor seinem Tod, berief er seinen ältesten Sohn Takelot (III.) zu seinem formellen Ko-Regenten, um eine glatte, unbestrittene Machtübertragung sicherzustellen. Vater und Sohn errichteten als gemeinsames Monument in Thebens großem Tempelbezirk von Karnak einen neuen Tempel für den Gott Osiris. In der Nachfolge Takelots wurde das Amt des Hohenpriesters Amuns auf seinen Sohn (Osorkons Enkel und Namensvetter) übertragen; ein weiteres Mitglied der Königsfamilie, Peftjauawibast, übernahm die Macht in Herakleopolis. Das Schicksal dieses letzten herrschenden Vertreters der 22. Dynastie Thebens sollte schließlich nicht durch interne politische Zwietracht entschieden werden, sondern durch Intervention aus einer ganz unerwarteten Richtung.

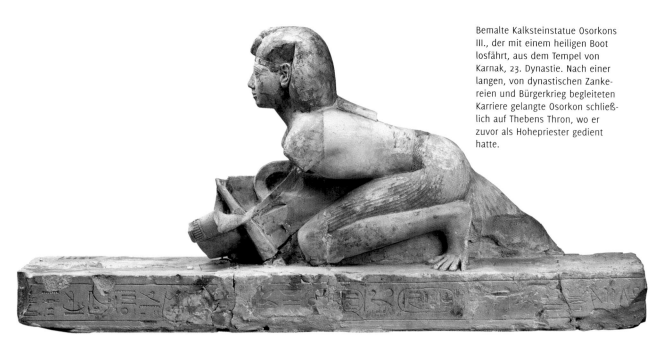

Bemalte Kalksteinstatue Osorkons III., der mit einem heiligen Boot losfährt, aus dem Tempel von Karnak, 23. Dynastie. Nach einer langen, von dynastischen Zankereien und Bürgerkrieg begleiteten Karriere gelangte Osorkon schließlich auf Thebens Thron, wo er zuvor als Hohepriester gedient hatte.

86 | PIJE

Das Neue Reich über füllten Nubiens reiche Goldreserven die Schatzkisten Ägyptens und finanzierten die Bauvorhaben der Pharaonen in verschwenderischer Höhe. In ägyptischen Gräbern der Zeit werden Nubier beim Tributzahlen an ihre ägyptischen Oberherren dargestellt – im wörtlichen wie übertragenen Sinn; auf Tempelwänden ist die Botschaft noch klarer, wenn die Könige einen oder mehrere gefangene Nubier erschlagen, was ihre völlige Unterjochung unter ägyptische Macht symbolisiert. Nachdem dieser Zustand 500 Jahre lang existiert hatte, hätten die Ägypter dahingehend missverstanden werden können, dass sei meinten, Nubien sei als ihr Vasall prädestiniert. In Wirklichkeit könnte nichts weiter von der Wahrheit entfernt sein.

Während der Dritten Zwischenzeit, als Ägypten politisch zersplittert und die Landesteile jeder mit sich beschäftigt waren, stieg Nubien gemächlich aus der Asche der Vorherrschaft Ägyptens auf. Im Nilabschnitt von Dungula [auch: Tungul] hinter dem Dritten Katarakt trat eine Linie einheimischer, nubischer Herrscher auf die Szene; von den Ägyptern nicht zur Kenntnis genommen, richteten sie das einst große Königreich Kusch wieder auf. In seinem Zentrum stand der große Amun-Re-Tempel in Gebel Barkal. Obwohl dies eine ägyptische Gründung war, hatte der Amun-Kult in dem Gebiet eine solche Hochburg, dass die Kuschiten weiter die täglichen Riten im Tempel befolgten. Sie betrachteten sich zum Teil sogar selbst als ergebene Anhänger Amuns. Das war es, was sie für ein ahnungsloses, geschwächtes Ägypten besonders gefährlich machte: Auf eine Weise hielt sich die Kuschitendynastie für ägyptischer als die Ägypter.

Im Jahre 747 v. Chr. ging der Thron von Kusch an einen Mann namens Pije. Über die ersten zwei Dekaden seiner Herrschaft ist wenig bekannt, obwohl sein gewählter Thronname – Usermaatre, nach dem großen Pharao Ramses II. – gewiss einen Hinweis auf seinen Sinn für Schicksalhaftigkeit gab.

Im Jahre 728 erschien er plötzlich auf der ägyptischen Bühne, als Antwort auf die expansionisischen Ambitionen Tefnachts, des Herrschers in der Delta-Stadt Saïs. Tefnacht hatte schon die ganze westliche Hälfte des Deltas unter seine Gewalt gebracht. Jetzt belagerte er Herakleopolis (äg. Hnes) und schaffte es, seine Kontrolle über einen Großteil Mittelägyptens auszudehnen. Nur Hermopolis stand zwischen Tefnacht und den heiligen Stätten Oberägyptens, Abydos und Theben selbst. Berichte von der Situation erreichten Pije, doch er wartete seine Zeit ab. Der Übertritt des Herrschers von Hermopolis, Nimlot, auf die Seite Tefnachts änderte die ganze Lage. Pije befahl seine Truppen unverzüglich nach Ägypten, um Hermopolis zurückzuerobern, und entsandte weitere Kontingente nach Norden zur Nachschubversorgung. Im Verlauf der beiden bei Herakleopolis geschlagenen Schlachten wurde Tefnachts Expansion nach Süden gestoppt.

Als die Feier des Neujahrsfestes in Napata beendet war, zu Beginn seines zweiundzwanzigsten Jahres als König von Kusch, beschloss Pije, an der Spitze seiner Armee nach Ägypten aufzubrechen. Sein erster Halt war Theben, wo er in der Weise eines rechtmäßigen Pharaos am Opet-Fest teilnahm. Nach dieser kurzen Pause marschierte Pije weiter nordwärts und belagerte Hermopolis. Als die Vorräte der Stadt erschöpft waren und ihre Bevölkerung am Rande des Hungers, ergab sich Nimlot und bat um Gnade. Zum Ausdruck seines Abscheus ließ Pije dessen weibliche Verwandte und Anhängerinnen vor sich bringen, doch anstatt sie anzublicken, ging Pije direkt hinaus in Richtung auf seine königlichen Ställe. Er sagte zu Nimlot: »Ich schwöre, so wahr Re mich liebt und meine Nase sich wieder mit Leben verjüngt, es ist quälender in meinem Herzen, dass meine Pferde Hunger litten, als jede andere böse Tat, die du in Verfolgung deines Wunsches begangen hast.« Pferde und Reitertum waren zentrale Elemente der kuschitischen Hofkultur, und Pije hatte diese nationale Leidenschaft augenscheinlich geerbt; doch seine Gleichgültigkeit gegenüber dem Leiden von Nimlots Frauenversammlung zeigt auch eine Spur von Unbarmherzigkeit. Pije war nicht in der Stimmung zum Kompromiss; nichts weniger als die vollständige Kapitulation Ägyptens würde ihn befriedigen.

Seiner Art getreu war der nächste Schritt die Aufhebung der Belagerung von Herakleopolis; dessen Herrscher Peftjauawibast begrüßte die nubischen Befreier mit Freude. Auf dem Weg nach Norden zur Hauptstadt ergaben sich drei weitere Städte Pijes Truppen. Memphis selbst jedoch stellte mehr als eine Herausforderung dar. Die Stadt schloss vor der kuschitischen Armee ihre Tore und leistete harten Widerstand. Pijes Taktik war so effektiv wie einfallsreich. Er brachte alle Boote im Hafen von Memphis auf und verwendete ihre Masten und Takelage zum Bau von Kletterleitern. Damit schafften es die Soldaten, über die Stadtmauern zu klettern. Grimmige Kämpfe folgten, mit hohen menschlichen Verlusten, doch das Ergebnis stand nie in Zweifel: Pije erschien im Tempel Ptahs, des größten der Stadt, um den Sieg für sich in Anspruch zu nehmen.

So waren ganz Oberägypten und die Hauptstadt in nubischer Hand; die verbliebenen Rebellen im Delta wussten, sie hatten keine Alternative als sich zu ergeben. Insgesamt kapitulierten vier Könige, der Fürst des Westens, vier Große Oberhäupter der Meschwesch [auch: Ma; libysches Berbervolk in der Cyrenaïka; A. d. Ü.) und eine Menge lokaler Führer sowie Stadtbürgermeister kapitulierten vor Pije und seinen nubischen Truppen. Er hatte Ägypten vollständig wiedererobert und nahm nun Richtung nach Hause. Auf seinem Zug nach Süden machte er nur in Theben Halt, um dem Amun-Tempel Beute zu übergeben und um seine Verwandte, Amenirdis I., von der amtierenden Göttlichen Gemahlin Amuns als deren Nachfolgerin adoptieren zu lassen. Das sollte die fortgesetzte

Statue der Amenirdis I. aus dem Tempel von Karnak, 25. Dynastie. Amenirdis war Pijes Schwester, die von ihm in Theben als ›Göttliche Gemahlin Amuns‹ eingesetzt wurde, um die politische und ökonomische Kontrolle der Kuschiten über Oberägypten zu festigen.

Kontrolle der Kuschiten über das Gebiet von Theben garantieren. Darauf bewegte sich Pije weiter nach Napata, um Ägypten nie wieder zu betreten.

Den Anlass des nächsten Neujahrsfestes nutzte er, um seinen bedeutenden Sieg zu feiern: Er ließ eine gewaltige Stele errichten, von der Kopien in den Tempeln zu Gebel Barkal, Karnak und Memphis aufgestellt wurden. Während seines Durchstoßes nach Norden durch Ägypten muss Pije aus erster Quelle viele der Monumente gesehen haben, welche die großen Pharaonen der Vergangenheit erbaut hatten, und offensichtlich hinterließen sie einen bleibenden Eindruck. Bewusst gestaltete er den Stil seiner Siegesinschrift nach früheren Texten, womit er einen archaisierenden Trend begann, der die Hofkultur der 25. Dynastie charakterisieren sollte.

Umgeben von seinen fünf Frauen, sechs Töchtern und drei Söhnen muss Pije ein zufriedener Mann gewesen sein, als er sein Lebensende erreichte. Er hatte in Obernubien einen kleinen Staat geerbt, würde jedoch seinem Erben ein Königreich hinterlassen, das sich über mehr als eintausendfünfhundert Kilometer vom Vierten Katarakt bis zum Mittelmeer erstrecken sollte. Er hatte das Muster der Geschichte umgedreht, indem er ehemalige Eroberer eroberte und dem Land der Pharaonen die nubische Herrschaft aufdrückte. Obwohl er nicht daran gedacht haben wird, sollte sein Feldzug zur Wiedervereinigung binnen weniger Jahre fast dreihundert Jahre politischer Teilung Ägyptens beenden und eine letzte Epoche der Hochkultur einleiten, die als Spätzeit bekannt ist.

87 | HARWA
HAUSHOFMEISTER DER ›GÖTTLICHEN ANBETERIN‹

In der Dritten Zwischenzeit war Theben das größte und bedeutendste regionale Zentrum von Oberägypten, die tatsächliche ›Hauptstadt des Südens‹; ihr großer Tempel des Amun-Re in Karnak war die gewaltigste, wohlhabendste und politisch einflussreichste religiöse Einrichtung des Landes. Diese beiden miteinander verwobenen Faktoren verliehen der Stadt eine gewichtigere Stimme in nationalen Angelegenheiten und ihren Statthaltern (oder: Vorstehern) wirtschaftliche und politische Macht, um mit jedem Beamten aus Memphis zu konkurrieren.

Wenige Männer sind dafür ein besseres Beispiel als Harwa. Er wurde um 720 v. Chr. in einer Familie thebanischer Priester geboren und folgte derselben Laufbahn, indem er eine der höchsten Positionen in der Amun-Priesterschaft erreichte, die des Haushofmeisters der ›Göttlichen Anbeterin‹. Als eine der persönlichen Vertreterinnen des Königs in Theben besaß die ›Göttliche Anbeterin‹ enorme symbolische Macht, die in Wirklichkeit von ihrem Oberhaushofmeister als Vorsteher ihrer Hofhaltung ausgeübt

wurde. Harwa diente sowohl Amenirdis I., eingesetzt von Pije, als auch ihrer Nachfolgerin, Schepenwepet II., Pijes eigener Tochter.

Seine Autorität und sein Einfluss werden von dem Umstand hervorgehoben, dass von ihm acht Statuen erhalten sind, eine bemerkenswerte Anzahl für eine Person von nicht-königlicher Geburt. Eine von ihnen zeigt Harwa mit großem Gesicht, mandelförmigen Augen und dünnlippigem Mund – dem Ausdruck von Entschlossenheit – und einem enorm korpulenten Leib, der seinen großen Wohlstand demonstriert. Die Inschriften auf den Statuen listeten Harwas viele Titel und Ämter auf und priesen die Wertschätzung, die seine königliche Herrin und der König ihm gegenüber hegten. Gleichermaßen bemerkenswert sind die neuen Metaphern, die Harwa benutzte, um sich selbst zu beschreiben: ›Zuflucht für die Elenden, Floß für die Ertrinkenden, Leiter für den im Abgrund‹. Der Machtmensch war vielleicht auch ein Mann von Bildung.

Als politisch einflussreichste Person in Theben, verantwortlich für ein sich von Mittelägypten bis zum Ersten Katarakt erstreckendes Territorium, gab Harwa für sich selbst ein Grab von angemessener Pracht in Auftrag. Bewusst nach dem Osireion (dem Osiris-Grab) in Abydos gestaltet, symbolisierte das Monument einen außergewöhnlichen Schritt auf dem Pfad ins ewige Leben. Doch trotz Harwas langer Karriere wurde sein Grab nie fertiggestellt. Indes ließ eine seiner Grabbeigaben bezüglich seiner Macht und seines Selbstbildes keinerlei Zweifel. Eine Dienerfigur

(*Uschebti*) mit königlichen Attributen verweist darauf, dass er tatsächlich Vizekönig von Oberägypten war und im Auftrag des Königs regierte. Selbst dann war diese Übernahme königlicher Attribute durch einen ›Bürgerlichen‹ ohne Parallele: Vielleicht war sogar Statthalter Oberägyptens zu sein für einen Mann von Harwas prahlerischem Ehrgeiz nicht genug.

88 | MONTUEMHAT
STATTHALTER VON THEBEN IN UNSICHEREN ZEITEN

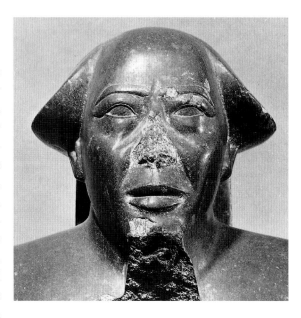

Die assyrische Invasion Ägyptens im Jahre 667 v. Chr. sowie die Einnahme und Plünderung Thebens drei Jahre später hallten in der ganzen antiken Welt wider und veränderten die Politik im Nahen Osten grundlegend. Aus Furcht vor dem letzten Ansturm floh der letzte Kuschitenkönig Ägyptens, Tanutamani, zurück in die Heimat seiner Dynastie nach Obernubien und überließ Theben seinem Schicksal. Sobald die Assyrer ihr Ziel erreicht hatten, zogen sie sich zurück in ihr mesopotamisches Kernland und ließen Ägypten in der Hand eines Satrapen, Necho, und seines Sohnes Psammetich. Obgleich theoretisch ein assyrischer Vasall, erklärte sich Psammetich von Saïs sogleich zum König und herrschte als unabhängiger Pharao. Zunächst war seine Autorität auf den Norden des Landes begrenzt, was in

OBEN UND RECHTS:
Kopf einer lebensgroßen Granitstatue Montuemhats, aus Theben, 25./26. Dynastie. Der Frisurenstil ist besonders ungewöhnlich, mit rasiertem Schädel und seitlich des Kopfes über die Ohren ausgestellten Haaren. Der Gesamteindruck ist gleichwohl der von großer Strenge und Autorität.

Oberägypten ein Machtvakuum hinterließ. Doch ein thebanischer Potentat namens Montuemhat war in der Lage, dem Sturm zu trotzen und jeden Wechsel zu überstehen. Seine Geschichte ist eine von bemerkenswerter Widerstandsfähigkeit und Überlebenswillen im Angesicht politischen Aufruhrs.

Montuemhat kam aus einer bedeutenden Familie Thebens, zu deren Mitgliedern sowohl Harwa (Nr. 87) als auch Pedamenopet (Nr. 89) gehörten. Diese lokale Dynastie hatte alle Machtebenen in Theben in der Hand. Montuemhat selbst – benannt zu Ehren des alten Gottes von Theben, Month – verband verschiedene Schlüsselämter miteinander: Prinz von Theben, Statthalter Oberägyptens und Vierter Prophet Amuns. Dieses letztere verschaffte ihm eine Rolle in der Priesterschaft von Karnak, die eine der wohlhabendsten und einflussreichsten Körperschaften im Lande war.

Zuerst erlangte er – 700 v. Chr. – ein hohes Amt unter dem Kuschitenpharao Taharka, seine anschließende Karriere umspannte ein halbes Jahrhundert. Die kurze Herrschaft Tanutamanis und die Assyrerinvasion waren folgenschwere Ereignisse, doch Montuemhat kam unversehrt hindurch. In den frühen Jahren der 26. Dynastie herrschten er und der Ober-

haushofmeister der Gemahlin Gottes Schepenwepet II. zusammen über Oberägypten als einen tatsächlich autonomen Staat, ihre Zuständigkeit reichte von Elephantine (äg. Abu) im Süden bis nach Hermopolis (äg. Chemnu) im Norden. Durch seine weise Regierung ›brachte (Montuemhat) Oberägypten auf den richtigen Weg, als das ganze Land im Aufruhr war‹.

Seine primäre Sorge in der Folge der Zerstörung seiner Heimatstadt durch die Assyrer war die Restauration und Wiedererrichtung der großen Tempel von Theben. Seine Leistungen in diesem Bereich waren seine stolzeste Errungenschaft, festgehalten in einer autobiografischen Inschrift in Karnak:

>»Ich erneuerte den Tempel von Mut-der-Großen …, so dass er schöner ist als zuvor.
>
>Ich schmückte die Barke mit Elektron, alle Bilder darauf mit echten Steinen.
>
>Ich erneuerte die Barke von Chons-dem-Kind …, die Barke Amuns, des Herrn der Throne Beider Länder …
>
>Ich erbaute neu das göttliche Boot des Osiris in Abydos, als ich es zerfallen daliegen sah.«

Die Einsetzung von Prinzessin Nitikret (Nr. 90), der Tochter Psammetichs I., als künftiger Gottes-Gemahlin Amuns markierte die Übertragung der Macht in Theben vom alten Regime auf die Saïtendynastie. Als Fürst von Theben musste Montuemhat zustimmen, Nitikret mit regelmäßigen Vorräten zu versorgen: Brot, Milch, Kuchen und Kräuter jeden Tag; dazu drei Ochsen und fünf Gänse jeden Monat. Montuemhats ältester Sohn Nesptah und seine Frau Wedjarenes gingen gleiche Verbindlichkeiten ein. Wider Erwarten beschloss Psammetich, Montuemhats Dienste zu behalten, und bestätigte ihn in seiner Position. Ein Mann von solcher Stärke und Erfahrung war auf der Seite des Königs nützlicher, als wenn er im Hintergrund agitierte.

In der bestätigten Sicherheit seiner Stellung wandte Montuemhat seine Aufmerksamkeit der Nachwelt zu, insbesondere seinem prachtvollen Grab in el-Asasif bei Deir el-Bahri sowie den Statuen, die er in Karnak aufzustellen gedachte. Das in Form eines Sonnenhofes gestaltete Grab war mit ausnehmend schönen Reliefs geschmückt; der erste Hof wies große gemeißelte Paneele auf, die symmetrisch arrangierte Paare von Papyruspflanzen darstellten. Was die Statuen betrifft, so verrieten sie die künstlerische Energie des Theben der Spätzeit ebenso wie den Wunsch, auf frühere Vorbilder zurückzukommen, um sich angesichts fremder Vorherrschaft der kulturellen Werte Ägyptens zu versichern. Ihre Anzahl und Qualität haben aus ihm, wie Montuemhat sich gewünscht haben dürfte, eine der am besten bezeugten Personen aus dieser turbulenten Periode der ägyptischen Geschichte gemacht.

89 | PEDAMENOPET
BESITZER DES GRÖSSTEN PRIVATEN GRABES IN ÄGYPTEN

Wie Montuemhat (Nr. 88) lebte Pedamenopet in den turbulenten Jahren vom Ende der 25. bis zum Anfang der 26. Dynastie in Theben. Ebenfalls erlebte er die Flucht des letzten nubischen Pharaos, Tanutamani, und die anschließende Plünderung Thebens durch die Assyrer; dabei überlebte er diese folgenreichen Ereignisse nicht nur, sondern es ging ihm hervorragend. Auch er wurde in einem prachtvollen Grab bestattet, das im selben Teil der Nekropole von Theben in den Fels gehauen war. Doch anders als sein Zeitgenosse bleibt um Pedamenopet etwas von einem Rätsel. Sein Grab ist das größte private Bestattungsmonument in ganz Theben, vielleicht ganz Ägypten; doch der Mann selbst stieg nie über den Rang eines Ober-Vorlesepriesters hinaus auf. Das Inschriftenkorpus, das sich auf Pedamenopet bezieht, ist umfassend, einschließlich *Uschebti*-Figürchen, einem Opfertisch, einem Tempeltext und mindestens sieben Statuen; doch in keiner davon erwähnt er die Könige, denen er diente, oder den Namen seines Vaters, was noch eigentümlicher ist. Pedamenopet, scheint es, war zurückhaltend hinsichtlich der Quelle seines Wohlstands.

Was wir wissen: Er war von Geburt aus Theben und verbrachte sein ganzes Leben in dieser großen Stadt der Religion in Oberägypten. Seine Mutter Namenchaset spielte Sistrum und sang gemeinsam mit vielen Frauen hoher Beamter beim Amun-Kult. Abgesehen von diesen gelegentlichen Verpflichtungen im Tempel war sie Hausfrau. Pedamenopet dürfte daher, als er aufwuchs, mit einigen der Geheimnisse des Tempels von Karnak vertraut geworden sein. Mit Erreichen des Erwachsenenalters trat er in die Priesterschaft ein und schulte sich speziell als Vorlesepriester, das ist eine Gruppe gebildeter Priester-Gelehrter, die zum Gebrauch in den Tempeln des ganzen Landes die Liturgie beaufsichtigten, auslegten und entwickelten. Pedamenopet zeichnete sich bei seiner Arbeit offenbar aus, denn er stieg zum Ober-Vorlesepriester Amuns, Vorsteher der Schreiber des Göttlichen Buches und Verwalter der Geheimnisse Seines Gottes auf. Während ihm diese Positionen im Tempelkult eine besondere Rolle verschafften, entsprachen sie nicht einem der goßen Staatsämter, und so blieb er außerhalb der oberen Stufen der Priesterschaft.

Nichtsdestoweniger war Pedamenopet in der Lage, sich ein wahrhaft erstaunliches Grab zu bestellen. Wie diejenigen seiner nahen Zeitgenossen war es auf eine kleine Wegstation ausgerichtet, die auf den Ruinen des Dammes von Hatschepsuts Totentempel erbaut war. Dieses kleine Gebäude diente als Rastplatz während des jährlichen Schönheitsfestes des Tales, wenn das heilige Bild des Amun-Re sein Heiligtum in Karnak verließ, um einen Besuch in Deir el-Bahri abzustatten. Durch diese Nähe seines Grabes zu der Route, welche das heilige Bild nahm, hoffte Pedamenopet, an dem Glück teilzuhaben, das Amun-Re durch alle Ewigkeit gewährte. Das Grab selbst war ein beeindruckendes Architekturwerk. Sein tieferliegen-

der äußerer Hof maß 31,4 × 23,2 m; erreicht wurde er über eine Treppe, die von Bodennähe zwischen zwei massiven Lehmziegelmauern herabführte, welche ein Bogentor trugen. Der erste Hof war mittels eines Korridors mit einem Innenhof verbunden.

Die zahleichen Titel und Epitheta, die im Grab aufgelistet waren, umfassten verschiedene, die auf eine spezielle Gunst in königlichen Kreisen hinwies (mehr als das übliche ›Alleiniger Gefährte‹): Vorsteher Aller Angelegenheiten des Königs, ›der im Herzen seines Herrn ist‹, ›des Königs geliebte Bekanntschaft‹ und ›geehrt in des Königs Gegenwart‹. Vielleicht hilft dies, die offenkundige Wohlhabenheit Pedamenopets zu erklären, selbst wenn er dachte, es sei besser, eine solche Gönnerschaft nicht auf öffentlichen Denkmälern wie Statuen zur Schau zu stellen. Die politischen

Umwälzungen zu Lebzeiten scheinen ihn gelehrt zu haben, dass Mut besser mit Diskretion zusammengeht.

Entsprechend seinem beruflichen Interesse an religiösem Schrifttum war Pedamenopets Grab fast ausschließlich mit religiösen Texten verziert; seltsamerweise ähneln sie am meisten denen, die in das Ende der Ramessidenzeit datieren, etwa fünfhundert Jahre zuvor. Es scheint, dass der historische Gelehrte sich im Leben nach dem Tod mit den Früchten seiner Forschung in der Tempelbibliothek zu umgeben wünschte. Die 25. und 26. Dynastie waren eine Periode intensiven Interesses an früheren kulturellen Formen, literarisch oder künstlerisch, und Pedamenopet tritt in dieser archaisierenden Bewegung als führende Figur hervor.

90 | NITIKRET (NITOKRIS)
GOTTES GEMAHLIN, KÖNIGS DIENERIN

Das heilige Amt der Göttlichen Gemahlin Amuns war nicht nur von großer religiöser Bedeutung, es war auch politisch wichtig: Wenn eine enge Verwandte es innehatte, gab es dem König die Möglichkeit, die Priesterschaft von Theben zu kontrollieren und darüber dann die südliche Hälfte des Landes. Für einen Monarchen wie Psammetich 1. mit einer ausschließlich provinz-beschränkten Machtbasis im nordwestlichen Delta wäre das ein zentrales Ziel gewesen. Zudem wäre die durch eine enge Verbindung mit dem Amun-Kult bestätigte Legitimität für eine neue Dynastie besonders attraktiv gewesen sein, zumal für eine solche, die als assyrische Vasallin zu Macht gelangt war. Daher schickte Psammetich 1. im neunten Jahr seiner Regierung seine älteste Tochter hin, um dem Priesterinnenkollegium zu Karnak mit dem Ziel beizutreten, ihre schließliche Nachfolgerschaft als Göttliche Gemahlin Amuns sicherzustellen.

Nitikret muss sehr jung gewesen sein, als sie im Frühling 656 v. Chr. nach Karnak geschickt wurde, denn man weiß, dass sie weitere siebzig Jahre gelebt hat. Am festgelegten Tag wurde sie zum Kai der königlichen Residenz geleitet und ging für die sechzehntägige Flussreise nach Theben an Bord ihres Schiffes. Einzelheiten der Reise, die alle feierlichen Umstände einer königlichen Rundreise aufwies, wurden von dem stolzen Kapitän der Flotte, Somtutefnacht (1.) (Nr. 91) festgehalten.

Bei ihrer Ankunft in Theben wurde Nitikret unmittelbar zum großen Tempel des Amun-Re in Karnak geführt, wo sie offiziell durch ein Orakel des Gottes begrüßt wurde. Darauf wurde sie von der amtierenden Göttlichen Gemahlin Amuns, Pijes Tochter Schepenwepet 11., eingeführt. Man gelangte zu einem Übereinkommen zwischen Psammetich 1. und der Hierarchie Thebens, demzufolge Nitikret erst nach dem Tod sowohl der Amtsinhaberin wie der designierten Nachfolgerin (Amenirdis 11.) in das Amt der Gemahlin Gottes nachfolgen sollte. Nach Beendigung der Formalitäten wurde Nitikrets Wahl als schließliche Erbin von ›allen Prophe-ten, Priestern und Freunden des Tempels‹ beglaubigt, eine offizielle Doku-mentation des Vertrages wurde schriftlich abgefasst.

Im Wesentlichen übertrug dieser der Nitikret den gesamten Besitz der Göttlichen Gemahlin Amuns ›in Land und Stadt‹. Tatsächlich bildeten ökonomische Überlegungen den Kern der Übereinkunft. Für seinen Teil nahm Psammetich I. in Anspruch, er habe Nitikret ›besser‹ ausgestattet ›als diejenigen, die vor ihr da waren‹. Das war keine müßige Prahlerei, da ihre Mitgift 1800 Aruren (486 ha; antikes Flächenmaß) Land in Oberägypten mitsamt den Erträgen einschloss, zusammen mit täglichen und monatlichen Lieferungen vom königlichen Besitztum und den seiner Kontrolle unterstehenden Tempeln im Delta. Im Gegenzug für diese beträchtliche Ausstattung sollte Nitikret tägliche und monatliche Versor-gungsgüter von Seiten einiger der mächtigsten Personen Thebens erhal-ten, darunter Montuemhat (Nr. 88). Nitikrets Wahl als Erbin für die Gött-liche Gemahlin Amuns markierte damit die formelle Anerkennung der Saïtischen Oberhoheit in Theben, dem letzten Bollwerk der vor-herigen Kuschitendynastie: Bis zum Jahr davor waren alle Dokumente Thebens nach den Jahren der Regierung Tanutamanis datiert, obwohl der letzte kuschitische Pharao Ägypten schon lange verlassen hatte.

Obwohl Nitikret nicht erwartete, für viele Jahrzehnte Göttliche Gemahlin zu werden, gelangte sie einiges früher an ihre Erbschaft, als bei ihrer Wahl vereinbart worden war. Nachdem die Kuschiten aus Ägypten vertrieben waren, war es für die Ernannte weder vernünftig noch politisch vorteilhaft, so lange Zeit auf die Nach-folge zu warten. Als daher Schepenwepet II. starb, irgendwann in den späteren Jahren Psammetichs I., wurde die designierte Erbin Amenirdis II. übergangen und erhielt die Posi-tion einer Verteterin der ›Göttlichen Anbete-rin‹, während Nitikret ›Göttliche Gemahlin‹ wurde. Nach ihrer Einsetzung hatte sie das Amt für das nächste Vierteljahrhundert inne und starb 586 v. Chr. im vierten Jahr der Herr-schaft von Apriës. Mit einer großen Zeremonie wurde sie in einer prächtigen Grabkapelle im Vorhof von Ramses' III. Totentempel in Medinet Habu, im Herzen der Nekropole Thebens, bestattet. Die Prinzessin aus dem Delta war ans Ende ihrer langen Reise gekommen.

Relief einer ›Göttlichen Gemahlin Amuns‹ aus Theben, 25. Dynastie. In der Spätzeit wurde das Amt der ›Göttlichen Gemahlin‹, eingerich-tet im frühen Neuen Reich, ein bedeutendes Mittel der Ausübung königlicher Macht über die mäch-tige Priesterschaft Thebens.

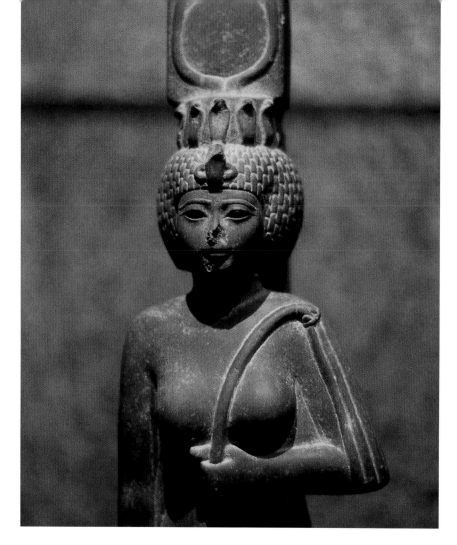

91 | SOMTUTEFNACHT (I.)
KÖNIGLICHER FLOTTENKAPITÄN

Am 2. März 656 v. Chr. brach eine prachtvolle Flotte von der königlichen
Residenz mit Kurs auf die religiöse Kapitale Theben auf, etwa 960 km
südwärts. Die Schiffe waren voll bemannt und mit Vorräten beladen. Das
war kein gewöhnlicher Konvoi: Seine Aufgabe war, Nitikret (Nr. 90), die
Königstochter, zum großen Tempel des Amun-Re in Karnak zu befördern.
Dort sollte sie von der Priesterschaft empfangen und als die künftige Göttliche Gemahlin Amuns anerkannt werden, das bedeutendste heilige Amt
in Ägypten nach dem Hohenpriester selbst.

Die Gesamtverantwortung für die Reise trug der Flottenkommandeur
Somtutefnacht, und die nächsten sechzehn Tage unter Segel auf dem Nil
sollten der Höhepunkt seiner Karriere sein, die beiden wichtigsten
Wochen seines Lebens. Seine Herkunft, Erziehung und sein Aufstieg zu
Ansehen liegen alle im Dunkeln. Wahrscheinlich stammte er aus der Stadt
Herakleopolis (äg. Hnes), ein paar Tage mit dem Schiff südlich von Mem-

phis gelegen. Im Jahre 656 v. Chr. war er Vorsteher der Lokalregion geworden, des zwanzigsten Nomós (Provinz, Gau) Oberägyptens, den alten Ägyptern unter dem hübsch anschaulichen Namen ›Oberer Granatapfelbaum‹ bekannt. Somtutefnacht war auch Hafenvorsteher in der königlichen Residenz, verantwortlich für den gesamten ein- und auslaufenden Schiffsverkehr auf dem Fluss im renommiertesten Hafen des Landes. Mit seiner Verbindung von höfischer, militärischer und logistischer Erfahrung war Somtutefnacht die ideale Wahl zur Leitung von Nitikrets sorgfältig vorbereiteter ›Dienstreise‹.

Die Planung der Reise war schon seit Monaten im voraus im Gange. Königliche Boten waren die ganze Route stromaufwärts gereist, um alle Provinzvorsteher zu informieren und auf das Ereignis einzustimmen, deren Gebiet der Schiffsverband – mit all den Vorräten für die Prinzessin und ihr enormes Gefolge – passieren sollte. Jeder Nomarch würde für die Versorgung des Konvois mit Brot, Bier, Fleisch, Geflügel und Gemüse ver-

antwortlich sein. Auf diese Weise wurde der königlichen Staatskasse die gesamte Last der Finanzierung eines derart kostspieligen Unternehmens erspart, und die regionalen Machthaber hatten die Gelegenheit, ihre Loyalität der herrschenden Dynastie gegenüber zu zeigen.

Als der Tag der Abfahrt hereinbrach, war alles bereit. Sowie Gardeleute den Weg freimachten, begab sich Nitikret in einer Prozession von den Privatgemächern des Königs zum Hafen. Somtutefnacht befand sich wahrscheinlich am Kai, um das Einsteigen zu beaufsichtigen. Sechzehn Tage später kam der Verband unter seinem Kommando wohlbehalten in Theben an, um dort auf den Menschenandrang, den Tumult und das Rufen der Leute zu treffen, die einen Blick auf die Prinzessin werfen wollten. In der Sekunde, da er das Ufer betrat, war Somtutefnachts Aufgabe beendet. Nur einen kurzen Moment des Ruhms hatte er genossen, doch genug, um seine Unsterblichkeit zu sichern.

Ansicht der Felsen bei Theben vom Nil aus. Die Flotte unter Kommandant Somtutefnacht muss einen ganz ähnlichen Blick genossen haben, als sie mit Prinzessin Nitikret und ihrem Gefolge aus der Königshauptstadt in Unterägypten in Theben ankam.

92 | AHMOSE II. (AMASIS)

DER USURPATOR, DER FRIEDEN MIT DEN GRIECHEN SCHLOSS

Die Vertreter der 26. Dynastie kamen als Vasallen der Assyrer an die Macht, als Assurbanipal Nechos I. und seinen Sohn Psammetich nach der Invasion von 667 v. Chr. als Herrscher über Ägypten einsetzte. Indes, wenig mehr als fünfzig Jahre später brach das Assyrerreich zusammen, und seine Hauptstadt Ninive wurde zerstört; die neue Macht in der Region war Babylon. Nach einem weiteren halben Jahrhundert geriet die politische Tektonik erneut in Bewegung, und Persien trat als herrschende Macht in Westasien auf, mit territorialen Ambitionen, die sich von der Ägäis bis zum Indus erstreckten. Als Ägypten der neuerlichen Bedrohung aus dem Osten gewahr wurde, waren seine Herrscher gezwungen, bei der einzigen bedeutenderen Macht im östlichen Mittelmeer nach strategischer Unterstützung zu suchen, den griechischen Stadtstaaten.

In dieser komplizierten, gefährlichen Situation wurde Ahmose II. geboren, in den frühen Jahren des sechsten Jahrhunderts v. Chr. Über seine Herkunft ist wenig bekannt. Trotz seinem klassisch ägyptischen Namen hatte er wahrscheinlich libysche Vorfahren, Abkömmlinge von Kriegsgefangenen, die sich in der Ramessidenzeit im Delta niedergelassen hatten. Seine charakteristische Physiognomie – längliches Gesicht mit hochliegenden Augen – weist ohne Zweifel auf nicht-ägyptische Volkszugehörigkeit. Wie viele in seiner Zeit sah Ahmose das Militär als Weg nach oben. Er ging in die Armee, stieg schnell auf und erreichte gegen Ende der Herrschaft des Apriës (589–570) den Rang eines Generals.

Apriës war argwöhnisch gegenüber der griechischen Macht, und in einem Versuch, sie in Schach zu halten, entsandte er die ägyptische Armee 570 v. Chr., um die griechische Stadt Kyrene an der libyschen Küste anzugreifen. Unglücklicherweise hatte der König nicht mit der militärischen Erfahrung seiner Gegner gerechnet. Die ägyptische Armee erlitt eine desaströse Niederlage, die einheimischen Truppen rebellierten, ihr Unmut gegen Apriës wurde durch das entfacht, was sie als Privilegien der fremden Söldner wahrnahmen, die an ihrer Seite kämpften. Als führender ägyptischer General stand Ahmose im Zentrum der Rebellion und ergriff seine Chance. Gestärkt durch die Unterstützung seiner Truppen verdrängte er Apriës und beanspruchte den Thron. Apriës floh aus dem Lande und suchte Zuflucht am Hofe seines Erzrivalen, Nebukadnezar II. von Babylon. Drei Jahre später versuchte Apriës mit babylonischer Unterstützung einen Konterschlag gegen Ahmose II. Die beiden Streitkräfte trafen im Delta aufeinander, und Ahmose erteilte dem Gegner eine vernichtende Niederlage. Apriës wurde in der Schlacht entweder getötet oder gefangen genommen und hingerichtet. Der neue Pharao regierte unangefochten.

Späteren griechischen Historikern zufolge machte Ahmoses II. niedere

Herkunft ihn nicht für das höchste Amt im Staate geeignet, und er soll unfähig gewesen sein, sich angemessen und königlich zu benehmen. Doch wahrscheinlich spiegelte dieser Ruf mehr Ahmoses Wirtschaftspolitik wider, die den in Ägypten lebenden griechischen Händlern besonders hohe Steuern auferlegte, als seinen wahren Charakter. Die Zeugnisse aus seiner vierundvierzigjährigen Herrschaft (570–526 v. Chr.) weisen darauf hin, dass er den traditionellen Verpflichtungen des ägyptischen Königtums in beispielhafter Weise nachkam. Im östlichen Mittelmeer und im Roten Meer (im Stab mit Männern wie Wadjhorresnet, Nr. 93) unterhielt er eine starke Flottenpräsenz, um die ägyptischen Handelsrouten zu schützen. Er war ein Meister der Innenpolitik und reformierte Ägyptens Rechtssystem; dazu führte er ein umfassendes Programm zum Tempelbau aus. Für die Göttin Isis gab er auf der Insel Philae (Philai) ein Heiligtum in Auftrag, dazu einen bedeutenden Tempel in Memphis. Dort lag das erste bedeutende Zentrum des Isiskultes in Ägypten, das den Weg zu seiner großen Popularität und anschließenden Verbreitung über das Mittelmeer bis hin nach Germanien und Britannien ebnete.

Zur Förderung der ägyptischen Wirtschaft konzentrierte Ahmose II. alle griechischen Handelsaktivitäten in der Deltastadt Naukratis, wo Griechen zuerst unter der Regierung Psammetichs I. zur Ansiedlung ermutigt worden waren. Ahmoses Griechenpolitik war jedoch mit mehr als nur dem Handel befasst. Stets gewitzt in Fragen der Außenpolitik, war er bemüht, freundschaftliche Beziehungen mit den Stadtstaaten der Ägäis zu pflegen, denn er erkannte, dass eine starke Allianz die beste Verteidigung gegen Babylonier und Perser bot – und, natürlich, gegen eine Invasion Ägyptens durch die Griechen selbst. Daher tauschte Ahmose diplomatische Geschenke mit griechischen Herrschern aus, verstärkte seine Armee mit griechischen Söldnern und zeigte eine höchst diplomatische Geste der Freundschaft, indem er sich an den Kosten für den Wiederaufbau des Apollonheiligtums in Delphi beteiligte – eine der wichtigsten Stätten der griechischen Religion –, nachdem es 548 v. Chr. durch Feuer zerstört worden war. Eine von Ahmoses Frauen war vielleicht sogar die Tochter einer in Ägypten lebenden griechischen Familie.

Als Usurpator war Ahmose II. auf den Thron gelangt, jetzt unternahm er Schritte, die Position seiner Familie fest zu verankern. Er ließ seine Tochter Nitikret (II.) als Erbin der amtierenden Göttlichen Gemahlin Amuns berufen, während sein Sohn Psammetich zum offiziellen Erben designiert wurde. Zwei weitere Kinder, Pasenenchonsu und Ahmose, schienen dazu bestimmt, die Dynastie weiterzuführen. Doch sollte das nicht sein. Weit im Osten hatte Kyros II. (›der Große‹) 550 v. Chr. die Meder und Perser vereint und machte sich daran, elf Jahre später Babylon zu erobern, dessen letzten König, Belsazar (Bel-scharru-usur) er besiegte – der die Schrift an der Wand wohl wirklich nicht sehen konnte. Weiter stürmte Kyros nach Westen und verleibte seinem expandierenden Reich die griechischen Staaten Kleinasiens ein; so wurde er zur einzigen

Schluffsteinkopf Ahmoses II. (Amasis), aus Saïs, 26. Dynastie. Saïs war Heimat und königliche Kapitale der 26. Dynastie. Wahrscheinlich war diese schöne Statue ursprünglich in einem der Tempel der Stadt aufgestellt. Der Kopf wurde aus stilistischen Gründen als Ahmose identifiziert.

Großmacht der Levante. Ungefähr um 530 v. Chr. stand die persische Armee in Ägyptens Hinterhof und wartete auf ein Zeichen der Schwäche, um anzugreifen.

Die beständige Bedrohung durch eine persische Invasion überschattete Ahmoses II. Jahre als König. Seine persönliche Entschlossenheit, Charakterstärke und kluge diplomatische Bündnisse hielten den Feind eine Zeitlang erfolgreich in Schach. Doch im Augenblick seines Todes drangen die Perser ein, geführt von ihrem neuen König Kambyses. Ahmoses Sohn, Psammetich III., war der Aufgabe der Verteidigung seines Erbes leider nicht gewachsen, Ägypten kapitulierte schnell. Das Jahrhunderte alte Amt der Göttlichen Gemahlin Amuns wurde aufgehoben. Der Rest von Ahmoses Familie floh oder wurde getötet. Das Schicksal Ahmoses selbst bleibt ein Geheimnis. Wahrscheinlich hatte er im Tempelbezirk von Saïs für sich ein Grab vorbereitet, doch wurde es nie gefunden. Sein Ruhm sollte bleiben, nicht auf einem prachtvollen Grab oder großartigen Monument dargestellt, doch in seiner vollbrachten Leistung, die ägyptische Unabhängigkeit gegen alle Widrigkeiten zu bewahren.

93 | WADJHORRESNET
EIN ADMIRAL KOLLABORIERT MIT DEN PERSERN

Als der Persergeneral Kambyses 525 v. Chr. in Ägypten eindrang und den schwachen, untauglichen König Psammetich III. absetzte und Ägypten dem expandierenden Perserreich einverleibte, sah sich das Land der Pharaonen einer radikal verschiedenen Kultur untergeordnet. Die Antwort der ägyptischen Führungsschicht auf diese nie dagewesene Herausforderung wird anschaulich durch das Leben Wadjhorresnets illustriert. Der absolute Pragmatiker (manche würden sagen: Kollaborateur), beschloss er nicht gegen die persischen Invasoren zu kämpfen, sondern sie für seine – und Ägyptens – Methode zu gewinnen, die Dinge durch eine Verbindung von Loyalität und Überzeugung zu erledigen.

Wadjhorresnet kam aus Saïs, der Stadt im nordwestlichen Delta, dem alten Kultzentrum der Kriegergöttin Neith, Heimat und Machtbasis der 26. (Saïtischen) Dynastie. Sein Vater war Priester im örtlichen Tempel, und Wadjhorresnets eigene Verehrung Neiths war eine der treibenden Kräfte seines Lebens. Zuerst erlangte er unter der Regierung Ahmoses (Nr. 92) ein hohes Amt und baute sich, wie der König, eine erfolgreiche Karriere im Militär auf, wo er den herausgehobenen Rang eines Flottenadmirals erreichte. Über Wadjhorresnets Aktivitäten in der Marine ist wenig bekannt, doch unter Ahmoses kurzzeitigem Nachfolger, Psammetich III., müssen Kämpfe gegen die Perser dazugehört haben.

Als die Invasion erfolgte, reagierten die Ägypter mit Entsetzen. Wadjhorresnet selbst beschrieb die persische Eroberung in anschaulichen

Begriffen als ›die monströse Katastrophe, die im ganzen Land geschah‹. Er rühmte sich, seine Stadt vor den schlimmsten Auswirkungen der Invasion bewahrt zu haben, doch es ist ebenso klar, dass er das nicht durch Widerstand leistete, sondern durch Kollaboration mit den Persern. Ägyptens neuer Herrscher, Kambyses, verlor keine Zeit und bestellte Wadjhorresnet zu einem hohen Staatsbeamten, indem er ihn zum Gefährten (interessanterweise ein traditioneller ägyptischer Titel, der einen Angehörigen aus dem innersten Kreis des Monarchen bezeichnete) sowie zum Aufseher des Palastes machte. Offenbar hatte Kambyses beschlossen, solche ägyptischen Beamten in seinen Diensten zu behalten, die willens waren, mit dem neuen Regime zusammenzuarbeiten; dabei stellte er sicher, dass die militärische Macht fest in loyaler persischer Hand war. Wadjhorresnet konnte nicht gehofft haben, hochrangiger Marineoffizier zu bleiben, doch seine Führungsqualitäten wurden klar anerkannt und von neuem bestätigt.

Er machte sich daran, seinen Einfluss zu nutzen, um die Traditionen seiner Heimat an die neuen Verhältnisse anzupassen und so zu erhalten. Als persönlicher Beamter am königlichen Hof trug Wadjhorresnet Sorge, neue Mitarbeiter aus den Reihen des ägyptischen Adels einzustellen, um so kulturelle Kontinuität im Zentrum der politischen Macht zu sichern. Als er weiter befördert wurde – auf den sensiblen Posten des Chefarztes –, fühlte er sich berufen, einen Schritt weiter zu gehen und den persischen Eroberer in einen ägyptischen Musterpharao zu verwandeln. Besonders ging es ihm darum, seine Stadt und den Tempel vor Plünderung und Zerstörung zu schützen, daher ersuchte er Kambyses, Fremde aus dem Bezirk der Neith in Saïs vertreiben zu lassen, damit der Tempel in seinem früheren Zustand wiederhergestellt werden konnte. Für seinen Teil erkannte Kambyses offenbar die politischen Vorteile, wenn alle sahen, dass er als Musterpharao handelte; so stimmte er Wadjhorresnets Bitte zu und ehrte anschließend den Neith-Kult mit seinem königlichen Besuch. Wadjhorresnets Einflussnahme, verbunden mit Pragmatismus auf beiden Seiten, rettete für Saïs die Lage.

Unter Kambyses' Nachfolger, Dareios I., blieb Wadjhorresnet am Hofe ein Hauptakteur. Vom persischen König wurde er in das ferne Susa, ins Zentrum des Perserreichs, zitiert, bevor man ihn nach Ägypten zurückschickte, um dort die Tempel zu restaurieren. Besondere Aufmerksamkeit verwandte Wadjhorresnet auf das ›Haus des Lebens‹ (Tempelskriptorium) zu Saïs, denn das war die Institution, die vor allen anderen ägyptische religiöse und kulturelle Traditionen bewahrte und von einer Generation zur nächsten weitergab. Wadjhorresnet wollte nicht nur das unmittelbare Überleben seines örtlichen Tempels sichern, sondern das langfristige Überleben seiner nationalen Identität.

Absolut passt dazu, dass sein dauerndes Denkmal, eine Statue, die eine Inschrift mit dem Bericht seiner bemerkenswerten Karriere trägt, im Tempel der Neith aufgestellt worden sein soll. Seine Hoffnung war, dass sei-

Grüne Basaltstatue Wadjhorresnets (Kopf fehlt) als *Naophóros* (Schreinträger), aus Saïs, 27. Dynastie. Das lang fließende Gewand in persischem Stil dient als ›Unterlage‹ für einen längeren autobiografischen Text, der die Ereignisse seines Lebens während und nach der Perserinvasion in Ägypten beschreibt.

ne Göttin ihm ewiges Leben gewähren würde. Er hatte die Anerkennung schon vorher vergolten.

94 | WENNEFER
SCHLANGENDOKTOR UND POLITISCH ÜBERLEBENDER

Wennefer war Spezialist in Medizin, erfahren in der Behandlung von Schlangenbissen und Skorpionstichen. Exotisch wie sein Beruf gewesen sein mag, er hätte nicht vorhersagen können, dass sein Leben von außergewöhnlichen Drehungen und Wendungen des Schicksals betroffen werden sollte, die Ägyptens Qualen in der zweiten Hälfte der 30. Dynastie widerspiegelten.

Wennefer wurde in der Stadt Behbeit el-Hagar (äg. Hebyt) im mittleren Delta im zwölften Nomós (Gau) Unterägyptens geboren. Die Provinzhauptstadt, Sammanud (äg. Tjebnutjer) war weniger als 20 km entfernt und war erst kürzlich von regionaler zu nationaler Bedeutung gelangt, nachdem ein Mann aus dem Ort, Nechtenebef (Nektanebos I.) als Pharao zur Macht gelangt und zum Begründer einer neuen (der 30.) Dynastie geworden war. Daher wuchs Wennefer im Kernland der neuen Königsfamilie auf, und dieser geografische und historische Zufall beeinflusste sein späteres Leben zutiefst.

Anfänglich jedoch schien er dazu bestimmt, mit einer Anstellung im örtlichen Tempel in die Fußstapfen seines Vaters zu treten. Hier scheint er ein spezielleres Interesse an Magie / Medizin gewonnen zu haben (beides war im alten Ägypten faktisch nicht zu trennen). Als Vorsteher der *Wab*-Priester [untergeordnete Priesterschaft; A. d. Ü.] der Sechmet in Hetepet dürfte er in die Durchführung ritueller Opfer einbezogen gewesen sein.

Heiliges Amt und weltliche Verantwortung gingen im alten Ägypten oft Hand in Hand. Das war im Falle Wennefers sicher gegeben, der im Jahre 362 / 361 v. Chr. seine ersten königlichen Ordres erhielt, eine religiöser, die andere administrativer Art. Seine religiöse Aufgabe war die Aufsicht über die prächtige Bestattung des Apis-Stieres und die Suche nach seinem Nachfolger. Auf der ›weltlichen‹ Seite war sein Auftrag nicht weniger wichtig. Als die Satrapen [persische Statthalter; A. d. Ü.] an der Küste Asiens gegen die persischen Oberherren revoltierten, beschloss der ägyptische König, Djedhor (Teos), aus der Situation Vorteil zu schöpfen und selbst gegen den persischen Herrscher Artaxerxes II. in den Krieg zu ziehen; Wennefer erhielt den Auftrag, den offiziellen Bericht des Feldzugs zu verfassen. In einer Gesellschaft, in welcher der schriftliche Bericht enormes symbolisches und religiöses Gewicht hat, war das eine höchst bedeutsame Berufung. Sie zeigt, dass Wennefer schon ein zuverlässiger Angehöriger des innersten Kreises der Dynastie war.

Doch bald nahmen die Ereignisse eine unheilvollere Wendung. Djedhor

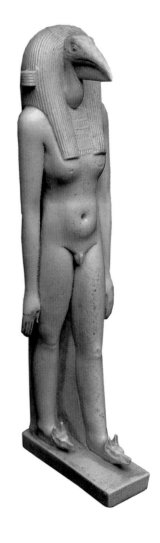

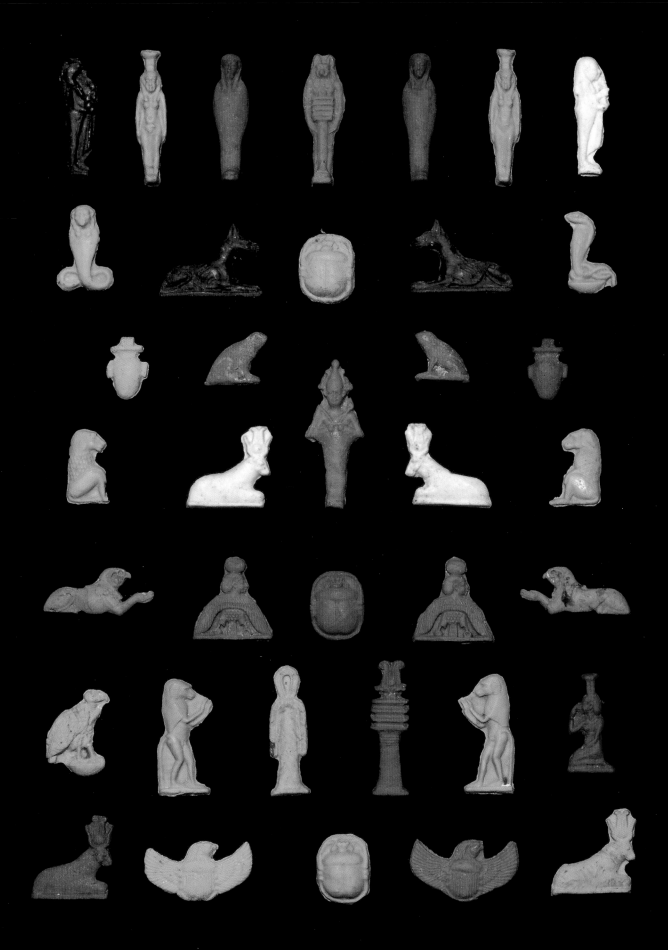

marschierte mit seinen Truppen nach Asien, um dort die persischen Streitkräfte herauszufordern. Kaum hatte der König Ägypten verlassen, da wurde dem in Djedhors Abwesenheit das Land regierenden Herrscher ein Brief übermittelt, der Wennefer in eine Verschwörung hineinzog. Er wurde verhaftet, mit kupfernen Ketten gefesselt, vor den Herrscher geführt und vernommen. Durch einen Glücksfall oder mit List entging Wennefer nicht nur der Bestrafung, sondern wendete die Situation sogar zu seinem Vorteil. Die Details sind vage, doch er ging aus dem Verhör als loyaler Vertrauter des Herrschers hervor (so wie er der Vertraute des Königs war), empfing offizielle Protektion und wurde mit Geschenken überhäuft. Überdies wurde er mit einer diplomatischen Mission von höchster Sensibilität betraut, nämlich an der Spitze einer Flotte von Transport- und Kriegsschiffen nach Asien zu segeln, um Djedhor zu finden. Wennefer spürte den König bei Susa auf, bevor er nach Ägypten zurückgeschickt wurde.

Bei seiner Ankunft wurde er vom Boten des ägyptischen Herrschers begrüßt und umarmt; die beiden Männer verbrachten den ganzen Tag zusammen, Wennefer berichtete die Einzelheiten seiner Reise. Und so wurde er einer der engsten und loyalsten Anhänger des neuen Königs, Nechtharehbo (Nr. 95). Im Auftrag des Monarchen stellte er den Totenkult zweier Könige aus ferner Vergangenheit wieder her: den von Snofru und Djedefre aus der 4. Dynastie. Für die 30. Dynastie und ihre Unterstützer war der Propagandawert der Wiederherstellung dieser Kulte offensichtlich: Damit wurde eine Verbindung zwischen der neuen Königsfamilie mit zweien der illustersten Könige aus der Pyramidenzeit geschaffen.

Wennefers Belohnung für seine Hilfe, Nechtharehbos Thronbesteigung zu legitimieren, umfasste eine Menge von Ehrentiteln, lukrative Pfründe in einer Anzahl von Städten des Deltas und das Privileg eines Grabes beim Serapeion in Sakkara. Sein Grabmonument war wirklich beeindruckend: Mit einer Allee von Sphingen, die zu einem Pylonentor führte, einer Hypostylhalle mit vier Säulen und drei kleinen Kapellen war es ein wahrhaftiger Tempel *en miniature*. Innerhalb der Grabkammer war ein Dioritsarkophag seine letzte Ruhestätte; seine Grabbeigaben umfassten zweiundachtzig Dienerstatuetten (*Uschebtis*) aus Fayence.

In der zentralen Kapelle seines Tempelgrabs ließ Wennefer sich selbst prunkvoll in einem weiten Überrock und einer gefransten Schärpe nach persischer Art darstellen, dem charakteristischen Gewand der Elite der 30. Dynastie. Aus relativ einfachen Anfängen heraus war er in einer Zeit großer politischer Unsicherheit durch eine Mischung aus Glück, klugem Manövrieren und dadurch, dass er auf Nummer sicher ging, zu Bedeutung, Prestige und Wohlstand gelangt. Seine Karriere hatte ihn aus einer Stadt im Delta in das Zentrum des Persischen Reiches und zurück geführt: eine außergewöhnliche Reise für einen Doktor gegen Schlangenbisse und Skorpionstiche.

95 | NECHTHAREHBO (NEKTANEBOS II.)
ÄGYPTENS LETZTER EINHEIMISCHER HERRSCHER

Der Zusammenprall der griechischen Welt und des Perserreiches, der den Hintergrund zu der Geschichte von Wennefer (Nr. 94) bildet, lieferte auch den Kontext für den letzten gebürtigen Ägypter, der bis in das zwanzigste Jahrhundert über das Niltal herrschte. Nechtharehbo, besser bekannt als Nektanebos II., war der Großneffe des Begründers der 30. Dynastie, Nechtenebef (Nektanebos I.). Er war noch ein junger Mann, diente in der ägyptischen Armee auf einem Feldzug in Phoinikien, als spartanische Söldner seinen Onkel Djedhor absetzten und an seiner Stelle Nechtharehbo auf den Thron brachten. Der vertriebene Monarch floh in die Arme von Ägyptens Erzfeind Artaxerxes II. von Persien, ein verzweifelter, schicksalhafter Schritt, der in letzter Instanz das Ende der ägyptischen Unabhängigkeit bedeutete.

Die Armee kehrte nach Ägypten zurück, doch Nechtharehbo bekam nicht gerade den Empfang eines Helden. Er wurde in Tanis vom Fürsten von Mendes belagert, einem ernsthaften Rivalen um den Thron, und nur durch das militärische Eingreifen des Agesilaos gerettet, des Königs von Sparta, der Nechtharehbos Kandidatur auf dem ersten Platz gefördert hatte. Der junge Mann muss sich klargemacht haben, wie prekär seine Lage war, und machte sich daran, die Unterstützung der einflussreichsten Körperschaften im Lande zu gewinnen, der Priesterschaften der großen Tempel. Der beste Weg dazu war, gemäß den Pflichten königlicher Tradition, die Wohnstätten der Götter zu verschönern und auszuschmücken (und – nicht identisch damit – den Wohlstand der Priester zu vermehren). Nechtharehbos Programm umfasste Ergänzungen zu vielen der vorhandenen Kultzentren und den Bau eines gänzlich neuen Isis-Tempels in Behbeit el-Hagar im Delta. In den Heiligtümern ganz Ägyptens wurden Statuen der Herrscher der 30. Dynastie aufgestellt, und Nechtharehbo benutzte Skulpturen, um sich selbst mit Horus gleichzusetzen, dem traditionellen Gott des Königtums. Unter dem Patronat des Königs erblühten Künste und Literatur, die ägyptische Kultur erlebte so etwas wie eine Renaissance.

Doch die Hätschelung des ägyptischen Sinnes für nationale Identität konnte nicht die tatsächliche Realität der im Nahen Osten geschwächten Kraft des Landes übertünchen noch konnte sie die Mächte in Schach halten, die Ägyptens Souveränität ersticken wollten. Die erste Herausforderung kam 351 v. Chr., gleich im ersten Jahrzehnt von Nechtharehbos Herrschaft. Die Perser, zweifellos vom vertriebenen Djedhor angestachelt, versuchten, in Ägypten einzufallen. Nechtharehbos Truppen obsiegten, doch der Sieg erzeugte im König eine ungerechtfertigte, gefährliche Selbstzufriedenheit. Im Glauben, er sei jeder Opposition gewachsen, vernachlässigte er Bündnisse mit den Griechen und anderen Regionalmächten. Das war ein fataler Fehler. Sieben Jahre später kehrten die Perser zurück,

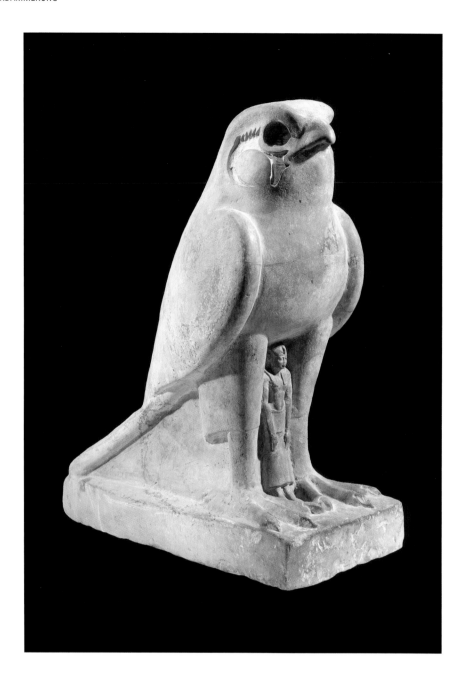

dieses Mal geführt von ihrem Großkönig Artaxerxes III. Sie konzentrierten sich in der befestigten Stadt Pelusion im Delta, ihnen gegenüber Nechtharehbos Armee von 100 000 Mann. Zahlen allein jedoch genügten nicht, die Ägypter zu retten. Die persischen Truppen eroberten Pelusion und stürmten auf die Hauptstadt Memphis zu. Nechtharehbo fügte sich in das Unvermeidliche und floh aus dem Lande.

Sein Schicksal ist unbekannt. Vielleicht ging er nach Nubien, wo die Kultur der Pharaonen inzwischen verwurzelt war und noch viele weitere Jahrhunderte überdauern sollte. Eine verlockendere Möglichkeit, die in mittelalterlichen Mythen aufgegriffen ist, wäre, dass er seinen Weg an den

Statue Nechtharehbos (Nektanebos II.), beschützt von Horus, seiner persönlichen Gottheit und Gott des Königtums. Der auffällige Kontrast zwischen der winzigen Figur des Königs und dem übergroßen Falken verweist auf die Schwächung der Autorität des Königtums und ihre größere Abhängigkeit von göttlicher Gunst in der Endphase der 30. Dynastie.

Hof Philipps von Makedonien, Persiens Hauptgegner, fand, dort die Aufmerksamkeit von Philipps Gemahlin Olympias auf sich zog und so Alexander den Großen zeugte. Eine solche Geschichte lässt sich unmöglich nachprüfen, vielleicht ist sie auch unwahrscheinlich, doch es ist eine Tatsache, dass Alexander und die Ptolemäer Nechtharehbos Andenken ehrten und seinem Kult ein Heiligtum errichteten.

Ein gewisseres, doch weniger erbauliches Schicksal erwartete den unbenutzten Steinsarkophag von Ägyptens letztem einheimischen Pharao: Er fand seinen Weg nach Alexandria und wurde dort als Wasserspeicher für öffentliche Waschungen benutzt.

Relief mit der Göttin Isis, die Nechtharehbo (Nektanebos II.) umarmt, 30. Dynastie. Unter der Bedrohung durch persische Invasion und griechische Expansion herrschte Nechtharehbo in der Zeit des Untergangs des Ägypten der Pharaonen – als letzter heimischer Herrscher bis in das zwanzigste Jahrhundert.

96 | SOMTUTEFNACHT (II.)
AUGENZEUGE VON ALEXANDERS EROBERUNG

Mit dem Teleobjektiv der Geschichte erscheint die Perserinvasion von 342 v. Chr. als katastrophales Ereignis, denn sie brachte das Modell der Pharaonenherrschaft, das dem alten Ägypten für eine Zeit von nahezu 3000 Jahren gedient hatte, zu einem abrupten Ende. Doch möglicherweise erschienen die Ereignisse Mitte des 4. Jahrhunderts v. Chr. denen, die sie durchmachten, als nicht so traumatisch. Das ist wenigstens der Eindruck, den ein Mann vermittelt, der nicht nur die Perserinvasion und die Zeit danach erlebte, sondern dem es unter aufeinanderfolgenden Regierungen augenscheinlich wohl erging.

Somtutefnacht kam, wie sein Namensvetter drei Jahrhunderte zuvor (Nr. 91) aus Herakleopolis (äg. Hnes) in Mittelägypten. Seinen Namen trug er nach einem der lokalen Götter, Somtu (›Der die Beiden Länder vereint‹), dessen Heiligtum innerhalb der Stadt Herakleopolis lag. Die lokale Hauptgottheit war jedoch der Widdergott Herischef. Somtutefnachts Verehrung des Widdergottes lief wie ein kontinuierlicher Faden durch sein Leben.

Seine Karriere begann er unter der Herrschaft Nechtharehbos (Nr. 95), die Perserinvasion erlebte er aus erster Reihe. Obgleich er sie später als Desaster beschreibt, zu der Zeit zeigte er kein Zögern, seinen Frieden zu machen und sich bei dem persischen Herrscher, Artaxerxes III., einzuschmeicheln. Somtutefnacht wurde zum Oberpriester der Sechmet berufen, konkret hieß das: zum königlichen Arzt. In dieser Funktion nahm Somtutefnacht seinen Platz inmitten von Artaxerxes' III. Hof ein und begleitete seinen Herrn zurück nach Persien. Aus dieser Perspektive wurde er nur wenige Jahre später Augenzeuge der Niederlage von Artaxerxes' III. Nachfolger, Dareios III., durch die Truppen Alexanders des Großen in der Schlacht von Issos im Jahre 333 v. Chr. Wieder sah sich Somtutefnacht in bedeutendere Ereignisse verwickelt, wieder entkam er unbeschädigt. Sein gütiges Schicksal schrieb er dem wohlwollenden Schutz seines Gottes Herischef zu:

»Du beschütztest mich im Kampf der Griechen,
als du jene aus Asien vertriebst.
Sie erschlugen eine Million auf meiner Seite,
und keiner erhob einen Arm gegen mich.«

Ohne Zweifel spielten auch Glück und politische Geschicklichkeit ihre Rolle.

Somtutefnachts schadenfrohe Beschreibung der persischen Niederlage erscheint seltsam im Gegensatz zu seinem persönlichen Fortkommen unter persischer Herrschaft; doch er war immer ein loyaler Diener der jeweiligen Machthaber, und unter makedonischer Herrschaft wäre es extrem unklug gewesen, irgendetwas anderes zu äußern als tiefe Feindschaft gegenüber der Erinnerung an die Perser.

Holzstatue eines älteren Mannes im Mantel, 30. Dynastie. Diese beklemmende Skulptur hat ihre Farben und die eingelegten Augen verloren, vermittelt jedoch noch einen Eindruck von Würde und Autorität. Der geschorene Kopf des Mannes erlaubt vielleicht, ihn als Mitglied der ägyptischen Priesterschaft zu identifizieren, des letzten Bollwerks der Pharaonenkultur in der Zeit des Übergangs zur Ptolemäerherrschaft.

Für einen Großteil der Bevölkerung Ägyptens, die unter der Perserherrschaft Entbehrungen und Brutalität erlitten hatten, war Alexander als Befreier willkommen. Somtutefnacht sah auch, woher der Wind wehte, und beschloss, nach Ägypten zurückzukehren. Er erreichte seine Heimat sicher und wohlbehalten, den Kopf ›keines Haares beraubt‹. Am Ende seiner Laufbahn besaß er eine glänzende Reihe an Ehrentiteln und Ämtern. Außer königlicher Arzt war er auch Vorsteher des Ufers, Priester der Götter des Oryx-Gaues (Provinz); Priester des Horus, des Herrn von Hebnu; und Priester des Somtu, des Gottes, nach dem er benannt wurde. So endete, mit seinen eigenen Worten, sein Leben ›gesegnet von seinem Herrn, geehrt in seinem Gau‹.

Vor allem war Somtutefnacht Überlebender. Die Geschichte mag ihn Kollaborateur titulieren, doch er war glücklich, sein gütiges Schicksal seinem Gott zuschreiben zu können:

»Wie mein Anfang durch dich gut war,
So hast du mein Ende perfekt gemacht.
Du gabst mir ein langes Leben in Freude.«

97 | PADIUSIR (PETOSIRIS)
ERGEBENER DIENER SEINES LOKALEN GOTTES

Während einige Ägypter wie Somtutefnacht (Nr. 96) wohl aktiv mit den persischen Eroberern zusammengearbeitet haben, hielten sich andere, besonders in den Provinzen, offenbar verborgen und setzten ihr normales Leben so weit wie möglich fort; in Ruhe bewahrten sie die einheimischen Traditionen in unbeugsamem Trotz gegenüber den fremden Eindringlingen. Einer von der Art war Padiusir (griechisch Petosiris) aus Hermopolis, seinen Freunden bekannt als Anchefenchons.

Padiusir kam aus einer mächtigen lokalen Familie, die eng mit dem Thoth-Tempel der Stadt verbunden war. Padiusirs Großvater, Djedhotiuefanch (›Thoth sagt, er wird leben‹), und Vater, Nes-Schu, hatten unter den Pharaonen der 30. Dynastie nacheinander als Hohepriester Thoths gedient. In Padiusirs eigener Generation ging das Amt zuerst auf seinen älteren Bruder Djedhotiuefanch und dann auf Padiusir selbst über. Padiusir und sein Bruder erlebten die Perserinvasion von 341 v. Chr. mit. Gerade in dieser Zeit trat Padiusir die Nachfolge als ›der Hohepriester, der den Gott in seinem Heiligtum sieht, der seinen Herrn trägt und seinem Herrn folgt, der das Heiligste vom Heiligen betritt, der seine Aufgabe zusammen mit den großen Propheten erfüllt‹ an. Seine Lebensführung und Leistungen in einer politisch schwierigen Zeit sind ein Zeugnis für seine persönliche Frömmigkeit und Entschlossenheit, Ägyptens Jahrhunderte alten Traditionen zu bewahren. Seine eigene Beschreibung der Ereignisse lässt sich nicht übertreffen:

»Ich verbrachte sieben Jahre als Aufseher für diesen Gott, verwaltete seine Stiftung, ohne dass ein Fehler gefunden wurde, während der Herrscher fremder Länder Beschützer Ägyptens war, und nichts war an seiner früheren Stelle, seit innerhalb Ägyptens das Kämpfen begonnen hatte; der Süden ist in Aufruhr, der Norden in Revolte …, alle Tempel ohne ihre Diener; die Priester sind geflohen, ohne zu wissen, was geschah.

»Als ich Vorsteher für Thoth wurde, dem Herrn von Hermopolis, brachte ich den Tempel Thoths wieder in seinen früheren Zustand, ich veranlasste, dass jeder Ritus war wie zuvor, dass jeder Priester zur vorgesehenen Zeit Dienst tut … Ich machte prächtig, was irgendwo zerfallen vorgefunden wurde. Ich stellte wieder her, was lange zuvor zerfallen war und nicht mehr an seinem Platz war.«

In sachlicher Schilderung des Zusammenbruchs des traditionellen Königtums führte Padiusir sogar eine Tempelgründungszeremonie durch, die gewöhnlich dem Pharao vorbehalten war:

»Ich spannte den Strick, ließ locker die Leine, um den Tempel des Re im Park zu gründen. Ich baute ihn aus schönem weißen Kalkstein und vollendete aller Art Arbeiten; seine Türen sind aus Pinie, eingelegt mit asiatischem Kupfer.

»Ich machte eine Umfriedung um den Park, damit er nicht vom Pöbel zertrampelt werde.«

Unter persischer Herrschaft gab es ein stets präsentes Risiko sozialer Unruhe. Nichtsdestoweniger wahrte Padiusir alle traditionellen Riten, so gut er konnte, und bemühte sich, ›die Gelehrten zu konsultieren‹, um sicherzustellen, dass alles ganz korrekt getan wurde.

Um die politische und soziale Unruhe infolge der persischen Besatzung noch zu verschlimmern, wurde Padiusirs Leben von einem schweren Schicksalsschlag getroffen, als sein Sohn Thothrech (›Thoth weiß‹) in jungem Alter starb. Private Trauer verbanden sich mit Frömmigkeit, um in Padiusir einen unüblich nachdenklichen Blick auf das Leben hervorzubringen, der in Inschriften auf den Wänden seines prachtvollen Familiengrabs in Tuna el-Gebel festgehalten ist. Er betonte vor allem, dass das Leben entsprechend ›dem Wege Gottes‹ gelebt werden solle: gesetzestreu und fromm, doch auch erfolgreich und glücklich. Als Gegenleistung für ein Leben loyalen Dienstes für seine Stadt und seinen Gott bat Padiusir um ein paar einfache Belohnungen: ›Ein Leben lang in herzlicher Freude; ein gutes Begräbnis in hohem Alter; mein Leichnam bestattet in diesem Grab neben meinem Vater und älteren Bruder.‹ Diese einfache Aussage fasste die tiefsten Wünsche des Ägypters zusammen: eine starke Familie und ein gesegnetes Leben nach dem Tode. Dass Padiusir beides erlangte, demonstriert die Widerstandsfähigkeit der herrschenden Klasse Ägyptens und der Pharaonenkultur gegen die Wechselfälle der Geschichte.

98 | PTOLEMAIOS I.

DER MAKEDONISCHE GENERAL UND DYNASTIEBEGRÜNDER

Als Alexander der Große im Jahre 332 v. Chr. Ägypten eroberte, wurde er als Erretter begrüßt. Er mochte zwar kein Ägypter sein, doch er hatte das Land von der harten Herrschaft der verhassten Perser befreit, und das war Grund genug, ihn als legitimen Pharao anzuerkennen. Für die nächsten drei Jahrhunderte wurde Ägypten, bis zu seiner Einbeziehung in die römische Welt, von einer griechisch sprechenden Elite beherrscht, doch von einer solchen, soweit wir sagen können, die von der einheimischen Bevölkerung weitgehend akzeptiert wurde. Das war in großem Maße den Bemühungen und dem Charakter des Mannes geschuldet, der Ägypten auf seinen neuen Kurs brachte und nach dem die Periode griechischer Herrschaft benannt ist: Ptolemaios.

Ptolemaios, Sohn des Lagos, wurde 367 oder 366 v. Chr. im Königreich Makedonien geboren. Seine Mutter Arsinoë war vielleicht mit der Königsfamilie verwandt, und Ptolemaios wurde als Knabe in das Pagencorps am Hofe König Philipps aufgenommen. Daher gelangte er zu Philipp und seinem Erben Alexander in Kontakt, die beiden wurden enge Kindheitsfreunde. Ptolemaios' Name war von der epischen Form des griechischen Wortes für Krieg, *pólemos*, abgeleitet, und der Junge blieb seiner Benennung treu. Er stach in kriegerischen Aktivitäten hervor und focht an Alexanders Seite, als dieser – als König – den größten Teil der bekannten Welt eroberte, von den Küsten des Ägäischen Meeres bis in die Dschungel Indiens. Als hervorragender General wurde Ptolemaios zu einem der sieben Leibwächter Alexanders erwählt, dem innersten Kreis der getreuesten Gefährten des Königs.

Alexanders plötzlicher Tod in Babylon im Juni 323 v. Chr. stürzte sein Reich und seine Berater in Aufruhr. Für die nächsten achtzehn Jahre war Ptolemaios in die komplizierte Welt der makedonischen Politik verwickelt, als Alexanders Erben um die Aufteilung seines enormen Territoriums kämpften. Ptolemaios' erster Schritt sollte sich als weitsichtig erweisen, oder vielleicht war es bloßes Glück. Fünf Monate nach Alexanders Tod kam er nach Ägypten, um als Satrap (Statthalter; persische Bezeichnung) zu herrschen; in diese Position war er – zweifellos nach langem Drängen – von Alexanders Halbbruder und Nachfolger, Philippos Arrhidaios, berufen worden. Ptolemaios war etwa vierundvierzig Jahre alt, doch ohne Zweifel dachte er nicht daran, sein Schwert an den Nagel zu hängen und den Rest seiner Tage im Wohlleben zu verbringen.

Ptolemaios größter Rivale war Perdikkas, der Mann, der Alexanders Siegelring geerbt hatte und so faktisch den Staatsrat kontrollierte, der das Reich regieren sollte. Perdikkas hatte seine Position ausgenutzt, indem er Alexanders babylonische Territorien an sich riss und fortfuhr, gegen Ende 322 v. Chr. die griechische Kolonie Kyrene im Küstenstreifen Libyens zu

Innensarg Padiusirs (Petosiris') aus Pinienholz, aus Tuna el-Gebel, frühe Ptolemäerzeit. Die Vorderseite des anthropoiden Sarkophags trägt Hieroglyphen aus eingelegter Glaspaste, welche Kapitel 42 des *Totenbuches* zitieren.

annektieren. Dies war für Ptolemaios eine direkte Herausforderung, da Kyrene sich als Vorposten für einen Angriff auf Ägypten selbst eignete. Tatsächlich kam dieser Angriff ein Jahr später, doch Ptolemaios war vorbereitet. Perdikkas wurde auf der Stelle gestoppt und getötet. Ptolemaios wurde als Herrscher Ägyptens und Kyrenes bestätigt. Er entführte Alexanders Leichnam auf dem Wege von Babylon zurück nach Makedonien und brachte ihn sozusagen als Totem nach Ägypten, um seine eigene Herrschaft zu legitimieren.

Doch Ptolemaios, der General, strebte in innerer Rastlosigkeit nach weiterem militärischen Ruhm. Die nächsten sechzehn Jahre über ließ er sich auf einen Feldzug nach dem anderen ein, gewann Gebiete und verlor sie wieder in einer anscheinend endlosen Folge von Schlachten: Libanon, Palästina, Zypern, sogar die Kykladen: Alle wurden erobert, alle gingen verloren. Im Jahre 306 v. Chr. scheint Ptolemaios beschlossen zu haben, seine Herrschaft zu konsolidieren und sich mit Ägypten und Kyrene zu begnügen: leicht zu verteidigen, wohlhabend und unleugbar prestigeträchtig.

Doch sich als neuer Pharao zu etablieren, war nicht ganz unkompliziert. Unter Philippos Arrhidaios und dessen Nachfolger Alexander IV. (Alexanders des Großen postumer Sohn von Roxane) war Ptolemaios genau genommen nur Satrap über Ägypten. Keiner von Alexanders Erben war so weit gegangen, einen Königstitel zu beanspruchen. Sogar als 311 v. Chr. Alexander IV. ermordet wurde, ließ Ptolemaios Dokumente weiter, noch sechs Jahre lang, nach seiner Herrschaft datieren. Diese offizielle Fiktion gab Ptolemaios etwas Luft, während er daran arbeitete, wie er über Ägypten herrschen wollte, jetzt, da die makedonische Königslinie erloschen war. In einer Proklamation von 311, in Hieroglyphen gemeißelt, gab er ein klares Zeichen für seine Absichten: Danach wollte er das Land und die Besitzungen zweier der bedeutendsten Kulttempel Ägyptens restaurieren. Die Wiedergeburt der Pharaonenherrschaft zeichnete sich ab.

Im November 305 v. Chr. wagte er den entscheidenden Schritt: Zuerst nahm er den traditionellen makedonischen Titel eines *basileús* (›König‹) an, dann eine vollständige Pharaonentitulatur. Als König etabliert, datierte er (in guter ägyptischer Manier) seine Herrschaft auf den Tod Alexan-

Kalksteinrelief Ptolemaios' I. aus Kom Abu Billo, frühe Ptolemäerzeit. Trotz seiner makedonischen Herkunft wird der Begründer der letzten Dynastie Ägyptens in traditionellem Pharaonengewand dargestellt, wie er der Göttin Hathor Blumen als Opfer darbringt.

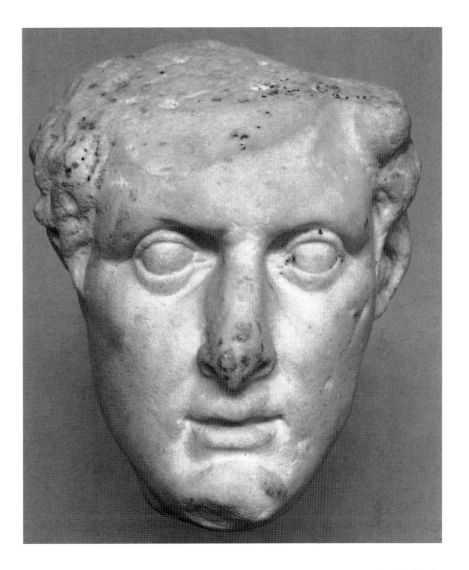

Marmorkopf Ptolemaios' I., vielleicht aus dem Faijum, frühe Ptolemäerzeit. Wahrscheinlich wurde die Statue zum Gedenken an die Ptolemäerdynastie postum angefertigt. Sie zeigt eine subtile Mischung hellenistischer und ägyptischer Merkmale.

ders des Großen zurück und machte sich daran, eine dynamische, hybride ägyptisch-griechische Kultur an den Ufern des Nils zu schaffen. Er etablierte einen neuen Kult, den des Serapis (Osiris-Apis), als Zentrum der Verehrung durch die ägyptischen Griechen, von denen sich viele, von ihm ermutigt, in Ägypten niedergelassen hatten. Er entwickelte Alexandria zu einem großen kulturellen, politischen und religiösen Zentrum, das die alte Hauptstadt Memphis in den Schatten stellte und die Ausrichtung der Ptolemäerherrschaft auf das Mittelmeer bestätigte. In Nachahmung solch illustrer Pharaonen wie Amenhotep III. (Nr. 52) und Ramses II. (Nr. 70) ließ er sich sogar zum Gott erheben, doch in sicherer Entfernung von Ägypten: Das Volk von Rhodos weihte ihm einen heiligen Bezirk, das Ptolemaion, und gab ihm das Epitheton *Sotér*, ›Erretter‹. Schließlich führte er die uralte Institution der Ko-Regentschaft wieder ein, um für seinen bevorzugten Erben eine glatte Nachfolge zu sichern. Ptolemaios II. Philadelphos (sein jüngerer Sohn von seiner dritten Frau, Berenike) wurde 284 v. Chr. gekrönt. Achtzehn Monate später starb Ptolemaios I. im Alter von vierundachtzig Jahren, der einzige von Alexanders Erben, der aus natürlicher Ursache verschieden ist.

Für die Historiker der griechischen Welt war Ptolemaios' größte Leistung sein maßgeblicher Bericht über Alexanders des Großen Schlachten, weiterhin eine der Hauptquellen für diese folgenreichen Ereignisse. Für die Ägyptologen war er der Begründer einer neuen Dynastie und der Anreger eines neuen Zeitalters, das die letzte Blüte der ägyptischen Zivilisation erlebte – und sei es auch mit griechischem Aroma.

99 | Manetho
Vater der ägyptischen Geschichte

Manetho ist ein Paradoxon: Sein chronologisches System für die Herrscher des alten Ägypten wird noch weithin benutzt, und sein Name ist bis heute unter Ägyptenforschern berühmt, doch keine seiner Schriften ist unversehrt erhalten, und rein gar nichts ist über sein Leben bekannt. Geboren ist er anscheinend am Ende des vierten Jahrhunderts v. Chr. in Sebennytos (heute Sammanud) im mittleren Delta. Seinen Karrierehöhepunkt erreichte er unter der Herrschaft der ersten beiden Prolemäer. Wie so viele in seiner Zeit trat er in die Priesterschaft ein und diente vielleicht im Tempel des Re in Heliopolis, einem der wichtigsten Kulte in Ägypten. Sein Name in ägyptischer Form, Merien-netjeraa, bedeutete ›Geliebter des Großen Gottes‹, was darauf weist, dass in seiner Familie Frömmigkeit Gebot war. In seiner Eigenschaft als Priester war er vielleicht mit der Begründung des Serapiskultes durch Ptolemaios I. befasst, da eine Statuenbasis mit Manethos Namen im Serapistempel zu Karthago gefunden wurde. Über diese dürftigen Details hinaus bleibt der Mensch Manetho ein Geheimnis.

Sein fortdauernder Ruhm ruht nicht auf den Zufällen seines Lebens, sondern seinen Schriften. Die Tempel waren Ägyptens Bildungszentren, ihre Archive die Magazine für das Wissen der Nation. Offenbar besaß Manetho Zutritt zu einer oder mehreren Tempelbibliotheken und gebrauchte sie als Materialquelle für eine Anzahl Abhandlungen: über ägyptische Religion, Kultpraktiken, Medizin und Naturgeschichte. Primär scheint er für die (beträchtliche) nicht-ägyptische Bevölkerung geschrieben zu haben, besonders die neue makedonische herrschende Klasse; vielleicht sah er es als seine Pflicht an, sie über Kultur und Bräuche ihres neuen Reiches zu informieren. Seine dauerde Leistung war von der gleichen Art: eine monumentale dreibändige Geschichte Ägyptens, die *Aigyptiaká*. Es ist verführerisch, deren Abfassung mit der Begründung der großen Bibliothek in Alexandria durch Ptolemaios II. in Verbindung zu bringen. Zweifellos war Manethos Werk im Umfang enzyklopädisch. Darin organisierte er die unzähligen Könige Ägyptens seit der Gründung des Staates zu leichter handhabbaren Gruppen, die auf angenommenen familiären Bindungen basierten. Manethos dreißig Dynastien, die 1. beginnend mit Menes (Narmer) und die 30. endend mit Nechtharehbo (Nektanebos II.), blieben das fundamentale chronologische Schema für das alte Ägypten seit jeher.

Wie die meisten Autoren der Zeit war Manetho bestrebt, seine Leserschaft zu unterhalten wie zu bilden. Daher fügte er der Grundstruktur der Dynastien Dauer und Hauptereignisse sowie Beobachtungen zum Charakter jedes Königs hinzu. Hier jedoch ging er von den Aufzeichnungen der Tempel aus und schloss Anekdoten ein, die er aus volkstümlichen Erzählungen, vielleicht auch dem Werk seines Historikerkollegen Herodot schöpfte. Manethos mehr schrullige, exotische Bemerkungen über ›pikante Sünden‹ der Pharaonen haben in den Augen späterer Gelehrter seinen Ruf diskreditiert. Indes, keines seiner Werke ist intakt überliefert – die *Aigyptiaká* sind nur aus Fragmenten bekannt, die in Werken späterer Autoren zitiert werden – daher ist es unmöglich, eine präzise, objektive Beurteilung seiner Gelehrsamkeit abzugeben. Unabhängig vom Niveau seiner Präzision, nur wenige Autoren konnten hoffen, dass ihr zentrales Thema noch zwei Jahrtausende nach ihrem Tod virulent wären. Das ist der Maßstab für Manethos Leistung.

Die Königsliste aus Abydos, eingemeißelt in die Wand eines Korridors im Tempel Sethos' I., 19. Dynastie. Aus alten Aufzeichnungen wie diesen unterteilte Manetho Ägyptens Myriaden von Königen in Herrscherfamilien oder Dynastien, ein System, das bis heute in Gebrauch blieb.

100 | KLEOPATRA VII.
EINE TRAGISCHE KÖNIGIN WIRD LEGENDE

Kleopatra: Der bloße Name beschwört Bilder von unvorstellbar opulentem Luxus, von Liebe und Verrat, von Schönheit und Tragödie – von der Exotik und dem Mysterium, sozusagen den Kennzeichen des alten Ägypten. Die Geschichte der Kleopatra und ihrer Verstrickung mit dem römischen Imperium wurde immer wieder erzählt, von Shakespeare bis Holywood, unter Widerspiegelung der Vorurteile und Vorlieben jeder Generation. Doch im Zentrum steht das Leben einer realen Frau und ungewöhnlich begabten Herrscherin, die vergeblich versuchte, ihr Land, Ägypten, gegen die nicht aufzuhaltende Macht Roms zu verteidigen. Ihre Trägödie war die Tragödie einer ganzen Zivilisation.

Kleopatra wurde 69 v. Chr. als drittes Kind Ptolemaios' XII. geboren. Die Identität ihrer Mutter ist nicht sicher, doch angesichts der Vorliebe der makedonischen Dynastie für Eheschließungen unter Blutsverwandten war sie wahrscheinlich eine von Ptolemaios' eigenen Schwestern. Ägypten war ein reiches Land, doch unter Ptolemaios XII. fehlte ihm politische Stabilität. Als Kleopatra gerade zehn Jahre alt war, musste sie die Würdelosigkeit erleben, unter der ihr Vater nach Rom reiste, um dort Unterstützung zu erbitten. Das war der Anfang einer zum Untergang geweihten Beziehung zwischen der ehrwürdigsten Zivilisation der alten Welt und ihrem jüngsten Emporkömmling. Nicht nur hatte Ptolemaios eine hohe Summe für das Versprechen auf Unterstützung durch Rom zu zahlen – den Gegenwert der gesamten Jahreseinkünfte Ägyptens –, seine Abwesenheit löste auch den Ausbruch von Parteikämpfen zu Hause aus. Seine beiden ältesten Töchter, Kleopatra VI. und Berenike, wurden abwechselnd gegen ihren Vater zur Monarchin proklamiert. Berenike ging noch einen Schritt weiter, heiratete einen fremden Fürsten und stellte eine Armee auf, um ihren Anspruch zu erhärten. Nur mit römischer Unterstützung wurden die Truppen besiegt, Berenike für ihren Verrat hingerichtet. So wurde Kleopatra VII. im Alter von fünfzehn Jahren offizielle Erbin. Sie hatte früh eine Lektion in vernichtender Rivalität gelernt, die sie für den Rest ihres Lebens peinigen sollte.

Drei Jahre später starb Ptolemaios XII. und hinterließ den Thron gemeinsam Kleopatra und ihrem ältesten Halbbruder Ptolemaios XIII. Sie war siebzehn, er ein Kind von zehn; faktisch war sie daher Alleinherrscherin. Im ersten Jahr ihrer Herrschaft, 51 v. Chr., machte sie deutlich, dass sie beabsichtigte, Ägyptens religiöse Traditionen zu ehren, indem sie das Begräbnis des Apis-Stiers in Memphis besuchte. Außerdem nahm sie das Geier-Haarkleid der ägyptischen Königinnen an und machte sich beim ägyptischen Volk weiter dadurch beliebt, dass sie dessen Sprache sprach. Doch kulturelle Solidarität allein war nicht genug, Stabilität zu garantieren. Eine schlechte Ernte im Jahre 50 v. Chr. brachte Kleopatras Regierung unter Druck, und die Unterstützer ihres Bruders versuchten, sie von

Schwarze Basaltstatue Kleopatras VII., späte Ptolemäerzeit. Als regierende Monarchin trägt sie einen dreifachen Uräus (Kobra) auf der Stirn, um sich von anderen Ptolomäerköniginnen zu unterscheiden. Ursprünglich dürfte die Statue vergoldet gewesen sein, um Kleopatras Göttlichkeit zu unterstreichen.

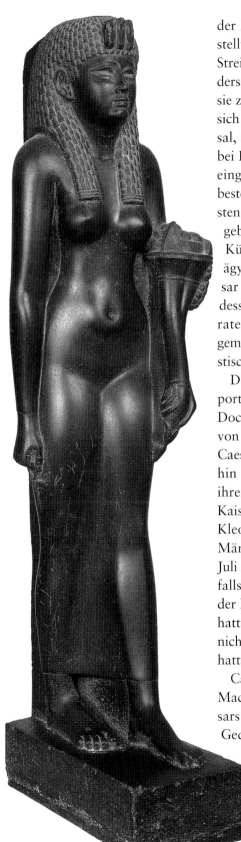

der Macht zu entfernen. Rechtzeitig gewarnt, floh sie nach Syrien und stellte eine Armee auf, um ihr Erstgeburtsrecht zurückzugewinnen. Ihre Streitkräfte marschierten auf Ägypten und stellten die Truppen ihres Bruders bei Pelusion zum Kampf. Die Begegnung endete unentschieden, doch sie zog die Intervention eines römischen Heeres unter Julius Caesar nach sich – nicht aufgrund eines besonderen Interesses an Kleopatras Schicksal, sondern um den Streit mit seinem Rivalen Pompeius beizulegen, der bei Ptolemaios XIII. Asyl gesucht hatte. Nachdem Caesar in Alexandria eingezogen war, handelte er als Richter in dem dynastischen Streit; er bestellte die sich bekriegenden Geschwister vor sich und entschied zugunsten Kleopatras. Ptolemaios' XIII. Anhänger sollten nicht kampflos aufgeben und belagerten die königliche Partei auf der Insel Pharos vor der Küste. Es folgte ein komplizierter Kampf, der mit der Niederlage der ägyptischen Rebellen und Ptolemaios' Tod durch Ertrinken endete. Caesar widerstand der Versuchung, Ägypten zu annektieren, und ließ stattdessen Kleopatra ihren überlebenden Halbbruder, Ptolemaios XIV., heiraten. Unter Wahrung der Sitte der Ko-Regentschaft rief er beide zu gemeinsamen Herrschern aus. Sein Interesse war jedoch nicht ganz altruistisch: Er und Kleopatra waren ein Liebespaar geworden.

Den Mythen zum Trotz war Kleopatra keine Schönheit; ihre Münzporträts zeigen sie mit einer gebogenen Nase und vorspringendem Kinn. Doch sie war intelligent und scharfsinnig, und sie hatte den größten Preis von allen zu ihrer Verfügung: Ägypten. Für einen ehrgeizigen Mann wie Caesar war das eine unwiderstehliche Kombination. Auf seine Einladung hin besuchte sie im Jahre 46 v. Chr. Rom, mit ihrem Bruder-Gemahl, ihrem Gefolge und ihrem kleinen Kind von Caesar, den sie Ptolemaios Kaisarion genannt hatte. Die königliche Gesellschaft blieb über ein Jahr. Kleopatras Abreise wurde durch Caesars Ermordung an den Iden des März 44 v. Chr. veranlasst. Unverzüglich verließ sie die Stadt und war im Juli zurück in Alexandria. Zwei Monate später war Ptolemaios XIV. ebenfalls tot. Obwohl Kleopatras Schuld nicht bewiesen werden kann, zeigt der Finger des Verdachts deutlich auf sie, da sie am meisten zu gewinnen hatte. Sie nahm ihren jungen Sohn als Ko-Regenten an (Ptolemaios XV.), nicht zuletzt, um dessen Zukunft abzusichern. Denn Caesars Testament hatte seinen Großneffen Oktavian zum Erben bestimmt.

Caesars Tod löste eine Kette von Ereignissen aus, die Kleopatra in die Machtpolitik der römischen Welt verwickelten. Gleichermaßen von Caesars Freunden wie Mördern wurde sie hofiert, bis sie sich schließlich auf Gedeih und Verderb mit Mark Anton zusammentat, der die Kontrolle über Roms östliche Provinzen geerbt hatte. Die Geschichte wiederholte sich, als Kleopatra die Geliebte eines zweiten mächtigen römischen Führers wurde. Sie bot Mark Anton die Mittel für seinen Partherfeldzug als Gegenleistung für seine politische Unterstützung an – die sogar bis zum Mord an ihrer einzigen überlebenden Schwester und dynastischen Rivalin, Arsinoë, reichte. Im

Jahre 40 v. Chr., jetzt gegen Ende zwanzig, gebar Kleopatra Mark Anton Zwillinge, einen Jungen namens Alexandros Helios und ein Mädchen, Kleopatra Selene. In Ägypten folgte jetzt eine Periode relativen Friedens und Wohlstands, in der ein drittes Kind (Ptolemaios Philadelphos) geboren wurde. Inzwischen verkehrten sich Mark Antons militärische Abenteuer vom Desaster – gegen die Parther – in einen Sieg gegen die Armenier. Letzterer wurde mit einer spektakulären Zeremonie, den Schenkungen von Alexandria, gefeiert, bei der Mark Anton Kleopatra zur ›Königin der Könige und ihrer Söhne, die Könige sind‹ ausrief, symbolische Landzuweisungen an ihre drei Kinder vornahm und öffentlich Ptolemaios XV. als Caesars wahren Erben anerkannte. Seine klare Absicht war, alle römischen Territorien unter der Herrschaft seiner Liebhaberin und ihrer Kinder zu sehen, mit sich selbst als Strippenzieher.

Die unvermeidliche Konfrontation mit Oktavian sollte nicht lange auf sich warten lassen. Roms neuer starker Mann erklärte 32 v. Chr. Kleopatra den Krieg, und beide Parteien gerieten im folgenden Jahr aneinander. Die entscheidende Schlacht bei Aktion-Actium vor der Westküste Griechenlands war für die ägyptischen Truppen eine Katastrophe. Kleopatra und Mark Anton flohen zurück nach Alexandria. Kleopatras geheimer Plan, mit Ptolemaios XV. nach Indien zu fliehen, wurde zunichte gemacht, sie ergab sich in ihr unausweichliches Schicksal. Als ihre vormaligen Verbündeten zu Oktavian übergingen, bot sie an, zugunsten ihrer Kinder abzudanken, falls das ihr Leben und Ägyptens Schicksal retten sollte, doch vergeblich. Oktavian erreichte die Umgebung Alexandrias und nahm die Kapitulation der ägyptischen Flotte entgegen; am 1. August 30 v. Chr. betrat er die königliche Hauptstadt.

In dem Glauben, Kleopatra sei getötet worden, erstach Mark Anton sich selbst. Als sie vom Tod ihres Geliebten erfuhr, versuchte sie, Selbstmord zu begehen, wurde jedoch überwältigt und gefangen genommen. Oktavian erlaubte ihr, Mark Antons Bestattung beizuwohnen und sich dann das Leben zu nehmen. Beide wurden Seite an Seite im königlichen Mausoleum bestattet. Sogleich ließ Oktavian Ptolemaios XV. ermorden und annektierte Ägypten offiziell für Rom: das Schicksal, das Kleopatra so entschieden zu vermeiden versucht hatte.

Dreitausend Jahre ägyptischer Unabhängigkeit waren zu Ende. Das Land der Pharaonen sollte jetzt als Getreidekorb des Römischen Reiches ausgeplündert werden. Kleopatra selbst jedoch erreichte die Art Unsterblichkeit, von der ihre Vorgängerpharaonen nur geträumt haben konnten. Im Zeitalter des Zelluloids wurde sie zur Personifikation des alten Ägypten. Ihre Geschichte hat das Publikum auf der ganzen Welt unterhalten und wird es zweifellos noch bei künftigen Generationen weiter tun, als Symbol für die fortdauernde Faszination der Lebensbilder und Lebensgeschichten der alten Ägypter.

RECHTS:
Marmorbüste, hypothetisch als Kleopatra VII. identifiziert, spätptolemäische oder römische Zeit.

UNTEN:
Münzen aus der Herrschaftszeit Kleopatras VII. Das Profil der Königin mit Hakennase und spitzem Kinn widerspricht ihrer legendären Schönheit und lässt vermuten, dass ihr Reiz auf politischer Macht, nicht ihrem Aussehen beruhte.

Chronologie und Königsliste

Die Daten aus dem antiken Ägypten gelten gewöhnlich als die zuverlässigsten in der Alten Welt – bis auf 200 Jahre genau um 3000 v.Chr.; bis auf 20 Jahre genau um 1300 v.Chr.; und gesichert ab 664 v.Chr. Doch das bedeutet immer noch, dass es für den größten Teil der in diesem Buch behandelten Zeiträume keine exakten Daten gibt. Verschiedene Bücher geben für dasselbe Ereignis verschiedene Daten an, mit dem Ergebnis, dass z.B. Narmer 3100, 3050 oder 2950 v.Chr. König geworden sein kann und dass die Schlacht von Kadesch vielleicht 1297, 1286 oder 1275 v.Chr. stattgefunden habe. Gleichwohl, obschon es keine vollständige Übereinstimmung unter den Experten gibt, existieren Alternativen, die weithin bevorzugt werden. Die in diesem Buch zugrundegelegten Daten werden unten neben den Namen der Könige des alten Ägypten aufgeführt.

Die Ägyptologen wenden normalerweise eine Methode der Einteilung der Könige des alten Ägypten in 31 Dynastien an und folgen damit dem Vorgehen des ägyptischen Priesters Manetho, der kurz nach 300 v.Chr. eine Geschichte dieses Landes schrieb. Im Allgemeinen entsprechen diese Dynastien bestimmten herrschenden Familien, obwohl in den dunkleren Phasen der Geschichte einige Dynastien wenig mehr als zweckdienliche Gruppen von Königen darstellen, von denen einige zeitgleich Herrscher in verschiedenen Teilen Ägyptens waren. Faktisch ist Manetho sich über diesen Punkt ganz im Klaren – dass es oft mehr als einige Königslinien in Ägypten gibt.

Die modernen Ägyptologen haben die Dynastien nach umfassenderen Perioden, bekannt als ›Reiche‹, zusammengefasst, wenn es in Ägypten normalerweise nur einen König gab. Das Alte Reich (ca. 2575–2125 v.Chr.) ist das Zeitalter der Großen Pyramide und der Großen Sphinx. Das Mittlere Reich (ca. 2000–1630 v.Chr.) war das Zeitalter der erneuerten nationalen Einheit und einer großen Blüte von Kunst und Literatur. Das Neue Reich (ca. 1539–1069 v.Chr.) wird oft als imperiales oder goldenes Zeitalter des antiken Ägypten beschrieben – der Zeit Amenhoteps III., Echnatons und Ramses' II., als Ägypten die reichste und mächtigste Nation der Welt war. Die Spätzeit (664–332 v.Chr.) war von der letzten Behauptung ägyptischer Unabhängigkeit in der weiteren Welt gekennzeichnet, danach wurde das Land von Alexander dem Großen erobert und später vom Römischen Reich geschluckt.

Frühdynastische Zeit

›Dynastie 0‹ ca. 3100 V.CHR.
Existenz unsicher
Ka (?)
Skorpion (?)

1. Dynastie
ca. 2950–ca. 2775
Narmer
Aha
Djer
Djet
Den
Adjib
Semerchet
Ka'a

2. Dynastie
ca. 2750–ca. 2650
Hetepsechemui
Nebre
Ninetjer
Weneg (?)
Sened (?)
Peribsen
Chasechem(ui)

3. Dynastie
ca. 2650–ca. 2575
Djoser (Netjerichet)
Sechemchet
Chaba
Sanacht
Huni

Altes Reich

4. Dynastie
ca. 2575–ca. 2450
Snofru
Chufu (Cheops)
Djedefre (Radjedef)
Chafre (Chephren)
Menkaure (Mykerinos)
Schepseskaf

5. Dynastie
ca. 2450–ca. 2325
Userkaf
Sahure
Neferirkare Kakai
Schepseskare Isi
Neferefre

Niuserre Ini
Menkauhor
Djedkare Isesi
Unas

6. Dynastie
ca. 2325–ca. 2175
Teti
Userkare (?)
Pepi I.
Merenre Nemtiemsaf
Pepi II.

7./8. Dynastie
ca. 2175–ca. 2125
Zahlreiche Könige mit kurzer
Regierungszeit

Erste Zwischenzeit
9./10. Dynastie
ca. 2125–ca. 1975
Verschiedene Könige, darunter:
Cheti I.
Cheti II.
Merikare

11. Dynastie
ca. 2080–ca. 1940
Antef I.
Antef II.
Antef III.

Mittleres Reich
Mentuhotep II. *ca. 2010–ca. 1960*
Mentuhotep III. *ca. 1960–ca. 1948*
Mentuhotep IV. *ca. 1948–ca. 1938*

12. Dynastie
ca. 1938–ca. 1755
Amenemhet I. *ca. 1938–ca. 1908*
Senuseret I. *ca. 1918–ca. 1875*
Amenemhet II. *ca. 1876–ca. 1842*
Senuseret II. *ca. 1842–ca. 1837*
Senuseret III. *ca. 1836–ca. 1818*
Amenemhet III. *ca. 1818–ca. 1770*
Amenemhet IV. *ca. 1770–ca. 1760*
Nefrusobek *ca. 1760–ca. 1755*
(Senuseret ≈ Sesostris)

13. Dynastie
ca. 1755–ca. 1630
Siebzig Könige, darunter (Reihenfolge
unsicher):

Sobekhotep I.
Amenemhet V.
Ameni Kemau
Sobekhotep II.
Hor
Amenemhet VII.
Ugaf
Chendjer
Sobekhotep III.
Neferhotep I.
Sahathor
Sobekhotep IV.
Sobekhotep V.
Eje (I.)

Zweite Zwischenzeit

Mentuemsaf
Dedumose
Neferhotep II.

14. Dynastie

Zahlreiche Könige mit kurzer
   Regierungszeit

15. Dynastie
ca. 1630–ca. 1520

Sechs Könige, darunter:
Schalik (Salitis)
Scheschi
Chajan
Apopi *ca.* 1570–*ca.* 1530
Chamudi *ca.* 1530–*ca.* 1520

16. Dynastie

Zahlreiche Könige mit kurzer
   Regierungszeit

17. Dynastie
ca. 1630–ca. 1539

Zahlreiche Könige,
   am Ende wahrscheinlich:
Antef V.
Antef VI.
Antef VII.
Sobekemsaf II.
Senachtenre (Ta'a?)
Sekenenre Ta'a (II.)
Kamose *ca.* 1541–*ca.* 1539

Neues Reich
18. Dynastie
ca. 1539–ca. 1292

Ahmose *ca.* 1539–*ca.* 1514
Amenhotep I. *ca.* 1514–*ca.* 1493
Thutmosis I. *ca.* 1493–*ca.* 1481

Thutmosis II. *ca.* 1481–*ca.* 1479
Thutmosis III. *ca.* 1479–*ca.* 1425
   und Hatschepsut *ca.* 1473–*ca.*
   1458
Amenhotep II. *ca.* 1426–*ca.* 1400
Thutmosis IV. *ca.* 1400–*ca.* 1390
Amenhotep III. *ca.* 1390–*ca.* 1353
Amenhotep IV. (Echnaton)
   ca. 1353–*ca.* 1336
Semenchkare *ca.* 1336–*ca.* 1332
Tutenchamun *ca.* 1332–*ca.* 1322
Eje (II.) *ca.* 1322–*ca.* 1319
Haremhab *ca.* 1319–*ca.* 1292

19. Dynastie
ca. 1292–ca. 1190

Ramses I. *ca.* 1292–*ca.* 1290
Sethos I. *ca.* 1290–*ca.* 1279
Ramses II. *ca.* 1279–*ca.* 1213
Merenptah *ca.* 1213–*ca.* 1204
Sethos II. *ca.* 1204–*ca.* 1198
Amenmesse *ca.* 1202–*ca.* 1200
Siptah *ca.* 1198–*ca.* 1193
Tausret *ca.* 1198–*ca.* 1190

20. Dynastie
ca. 1190–ca. 1069

Sethnacht *ca.* 1190–*ca.* 1187
Ramses III. *ca.* 1187–*ca.* 1156
Ramses IV. *ca.* 1156–*ca.* 1150
Ramses V. *ca.* 1150–*ca.* 1145
Ramses VI. *ca.* 1145–*ca.* 1137
Ramses VII. *ca.* 1137–*ca.* 1129
Ramses VIII. *ca.* 1129–*ca.* 1126
Ramses IX. *ca.* 1126–*ca.* 1108
Ramses X. *ca.* 1108–*ca.* 1099
Ramses XI. *ca.* 1099–*ca.* 1069

Dritte Zwischenzeit
21. Dynastie
ca. 1069–ca. 945

Smendes *ca.* 1069–*ca.* 1045
Amenemnisu *ca.* 1045–*ca.* 1040
Psusennes I. *ca.* 1040–*ca.* 985
Amenemope *ca.* 985–*ca.* 975
Osochor (Osorkon ›der Ältere‹)
   ca. 975–*ca.* 970
Siamun *ca.* 970–*ca.* 950
Psusennes II. *ca.* 950–*ca.* 945

22. Dynastie
ca. 945–ca. 715

Scheschonk I. *ca.* 945–*ca.* 925
Osorkon I. *ca.* 925–*ca.* 890 und
   Scheschonk II. *ca.* 890
Takelot I. *ca.* 890–*ca.* 875
Osorkon II. *ca.* 875–*ca.* 835

Scheschonk III. *ca.* 835–*ca.* 795
Scheschonk IV. *ca.* 795–*ca.* 785
Pimai *ca.* 785–*ca.* 775
Scheschonk V. *ca.* 775–*ca.* 735
Osorkon IV. *ca.* 735–*ca.* 715

23. Dynastie
ca. 830–ca. 715

Takelot II. *ca.* 840–*ca.* 815
Pedubastis I. *ca.* 825–*ca.* 800
   und Iupet I. *ca.* 800
Scheschonk VI. *ca.* 800–*ca.* 780
Osorkon III. *ca.* 780–*ca.* 750
Takelot III. *ca.* 750–*ca.* 735
Rudjamun *ca.* 755–*ca.* 735
Petubastis (Pediese, Pedubast)
   ca. 735–*ca.* 725
Scheschonk VII. *ca.* 725–*ca.* 715

24. Dynastie
ca. 730–ca. 715

Tefnacht *ca.* 730–*ca.* 720
Bakenrenef (Bokchoris) *ca.* 720–*ca.*
   715

25. Dynastie
ca. 800–657

Alara *ca.* 800–*ca.* 770
Kaschta *ca.* 770–*ca.* 747
Pije *ca.* 747–*ca.* 715
Schabaka *ca.* 715–*ca.* 702
Schabataka *ca.* 702–690
Taharka 690–664
Tanotamun 664–657

Spätzeit
26. Dynastie
664–525

Nekau I. (Necho) 672–664
Psammetich I. 664–610
Nekau II. 610–595
Psammetich II. 595–589
Apriës 589–570
Amasis 570–526
Psammetich III. 526–525

27. Dynastie (Perser)
525–404

Kambyses 525–522
Dareios I. 521–486
Xerxes 486–466
Artaxerxes I. 465–424
Dareios II. 424–404

28. Dynastie
404–399

Amyrtaios 404–399

29. Dynastie
399–380

Nepherites I. 399–393
Psammuthis 393
Hakor (Achoris) 393–380
Nepherites II. 380

30. Dynastie
380–343

Nechtharehbo I. 380–362
Djedhor (Teos) 365–360
Nechtharehbo II. 360–343

31. Dynastie (Perser)
343–332

Artaxerxes III. 343–338
Arses 338–336
Dareios III. 335–332

Makedonenkönige
332–309

Alexander III. (der Große) 332–323
Philippos Arrhidaios 323–317
Alexander IV. 317–309

Ptolemäerzeit
309–30

Ptolemaios I. 305–282
Ptolemaios II. 285–246
Ptolemaios III. 246–221
Ptolemaios IV. 221–205
Ptolemaios V. 205–180
Ptolemaios VI. 180–145
Ptolemaios VIII. und Kleopatra II.
   170–116
Ptolemaios IX. 116–107
   und Kleopatra III. 116–101
Ptolemaios X. 107–88
Ptolemaios IX. (erneut) 88–80
Ptolemaios XI.
   und Berenike III. 80
Ptolemaios XII. 80–58
Kleopatra VI. 58–57
   und Berenike IV. 58–55
Ptolemaios XII. (erneut) 55–51
Kleopatra VII. und Ptolemaios XIII.
   51–47
Kleopatra VII. und Ptolemaios XIV.
   47–44
Kleopatra VII. und Ptolemaios XV.
   44–30

Römische Zeit
30 V. CHR.– 395 N. CHR.

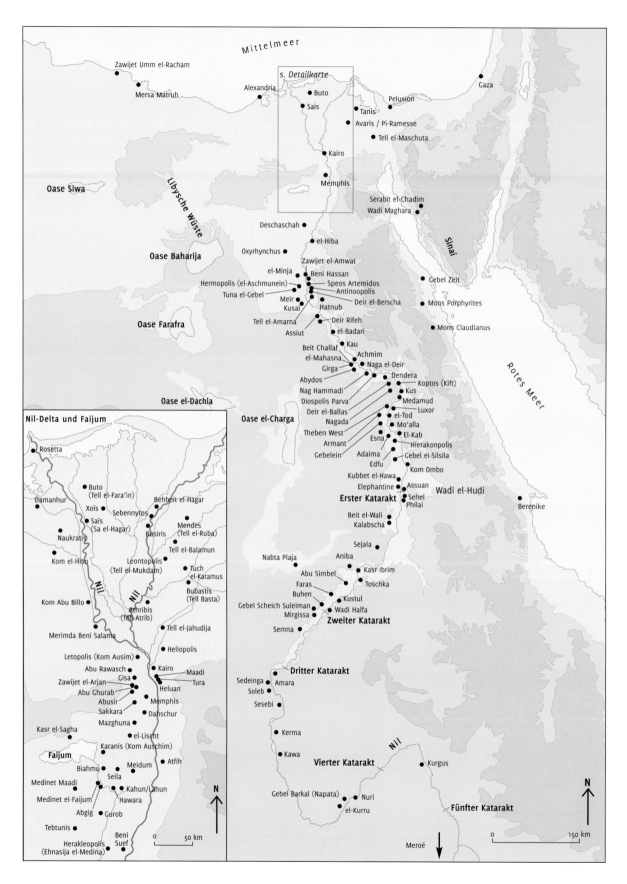

QUELLEN DER ZITATE

8 | Metjen
Allen, J.P., in Metropolitan Museum of Art, *Egyptian Art in the Age of the Pyramids* (New York, 1999), 213

10 | Chufu
Dodson, A., *Monarchs of the Nile* (London, 1995), 29–32

14 | Pepianch
Lichtheim, M., *Ancient Egyptian Autobiographies Chiefly of the Middle Kingdom* (Freiburg & Göttingen, 1988), 18–20

15 | Unas
Lichtheim, M., *Ancient Egyptian Literature, Vol. 1. The Old and Middle Kingdoms* (Berkeley, 1975), 36–38

16 | Metjetji
Ziegler, C., in Metropolitan Museum of Art, *Egyptian Art in the Age of the Pyramids* (New York, 1999), 413

18 | Weni
Lichtheim, M., *Ancient Egyptian Literature, Vol. 1. The Old and Middle Kingdoms* (Berkeley, 1975), 18–23

19 | Harchuf
Lichtheim, M., *Ancient Egyptian Literature, Vol. 1. The Old and Middle Kingdoms* (Berkeley, 1975), 23–27

20 | Pepi II.
Lichtheim, M., *Ancient Egyptian Literature, Vol. 1. The Old and Middle Kingdoms* (Berkeley, 1975), 23–27
Parkinson, R.B., *Voices from Ancient Egypt. An Anthology of Middle Kingdom Writings* (London & Norman, 1991), 56

21 | Pepinacht-Hekaib
Lichtheim, M., *Ancient Egyptian Autobiographies Chiefly of the Middle Kingdom* (Freiburg & Göttingen, 1988), 15–16

22 | Tjauti
Darnell, J., *Theban Desert Road Survey in the Egyptian Western Desert, Vol. 1. Gebel Tjauti Rock Inscriptions 1–45 and Wadi el-Hôl Rock Inscriptions 1–45* (Chicago, 2002), 31

23 | Anchtifi
Lichtheim, M., *Ancient Egyptian Literature, Vol. 1. The Old and Middle Kingdoms* (Berkeley, 1975), 85–86

24 | Hemire
Vassilika, E., *Egyptian Art* (Cambridge, 1995), 22

25 | Antef II.
Lichtheim, M., *Ancient Egyptian Literature, Vol. 1. The Old and Middle Kingdoms* (Berkeley, 1975), 94–95

26 | Tjetji
Lichtheim, M., *Ancient Egyptian Literature, Vol. 1. The Old and Middle Kingdoms* (Berkeley, 1975), 91–93

30 | Hekanacht
Parkinson, R.B., *Voices from Ancient Egypt. An Anthology of Middle Kingdom Writings* (London & Norman, 1991), 103–07

31 | Sarenput
Wilkinson, T., after Gardiner, A.H., ›Inscriptions from the tomb of Si-renpowet I, prince of Elephantine‹, *Zeitschrift für Ägyptische Sprache und Altertumskunde* 45 (1908), 123–40

33 | Chnumhotep II.
Breasted, J.H., *Ancient Records of Egypt* (Chicago, 1906), Vol. 1, §§619–39

34 | Ichernofret
Wilkinson, T., after Lichtheim, M., *Ancient Egyptian Literature, Bd. 1. The Old and Middle Kingdoms* (Berkeley, 1975), 123–25

35 | Senuseret III.
Lichtheim, M., *Ancient Egyptian Literature, Vol. 1. The Old and Middle Kingdoms* (Berkeley, 1975), 198
Clayton, P.A., *Chronicle of the Pharaohs* (London & New York, 1994), 84–87

36 | Horurre
Parkinson, R., *Voices from Ancient Egypt* (London & Norman, 1991), 97–99

41 | Ahmose, Sohn der Abana
Breasted, J.H., *Ancient Records of Egypt* (Chicago, 1906), Bd. 11, §§ 1–16, 38–39, 78–82

42 | Ahmose Pennechbet
Breasted, J.H., *Ancient Records of Egypt* (Chicago, 1906), Bd. 11, §§17–25, 344

43 | Hatschepsut
Robins, G., *Women in Ancient Egypt* (London, 1993), 45–52

Breasted, J.H., *Ancient Records of Egypt* (Chicago, 1906), Vol. 11, §§304–21

44 | Senenmut
Dorman, P.F., *The Monuments of Senenmut. Problems in Historical Methodology* (London & New York, 1988)

45 | Thutmosis III.
Clayton, P.A., *Chronicle of the Pharaohs* (London & New York, 1994), 109
Lichtheim, M., *Ancient Egyptian Literature, Bd. 11. The New Kingdom* (Berkeley, 1976), 33

46 | Mencheperreseneb
Breasted, J.H., Ancient Records of Egypt (Chicago, 1906), Bd. 11, §§772–76

47 | Rechmire
Breasted, J.H., *Ancient Records of Egypt* (Chicago, 1906), Bd. II, §§ 663–762

49 | Kenamun
Davies, N. de G., *The Tomb of Kenamun at Thebes* (New York, 1930)

51 | Sennefer
Caminos, R.A., 'Papyrus Berlin 10463', *Journal of Egyptian Archaeology* 49 (1963), 29–37

55 | Amenhotep, Sohn des Hapu
Fletcher, J., *Egypt's Sun King: Amenhotep III* (London, 2000), 98–99

56 | Echnaton
Murnane, W., *Texts from the Amarna Period in Egypt* (Atlanta, 1995), 73–106
Clayton, P.A., *Chronicle of the Pharaohs* (London & New York, 1994), 120–26

58 | Merire
Davies, N. de G., *The Rock Tombs of el Amarna, Part 1. The Tomb of Meryra* (London, 1903)

60 | Mahu
Murnane, W., *Texts from the Amarna Period in Egypt* (Atlanta, 1995), 147–51

61 | Huy
Davies, N. de G. & Gardiner, A.H., *The Tomb of Huy, Viceroy of Nubia in the Reign of Tut'ankhamun* (London, 1926)

66 | Haremhab
Murnane, W., *Texts from the Amarna Period in Egypt* (Atlanta, 1995), 227–40

70 | Ramses II.
Shelley, P.B., 'Ozymandias'
Kitchen, K.A., *Pharaoh Triumphant: The Life and Times of Ramesses II, King of Egypt* (Warminster, 1982)

72 | Chaemwaset
Kitchen, K.A., *Pharaoh Triumphant: The Life and Times of Ramesses II, King of Egypt* (Warminster, 1982), 103–09

74 | Didia
Wilkinson, T., after Lowle, D.A., 'A remarkable family of draughtsmenpainters from early nineteenth-dynasty Thebes', *Oriens Antiquus* 15 (1976), 91–106

78 | Ramses III.
de Buck, A., ›The Judicial Papyrus of Turin‹, *Journal of Egyptian Archaeology* 23 (1937), 152–64

80 | Naunacht
Cerny, J., ›The will of Naunakhte and the related documents‹, *Journal of Egyptian Archaeology* 31 (1945), 29–53

81 | Thutmosis
Wente, E.F., *Late Ramesside Letters* (Chicago, 1967)

86 | Pije
Clayton, P.A., *Chronicle of the Pharaohs* (London & New York, 1994), 190–92

88 | Montuemhat
Lichtheim, M., *Ancient Egyptian Literature, Vol. 111. The Late Period* (Berkeley, 1980), 29–33

96 | Somtutefnacht (II)
Lichtheim, M., *Ancient Egyptian Literature, Vol. 111. The Late Period* (Berkeley, 1980), 42–43

97 | Padiusir (Petosiris)
Lichtheim, M., *Ancient Egyptian Literature, Vol. 111. The Late Period* (Berkeley, 1980), 44–54

WEITERFÜHRENDE LITERATUR

Vorbemerkung des Autors

Die Absicht dieses Buches ist es, den Leser zu befähigen, Geschichte und Zivilisation des antiken Niltals über das Leben seiner Bewohner zu erkunden und kennen zu lernen. Um, mit Blick auf eine allgemeine Leserschaft, Erzähltempo und Erzählfluss zu wahren, enthält sich die Darstellung bewusst der Diskussion von Einzelheiten, die Arbeiten zu dem Thema von akademischer Seite unumgänglicherweise charakterisieren. Es muss jedoch zugegeben werden, dass unser Bild der Pharaonenkultur sowohl parteiisch wie bruchstückhaft ist. Die Lebensbilder dieses Bandes stellen eine Mischung aus feststehenden Tatsachen, Konsens unter den Forschern und fundierten Vermutungen dar – doch wir hoffen: mehr von den beiden ersten Aspekten als dem letzten. Leser, die mehr über die individuellen Lebensgeschichten und die Diskussionen, die um sie stattfinden, erfahren wollen, seien auf die folgenden Hinweise zu weiterführender Literatur verwiesen.

Allgemein:

Rice, M., *Who Is Who in Ancient Egypt* (London & New York, 2002)

Könige und Mitglieder königlicher Familien:

Clayton, P.A., *Chronicle of the Pharaohs* (London & New York, 1994)

Dodson, A. & Hilton, D., *The Complete Royal Families of Ancient Egypt* (London & New York, 2004)

Tyldesley, J., *Chronicle of the Queens of Egypt* (London & New York, 2006)

1 | Narmer

Wilkinson, T.A.H., *Early Dynastic Egypt* (London & New York, 1999), 67–70

Wilkinson, T.A.H., ›What a king is this: Narmer and the concept of the ruler‹, *Journal of Egyptian Archaeology* 86 (2000), 23–32

2 | Meritneith

Wilkinson, T.A.H., *Early Dynastic Egypt* (London & New York, 1999), 74–75

3 | Den

Wilkinson, T.A.H., *Early Dynastic Egypt* (London & New York, 1999), 75–78

4 | Chasechemui

Wilkinson, T.A.H., *Early Dynastic Egypt* (London & New York, 1999), 91–94, 246

5 | Djoser

Kahl, J., ›Old Kingdom: Third Dynasty‹ in Redford, D. (Hg.), *The Oxford Encyclopedia of Ancient Egypt* (New York, 2001), Bd. 2, 591–93

Kahl, J., Kloth, N. & Zimmermann, U., *Die Inschriften der 3. Dynastie: eine Bestandsaufnahme* (Wiesbaden, 1995)

Metropolian Museum of Art, *Egyptian Art in the Age of the Pyramids* (New York, 1999), bes. 169–87

Verner, M., ›Old Kingdom: An Overview‹ in Redford, D. (Hg.), *The Oxford Encyclopedia of Ancient Egypt* (New York, 2001), Bd. 2, 585–91

Weill, R., *Les Origines de l'Egypte Pharaonique, 1ère Partie. La 11e et la 111e Dynasties* (Paris, 1908)

Wilkinson, T.A.H., *Early Dynastic Egypt* (London & New York, 1999), 95–98, 247–52

6 | Hesire

Hoffmann-Axthelm, W. (Übs. Koehler, H.M.), *History of Dentistry* (Chicago, Berlin, Rio de Janeiro & Tokio, 1981), 20–21

Kahl, J., Kloth, N. & Zimmermann, U., *Die Inschriften der 3. Dynastie: eine Bestandsaufnahme* (Wiesbaden, 1995)

Metropolian Museum of Art, *Egyptian Art in the Age of the Pyramids* (New York, 1999), 188

7 | Imhotep

Kahl, J., Kloth, N. & Zimmermann, U., *Die Inschriften der 3. Dynastie: eine Bestandsaufnahme* (Wiesbaden, 1995)

Ray, J., *Reflections of Osiris. Lives from Ancient Egypt* (London, 2001), 5–22

Wildung, D., *Egyptian Saints: Deification in Pharaonic Egypt* (New York, 1977), 31–81

8 | Metjen

Metropolian Museum of Art, *Egyptian Art in the Age of the Pyramids* (New York, 1999), 208–13

Wilkinson, T.A.H., *Early Dynastic Egypt* (London & New York, 1999), 147

9 | Hetepheres

Metropolian Museum of Art, *Egyptian Art in the Age of the Pyramids* (New York, 1999), 216–19

10 | Chufu

Dodson, A., Monarchs of the Nile, 2. Auflage (Kairo, 2000), 29–32

Kuper, R. & Förster, F., ›Khufu's 'mefat' expeditions into the Libyan Desert‹, *Egyptian Archaeology* 23 (2003), 25–28

Lehner, M., *The Complete Pyramids* (London & New York, 1997), 108–19

11 | Hemiunu

Metropolian Museum of Art, *Egyptian Art in the Age of the Pyramids* (New York, 1999), 229–31

12 | Pernianch

Metropolian Museum of Art, *Egyptian Art in the Age of the Pyramids* (New York, 1999), 150, 163–64, 299

13 | Ptahschepses

Breasted, J.H., *Ancient Records of Egypt* (Chicago, 1906), Bd. 1, §§254–62

Verner, M., *The Mastaba of Ptahshepses* (Prag, 1977)

14 | Pepianch

Blackman, A.M., *The Rock Tombs of Meir*, IV (London, 1924)

Lichtheim, M., *Ancient Egyptian Autobiographies Chiefly of the Middle Kingdom* (Freiburg & Göttingen, 1988), 18–20

15 | Unas

Altenmüller, H., ›Old Kingdom: Fifth Dynasty‹ in Redford, D. (Hg.), *The Oxford Encyclopedia of Ancient Egypt* (New York, 2001), Bd. 2, 597–601

Hassan, S., ›The causeway of Wnis at Sakkara‹, *Zeitschrift für Ägyptische Sprache und Altertumskunde* 80 (1955), 136–39, Tff. XII–XIII

Lehner, M., *The Complete Pyramids* (London & New York, 1997), 154–55

16 | Metjetji

Metropolitan Museum of Art, *Egyptian Art in the Age of the Pyramids* (New York, 1999), 408–17

17 | Mereruka

Duell, P., *The Mastaba of Mereruka* (Chicago, 1938)

Porter, B. & Moss, R.L.B., *Topographical Bibliography of Ancient Egyptian Hieroglyphic Texts, Reliefs, and Paintings*, 2. Auflage (rev. Malek, J.), Bd. III (Oxford, 1978–81), Teil 2, 525–37

18 | Weni

Eyre, C.J., ›Weni's career and Old Kingdom historiography‹ in Eyre, C.J., Leahy, A. & Leahy, L.M. (Hgg.), *The Unbroken Reed: Studies in the Culture and Heritage of Ancient Egypt in Honour of A.F. Shore* (London, 1994), 107–24

Lichtheim, M., *Ancient Egyptian Literature*, Bd. 1. *The Old and Middle Kingdoms* (Berkeley, 1975), 18–23

Richards, J., ›Text and context in late Old Kingdom Egypt: the archaeology and historiography of Weni the Elder‹, *Journal of the American Research Center in Egypt* 39 (2002), 75–102

Richards, J., ›The Abydos cemeteries in the late Old Kingdom‹ in Hawass, Z. (Hg.), *Egyptology at the Dawn of the Twenty-first Century: Proceedings of the Eighth International Congress of Egyptologists, Cairo* (Kairo, 2003), 400–07

19 | Harchuf

Lichtheim, M., *Ancient Egyptian Literature*, Bd. 1. *The Old and Middle Kingdoms* (Berkeley, 1975), 23–27

Wilkinson, T., ›Egyptian explorers‹ in Hanbury-Tenison, R. (Hg.), *The Seventy Great Journeys in History* (London & New York, 2006), 29–32

20 | Pepi II.

Dodson, A., Monarchs of the Nile, 2. Auflage (Kairo, 2000), 40–42

Lehner, M., *The Complete Pyramids* (London & New York, 1997), 161–63

21 | Pepinacht-Hekaib

Habachi, L., *Elephantine IV. The Sanctuary of Heqaib* (Mainz, 1985)

Lichtheim, M., *Ancient Egyptian Autobiographies Chiefly of the Middle Kingdom* (Freiburg & Göttingen, 1988), 15–16

22 | Tjauti

Darnell, D. & Darnell, J., ›Exploring the 'Narrow Doors' of the Theban Desert‹, *Egyptian Archaeology* 10 (1997), 24–26

Darnell, J., *Theban Desert Road Survey in the Egyptian Western Desert, Bd. 1. Gebel Tjauti Rock Inscriptions 1–45 and Wadi el-Hôl Rock Inscriptions 1–45* (Chicago, 2002)

23 | Anchtifi

Lichtheim, M., *Ancient Egyptian Literature, Bd. 1. The Old and Middle Kingdoms* (Berkeley, 1975), 85–86

Vandier, J., *Mo'alla: La tombe d'Ankhtifi et la tombe de Sebekhotep* (Kairo, 1950)

24 | Hemire

Vassilika, E., *Egyptian Art* (Cambridge, 1995), 22–23

25 | Antef II.

Darnell, J., *Theban Desert Road Survey in the Egyptian Western Desert, Bd. 1. Gebel Tjauti Rock Inscriptions 1–45 and Wadi el-Hôl Rock Inscriptions 1–45* (Chicago, 2002), 41

Dodson, A., *Monarchs of the Nile*, 2. Auflage (Kairo, 2000), 46–49

Parkinson, R., *Voices from Ancient Egypt* (London & Norman, 1991), 112–13

26 | Tjetji

Blackman, A.M., ›The stele of Thethi, Brit. Mus. No. 614', *Journal of Egyptian Archaeology* 17 (1931), 55–61

Lichtheim, M., *Ancient Egyptian Literature, Bd. 1. The Old and Middle Kingdoms* (Berkeley, 1975), 90–93

Robins, G., *The Art of Ancient Egypt* (London, 1997), Abb. 85

27 | Mentuhotep II.

Arnold, D., *The Temple of Montuhotep at Deir el-Bahari* (New York, 1979)

Bourriau, J., *Pharaohs and Mortals* (Cambridge, 1988), 10–20

Dodson, A., *Monarchs of the Nile*, 2. Auflage (Kairo, 2000), 49–54

28 | Meketre

Kemp, B.J., *Ancient Egypt. Anatomy of a Civilization* (London & New York, 1989), 151–53, Abb. 81

Winlock, H.E., *Models of Daily Life in Ancient Egypt* (New York, 1955)

29 | Amenemhet I.

Dodson, A., *Monarchs of the Nile*, 2. Auflage (Kairo, 2000), 55–58

Lichtheim, M., *Ancient Egyptian Literature, Bd. 1. The Old and Middle Kingdoms* (Berkeley, 1975), 114

30 | Hekanacht

Allen, J.P., *The Heqanakht Papyri* (New York, 2002)

Parkinson, R., *Voices from Ancient Egypt* (London & Norman, 1991), 101–07

Ray, J., *Reflections of Osiris. Lives from Ancient Egypt* (London, 2001), 23–39

31 | Sarenput

Gardiner, A.H., ›Inscriptions from the tomb of Si-renpowet 1, prince of Elephantine', *Zeitschrift für Ägyptische Sprache und Altertumskunde* 45 (1908), 123–40

32 | Hapdjefa

Breasted, J.H., *Ancient Records of Egypt* (Chicago, 1906), Bd. 1, §§535–593

Griffith, F.L., *The Inscriptions of Siût and Dêr Rîfeh* (London, 1889)

33 | Chnumhotep

Breasted, J.H., *Ancient Records of Egypt* (Chicago, 1906), Bd. I, §§ 619–39

Newberry, P.E., *Beni Hasan*, I (London, 1893)

34 | Ichernofret

Breasted, J.H., *Ancient Records of Egypt* (Chicago, 1906), Bd. I, §§ 661–9

Lichtheim, M., *Ancient Egyptian Literature, Bd. I. The Old and Middle Kingdoms* (Berkeley, 1975), 123–5.

Schäfer, H., *Die Mysterien des Osiris unter König Sesostris III* (Leipzig, 1904)

35 | Senuseret III.

Arnold, D., *The Pyramid Complex of Senwosret III at Dahshur: Architectural Studies* (New York, 2002)

Bourriau, J., *Pharaohs and Mortals* (Cambridge, 1988)

Dodson, A., *Monarchs of the Nile*, 2. Auflage (Kairo, 2000), 58–64

Delia, R.D., ›Senwosret III‹ in Redford, D. (Hg.), *The Oxford Encyclopedia of Ancient Egypt* (New York, 2001), Bd. 3, 268–9

36 | Horurre

Parkinson, R., *Voices from Ancient Egypt* (London & Norman, 1991), 97–9

37 | Sobekhotep III.

Ryholt, K., *The Political Situation in Egypt During the Second Intermediate Period c. 1800–1550 B.C.* (Copenhagen, 1997), 222–24, 343–45

Spalinger, A., ›Sobekhotep III', in Helck, W. & Westendorf, W. (Hgg.), *Lexikon der Ägyptologie*, Bd. 5 (Wiesbaden, 1984), 1039–41

38 | Apopi (Apophis)

Ryholt, K., *The Political Situation in Egypt During the Second Intermediate Period c. 1800–1550 B.C.* (Kopenhagen, 1997)

Säve-Söderbergh, T., ›The Hyksos rule in Egypt', *Journal of Egyptian Archaeology* 37 (1951), 53–71

39 | Taa II.

Polz, D.C., ›Seventeenth Dynasty‹ in Redford, D. (Hg.), *The Oxford Encyclopedia of Ancient Egypt* (New York, 2001), Bd. 3, 273–74

Ryholt, K., *The Political Situation in Egypt During the Second Intermediate Period c. 1800–1550 B.C.* (Kopenhagen, 1997)

Winlock, H.E., ›The tombs of the kings of the Seventeenth Dynasty at Thebes', *Journal of Egyptian Archaeology* 10 (1924), 217–77

40 | Ahmose-Nefertari

Robins, G., *Women in Ancient Egypt* (London, 1993), 43–45

41 | Ahmose, Sohn der Abana

Breasted, J.H., *Ancient Records of Egypt* (Chicago, 1906), Bd. 2, §§1–16, 38–39, 78–82

Helck, W., ›Ahmose, Sohn der Abina', in Helck, W. & Otto, E. (Hg.), *Lexikon der Ägyptologie*, Bd. 1 (Wiesbaden, 1975), 110–11

42 | Ahmose Pennechbet

Breasted, J.H., *Ancient Records of Egypt* (Chicago, 1906), Bd. 11, §§17–25, 344

Helck, W. ›Ahmose Pennechbet', in Helck, W. & Otto, E. (Hgg.), *Lexikon der Ägyptologie*, Bd. 1 (Wiesbaden, 1975), 110

43 | Hatschepsut

Breasted, J.H., *Ancient Records of Egypt* (Chicago, 1906), Bd. 11, §§ 304–21

Lipinska, J., ›Hatshepsut‹ in Redford, D. (Hg.), *The Oxford Encyclopedia of Ancient Egypt* (New York, 2001), Bd. 2, 85–87

Ray, J., *Reflections of Osiris. Lives from Ancient Egypt* (London, 2001), 40–59

Robins, G., *Women in Ancient Egypt* (London, 1993), 45–52

Roehrig, C.H., Dreyfus, R. and Keller, C.A. (Hgg.), *Hatshepsut: From Queen to Pharaoh* (New York, 2005)

Tyldesley, J., *Hatshepsut: The Female Pharaoh* (London, 1996)

44 | Senenmut

Dorman, P.F., *The Monuments of Senenmut. Problems in Historical Methodology* (London & New York, 1988)

Dorman, P., ›Senenmut‹ in Redford, D. (Hg.), *The Oxford Encyclopedia of Ancient Egypt* (New York, 2001),

Bd. 3, 265–66

Ray, J., *Reflections of Osiris. Lives from Ancient Egypt* (London, 2001), 57–58

Tyldesley, J., *Hatschepsut: The Female Pharaoh* (London, 1996), 177–209

45 | Thutmosis III.

Breasted, J.H., *Ancient Records of Egypt* (Chicago, 1906), Bd. 11, §§391–540

Cline, E.H. & O'Connor, D. (Hgg.), *Thutmose III: A New Biography* (Ann Arbor, 2006)

Lipinska, J., ›Thutmose III‹ in Redford, D. (Hg.), *The Oxford Encyclopedia of Ancient Egypt* (New York, 2001), Bd. 3, 401–03

46 | Mencheperreseneb

Breasted, J.H., *Ancient Records of Egypt* (Chicago, 1906), Bd. 11, §§772–76

Davies, N. de G. & Davies, N. de G., *The Tomb of Menkheperraseneb, Amenmose, and Another* (London, 1933)

Porter, B. & Moss, R.L.B., *Topographical Bibliography of Ancient Egyptian Hieroglyphic Texts, Reliefs, and Paintings*, Bd. 1 (Oxford, 1927), 117–19

47 | Rechmire

Breasted, J.H., *Ancient Records of Egypt* (Chicago, 1906), Bd. 11, §§663–762

Dorman, P. ›Rekhmire‹ in Redford, D. (Hg.), *The Oxford Encyclopedia of Ancient Egypt* (New York, 2001), Bd. 3, 131–32

48 | Dedi

Porter, B. & Moss, R.L.B., *Topographical Bibliography of Ancient Egyptian Hieroglyphic Texts, Reliefs, and Paintings*, Bd. 1 (Oxford, 1927), 153–54

49 | Kenamun

Davies, N. de G., *The Tomb of Ken-Amun at Thebes* (New York, 1930)

50 | Nacht

Davies, N. de G., *The Tomb of Nakht at Thebes* (New York, 1917)

Shedid, A.G. & Seidel, M., *The Tomb of Nakht* (Mainz, 1996)

51 | Sennefer

Caminos, R.A., ›Papyrus Berlin 10463‹, *Journal of Egyptian Archaeology* 49 (1963), 29–37

Carter, H., ›Report upon the tomb of Sen-nefer found at Biban el-Molouk near that of Thotmes 111 No. 34', *Annales du Service des Antiquités de l'Egypte* 2 (1901), 196–200

Fletcher, J., *Egypt's Sun King: Amenhotep III* (London, 2000), 13–14

Porter, B. & Moss, R.L.B., *Topographical Bibliography of Ancient Egyptian Hieroglyphic Texts, Reliefs, and Paintings*, Bd. 1 (Oxford, 1927), 125–27

Simpson, W.K. ›Sennefer‹, in Helck,

W. & Otto (Hgg.), *Lexikon der Ägyptologie*, Bd. 5 (Wiesbaden, 1984), 855–56

Virey, P., ›La tombe des vignes à Thèbes‹, *Recueil des travaux relatifs à la philologie et à l'archéologie égyptiennes et assyriennes* 20 (1898), 211–23; 21 (1899), 127–33, 137–49; 22 (1900), 83–97

52 | Amenhotep III.

Fletcher, J., *Egypt's Sun King: Amenhotep III* (London, 2000)

Kozloff, A. & Bryan, B., *Egypt's Dazzling Sun: Amenhotep III and his World* (Cleveland, 1992)

O'Connor, D. & Cline, E.H. (Hgg.), *Amenhotep III: Perspectives on His Reign* (Ann Arbor, 1998)

53 | Teje

Aldred, C., *Akhenaten, King of Egypt* (London, 1988), 146–52, 219–22

Eaton-Krauss, M., ›Tiye‹ in Redford, D. (Hg.), *The Oxford Encyclopedia of Ancient Egypt* (New York, 2001), Bd. 3, 411

Fletcher, J., *Egypt's Sun King: Amenhotep III* (London, 2000)

Robins, G., *Women in Ancient Egypt* (London, 1993), 21–55

54 | Userhet

Beinlich-Seeber, C. & Shedid, A., *Das Grab des Userhat (TT56)* (Mainz, 1987)

55 | Amenhotep, Sohn des Hapu

Fletcher, J., *Egypt's Sun King: Amenhotep III* (London, 2000), 98–99

Vandersleyen, C.A.P., ›Amenhotep, son of Hapu‹ in Redford, D. (Hg.), *The Oxford Encyclopedia of Ancient Egypt* (New York, 2001), Bd. 1, 70

Wildung, D., *Egyptian Saints: Deification in Pharaonic Egypt* (New York, 1977)

56 | Echnaton

Aldred, C., *Akhenaten: King of Egypt* (London & New York, 1988)

Freed, R., Markowitz, Y.J. & D'Auria, S.H. (Hgg.), *Pharaohs of the Sun* (London, 1999), bes. 81–95

Montserrat, D., *Akhenaten: History, Fantasy and Ancient Egypt* (London & New York, 2000)

Murnane, W., *Texts from the Amarna Period in Egypt* (Atlanta, 1995), 73–106

Reeves, N., *The Complete Tutankhamun* (London & New York, 1990), 18

Reeves, N., *Akhenaten: Egypt's False Prophet* (London & New York, 2001)

57 | Nofretete

Freed, R., Markowitz, Y.J. & D'Auria, S.H. (Hgg.), *Pharaohs of the Sun* (London, 1999), bes. 81–95

Murnane, W., *Texts from the Amarna Period in Egypt* (Atlanta, 1995), 74

Robins, G., *Women in Ancient Egypt* (London, 1993), 53–55

Tyldesley, J., *Nefertiti* (London, 1998)

58 | Merire

Davies, N. de G., *The Rock Tombs of el Amarna, Teil I. The Tomb of Meryra* (London, 1903)

Murnane, W., *Texts from the Amarna Period in Egypt* (Atlanta, 1995), 151–62

59 | Bak

Freed, R., Markowitz, Y.J. & D'Auria, S.H. (Hgg.), *Pharaohs of the Sun* (London, 1999), 116, 128, 131, 244

Murnane, W., *Texts from the Amarna Period in Egypt* (Atlanta, 1995), 128–30

60 | Mahu

Davies, N. de G., *The Rock Tombs of El Amarna, Teil IV* (London, 1906)

Freed, R., Markowitz, Y.J. & D'Auria, S.H. (Hgg.), *Pharaohs of the Sun* (London, 1999), 147

Murnane, W., *Texts from the Amarna Period in Egypt* (Atlanta, 1995), 147–51

61 | Huy

Davies, N. de G. & Gardiner, A.H., *The Tomb of Huy, Viceroy of Nubia in the Reign of Tut'ankhamun* (London, 1926)

Reeves, N., *The Complete Tutankhamun* (London & New York, 1990), 32

62 | Tutenchamun

Freed, R., Markowitz, Y.J. & D'Auria, S.H. (Hgg.), *Pharaohs of the Sun* (London, 1999), bes. 81–95

Reeves, N., *The Complete Tutankhamun* (London & New York, 1990)

63 | Anchesenamun

Freed, R., Markowitz, Y.J. & D'Auria, S.H. (Hgg.), *Pharaohs of the Sun* (London, 1999), 36, 94 Nr. 61, 161, 178, 180, 200

Reeves, N., *The Complete Tutankhamun* (London & New York, 1990)

64 | Maja

Martin, G.T., *The Hidden Tombs of Memphis* (London & New York, 1991), 147–88

Murnane, W., *Texts from the Amarna Period in Egypt* (Atlanta, 1995), 215

Reeves, N., *The Complete Tutankhamun* (London & New York, 1990), 31

van Dijk, J., ›The Overseer of the Treasury Maya: A Biographical Sketch‹ in *The New Kingdom Necropolis of Memphis: Historical and Iconographical Studies*, unveröffentl. Dissertation, Rijksuniversiteit Groningen, 1993, 65–83

65 | Eje

Aldred, C., *Tut-ankh-amun and His Friends* (Santa Barbara, 1987)

Murnane, W., *Texts from the Amarna Period in Egypt* (Atlanta, 1995), 107–20, 219–20

Reeves, N., ›The royal family‹ in Freed, R., Markowitz, Y.J. & D'Auria, S.H. (Hgg.), *Pharaohs of the Sun* (London, 1999), 81–95

Reeves, N., *The Complete Tutankhamun* (London & New York, 1990)

Schaden, O., *The God's Father Ay* (Ann Arbor, 1982)

Vinson, S., ›Ay‹ in Redford, D. (Hg.), *The Oxford Encyclopedia of Ancient Egypt* (New York, 2001), Bd. 1, 160

66 | Haremhab

Freed, R., Markowitz, Y.J. & D'Auria, S.H. (Hgg.), *Pharaohs of the Sun* (London, 1999), 177, 180

Hornung, E., *Das Grab des Haremhab im Tal der Könige* (Bern, 1971)

Martin, G.T., *The Memphite Tomb of Horemheb, Commander-in-Chief of Tutankhamun* (London, 1989)

Murnane, W., *Texts from the Amarna Period in Egypt* (Atlanta, 1995), 227–40

Ray, J., *Reflections of Osiris. Lives from Ancient Egypt* (London, 2001), 60–77

67 | Sennedjem

Hayes, W.C., *The Scepter of Egypt*, part II (New York, 1959), 414

Porter, B. & Moss, R.L.B., *Topographical Bibliography of Ancient Egyptian Hieroglyphic Texts, Reliefs, and Paintings*, Bd. 1 (Oxford, 1927), 1–5

68 | Urhije und 69 | Jupa

Kitchen, K.A., ›The family of Urhiya and Yupa, High Stewards of the Ramesseum: Teil II, The Family Relationships‹ in Ruffle, J., Gaballa, G.A. & Kitchen K.A. (Hgg.), *Orbis Aegyptiorum Speculum. Glimpses of Ancient Egypt. Studies in Honour of H.W. Fairman* (Warminster, 1979), 71–91

Kitchen, K.A., *Pharaoh Triumphant: The Life and Times of Ramesses II, King of Egypt* (Warminster, 1982), 30, 70, 112, 139, 140, 171

Ruffle, J., ›The family of Urhiya and Yupa, High Stewards of the Ramesseum: Teil I, The Monuments‹ in Ruffle, J., Gaballa, G.A. & Kitchen K.A. (Hgg.), *Orbis Aegyptiorum Speculum. Glimpses of Ancient Egypt. Studies in Honour of H.W. Fairman* (Warminster, 1979), 55–70

70 | Ramses II.

Kitchen, K.A., *Pharaoh Triumphant: The Life and Times of Ramesses II, King of Egypt* (Warminster, 1982)

71 | Raia

Martin, G.T., *The Hidden Tombs of Memphis* (London & New York, 1991), 124–30

Martin, G.T., *The Tomb-Chapels of Paser and Ra'ia at Saqqâra* (London, 1985)

72 | Chaemwaset

Kitchen, K.A., *Pharaoh Triumphant: The Life and Times of Ramesses II, King of Egypt* (Warminster, 1982), 103–09

Ray, J., *Reflections of Osiris. Lives from Ancient Egypt* (London, 2001), 78–96

73 | Mes

Gaballa, G.A., *The Memphite Tomb-chapel of Mose* (Warminster, 1977)

Gardiner, A.H., *The Inscription of Mes* (Leipzig, 1905)

Kitchen, K.A., *Pharaoh Triumphant: The Life and Times of Ramesses II, King of Egypt* (Warminster, 1982), 128–9

74 | Didia

Lowle, D.A., ›A remarkable family of draughtsmen-painters from early nineteenth-dynasty Thebes‹, *Oriens Antiquus* 15 (1976), 91–106, Tff. I–II

75 | Merenptah

Kitchen, K.A., ›New Kingdom: Nineteenth Dynasty‹ in Redford, D. (Hg.), *The Oxford Encyclopedia of Ancient Egypt* (New York, 2001), Bd. 2, 534–38

Lichtheim, M., *Ancient Egyptian Literature, Bd. 2. The New Kingdom* (Berkeley, 1976), 73–77

Sourouzian, H., *Les monuments du roi Merenptah* (Wiesbaden, 1989)

76 | Paneb

Černý, J., ›Papyrus Salt 124 (Brit. Mus. 10055)‹, *Journal of Egyptian Archaeology* 15 (1929), 243–58

Vernus, P. (Übs. Lorton, D.), *Affairs and Scandals in Ancient Egypt* (Ithaca and London, 2003)

77 | Bay

Dodson, A., *Monarchs of the Nile*, 2. Auflage (Kairo, 2000), 141

Grandet, P., ›L'execution du chancelier Bay: O.IFAO 1864‹, *Bulletin de l'Institut Français d'Archéologie Orientale* 2000 (2000), 338–45

78 | Ramses III.

de Buck, A., ›The Judicial Papyrus of Turin‹, *Journal of Egyptian Archaeology* 23 (1937), 152–64

Grandet, P., ›Ramesses III‹ in Redford, D. (Hg.), *The Oxford Encyclopedia of Ancient Egypt* (New York, 2001) Bd. 3, 118–20

Leahy, A., ›Sea Peoples‹ in Redford, D. (Hg.), *The Oxford Encyclopedia* of Ancient Egypt (New York, 2001) Bd. 3, 257–60

Redford, S., The Harem Conspiracy: The Murder of Ramesses III (Chicago, 2002)

Vernus, P. (Übs. Lorton, D.), Affairs and Scandals in Ancient Egypt (Ithaca & London, 2003)

79 | Ramsesnacht

Bierbrier, M., The Late New Kingdom in Egypt c. 1300–664 BC. A Genealogical & Chronological Investigation (Warminster, 1975), 10–12

80 | Naunacht

Černý, J., ›The will of Naunakhte and the related documents‹, Journal of Egyptian Archaeology 31 (1945), 29–53

81 | Thutmosis

Wente, E.F., Late Ramesside Letters (Chicago, 1967)

82 | Panehsi

Dodson, A., Monarchs of the Nile, 2. Auflage (Kairo, 2000), 152–53

Janssen-Winkeln, K., ›Das Ende des Neuen Reiches‹, Zeitschrift für Ägyptische Sprache und Altertumskunde 119 (1992), 22–37

van Dijk, J., ›The Amarna Period and the later New Kingdom‹ in Shaw, I. (Hg.), The Oxford History of Ancient Egypt (Oxford, 2000), 272–313, bes. 308–309

83 | Herihor

Epigraphic Survey, Chicago, The Temple of Khonsu, Bd. 1, Plates 1–110. Scenes of King Herihor in the Court with Translation of the Texts (Chicago, 1979)

Taylor, J.H., ›Nodjmet, Payankh and Herihor: the end of the New Kingdom reconsidered‹ in Eyre, C.J. (Hg.), Proceedings of the Seventh International Congress of Egyptologists (Leuven, 1998), 1143–55

84 | Wendjebaendjedet

Coutts, H. (Hg.), Gold of the Pharaohs. Catalogue of the Exhibition of Treasures from Tanis (Edinburgh, 1988)

Kitchen, K.A., The Third Intermediate Period in Egypt (1100–650 B.C.), 3. Auflage (Warminster, 1995), 265

Montet, P., La nécropole royale de Tanis,
II. Les constructions et le tombeau de Psousennes (Paris, 1951)

85 | Osorkon

Aston, D.A., ›Takeloth II – A king of the ›Theban Twenty-third Dynasty‹?‹, Journal of Egyptian Archaeology 75 (1989), 139–53

Caminos, R.A., The Chronicle of Prince Osorkon (Rome, 1958)

Dodson, A., Monarchs of the Nile, 2. Auflage (Kairo, 2000), 169–73

86 | Pije

Kitchen, K.A., The Third Intermediate Period in Egypt (1100–650 B.C.), 3. Auflage (Warminster, 1995), 362–63, 378

Morkot, R., The Black Pharaohs (London, 2000)

87 | Harwa

Lichtheim, M., Ancient Egyptian Literature, Bd. 3. The Late Period (Berkeley, 1980), 24–28

Tiraditti, F., ›Three years of research in the tomb of Harwa‹, Egyptian Archaeology 13 (1998), 3–6

88 | Montuemhat

Leclant, J., Montouemhat, Quatrième Prophète d'Amon, Prince de la Ville (Kairo, 1962)

Lichtheim, M., Ancient Egyptian Literature, Bd. 3. The Late Period (Berkeley, 1980), 29–33

Russman, E.R., ›Relief decoration in the tomb of Montuemhat‹, Journal of the American Research Center in Egypt 31 (1994), 1–19

89 | Pedamenopet

Anthes, R., ›Der Berliner Hocker des Petamenophis‹, Zeitschrift für Ägyptische Sprache und Altertumskunde 73 (1937), 25–35, Tff. V–VI

Aston, D.A., ›The Theban west bank from the Twenty-fifth Dynasty to the Ptolemaic Period‹ in Strudwick, N. & Taylor, J.H. (Hgg.), The Theban Necropolis: Past, Present and Future (London, 2003), 138–66

Bianchi, R.S., ›Petamenophis‹ in Helck, W. & Otto (Hgg.), Lexikon der Ägyptologie, Bd. 4 (Wiesbaden, 1984), 991–92

Eigner, D., Die monumentale Grabbauten der Spätzeit in der thebanischen Nekropole (Vienna, 1984)

Porter, B. & Moss, R.L.B., Topographical Bibliography of Ancient Egyptian Hieroglyphic Texts, Reliefs, and Paintings, Bd. 1 (Oxford, 1927), 66–67

von Bissing, F., ›Das Grab des Petamenophis in Theben‹, Zeitschrift für Ägyptische Sprache und Altertumskunde 74 (1938), 2–26

90 | Nitikret und 91 | Somtutefnacht (I)

Caminos, R.A., ›The Nitocris Adoption Stela‹, Journal of Egyptian Archaeology 50 (1964), 71–101, Tff. 7–10

Kitchen, K.A., The Third Intermediate Period in Egypt (1100–650 B.C.), 3. Auflage (Warminster, 1995)

92 | Ahmose II. (Amasis)

Josephson, J.A., ›Amasis‹ in Redford, D. (Hg.), The Oxford Encyclopedia of Ancient Egypt (New York, 2001), Bd. 1, 66–67

93 | Wadjhorresnet

Bares, L., Abusir IV: The Shaft Tomb of Udjahorresnet at Abusir (Prague, 1999)

Lloyd, A.B., ›The inscription of Udjahorresnet: a collaborator's testament‹, Journal of Egyptian Archaeology 68 (1982), 166–80

94 | Wennefer

Ray, J., Reflections of Osiris. Lives from Ancient Egypt (London, 2001), 117

von Känel, F., ›Les mésaventures du conjurateur de Serket Onnophris et de son tombeau‹, Bulletin de la Société Française d'Egyptologie 87–88 (1980), 31–45

95 | Nechtharehbo (Nektanebos)

Dodson, A., Monarchs of the Nile, 2. Auflage (Kairo, 2000), 200–01

Josephson, J.A., ›Nektanebo‹, in Redford, D. (Hg.), The Oxford Encyclopedia of Ancient Egypt (New York, 2001), Bd. 2, 517–18

Ray, J.D., ›Late Period: Thirtieth Dynasty‹ in Redford, D. (Hg.), The Oxford Encyclopedia of Ancient Egypt (New York, 2001), Bd. 2, 275–76

Ray, J., Reflections of Osiris. Lives from Ancient Egypt (London, 2001), 113–29

Spencer, N., ›The great naos of Nekhthorheb from Bubastis‹, Egyptian Archaeology 26 (2005), 21–24

96 | Somtutefnacht (II)

Clère, J.J., ›Une statuette du fils aîné du roi Nectanebô‹, Revue d'Egyptologie 6 (1951), 135–56, bes. 152–54

Gardiner, A.H., Egypt of the Pharaohs (Oxford, 1961), 379–80

Lichtheim, M., Ancient Egyptian Literature, Bd. 3. The Late Period (Berkeley, 1980), 41–44

Tresson, P., ›La stèle de Naples‹, Bulletin de l'Institut Français d'Archéologie Orientale 30 (1930), 369–91

97 | Padiusir (Petosiris)

Lefebvre, G., Le Tombeau de Petosiris (Paris, 1924)

Lichtheim, M., Ancient Egyptian Literature, Bd. III. The Late Period (Berkeley, 1980), 44–54

98 | Ptolemaios I.

Bevan, E., The House of Ptolemy. A History of Egypt under the Ptolemaic Dynasty (Chicago, 1968)

Ellis, W.M., Ptolemy of Egypt (1994)

Hölbl, G., A History of the Ptolemaic Empire (London, 2001)

Hölbl, G. (Übs. Schwaiger, E.), ›Ptolemaic Period‹, in Redford, D. (Hg.), The Oxford Encyclopedia of Ancient Egypt (New York, 2001), Bd. 3, 76–85

99 | Manetho

Redford, D., ›Manetho‹ in Redford, D. (Hg.), The Oxford Encyclopedia of Ancient Egypt (New York, 2001), Bd. 2, 336–37

Waddell, W.G., Manetho (Loeb Classical Library, 1940)

100 | Kleopatra VII.

Flamarion, E., Cleopatra. From History to Legend (London, 1997)

Hölbl, G., A History of the Ptolemaic Empire (London, 2001)

Hughes-Hallett, L., Cleopatra: Histories, Dreams and Distortions (London, 1990)

Samson, J., Nefertiti and Cleopatra: Queen-Monarchs of Ancient Egypt (London, 1985)

Walker, S. & Higgs, P. (Hgg.), Cleopatra of Egypt. From History to Myth (London, 2001)

BILDNACHWEISE

Reproduziert mit Erlaubnis des Abydos Middle Cemetery Project, University of Michigan / K.D. Turner 71, 72 · © Lesley and Roy Adkins Picture Library 266 · akg images/Erich Lessing 15 · akg-images/ullstein bild 250 · Art Archive/Dagli Orti 107 · Art Archive/Musée du Louvre, Paris/Dagli Orti 200, 312 · Art Archive/Musée du Louvre, Paris/Eileen Tweedy 245 · Musée Calvet, Avignon 240 · Ägyptisches Museum und Papyrussammlung, Staatliche Museen zu Berlin 2, 36–37, 38, 149, 174, 175, 178, 196, 197, 205, 273, 296, 325 · Daniel Berti 127 · Aus Blackman, *The Rock Tombs of Meir, Part IV* (1924) 58 · Aus Blackman, *The Rock Tombs of Meir, Part V* (1953) 57 · Museum of Fine Arts, Boston 5, 44 · bpk/Ägyptisches Museum und Papyrussammlung, Staatliche Museen zu Berlin 120, Margarete Büsing 219, Jürgen Liepe 209, Jürgen Liepe 305 · Bridgeman Art Library/Ashmolean Museum, University of Oxford 270 · Bridgeman Art Library/Fitzwilliam Museum, University of Cambridge 93 · Brooklyn Museum of Art 65, 80, 128 · Brooklyn Museum of Art, Charles Edwin Wilbour Fund 73 · Musées Royaux d'Art et d'Histoire, Brüssel 241, 297 · © Deutsches Archäologisches Institut, Kairo 22 · Ägyptisches Museum, Kairo 3, 6, 12, 18, 30, 35, 45b, 47, 52, 62, 157, 158, 172, 194, 213, 217, 225, 226, 253, 281, 283, 288, 292, 293, 314 · Ägyptisches Museum, Kairo, Foto Hirmer 69, 152, 154 · Fitzwilliam Museum, University of Cambridge 206, 237, 259, 299 · Ny Carlsberg Glyptothek, Kopenhagen 319 · Aus N. De Garis Davies, *The Rock Tombs of El Amarna, Part I* (1903) 202 · Aus N. De Garis Davies, *The Rock Tombs of El Amarna, Part IV* (1906) 207 · © Aidan Dodson 19, 300 · © Michael Duigan 106 · Myers Museum, Eton College, mit Erlaubnis der Provost and Fellows 308 · © M. Girodias 159 · Foto Heidi Grassley © Thames & Hudson Ltd., London 46, 54, 124, 142, 234 · © Robert Harding Picture Library 301 · Joe Harvey © Thames & Hudson Ltd., London 328 · © Peter Hayman/British Museum, London 76 · Roemer-und Pelizaeus-Museum, Hildesheim 50 · © Andrea Jemolo 26, 84, 231, 268, 286 · © Dieter Johannes 28, 83 · Nelson-Atkins Museum of Art, Kansas City 43 · Rijksmuseum van Oudheden, Leiden 221l, 221r, 248 · © Jürgen Liepe 1, 4, 8, 27, 31, 40, 99, 104, 147, 185, 186, 188, 218, 228, 246, 256, 263, 278, 316 · Mit freundlicher Genehmigung der University of Liverpool, Mo'alla Expedition 90, 91 · British Museum, London 23, 33, 97, 100, 101, 123, 130, 160, 167, 169, 170, 177, 265, 277, 291, 318, 324 · Museum Altägyptischer Kunst Luxor Art 176 · © Bill Manley 141, 302 · M. Robert Markowich: Harer Family Trust 309 · Staatliche Sammlung Ägyptischer Kunst, München 115 · Aus P.E. Newberry, *Beni Hasan*, Part 1 (1893) 117 · Metropolitan Museum of Art, New York 66, 87, 94, 105, 109, 163, 216 · © Numismatic Fine Arts International Inc. 135 · Museo Archeologico Nazionale, Palermo 20 · Musée du Louvre, Paris 139, 181, 193 · Foto RMN 313 · Photo RMN-Hervé Lewandowski 255 · © John G. Ross 133, 151, 180, 191, 199, 215, 321 · Staatliches Hermitage Museum, St. Petersburg 323 · © Will Schenck 150 · Abdel Ghaffer Shedid 118, 182, 183 · Albert Shoucair 68 · Aus G. Elliott Smith, *The Royal Mummies* (1912) 137 · Frank Teichmann 63, 233 · © Theban Mapping Project 222 · Museo Egizio, Turin 243 · Werner Forman Archive 45t, 61, 238 · Werner Forman Archive/E. Strouhal 210, 211 · © Toby Wilkinson 34, 112 · © Joachim Willeitner 82, 275 · Museo Gregoriano Egizio, Vatikan 306

Dank des Autors | Der besondere Dank des Autors geht an Dr. Aidan Dodson, Dr. Bill Manley und Peter Grose-Hodge, die freundlicherweise frühere Entwürfe dieses Buches lasen und zahlreiche hilfreiche Korrekturen, Anmerkungen und Vorschläge machten. Der Autor möchte auch Professor Geoffrey Martin danken, der eine grundlegende Untersuchung zu Leben und Karriere des Maja bereitstellte; Dr. David Denisch für Material zu Hesire; Lektorat und Herstellung von Thames & Hudson für ihren Enthusiamus und ihre Unterstützung; und Michael Bailey, wie stets, für seine Geduld und sein Verständnis.

Gewidmet ist dieses Buch Emma.

INDEX

Der Index weist in erster Linie die vorkommenden Personen- und Ortsnamen auf, darüber hinaus historische Sachverhalte oder sonstige Sachen, soweit sie für die Lebensbilder dieses Buches von besonderer Bedeutung sind.

Kursiv gesetzte Ziffern beziehen sich auf das Vorkommen der Namen in den Bildlegenden.